UTET

Titolo originale: *The Tunnels: Escapes Under the Berlin Wall and the Historic Films the* JFK *White House Tried to Kill*
Copyright © 2016 by Greg Mitchell

This translation is published by arrangement with Crown, an imprint of the Crown Publishing Group, a division of Penguin Random House LLC

Tutti i diritti riservati
© 2017, DeA Planeta Libri S.r.L.
Redazione: Via Inverigo, 2 – 20151 Milano
www.deaplanetalibri.it

Prima edizione: ottobre 2017
ISBN: 978-88-511-5011-2

Referenze fotografiche

p. 4 – Bernauer Strasse a inizio anni sessanta (© Günter Zint).

Inserto
p. I – In alto a sinistra: Photo by Alex Waidmann/ullstein bild via Getty Images. In alto a destra: BStU Archives. In basso: Berliner Unterwelten e.V.
p. II – In alto a sinistra: Berliner Unterwelten e.V. In alto a destra: NBC Universal Archives. In basso a sinistra: courtesy of Joachim Rudolph. In basso a destra: NBC Universal Archives.
p. III – In alto: courtesy of Birgitta Anderton. Al centro: courtesy of Birgitta Anderton. In basso: NBC Universal Archives.
p. IV – In alto: Getty Images. Al centro: courtesy of Joachim Rudolph. In basso: Cecil Stoughton/ White House Photographs, John F. Kennedy Presidential Library and Museum.
p. V – In alto: BStU Archives. In basso: NBC Universal Archives.
p. VI – Ullstein Bild via Getty Images.
p. VII – In alto: NBC Universal Archives. Al centro: NBC Universal Archives. In basso: NBC Universal Archives.
p. VIII – In alto: NBC Universal Archives. Al centro: Berliner Unterwelten e.V., courtesy of Boris Franzke. In basso: Berliner Unterwelten e.V., courtesy of Boris Franzke.

www.utetlibri.it

Greg Mitchell

TUNNEL

1962: fuga sotto
il Muro di Berlino

Traduzione di Luca Fusari

Indice

per Peter Fechter e Jules Henault

«Merita libertà solo chi ogni
giorno la deve conquistare.»
Goethe, *Faust*

Nota al lettore

Tunnel rispetta fedelmente le testimonianze e le riflessioni dei protagonisti e dei testimoni. Non ci sono dialoghi di fantasia; le rievocazioni delle scene non sono frutto di invenzione ma, nella maggior parte dei casi, si basano sul resoconto di almeno due protagonisti. Laddove non sia specificato, ogni battuta tra virgolette è stata realmente pronunciata o è citata da una pubblicazione segnalata in nota, sia essa una biografia, un altro libro, una lettera, un racconto orale, il verbale di un processo o di un interrogatorio, un dossier della Casa Bianca. Di alcune citazioni ho corretto la sintassi o la punteggiatura. Tutti i nomi sono reali.

La maggior parte del racconto (di sicuro le sezioni più importanti ed emozionanti) si basa – più di quanto io stesso mi sarei immaginato – su lunghe interviste inedite con quasi tutti i costruttori dei tunnel e diversi corrieri e fuggiaschi, su centinaia di pagine di documentazione inedita tratta dagli archivi della Stasi e su dossier del Dipartimento di stato americano da poco desegretati.

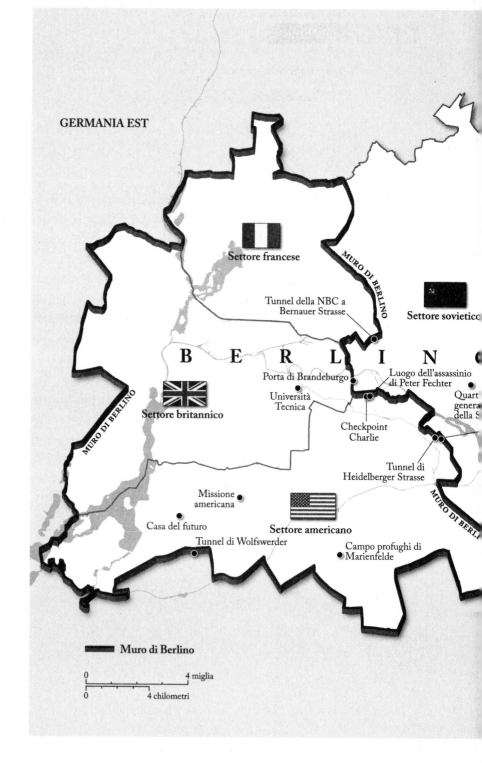

GERMANIA EST

Settore francese

Tunnel della NBC a
Bernauer Strasse

MURO DI BERLINO

Settore sovietico

B   E   R   L   I   N   O

Porta di Brandeburgo

Luogo dell'assassinio
di Peter Fechter

Università
Tecnica

Quart
genera
della S

Settore britannico

Checkpoint
Charlie

Tunnel di
Heidelberger Strasse

MURO DI BERLINO

MURO DI BERLI

Missione
americana

Casa del futuro

Settore americano

Tunnel di Wolfswerder

Campo profughi di
Marienfelde

Muro di Berlino

0   4 miglia

0   4 chilometri

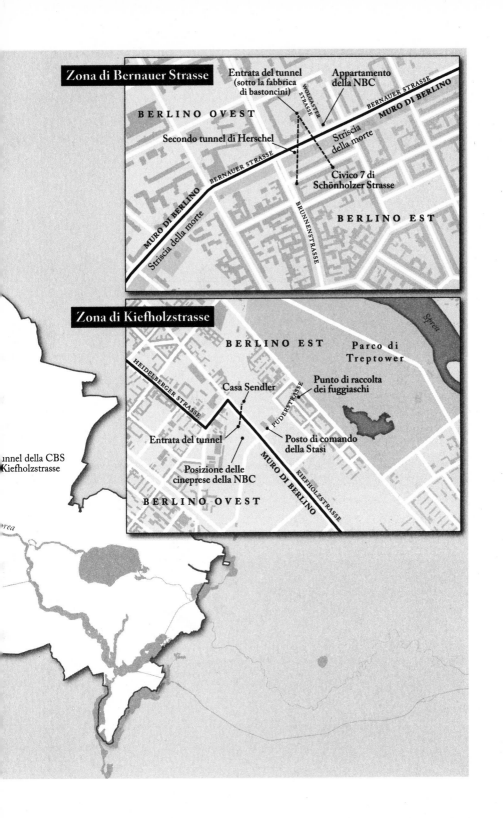

Zona di Bernauer Strasse

BERLINO OVEST

Entrata del tunnel
(sotto la fabbrica
di bastoncini)

Appartamento
della NBC

Secondo tunnel di Herschel

Striscia
della morte

Civico 7 di
Schönholzer Strasse

MURO DI BERLINO

BERNAUER STRASSE

WOLGASTER STRASSE

BRUNNENSTRASSE

MURO DI BERLINO

Striscia della morte

BERLINO EST

Zona di Kiefholzstrasse

BERLINO EST

Parco di
Treptower

Sprea

HEIDELBERGER STRASSE

Casa Sendler

Punto di raccolta
dei fuggiaschi

PÜDERSTRASSE

Entrata del tunnel

Posto di comando
della Stasi

MURO DI BERLINO

KIEFHOLZSTRASSE

Posizione delle
cineprese della NBC

BERLINO OVEST

unnel della CBS
Kiefholzstrasse

rea

1

Il ciclista
febbraio-marzo 1962

Harry Seidel amava l'azione, la velocità, il rischio.[1] Per questo correva in bicicletta. Se soltanto avesse cambiato atteggiamento sarebbe potuto anche diventare un campione olimpico, perché, a ventitré anni, era ancora nel pieno della sua vita di atleta. Ma non era da Harry: quando si fissava su qualcosa la prendeva di petto, e quello che lo assillava ora non era un altro giro di pista, un avversario o il traguardo. Fino a pochi mesi prima aveva gareggiato nei palazzetti dello sport davanti a migliaia di tifosi esultanti. La sua foto era apparsa sui giornali. Qualche bambino riconosceva i capelli scuri e la sagoma slanciata dell'eroe sportivo, e se lo vedeva passare in bicicletta per le strade di Berlino lo salutava. Adesso Harry si trovava da solo a faticare, più o meno. Nessuno faceva il tifo per lui, che pure lo meritava per traguardi molto più ambiziosi delle sue imprese ciclistiche. Sarebbe stato troppo pericoloso.

Dal 13 agosto 1961, il giorno in cui era spuntata la nuova barriera che divideva Berlino, la moglie di Harry, Rotraut, temeva per lui. Ogni volta che vedeva il marito uscire per una delle sue missioni segrete aveva paura che non tornasse a casa, né quel giorno né mai più. Gli amici lo chiamavano *Draufgänger*, "scavezzacollo". Gli consigliavano di lasciar perdere, e in fretta, quei progetti con cui sfidava la morte, di tornare a correre e aprire quell'edicola su cui aveva messo gli occhi, ma era come urlare contro il vento invernale che soffia sulla Sprea. Nei primissimi mesi dopo l'arrivo del Muro, Seidel aveva portato sua moglie e suo figlio, e più di venticinque altri profughi, al di là del confine pressoché impenetrabile con l'Ovest. Ed era convinto che ce ne fosse ancora un'infinità da salvare (cioè, quasi tutti gli abitanti dell'Est).

Durante la sua carriera di ciclista, culminata in diversi titoli cittadini di Berlino Est e due medaglie nei campionati nazionali del 1959, Seidel si era meritato soltanto elogi dalle autorità. Poco più che adolescente aveva smesso di fare l'elettricista perché lo stato aveva cominciato a stipendiarlo (e gli organi di propaganda a celebrarlo) come atleta a tempo pieno, ma Harry non si era dimostrato abbastanza comunista: a differenza di tanti altri membri della nazionale di ciclismo, si era rifiutato di prendere steroidi per aumentare le sue prestazioni. Rifiutò anche di iscriversi al Partito comunista: per questo si giocò la partecipazione alle Olimpiadi del 1960 e il governo gli tolse la paga.

Adesso, all'inizio del 1962, negli archivi della polizia segreta della DDR la sua nomea di complice dei fuggitivi rivaleggiava con quella di ciclista. Per lui forse non era stato proprio un affare.

La prima fuga organizzata da Seidel era stata proprio la sua. Il mattino del 13 agosto, poche ore dopo la comparsa della barriera di filo spinato e cemento che divideva Berlino, Harry era uscito dall'appartamento di Prenzlauer Berg in cui viveva con la moglie, il figlio e la suocera, per esplorare il confine in bicicletta. A sud del centro cittadino aveva trovato un tratto dove la recinzione spinata era bassa. Mentre le guardie erano distratte da una manifestazione, aveva preso in spalla la bici ed era saltato oltre la palizzata. Più che altro si trattava di una prova. Harry immaginava di poter tornare nell'Est altrettanto facilmente, e lo aveva fatto qualche ora dopo, attraverso un checkpoint (andare in *quella* direzione non era ancora un problema). Fedele a se stesso, Harry era certo che nel giro di qualche ora avrebbe saltato di nuovo il confine. Non che volesse abbandonare Rotraut e il piccolo Andre, ma non voleva neanche perdere il lavoro che aveva nell'Ovest, dove consegnava i giornali. E se pure fosse rimasto bloccato oltrefrontiera avrebbe presto trovato di sicuro un modo di tirare fuori la sua famiglia, compresa sua madre.

Quel giorno decise di fare un altro salto nell'Ovest, malgrado le guardie stessero intensificando i controlli. Appena fu buio, avvolse il suo passaporto nella plastica e si tuffò nella Sprea, pronto a coprire a nuoto gli oltre duecento metri che lo separavano dall'altra sponda. Risalendo a prendere aria, quasi sbatté la testa contro una barca della polizia di Berlino Est. Tenendosi a galla in verticale, sentì un poliziotto dire: «Andiamo, qui non c'è niente». Quando se ne andarono, riprese a nuotare e approdò sulla terraferma.

Mentre Harry rifletteva su come salvare i suoi familiari, un fratello di Rotraut cercò di farli uscire usando passaporti della Germania Ovest di persone vagamente somiglianti a loro, almeno in fototessera. Al checkpoint, però, il trucco fu smascherato, e costò alla madre e alla suocera di Harry l'arresto. A sua moglie fu concessa la libertà soltanto perché aveva un figlio piccolo. Infuriato, Seidel giurò che non appena l'avessero rilasciata avrebbe liberato sua madre, e che sarebbe andato subito in soccorso di sua moglie e suo figlio.

Dopo un altro giro del Muro in bicicletta, stavolta sul versante occidentale, Harry stabilì che il punto più sicuro da cui uscire era lungo Kiefholzstrasse, vicino al parco di Treptower, uno dei più grandi della città. Là il confine era protetto soltanto dal filo spinato – niente recinzioni né cemento – e la via di fuga verso il settore americano era nascosta dietro un fitto di alberi e arbusti. Per guadagnarsi il favore del buio, con un fucile ad aria compressa Harry fece fuori un paio di fari.

La sera del 3 settembre 1961, tre settimane dopo l'arrivo del Muro, Rotraut ricevette una telefonata inaspettata.[2] Da una caffetteria dell'Est, Harry le annunciava che entro un'ora sarebbe andato a prenderla. Rotraut, originaria della Polonia, snella, con gli occhi azzurri, era anticomunista quanto il marito e stava già cercando un modo per scappare da sola, perciò l'invito di Harry fu più che gradito. Quando arrivò da lei, lui le disse di vestirsi di nero, di dare al figlio mezza pasticca di sonnifero e di seguirlo. In breve tempo furono al riparo della vegetazione che costeggiava Kiefholzstrasse, dove Harry aveva già tagliato il filo spinato. Lui sgattaiolò dall'altra parte e sollevò il filo più alto. Rotraut gli diede il bambino e passò nell'Ovest. Poi, insieme a Harry, corse a gambe levate verso la sua Ford Taunus. Qualche minuto dopo, i tre Seidel si rilassavano nella loro nuova casa, nel quartiere di Schöneberg.

Il finale non fu altrettanto lieto per due fratelli di Rotraut, che vennero arrestati con l'accusa di essere al corrente della fuga, o di avervi collaborato.

A Berlino Est erano in pochi a immaginare che il muro – o meglio la "barriera di protezione antifascista", come l'aveva definita orwellianamente il leader della DDR Walter Ulbricht – potesse durare anni. Harry Seidel non era altrettanto ottimista e temeva che quella ferita così grande e orribile, e quel brutale regime di polizia, fossero permanenti. Che cosa poteva fare l'Occidente? Berlino era un'isola frammentata e precaria a galla nel cuore dello stato comunista, a centosessanta chilometri dalla Germania Ovest. Harry Seidel sentiva che le sue avventure sul confine erano appena cominciate. Per prima cosa, doveva ancora salvare sua madre.

Dopo anni di penurie e razionamenti, tra i berlinesi dell'Est circolava la battuta per cui anche chi si poteva permettere mele e patate ci trovava spesso i vermi, «e quelle coi vermi costano di più». Un'altra battuta amara era: «Sai perché Adamo ed Eva erano tedeschi dell'Est, in realtà? Non avevano vestiti, dovevano accontentarsi di una mela in due, e gli facevano credere di vivere in paradiso».

Già all'indomani della seconda guerra mondiale una linea ondulata sulla cartina aveva diviso i due stati tedeschi, prima ancora che fossero ribattezzati Repubblica Democratica Tedesca (*Deutsche Demokratische Republik* o DDR) e Repubblica Federale di Germania (*Bundesrepublik Deutschland* o BRD). La Germania Ovest era stata divisa in settori occupati dagli americani, dagli inglesi e dai francesi. La DDR, dominata dai sovietici, era sempre stata la metà minore della Germania per estensione, popolazione e produttività (in questo campo il divario sarebbe sempre più aumentato). Nel 1955, in pieno boom economico e con l'occupazione alle stelle, pur continuando a ospitare le truppe delle potenze occupanti la Germania Ovest ottenne la sovranità nazionale. Nel frattempo, nell'Est, i comunisti si affannavano a tamponare un'imbarazzante crisi di emigrazione. Dalla fine degli anni quaranta al 1961, fuggirono nell'Ovest circa 2,8 milioni di tedeschi dell'Est.[3]

La maggior parte di questa marea umana, quasi il 20 per cento della popolazione dell'Est con un'alta concentrazione di professionisti qualificati, usciva passando da Berlino. Se i controlli della DDR sulla frontiera nazionale erano scrupolosi, il confine interno tra i settori della città di Berlino rimaneva poroso. Il livello di sorveglianza variava molto a seconda della zona. Per molti versi Berlino restava unita, e i suoi quartieri collegati dalla rete telefonica, dalla metropolitana, dalle linee dei treni, dei tram e degli autobus. Ogni giorno feriale, almeno sessantamila berlinesi dell'Est con lasciapassare ufficiale – insegnanti, dottori, ingegneri, avvocati, tecnici, studenti – andavano e venivano tra Est e Ovest per lavorare o seguire le lezioni universitarie. Li chiamavano *Grenzgänger*, "frontalieri". Molti andavano nell'Ovest e non tornavano più. Nel 1961 Berlino Ovest aveva 2,2 milioni di abitanti, il doppio rispetto al settore orientale.

I sovietici si allarmarono. Il loro leader Nikita Chruščëv considerava Berlino Ovest «una lisca in gola», nonostante la paragonasse, al contempo, a un paio di testicoli che poteva strizzare se voleva far strillare un po' l'Occidente. Nel 1958 Chruščëv aveva dato un ultimatum alle tre potenze occidentali, che entro sei mesi avrebbero dovuto accettare di ritirarsi da Berlino Ovest per trasformarla in zona "libera" e demilitarizzata. Gli alleati avevano rifiutato. Secondo loro, l'innaturale divisione della città doveva concludersi con libere elezioni in ogni settore e, infine, con la riunificazione. Per il momento, Chruščëv fece marcia indietro. Nel 1960, durante la campagna elettorale delle elezioni presidenziali, John F. Kennedy predisse che Berlino avrebbe continuato a «mettere alla prova la saldezza dei nostri nervi e della nostra volontà».

Il primo vertice Kennedy-Chruščëv si tenne all'inizio di giugno 1961 a Vienna. Il sessantasettenne leader sovietico lo aprì definendo Berlino «il posto più pericoloso del mondo». Per mettere alla prova l'inesperto JFK, minacciò di firmare il «trattato di pace» con la Germania Est che prometteva da tempo, e di mettere così fine all'accordo di spartizione di Berlino tra le quattro potenze vittoriose della guerra. A quel punto i tedeschi dell'Est avrebbero ottenuto il controllo di tutti i canali d'accesso alla città: aeroporti, ferrovie e autostrade. Ancora una volta le tre potenze occidentali rifiutarono. Tuttavia, un goffo e intimidito Kennedy lasciò intuire che ormai gli Stati Uniti accettavano la semipermanenza della divisione di Berlino, e così facendo diede un ulteriore incoraggiamento a Chruščëv.

A vertice finito, Kennedy lo definì, in privato, «il momento peggiore della mia vita. Mi ha aggredito».[4] Disse al suo staff che l'America poteva fare ben poco per i berlinesi dell'Est, e che per il momento l'unico obiettivo era difendere gli interessi di chi già viveva nell'Ovest. A un assistente tra i più stretti garantì: «Dio sa che non sono un isolazionista, ma mi sembra piuttosto stupido rischiare di uccidere milioni di americani per un litigio sui diritti d'accesso a una *Autobahn* [...] o perché i tedeschi vogliono la riunificazione della Germania». Dopotutto, aggiunse, «non è colpa nostra se si è disunita».

In un discorso televisivo del 25 luglio 1961, Kennedy dichiarò che gli Stati Uniti non erano interessati a un ulteriore confronto su Berlino. Tuttavia, considerato l'aumento della belligeranza sovietica laggiù, ordinò un potenziamento militare. «Vogliamo la pace», annunciò, «ma non ci arrenderemo.» I berlinesi dell'Ovest si concentrarono su un altro elemento del discorso: Kennedy sembrava intendere che pur volendo difendere con decisione la Germania Ovest, nell'Est gli americani avrebbero lasciato fare ai comunisti più o meno tutto ciò che volevano. Tra tensioni sempre più forti, il numero dei tedeschi orientali che cercavano asilo nel centro profughi di Berlino, una colonia di venticinque edifici nel quartiere di Marienfelde, si impennò. Nel 1961 ne erano arrivati in media circa diciannovemila al mese; all'inizio di agosto furono oltre il doppio. Non potendo prendere in mano il loro destino attraverso libere elezioni, i tedeschi dell'Est stavano votando con i piedi.

Walter Ulbricht, il sessantottenne leader della DDR dal pizzetto alla Lenin, aveva visto abbastanza. Con il benestare di Chruščëv, alcune settimane prima aveva ordinato di ammassare una quantità enorme di filo spinato, recinzioni e mattoni di cemento: di colpo la sua fantasia di creare una barriera permanente che circondasse Berlino Ovest stava per prendere vita. Per qualche motivo, nonostante i grandi investimenti nelle operazioni di spionaggio a Berlino, gli americani ne sapevano ben poco. Nei rapporti quotidiani che Kennedy riceveva dalla CIA non se ne parlava.

Non che importasse più di tanto, in fondo. Le posizioni dei leader americani rispetto a una possibile chiusura del confine erano profondamente incerte. Ulbricht prese coraggio dopo una pubblicizzatissima intervista del 30 luglio a J. William Fulbright, un influente senatore democratico. Sentendosi chiedere se i comunisti avrebbero ridotto le tensioni bloccando il flusso dei profughi, Fulbright aveva risposto: «Se nel giro di una settimana decidessero di chiudere le frontiere, potrebbero farlo senza violare alcun trattato. Non capisco perché i tedeschi dell'Est non chiudono la frontiera [...] Credo che abbiano il diritto di chiuderla quando vogliono».[5] I media tedeschi dell'Ovest e i diplomatici a Bonn lo criticarono aspramente. Qualcuno lo chiamò "Fulbricht".

Il presidente Kennedy non rilasciò dichiarazioni pubbliche, ma alla Casa Bianca disse a un consigliere: «Chruščёv sta perdendo la Germania Est. Non può permettere che accada. Se la Germania Est se ne va, la Polonia e il resto dell'Europa orientale la seguiranno. Dovrà fare qualcosa per fermare il flusso di profughi. Magari un muro. E noi non riusciremo a impedirlo».[6] Nel frattempo, Chruščёv garantì a Ulbricht: «Quando chiuderemo la frontiera, gli americani e la Germania Ovest saranno felici». Sosteneva di avere saputo dall'ambasciatore americano a Mosca che l'aumento del flusso di migrazione stava «causando parecchi guai ai tedeschi dell'Ovest. Così, quando istituiremo questi controlli, tutti saranno contenti». Ulbricht ordinò al suo capo della sicurezza Erich Honecker di vigilare affinché l'operazione riuscisse.

Poco dopo la mezzanotte del 13 agosto, lungo alcuni dei maggiori viali cittadini furono srotolati i primi metri del filo spinato che, divenuto una vera e propria barriera, avrebbe isolato i 154 chilometri di circonferenza di Berlino Ovest. Migliaia di soldati sovietici erano pronti a intervenire, nel caso i dimostranti dell'Ovest avessero cercato di fermarla. Chruščёv aveva saggiamente consigliato a Ulbricht di badare che il filo spinato non sporgesse di un solo centimetro oltre il confine.

Quando nella tarda mattinata dello stesso giorno il segretario di stato americano Dean Rusk ebbe la notizia, ordinò agli alti funzionari americani di non rilasciare dichiarazioni che non fossero di pacata protesta.[7] Temeva che qualsiasi reazione americana al confine potesse innescare un'escalation dei comunisti. Poi se ne andò dal suo ufficio per vedere una partita di baseball dei Washington senators. I diplomatici statunitensi a Bonn speravano che Willy Brandt, il sindaco di Berlino Ovest, non venisse a sapere né di questo né della reazione di Foy Kohler, uno degli assistenti di Rusk: «I tedeschi dell'Est ci hanno fatto un favore».[8]

Daniel Schorr, corrispondente della CBS dalla Germania Ovest, commentò che Berlino Est era più che mai un campo di battaglia.[9] C'era voluto l'esercito per tenere a bada una «popolazione astiosa». Quella sera Edward R. Murrow, il leggendario cronista che aveva lasciato la CBS per andare a dirigere la U.S. Information Agency (USIA, che si occupava di fatto della propaganda americana), spedì all'amico Jack Kennedy un telegramma da Berlino nel quale paragonava la mossa di Ulbricht alla marcia di Hitler sulla Renania.[10] Avvertiva JFK che se non si fosse mostrato deciso da subito, rischiava un calo di consenso sia in Germania Ovest che nel resto del mondo.

I residenti dell'Est si erano abituati da tempo alla divisione arbitraria della città, ma il mattino del 13 agosto il carattere di tale divisione cambiò in peggio. Decine di migliaia di persone persero di colpo il lavoro o la possibilità di terminare gli studi, nonché la libertà di fare visita agli amici, ai parenti e ai fidanzati nell'Ovest. Ora i treni della U-Bahn e della S-Bahn, la metropolitana e la linea sopraelevata, terminavano la corsa alla frontiera.

Tuttavia, il 14 agosto Kennedy disse ai suoi assistenti che «per quanto non sia una soluzione piacevole, quel maledetto muro è comunque meglio di una guerra».[11] E poi: «Questa è la fine della crisi di Berlino. Ad andare nel panico è stato l'avversario, non noi. Adesso noi non facciamo niente, perché l'unica alternativa sarebbe la guerra. È finita, non invaderanno mai Berlino». L'intelligence americana era quasi ottimista. Il rapporto della CIA al presidente del 14 agosto si limitava a citare nuove «limitazioni» e «restrizioni» agli spostamenti in città. Il giorno successivo, sempre la CIA riferiva che la popolazione della Germania Est e di Berlino Est avevano reagito «con cautela», salvo «qualche sporadica critica aperta e qualche episodio di manifestazioni anti-regime». Forse l'agenzia non sapeva che almeno dieci guardie di confine dell'Est erano già scappate nell'Ovest.[12]

La qualificatissima task force berlinese dell'amministrazione Kennedy si riunì a Washington e si concentrò più sulle pubbliche relazioni che sulla necessità di rispondere con sanzioni alla mossa sovietica. Il segretario di stato Rusk dichiarò che, sebbene la chiusura della frontiera fosse una questione seria, «da un punto di vista più realistico faciliterà un accordo su Berlino. Il problema immediato è placare l'indignazione di Berlino e della Germania, la loro malcelata convinzione che non dovremmo limitarci a protestare». Il procuratore generale Robert Kennedy chiese di aumentare la propaganda antisovietica.[13]

Il 16 agosto, la prima pagina del popolare quotidiano tedesco "Bild Zeitung" strillava: *L'Occidente non fa nulla!* Si lamentava che il presidente Kennedy «taceva». Il sindaco Willy Brandt telegrafò a Kennedy un messaggio duro. Vi criticava «l'inattività e l'atteggiamento puramente difensivo» degli alleati, che rischiava di far crollare il morale a Berlino Ovest e al contempo di favorire «un'esagerata fiducia del regime di Berlino Est in se stesso». Se non avesse fatto qualcosa, presto i comunisti avrebbero trasformato Berlino Ovest in un «ghetto» isolato dal quale la maggior parte degli abitanti sarebbe fuggita. Kennedy doveva rifiutare il ricatto sovietico. Quella sera, durante una gigantesca manifestazione, Brandt urlò: «Berlino non si accontenta delle parole! Berlino si aspetta un'iniziativa politica!».

Kennedy non ne fu scalfito, anche perché pensava che la rabbia di Brandt avesse motivazioni politico-elettorali. In privato definì il sindaco «quel bastardo di Berlino».[14]

Pochi giorni dopo l'apparizione del cemento e del filo spinato, diversi tedeschi dell'Est si gettarono dalle finestre dei palazzi affacciati sul confine che correva lungo alcuni isolati di Bernauer Strasse, nel distretto di Mitte (centro), per atterrare sul marciapiede a Berlino Ovest.[15] In qualche caso, i pompieri di Berlino Ovest salvarono i saltatori con le loro reti. Poco più di una settimana dopo, il 13 agosto, morì la prima fuggiasca dall'Est. Si chiamava Ida Siekmann, aveva cinquantotto anni e prese letteralmente il volo dopo aver lanciato un materasso e altri oggetti dalla finestra di casa sua, al secondo piano di un condominio di Bernauer Strasse. Non riuscì ad atterrare sul materasso e morì nel tragitto verso l'ospedale. I berlinesi dell'Ovest erano scandalizzati. Gli operai di Berlino Est murarono in tutta fretta le finestre affacciate sull'Ovest.

Due giorni dopo il salto fatale di Ida Siekmann, un sarto venticinquenne di nome Günter Litfin morì mentre cercava di attraversare a nuoto le acque dell'Humboldthafen. Litfin, uno delle migliaia di berlinesi dell'Est che avevano un posto di lavoro nell'Ovest e non potevano più raggiungerlo, aveva quasi concluso la disperata impresa, quando una guardia di confine gli sparò alla nuca. Nel giro di qualche ora centinaia di berlinesi dell'Ovest si radunarono sulla loro sponda a protestare rumorosamente. La polizia arrestò il fratello di Litfin e saccheggiò l'appartamento di sua madre. I media tedeschi dell'Est lanciarono una campagna di diffamazione contro il morto, accusato di essere un omosessuale conosciuto con il soprannome di "Bambola". Ognuna delle guardie che avevano sparato a Litfin ricevette una medaglia, un orologio da polso e un premio in denaro.

Un quotidiano di Berlino Ovest dichiarò: «I cacciatori di uomini di Ulbricht sono diventati assassini». Qualche giorno dopo la morte di Litfin, un altro giovane dell'Est fu ucciso a colpi d'arma da fuoco nel canale di Treptow. Poi ne morirono altri tre, saltando dalle finestre o dai tetti di Bernauer Strasse. In ottobre, altri due giovani furono uccisi, raggiunti nella Sprea dalle pallottole delle guardie. Per qualche tempo, dopo la comparsa del Muro, la maggior parte dei berlinesi dell'Ovest era rimasta convinta che, per quanto fosse brutale il regime dell'Est, i soldati o le guardie di confine non avrebbero mai sparato ai loro concittadini. Questa speranza si stava già, quotidianamente, dimostrando falsa.

I fuggiaschi più determinati non si lasciarono scoraggiare. Una coppia attraversò a nuoto la Sprea fino all'altra sponda, spingendo davanti a sé una vasca da bagno con dentro la figlia di tre anni.

A metà ottobre, in un numero sempre più grande di quartieri il filo spinato era stato sostituito da un muro alto quasi due metri e mezzo. Riguardo alla costruzione incoerente e sciatta del muro, uno scultore berlinese disse che sembrava «l'opera sconclusionata di una banda di apprendisti muratori ritardati. E sbronzi».[16] Dove i dissidenti scoprivano di poter scalare il cemento o farvi breccia, gli operai della DDR rendevano la barriera ancora più alta e spessa, e le guardie spuntavano come funghi. Sul lato del muro rivolto a ovest apparvero i primi graffiti: *kz*, le iniziali con cui i nazisti definivano i campi di concentramento. Centinaia di persone continuavano a scappare nell'Ovest attraverso le fogne, a bordo di veicoli lanciati in velocità contro il muro, su treni che si rifiutavano di fermarsi alla frontiera. Il Muro era troppo, ma al contempo non abbastanza.

Molti funzionari americani e tedeschi dell'Ovest continuarono a criticare la barriera in pubblico salvo tollerarla, anzi, addirittura vederla di buon grado, in privato. Nonostante le sue tragiche conseguenze per la vita dei berlinesi dell'Est, la consideravano più una soluzione che un problema. La paura più grande dell'Occidente era stata che l'Armata Rossa – in schiacciante superiorità numerica rispetto all'intero contingente alleato – potesse invadere Berlino Ovest. Soltanto 6500 soldati americani occupavano la città isolata, contro gli oltre 250000 dislocati nell'intera Germania Ovest. L'apparizione del Muro sembrava confermare che i sovietici avevano abbandonato i piani per impossessarsi della città, e che si accontentavano, almeno per il momento, di rafforzare la stretta sulla Germania Est. Nel frattempo tra i cittadini di Berlino Ovest il nervosismo non si attenuava. In cima alla Porta di Brandeburgo spuntarono i mitragliatori sovietici. L'invasione dall'Est era davvero improbabile come sostenevano gli americani? Spesso si sentiva dire: «Ci hanno venduti, e ora aspettano di consegnarci». Quelli che facevano progetti per il futuro aggiungevano: «Sempre se saremo ancora qui».[17]

Nell'ottobre 1961, Harry Seidel ce l'aveva così tanto con il sistema comunista da essere disposto a rischiare la vita per salvare non soltanto i membri della sua famiglia ma anche degli sconosciuti.[18] Tuttavia le opzioni erano sempre meno. Le ben congegnate fughe attraverso le fognature e i tombini della città, le cosiddette "canalizzazioni" o "Strada 4711" (dal nome di una famosa acqua di Colonia) erano state scoperte e interrotte dalla polizia. Altri piani fondati sulla contraffazione di passaporti o carte d'identità passavano al vaglio di una polizia di frontiera dell'Est molto più attenta e diffidente. Decine di *Fluchthelfer*, "complici dei fuggiaschi", erano state arrestati mentre andavano a Est a distribuire documenti falsi.

Harry Seidel aveva studiato la zona di Kiefholzstrasse e sapeva di poter sfruttare i punti deboli della frontiera da quelle parti. Per tre mesi – mentre continuava, la domenica, a partecipare alle corse in bicicletta – accompagnò almeno venti amici (e amici degli amici) sopra, sotto o attraverso il filo spinato. Un giorno vide un giovane che dalla frontiera gridava e si sbracciava verso una ragazza nell'Est. Il giovane piangeva. Dovevano sposarsi quel mese, ma lei era in trappola. Harry promise di liberarla e ci riuscì. Alle nozze dei due, fece da testimone.

La via di fuga di Harry fu scoperta quando, mentre aiutava una madre e un bambino ad attraversare, il piccolo scoppiò a piangere. Le guardie spararono addosso ai tre, mancandoli, ma da quel giorno gli occhi della DDR puntati su Kiefholzstrasse si moltiplicarono. Presto furono installate una terza barriera di filo spinato e qualche staccionata di legno. Così Seidel mirò più in basso. Secondo certe voci che ancora giravano, nel 1933, per appiccare l'incendio al Reichstag che aveva consolidato il loro potere, i nazisti avevano scavato un tunnel sotterraneo. Harry esplorò le rovine dell'edificio ma non trovò nulla. Nel frattempo, però, si accorse di un muro basso, nei pressi della Porta di Brandeburgo, che era possibile scavalcare per varcare la frontiera verso l'Est. Ci provò, e rimase impietrito dalla luce delle fotoelettriche. Trattenuto e interrogato in una vicina stazione di polizia, Harry dichiarò che stava cercando di scappare ai soldati americani, ma non convinse gli interrogatori.

Quando lo lasciarono solo, si gettò dalla finestra a sei metri da terra, ritrovò il suo solito punto di attraversamento a Kiefholzstrasse e rientrò nell'Ovest senza colpo ferire.

Altre battute d'arresto lasciarono segni più profondi. Un chimico dell'Università Tecnica che come Harry si era specializzato in fughe aveva proposto a un compagno di studi di far scappare sua madre. Mentre tagliava il filo spinato al buio, al confine del quartiere di Spandau, si udirono degli spari e il giovane crollò quattro metri e mezzo al di là del confine, verso l'Est. Presto arrivarono i poliziotti britannici e di Berlino Ovest, ma le guardie di confine dell'Est li tennero sotto tiro e impedirono loro di raggiungere la vittima. In quel freddo giorno di dicembre, il ragazzo morì dissanguato prima che le guardie potessero trascinarlo via.[19]

Anche lontano dal Muro, nell'Ovest, il pericolo incombeva. Dopo diciassette anni di governo comunista, la Germania Est ospitava più informatori pro capite di qualsiasi altra nazione nella storia. Decine di migliaia di persone, pagate e no, spiavano a vario titolo per conto del Ministero per la sicurezza di stato, abbreviato in MFS (*Ministerium für Staatssicherheit*) o più comunemente "Stasi"; un raggio d'azione capace di ridicolizzare persino la Gestapo di Hitler.[20] Non c'era fabbrica, ospedale, scuola, condominio o giornale di una qualche importanza che non fosse tenuto sott'occhio da agenti infiltrati, che spedivano rapporti al massiccio quartier generale della Stasi di Ruschestrasse, a Berlino Est. Seidel era ormai certo che in quei dossier il suo fosse un nome di spicco. Sapeva anche che la rete di informatori lavorava sia al di là che al di qua del Muro. Era risaputo che gli agenti della Stasi rapivano gli espatriati a Berlino Ovest e li riportavano di nascosto nell'Est.

In pieno inverno, mentre consegnava giornali in automobile, Seidel conobbe Fritz Wagner, un paffuto e allegro macellaio trentacinquenne di Berlino Ovest.[21] I due fecero amicizia e Wagner, sposato con due figli, invitò Harry a casa sua nella zona sud di Berlino. Sapeva che per le sue doti atletiche Harry era un candidato perfetto al lavoro duro che lui aveva in mente: scavare una galleria sotto il Muro. Wagner voleva far scappare dall'Est alcuni amici e parenti.

Immaginava anche di poter fare qualche soldo vendendo passaggi sicuri oltreconfine. Non era da lui, che guidava una grossa Mercedes e gestiva un'edicola, perdere un'occasione di lucro. Il carisma complesso di Seidel lo affascinava: lo trovava un tipo sagace ma avventato, laconico eppure emotivo, grintoso ma con il cuore tenero. Da parte sua, Seidel era pronto a una nuova sfida, a prescindere dal rischio. Dal momento che le altre opzioni di fuga erano diventate troppo pericolose persino per lui, prese sul serio l'idea della galleria. Associandosi a Wagner ne avrebbe seguito il lato pratico, senza lasciarsi distrarre da dettagli organizzativi o economici.

Un'altra squadra di scavatori aveva dimostrato che il progetto era fattibile. Insieme ai suoi due fratelli, Erwin Becker, che lavorava come autista per i parlamentari tedeschi dell'Est, aveva scavato un pozzo nel fondo sabbioso dello scantinato di casa sua in una zona isolata di Berlino Est; era passato sotto il Muro e uscito in un parco a poco meno di cento metri dal confine dell'Ovest. La madre dei tre Becker li avvertiva dei movimenti della polizia accendendo, da casa, una luce nel tunnel. Gli scavi avevano richiesto soltanto nove giorni, e nel cuore di una notte di gennaio dieci uomini e diciotto donne avevano sfruttato il passaggio. Il "Bild Zeitung" aveva pubblicato le foto del tunnel con i Becker che, sorridenti, inscenavano il momento dell'uscita. Creando un precedente che fece scuola, il quotidiano pagò per avere dai Becker le immagini esclusive dell'evasione. Titolo: *Esodo di massa dal campo di concentramento di Ulbricht!*

Ne nacquero non poche controversie. L'agenzia di stampa americana UPI trasmise un servizio che segnalava la posizione di casa Becker. Quando l'associazione dei giornalisti della Germania Ovest protestò, la UPI ritirò l'articolo. Di conseguenza, i media di Berlino Ovest convennero di mantenere il segreto sui dettagli cruciali e nascosti delle operazioni di scavo come la posizione precisa dei tunnel, il numero di fuggiaschi, i nomi degli organizzatori e degli scavatori, l'eventuale collaborazione della polizia.

Il successo dei Becker incoraggiò Seidel e Wagner, che tuttavia avevano intenzione di scavare in direzione opposta, dall'Ovest all'Est, diversamente da quasi tutti gli esempi di evasioni via tunnel della storia: di solito sono gli oppressi, i prigionieri o gli schiavi a scavare verso la libertà. Per il primo tentativo si concentrarono su Heidelberger Strasse, una via stretta nel quartiere decentrato di Treptow. Un'alta barriera di cemento correva al centro esatto della strada a dividere fisicamente e politicamente amici e vicini di vecchia data. Heidelberger Strasse era stata ribattezzata "Via delle lacrime".

Era una scena da film dell'orrore distopico, ma per molti versi il luogo ideale in cui scavare: meno di venticinque metri separavano l'imbocco, un piano interrato dell'Ovest, dallo sbocco, in una cantina dell'Est. Wagner, che a malapena sarebbe riuscito a sgattaiolare dentro un tunnel, e tantomeno ad affondarci la vanga, si ritagliò il ruolo di supervisore: pagò i proprietari delle case su entrambi i lati della strada per poterne sfruttare gli scantinati, comprò gli attrezzi, arruolò un manipolo di manovali. Gli scavi cominciarono sotto la guida di Harry Seidel. Tuttavia, il novello ingegnere non poteva essere certo di saper raggiungere il bersaglio a colpo sicuro. E da fuggitivo ricercato sapeva che ad aspettarlo, una volta sbucato nell'Est, poteva trovare la polizia, le guardie di confine o gli agenti della Stasi.

Gli scavatori di tunnel e gli altri pianificatori di fughe cominciavano a destare curiosità ai piani alti anche oltreoceano. Nel febbraio 1962, quando il procuratore generale americano Robert Kennedy fece la sua prima visita a Berlino accolto da una folla innamorata, chiese di incontrare i profughi fuggiti dall'Est. William Graver, capo della base operativa della CIA a Berlino, ne invitò due presso gli alloggi di Kennedy a Podbielskiallee, un centro operativo dell'intelligence americana. Era mattina presto, e quando i due giovani furono accompagnati nell'appartamento di Kennedy, sentirono rumore di acqua corrente in bagno. Qualche minuto dopo, l'americano finì la doccia e spuntò dal bagno in abbigliamento intimo; in tutta fretta prese e si allacciò la camicia mentre cominciava il dialogo. In seguito uno dei due tedeschi dirà a Graver: «Un ministro tedesco non avrebbe mai potuto fare una cosa del genere!».

Il culmine della visita di Kennedy, un discorso al municipio, fu interrotto dall'esplosione di bengala che, sparati in cielo dall'Est, fecero atterrare quattro bandiere rosse. Mentre la folla fischiava, Kennedy esclamò: «I comunisti lasciano passare i palloncini, ma non la loro gente!».[22]

Della visita di Kennedy Harry Seidel non seppe granché. Era troppo preso dalla galleria, giorno e notte. Il percorso sotterraneo era relativamente breve, ma ciò non significava che scavarlo non fosse impegnativo. Insieme a cinque o sei compagni, Seidel impiegò diversi giorni per scavare verso il basso e poi verso est, al freddo e all'umido, illuminato soltanto da qualche torcia e lampadina traballante. Il terreno era sabbioso e leggero, ma la falda idrica alta rendeva il suolo umido. I giovani riempivano di terra grossi catini di latta forniti da Wagner, soprannominato non sempre con affetto *der Dicke*, "il ciccione". I contenitori, fatti per trasportare la carne degli animali macellati, venivano trasferiti a mano o trascinati con le corde fino all'Ovest e svuotati in un angolo del piano interrato.

Scava, scarica, ricomincia. Era come scavare tombe, con la differenza che si procedeva in orizzontale per giorni, al freddo e all'umido, anche dopo che luce e aria cominciavano a venire meno. A un certo punto restava meno di un'ora di autonomia, prima che si rischiasse di crollare per mancanza di ossigeno. Alcuni manovali soffrirono di febbre e tosse secca. A volte Seidel, forte e atletico grazie alla bicicletta, lavorava per dodici ore consecutive senza troppi effetti collaterali. In poco tempo gli scavatori passarono oltre, anzi sotto, il confine comunista, mentre pochi metri sopra le loro teste le guardie di frontiera armate di kalashnikov pattugliavano il marciapiede di Heidelberger Strasse. Harry ne sentiva i passi, il chiacchiericcio smorzato, i fischi. Riconosceva il pericolo ma non gliene poteva importare di meno.

Verso la fine di marzo, quando raggiunse il muro della cantina di Berlino Est, Seidel fece un buco con un cacciavite e scrutò dall'altra parte. Era possibilissimo che ad aspettarlo ci fossero i "VoPos" (gli armatissimi agenti della *Volkspolizei*, la "polizia popolare" dell'Est) o gli uomini della Stasi. Harry aveva con sé una pistola e un estintore, per riempire la cantina di schiuma e ricacciare indietro i killer se avesse avuto bisogno di scappare. Allargando il buco, però, fu felice di verificare che la via era libera. A quel punto i corrieri dell'Ovest diedero la notizia a decine di tedeschi dell'Est: la galleria è aperta.

I primi tre giorni di fughe furono entusiasmanti. Harry e i suoi aiutanti accompagnarono nello stretto tunnel decine di profughi. Gli amici di Wagner e degli scavatori potevano entrare gratis. Gli altri, i cosiddetti "passeggeri" pagavano un piccolo compenso all'impresario, che non ne parlò con nessuno (e si tenne i soldi). Doveva farsi rimborsare le spese sostenute per gli scavi, e se nel frattempo intascava anche qualche quattrino tanto meglio.

Per i più minuti il viaggio sotterraneo era facile. Il soffitto era alto meno di novanta centimetri, e chi riusciva a procedere chino passava la frontiera in cinque minuti; altrimenti era necessario gattonare. Molti fuggiaschi erano giovani e ragionevolmente in forma. Spuntavano nello scantinato al 35 di Heidelberger Strasse esausti e infangati, ma non importava. Erano nell'Ovest. Per festeggiare, gli scavatori offrivano loro bottiglie di Coca-Cola, un simbolico assaggio di quello che avevano sempre immaginato, o sognato, fosse la "libertà".

Poi, gli ultimi giorni di marzo del 1962, Harry forzò un po' troppo la mano alla sorte.

Per sfortuna di Seidel, un residente del civico 75 di Heidelberger Strasse, poco sopra lo sbocco orientale del tunnel, era un informatore della Stasi. Si chiamava Horst Brieger, nome in codice "Naumann". Seidel aveva chiacchierato con un residente del 75, e quando quest'ultimo gli aveva detto di voler scappare nell'Ovest, Harry aveva risposto: «Sei fortunato, abbiamo appena aperto una galleria proprio qui sotto!». Gli aveva poi domandato chi avesse le chiavi dell'ingresso del condominio (che sarebbero potute tornare utili più avanti) e lo sconosciuto lo aveva rimandato all'inquilino del piano terra, Brieger, che l'indomani informò la Stasi di quanto stava succedendo. Riuscì persino a riconoscere il visitatore, il famoso ciclista Harry Seidel.

A quel punto gli uomini della Stasi tesero una trappola, ribattezzata nei dossier interni "piano operativo per liquidare il tunnel". Avrebbero permesso a un gruppetto di fuggitivi, tra i quali diversi bambini e genitori, di scappare senza intoppi, in attesa che dal tunnel nell'Est sbucasse la preda più ambita, Seidel (l'«organizzatore del traffico»). L'ufficiale della Stasi che comandava le operazioni sul posto ordinò ai compagni di «affilare i coltelli», nel senso che «dovevano avere le pistole pronte e, se necessario, usarle».

A quel punto Harry avrebbe potuto ritenersi soddisfatto e andarsene dal tunnel. Ormai tutte le persone che figuravano nella prima lista di fuggiaschi stesa da Wagner erano evase. Ma Seidel sperava ancora di portare oltreconfine la madre di sua moglie, i due fratelli di lei e qualcun altro. Lo aiutava Heinz Jercha, uno degli scavatori più forti. Jercha aveva conosciuto Wagner qualche anno prima, quando lavorava in una macelleria dell'Est. Dopo la fuga in Occidente si era unito con entusiasmo al progetto del *Dicke*. Come Harry, il ventisettenne Jercha aveva una moglie e un figlio piccolo, nonché una pericolosa tendenza all'idealismo, riflessa dal colore insolitamente chiaro dei suoi occhi.

La sera del 27 marzo Seidel rispettò il copione della Stasi, ma con un colpo di scena: il primo a sbucare nell'Est fu Jercha. «Sei sempre tu che fai strada, stavolta lascia andare me», l'aveva implorato Heinz. Jercha entrò nel corridoio del piano terra e bussò alla porta di Brieger per chiedergli le chiavi del palazzo. Quando la porta si aprì, si ritrovò faccia a faccia con il maggiore Kretschmarr e i commando della Stasi.

Uno di loro urlò «Mani in alto!» e ordinò a Jercha di arrendersi. Jercha lo accecò con la torcia e corse in cantina. Esplosero sette colpi. Seidel, che lo aspettava sulle scale che portavano giù, spalancò la porta. Jercha scese con affanno le scale, varcò la breccia tra i mattoni ed entrò nella galleria. Seidel sbarrò la porta, ma i proiettili la bucarono. Jercha, ferito al petto, arrancava nel varco buio seguito da Harry. Sanguinava molto e cominciò a rallentare. Rantolava, mentre Seidel lo trascinava con sé fino all'Ovest. Riportato in superficie dagli altri scavatori, Jercha esclamò con un filo di voce: «Aiuto! Muoio dissanguato!». Spirò mentre lo portavano in ospedale.[23]

Un altro giovane *Fluchthelfer*, Burkhart Veigel, che l'indomani sperava di far scappare qualche persona grazie alla galleria, aveva dato appuntamento a Harry all'imbocco occidentale per discutere i dettagli. Il ciclista, che era appena stato messo sotto torchio dalla polizia della Germania Ovest, sembrava pallido e agitato. «I porci hanno sparato a Heinz!», esclamò Harry. «Potevano beccare anche me. Stavolta l'ho lasciato salire per primo... e l'hanno preso subito!» Seidel aggiunse: «La polizia pensa che gli ho sparato io. Se te lo chiedono, di' che ero disarmato». Tre ore dopo Seidel ci ripensò e consegnò alla polizia due pistole, compresa una semiautomatica. Avrebbero dovuto arrestarlo per possesso di armi da fuoco – che nell'Ovest era vietato – ma di solito i poliziotti chiudevano un occhio davanti a chi aiutava i fuggiaschi, e così fecero anche stavolta.[24]

«Stasera le guardie dell'Est hanno ucciso un berlinese dell'Ovest a colpi di arma da fuoco», raccontò poi il "New York Times". «I dettagli della sparatoria non sono chiari, ma secondo la polizia la vittima stava cercando di aiutare i cittadini dell'Est a superare il Muro.»[25] Nel frattempo, i quotidiani di Berlino Est celebravano questa difesa della madrepatria contro i "terroristi". Dicevano che a sparare a Jercha era stato Seidel. La suocera di Harry e i due figli di lei vennero subito e nuovamente arrestati. Un cinegiornale della Universal proiettato negli Stati Uniti titolava il servizio sull'uccisione *La porta della libertà*. I filmati mostravano l'ingresso della galleria, «a un tiro di schioppo dal Muro dell'Odio», secondo la voce fuori campo. L'«eroe» Jercha era morto, «ma il suo ricordo vivrà in coloro ai quali ha dato la libertà... pagandola con la vita».

Nel frattempo, Horst Brieger confermò i sospetti dei vicini che lo credevano un informatore quando fu visto al volante di una Skoda nuova fiammante. Seidel, il vero obiettivo del tentativo d'arresto o di uccisione, rimase sconvolto dalla morte del compagno. Gli amici lo imploravano di lasciar perdere. Uno gli raccomandò, se proprio voleva continuare, di «non uscire mai per primo dall'altra parte».

Harry rispose: «Ma è il mio lavoro».[26] E doveva ancora far evadere sua madre, a tutti i costi.

Nel giro di poco tempo, Seidel si ritrovò in buona compagnia sotto le strade di Berlino. Decine di *Fluchthelfer* avevano cominciato a scavare in diversi punti della città, all'insaputa di Harry ma non sempre della Stasi e dell'attento governo dell'Ovest. Tra i nuovi esperti di fuga c'erano tre studenti che progettavano di scavare a nord di Kiefholzstrasse e Heidelberger Strasse. I mesi successivi avrebbero messo alla prova la loro resistenza e dedizione, nonché la capacità della polizia dell'Est di smascherarli e i timori occidentali che le loro imprese – al culmine della guerra fredda – finissero per innescare un confronto tra superpotenze. Li avrebbe stupiti persino la grande disponibilità di due reti televisive americane, nientemeno; tra i loro progetti ce n'era poi uno particolarmente coraggioso che, entro qualche mese, avrebbe portato Seidel e gli studenti – insieme a un intrepido agente della Stasi – su uno stesso terreno di gioco, o meglio: *sotto*.

2

Due italiani e un tedesco
marzo-aprile 1962

Quando venne a sapere della galleria di Harry Seidel, la ristretta comunità dei *Fluchthelfer* si riempì di speranza, ma anche di paura. La notizia della morte di Heinz Jercha faceva gelare il sangue, ma arrivava solo dopo diverse fughe notturne senza incidenti e decine di salvataggi. I due tunnel attivi che fino a quel momento erano serviti a evitare il Muro avevano ciascuno l'imbocco o l'uscita in superficie, esposti a rischi di ogni tipo. La galleria di Heidelberger Strasse dimostrava che si poteva andare da scantinato a scantinato.

Tra coloro che presero coraggio c'erano due studenti italiani che condividevano una stanza nel dormitorio dell'Università Tecnica (TU, Technische Universität) di Berlino, un ricettacolo di aspiranti fuggitivi a pochi passi dallo zoo. Si chiamavano Luigi Spina, detto "Gigi", e Domenico Sesta, detto "Mimmo". Fisicamente erano una coppia improbabile: alto, scuro e con un po' di pancia Spina; basso, chiaro di carnagione e muscoloso Sesta. I due, originari di Gorizia, si conoscevano dai tempi del liceo, e condividevano gli interessi più disparati: filosofia, letteratura, politica, economia. Dopo il servizio militare, Gigi si era iscritto alla Hochschule der Künste, la scuola d'arte di Berlino Ovest, e aveva spinto Mimmo a provare a entrare nel corso di ingegneria della TU, poco lontano.[1]

Riunitisi a Berlino, i due fecero amicizia con Peter Schmidt, ventiquattrenne studente d'arte, che era cresciuto in Italia e parlava l'italiano.[2] Abitava nell'Est insieme alla moglie Eveline e alla loro bambina nata da poco. La chiusura della frontiera del 13 agosto 1961 gli impediva di andare e tornare dall'Ovest, dove studiava. Una settimana dopo, Gigi e Mimmo, che grazie ai passaporti italiani potevano entrare nell'Est, andarono a trovare Peter e lo convinsero a meditare la fuga, fintanto che la nuova barriera rimaneva porosa. Peter rispose di no. Era convinto che il Muro non sarebbe durato: i berlinesi dell'Est erano troppo contrari.

Dei due italiani, quello più legato a Peter Schmidt era Mimmo Sesta, che come lui era orfano. Tra Mimmo e Peter si era creato un legame profondo. Nei mesi successivi alla comparsa del Muro, Mimmo andò spesso a trovarlo nella sua modesta abitazione di periferia, per parlare con lui della necessità di un piano di fuga. Giocava con il bambino mentre Peter strimpellava la chitarra.

Prima della costruzione del Muro, Peter ed Eveline erano convinti di poter vivere sereni a Berlino Est malgrado le penurie e gli stenti. Peter faceva il grafico in proprio. Eveline era contenta del suo lavoro di bibliotecaria all'Università Humboldt. Una volta all'anno, con i suoi risparmi, comprava un paio di scarpe nuove a Berlino Ovest. La loro casetta di legno aveva il bagno esterno, ma si consideravano fortunati ad avercela, una casa, oltre a un tipo di lavoro che subiva poche pressioni politiche, mentre aspettavano l'inevitabile smantellamento del Muro. Nell'autunno 1961, quando in sempre più punti i grovigli di filo spinato si trasformarono in una barriera di cemento, la sensazione di prigionia cominciò a farsi opprimente. A Natale di quell'anno, Peter disse: «Non ce la faccio più!». Solo allora cominciò la vera ricerca di una via d'uscita.

Dopo aver vagliato diverse ipotesi, compreso il furto di un elicottero, Spina e Sesta decisero che soltanto una galleria poteva fare al caso loro. Un uomo giovane e forte poteva strisciare sotto il filo spinato, saltare da un treno, persino scalare il Muro oppure trovare una fognatura aperta, attraversare a nuoto la Sprea, nascondersi sotto il sedile posteriore di un'auto, ma una donna e un bambino? Anche la madre adottiva di Peter voleva scappare. A differenza di Harry Seidel, Peter non desiderava affatto fuggire nell'Ovest prima della sua famiglia. O tutti insieme o niente. A rendere più pressante l'urgenza, si aggiungeva il fatto che entro la fine dell'anno Schmidt avrebbe dovuto prestare servizio militare nell'esercito della Germania Est.

Nonostante i successi fossero ancora scarsi, le gallerie erano sempre più in auge. Quell'inverno Mimmo e Gigi presero ispirazione da un progetto audace che non aveva minimamente sfiorato il successo. Un gruppo di studenti di Berlino Ovest aveva cominciato a scavare una galleria sotto una porzione isolata della stazione della S-Bahn a Wollank, impresa più raffinata delle precedenti perché utilizzava tonnellate di legno e ferro come impalcatura di sostegno. Purtroppo, il passaggio dei treni rendeva più friabile il terreno. La polizia notò una piccola depressione sulla pensilina, smascherò la galleria e la notizia fece scalpore tra i media orientali e occidentali. Ma i progressi regolari ottenuti dagli studenti fino a quel punto – una trentina di metri di buco – e il loro talento nel raccogliere finanziamenti lasciavano capire che non era una strada impraticabile.

A marzo, uniti negli intenti, Sesta e Spina andarono alla ricerca del punto migliore da cui scavare la loro galleria. Volevano seguire il modello di Seidel ad Heidelberger Strasse, da scantinato a scantinato. Furono abbastanza lungimiranti da capire che avevano bisogno di aiuto. Nessuno dei due parlava un ottimo tedesco, e a un certo punto si aspettavano di dover negoziare con la polizia locale, gli amministratori cittadini e magari anche con i servizi segreti; Sesta, inoltre, era tutt'altro che idoneo a curare l'aspetto ingegneristico dell'impresa. Un loro vicino di dormitorio, un ventunenne studente di ingegneria di Wittenberg di nome Wolfhardt Schroedter, sembrava la persona giusta. Sentivano di potersi fidare di lui. Quattro anni prima, Wolfhardt era scappato dalla Germania Est per motivi politici, e questo gli valeva grande rispetto nei circoli dei fuggitivi. Inoltre era in buoni rapporti con un organizzatore del defunto piano di falsificazione di documenti, e sapeva che decine di studenti già coinvolti nell'iniziativa erano alla ricerca di altri modi per aiutare nella fuga amici e famiglie dell'Est. Forse erano pronti a rimboccarsi le maniche e a imbracciare la vanga.

Ancora prima del dramma di Heidelberger Strasse, Piers Anderton stava chiedendo in giro se qualcuno sapesse di scavi in corso sotto il Muro. Sin dal 13 agosto 1961 Anderton, inviato da Berlino per la

NBC, indagava su tutti i metodi di evasione preferiti dai fuggiaschi e sapeva che portarli a termine era sempre più difficile. Aveva bisogno di continui aggiornamenti.

A incoraggiarlo, da New York, era il suo capo Reuven Frank. Frank aveva contribuito a creare, e ora produceva, il notiziario serale più seguito d'America, lo *Huntley-Brinkley Report*. Si era inventato uno dei più famosi tormentoni della storia della tv statunitense, il saluto tra i co-conduttori Chet Huntley, che trasmetteva da New York, e David Brinkley da Washington D.C.: «Buonanotte Chet... e buonanotte David». Aveva scelto anche l'ammiratissima musica della sigla, un estratto dalla *Nona sinfonia* di Beethoven. Nato a Montreal da genitori dell'Europa dell'Est, Frank aveva studiato a Toronto ed era approdato alla NBC nel 1950 dopo un breve periodo in un quotidiano di Newark. Nel giro di un decennio aveva creato un modello di riferimento per le cronache dai congressi dei partiti e dalle urne elettorali, scandito da brevi scambi tra conduttore in studio e inviati. Faceva parte della nuova generazione di produttori televisivi che, non avendo mai lavorato in radio, credevano nella superiorità delle immagini sul mero racconto delle notizie con lo sguardo fisso in camera. Uno dei suoi motti: «Per questo la chiamano tele*visione*».[3]

Per puro caso, il 13 agosto 1961 Frank era a Berlino insieme a Brinkley. Qualche giorno dopo ordinò a Piers Anderton di tastare il polso della gente di Berlino Est, sapendo di avere tra le mani, potenzialmente, la notizia del decennio. «Mandaci tutto quello che scopri sugli aspiranti profughi che cercano di sfuggire alla nuova repressione», disse a Anderton. «Dei permessi non preoccuparti. Va' e fallo. I conti li pago io.» Era più un'imposizione che una richiesta: Anderton la paragonava a un *ukase*, ma accettò la sfida.

In un'epoca di inviati televisivi tutt'altro che fotogenici, era uno dei più insoliti. I suoi capelli neri pettinati all'indietro stavano ingrigendo parecchio, e soltanto sul davanti. Aveva gli occhi all'ingiù e le labbra grosse, oltre a essere uno dei pochi volti della rete con i baffi (un po' arricciati) e la barba. Somigliava a un beatnik invecchiato, ma senza poesia, spinelli e bonghi.

Nato a San Francisco, Anderton aveva quarantatré anni, uno in più di Reuven Frank. Il suo secondo nome, Barron, derivava da una lontana parentela con Edward Barron, che nel XIX secolo aveva fatto fortuna con la leggendaria miniera d'argento di Comstock Lode, in Nevada, e altri investimenti. Laureato a Princeton, Anderton aveva combattuto in Marina durante la seconda guerra mondiale e in seguito lavorato per il "San Francisco Chronicle" e per la rivista "Collier's"; aveva poi vinto una borsa di studio Nieman a Harvard. Alla NBC aveva attirato l'attenzione di Reuven come coautore degli speciali di Chet Huntley; in seguito era diventato corrispondente estero. Secondo Frank, Anderton vantava un'insolita combinazione di versatilità e competenza. Ma era anche una testa calda, e ciò gli era già costato le dimissioni (temporanee) per contrasti con l'emittente riguardo a un suo servizio dalla Spagna.[4]

Anderton non le mandava a dire. In gennaio, alla Casa Bianca, aveva persino provocato Kennedy quando, insieme a una delegazione di reporter della NBC, gli era stato concesso un incontro informale con il presidente. Kennedy aveva criticato certi servizi di Anderton, il quale aveva difeso il proprio lavoro e poi rimproverato la politica nucleare europea di JFK, che sembrava disposto a colpire per primo. «Ma *sul serio* farebbe scoppiare una guerra atomica per Berlino?», aveva chiesto, impertinente. Kennedy aveva risposto di sì, se fosse stato necessario.

A Berlino c'erano forse poco più di dieci giornalisti anglofoni a tempo pieno, ma la NBC vantava l'unica vera redazione. Per un programma pre-Muro, *The S-Bahn Stops at Freedom*, Anderton aveva raccontato la fuga verso l'Ovest di alcuni liberi professionisti di Berlino Est sulla linea ferroviaria sopraelevata. Per un altro programma aveva curato un reportage dall'interno della fognatura utilizzata da altri fuggiaschi dell'Est, un'allusione al finale del film *Il terzo uomo*, ambientato a Vienna. Ogni volta che attraversava la frontiera al Checkpoint Charlie subiva gli interrogatori delle guardie della DDR, a volte anche per ore. Per sopportarli e pensare ad altro, sfilava dal portafogli e leggeva una poesia di T.S. Eliot, *La figlia che piange*, i cui ultimi versi recitano: «Questi pensieri a volte meravigliano ancora / la mezzanotte turbata e la pace del mezzodì».

In almeno un'occasione, Anderton aveva collaborato in prima persona a un piano di fuga.[5]

Un giorno due *Fluchthelfer* si erano presentati negli uffici della NBC per chiedere ad Anderton di prestare loro un paio di walkie-talkie giapponesi. Il reporter accettò, ma insistette perché si lasciassero accompagnare da lui nella missione: si annunciava un bello scoop. Una sera di nebbia, Anderton fu portato in una zona di frontiera fuori mano, dove il confine era soltanto di filo spinato. Dall'altra parte dell'arida "striscia della morte" c'erano, in teoria, profughi pronti alla fuga dentro palazzi bombardati. Un *Fluchthelfer* doveva aprire una breccia («un fiume», lo definì) nel filo, strisciare fino all'edificio, guidare i fuggiaschi verso l'Ovest. Anderton vide uno dei due, un certo Klaus, prendere il walkie-talkie e le cesoie, e strisciare verso la frontiera. L'uomo sparì nel buio, ma trasmetteva aggiornamenti alla radio della NBC: «Ho oltrepassato il filo... percorro la discesa... capanna sulla sinistra... mi nascondo in un fosso finché non passa la pattuglia». Poi: niente. Il suo compare sussurrò nell'apparecchio: «Klaus, di' qualcosa... Klaus, torna qui... Non ti sentiamo... *Klaus, di' qualcosa*». Per mezz'ora attesero una risposta, salvo ricevere soltanto un po' di fruscio e il silenzio. Anderton non seppe mai che fine aveva fatto Klaus.

Giunta la primavera 1962, Anderton e altri inviati a Berlino avevano già sentito parlare tantissimo delle gallerie – l'unico metodo che garantiva l'invisibilità a fuggiaschi e collaboratori – ma nessun giornalista ci si era ancora sporcato le mani (di fango). Anderton sapeva che pur di trovare un tunnel Reuven Frank non avrebbe badato a spese. Nel mese di marzo, l'inviato chiese a un certo Abraham Ashkenasi, collaboratore part-time della NBC, di vedere se qualche suo amico studente sapeva qualcosa delle gallerie o dei piani per scavarne una.

Quando l'ultimo numero di marzo di "Der Spiegel" arrivò in edicola, fu chiaro che l'ineffabile comunità dei *Fluchthelfer* di Berlino

Ovest non sarebbe più stata la stessa. In copertina, la scritta *Flucht Durch Die Mauer* (Fuga attraverso il Muro) accompagnava l'immagine in bianco e nero di un severo VoPo che osservava l'Ovest da dietro strati di filo spinato. L'articolo cominciava così:

> In modi rocamboleschi, un po' sottoterra e un po' sopra, dal 13 agosto in poi circa cinquemila cittadini della Germania Est sono scappati a Berlino Ovest scavalcando il muro di Ulbricht. Uno su otto ha conquistato la libertà grazie all'altruismo di un gruppo studentesco dell'Ovest che si è dedicato all'impresa. "Der Spiegel" rivela qui i primi dettagli sulle vie di fuga e sull'opera dei contrabbandieri che dopo il 13 agosto hanno scavato tunnel, aperto fognature e falsificato passaporti per bucare il muro.[6]

Alle fughe avevano partecipato studenti di tutti i paesi occidentali; fino a quel momento ne erano stati arrestati 146, tra i quali anche un paio di americani.

A tirare i fili di tutto questo era il cosiddetto Gruppo Girrmann, il più grosso tra quelli che si occupavano di fughe, ribattezzato ironicamente dallo "Spiegel" *Unternehmen Reisebüro*, "Agenzia di viaggi d'affari". Il fulcro del Gruppo Girrmann erano tre attivisti-amministratori della Libera Università (FU, Freie Universität), un'istituzione fondata nel 1948 a Berlino Ovest da disertori della DDR. Due, Detlef Girrmann e Dieter Thieme, erano studenti di legge; uno, Bodo Köhler, di teologia. Tutti e tre avevano poco più di trent'anni e qualche anno prima erano scappati dall'Est come rifugiati politici. Aiutati, tra gli altri, da una studentessa americana di Stanford, prima si erano concentrati sugli studenti della FU intrappolati a Est, poi avevano ampliato il raggio d'azione.

Il gruppo si era mosso perlopiù nell'ombra sin dai giorni della sua fondazione, poco dopo la comparsa del Muro. Non c'era da meravigliarsi: era già difficile concludere centinaia di espatri attraverso i checkpoint e le fogne, a bordo di zattere, o passando per la Scandinavia, senza la stampa tra i piedi. Fino a quel momento i mass media avevano evitato di diffondere notizie sulle operazioni del Girrmann, incoraggiati per di più da amministratori cittadini che pretendevano discrezione. Dopo sei mesi di segretezza, tuttavia, i tre organizzatori decisero di calare la maschera. Un motivo: adesso che le loro iniziative erano bloccate dalle contromisure della Germania Est, avevano meno da nascondere. La ragione più pressante, tuttavia, era che mesi di evasioni erano costati al Gruppo debiti enormi. Pertanto, "Der Spiegel" fu ben contento di pagare Girrmann, Thieme e Köhler in cambio delle informazioni che portarono al primo scoop sul funzionamento delle fughe. I tre si erano aspettati una ricompensa di 10 000 marchi tedeschi ma ne ricevettero soltanto seimila, perché i redattori del quotidiano sostennero di non aver avuto da loro la più piena collaborazione.

Il "New York Times" raccontò lo scoop dello "Spiegel" con un articolo in prima pagina intitolato *Studenti stranieri aiutano 600 berlinesi dell'Est a scappare nell'Ovest*. Parlava di «raid alla *Primula rossa*» e di una specie di «ferrovia sotterranea».[7] Né lo "Spiegel" né il "Times" facevano nomi, ma sembrava che a Berlino Ovest chiunque sapesse come e dove contattare gli organizzatori. La loro villa, nel quartiere di Zehlendorf, somigliava a un castello in miniatura e aveva persino un nome attraente: *Haus der Zukunft*, "Casa del futuro". Oltre che da ufficio, faceva anche da ostello per studenti stranieri, molti dei quali collaboravano attivamente alle evasioni. Dopo l'articolo dello "Spiegel", l'ammirazione per questi *Fluchthelfer* crebbe, ma non fu unanime. Il 31 marzo, il rettore della FU depose Detlef Girrmann dal ruolo di direttore dell'associazione degli studenti, perché il suo ruolo nelle fughe metteva la scuola in una posizione politicamente delicata. Persino a Ovest.

Tra coloro che decisero di avvicinare l'organizzazione di Girrmann c'era Siegfried Uhse, un giovane tedesco dell'Ovest che quattro anni prima se n'era andato dall'Est. Aveva appena ventun anni e faceva il parrucchiere. Magro, con i capelli chiari, vestiva elegante; era un tipo impeccabile, dalla testa ai piedi.

Subito dopo l'apparizione dell'articolo sullo "Spiegel", Uhse andò a visitare la Casa del futuro e riuscì a parlare con Bodo

Köhler che la gestiva. Gli disse che anche lui voleva far evadere da Berlino Est sua madre e la sua ragazza. Il giorno dopo Uhse descrisse la visita in dettaglio a un'altra persona: «Sono sicuro di aver parlato con quello giusto. Mi ha detto che al momento sono fermi perché l'ultimo tentativo, in febbraio, è andato male. Ha voluto sapere se fossi dell'Ovest e gli ho detto di sì. Abbiamo chiacchierato un po' di vie di fuga e gli ho offerto il mio aiuto nel caso avessero bisogno. Si è annotato il mio nome, la descrizione della mia ragazza e l'indirizzo di entrambi. Ha detto che mi contatta se ci saranno novità, ma ha anche voluto che gli dicessi quando avrò un nuovo passaporto». Köhler, aggiunse, «ha l'aria dell'eterno studente. Ha gli occhiali con la montatura nera. I capelli biondo scuro».

Nella stessa conversazione Uhse segnalò che alla McNair, una grossa base militare americana di Berlino, cercavano un parrucchiere. «Proverò ad andarci a lavorare io», aggiunse.

A chi disse tutto questo? Al suo responsabile presso il Ministero per la sicurezza di stato (Mfs) di Berlino Est. E la storia della sua ragazza e di sua madre? Una bugia sfacciata.[8]

Uhse era un informatore a libro paga della Stasi dall'autunno precedente, quand'era stato arrestato mentre cercava di contrabbandare 112 sigarette nell'Est attraverso il checkpoint di Friedrichstrasse. Secondo un rapporto ufficiale, Uhse doveva consegnarle per un'«orgia omosessuale e lesbica» che si teneva settimanalmente.[9] La Stasi lo aveva seguito, forse perché già al corrente di un suo arresto e successivo rilascio in libertà vigilata a Baden-Baden, sospettato di essere omosessuale, cosa che all'epoca era fuorilegge anche in Germania Ovest.

Presto i servizi segreti scoprirono che Uhse aveva riempito una donna di Berlino Est di sigarette e vino importati dall'Ovest perché gli lasciasse passare le serate in una stanza che lei affittava a un amante di lui. Uhse, che a suo tempo aveva sperato di fare il bibliotecario, non si interessava molto di politica. Nel 1958 aveva traslocato da Berlino a Baden-Baden soltanto per raggiungere la madre che, rimasta vedova, lavorava come aiuto-cuoca in un sanatorio. Trasferitosi a Berlino Ovest dal 1960, abitava in un appartamento ben arredato e passava le serate in locali eleganti e jazz club come il Dandy, l'Eden (tra i preferiti dai turisti americani) e il Big Apple, concedendosi generose bevute e frequentando amici altolocati. Spendeva più di quanto poteva permettersi; spesso, per fare colpo, offriva lui.

Fermato dalla Stasi nell'autunno 1961, Uhse era sotto molti aspetti un candidato perfetto al ruolo di spia. Probabilmente ce l'aveva ancora con l'Ovest per via dell'arresto di Baden-Baden. Temporaneamente disoccupato, non voleva rinunciare al suo stile di vita costoso. E adesso si ritrovava accusato di contrabbando nell'Est. La Stasi lo sentì raccontare le sue vicissitudini e vide in lui un certo talento nell'inventare storie false. Dopo due giorni di detenzione, una colazione come si deve e la promessa di uno stipendio regolare, il ragazzo accettò di lavorare come informatore di basso livello, installato nell'Ovest.

Come le altre reclute della Stasi, Uhse dovette firmare una «dichiarazione d'impegno». Il 30 settembre 1961, all'indomani del suo arresto, scrisse a mano:

> Io, Siegfried Uhse, acconsento volontariamente a collaborare con le forze di sicurezza della DDR nella loro giusta lotta. Prometto inoltre di mantenere il silenzio assoluto con chiunque riguardo alla mia cooperazione con le forze del Ministero per la sicurezza di stato e a tutti i problemi annessi. Sono stato informato che in caso di infedeltà al mio impegno mi si potrà punire secondo le attuali leggi della DDR. Per la mia collaborazione con il MfS scelgo il nome in codice "Fred".[10]

Uhse, che secondo il dossier della Stasi risultava biondo e alto 1 metro e 69, cominciò subito a monitorare gli ambienti omosessuali di Berlino Ovest, ma gli ci volle del tempo prima di penetrare nella cerchia dei *Fluchthelfer*. Certo, a smascherare il tunnel di Harry Seidel era stato un informatore della Stasi, ma grazie a un colpo di fortuna: abitava proprio sopra l'imbocco. Uhse doveva invece andare proprio a caccia di guai. La svolta arrivò quando una sera, in un locale notturno, un uomo gli disse che il Berliner Wingolf, un luogo di ritrovo degli studenti, era al centro del traffico di fuggiaschi. Uhse ci andò e lì gli parlarono della Casa del futuro, dove ebbe poi luogo l'incontro decisivo con Bodo Köhler.

Dopo l'ultima relazione di marzo, il responsabile di Uhse alla Stasi gli ordinò di accaparrarsi quel lavoro da parrucchiere nella base americana e aggiunse nel suo rapporto: «Uhse è certo che il direttore della Casa del futuro collabori con un gruppo più grande alla fuoriuscita di cittadini della DDR dal paese. Il direttore è interessato a Uhse perché questi ha un passaporto della Germania Ovest».[11]

Ancora non avevano fondi né attrezzatura, ma i tre studenti – Spina, Sesta e Schroedter – non vedevano l'ora di cominciare. Prima di tutto dovevano stabilire la posizione del varco di partenza nell'Ovest e del punto d'arrivo nell'Est. Considerazioni cruciali: entrata e uscita potevano essere ben nascoste? Quanto distavano l'una dall'altra? Il suolo era sabbioso e morbido (più facile da scavare, ma bisognoso di maggior sostegno) o argilla dura? A che profondità era la falda acquifera?[12]

Con grande cautela e attenzione i tre studiarono le cartine dettagliate delle infrastrutture di Berlino ottenute da funzionari cittadini conniventi, con i numeri civici degli edifici e le condutture sotterranee in evidenza. Indagarono sulla zona attorno alla Porta di Brandeburgo e al Reichstag – forse la Stasi non avrebbe creduto che qualcuno volesse scavare vicino ai luoghi più frequentati dai turisti – e tre altri siti. Ciascuno aveva vantaggi e svantaggi relativi alla distanza e alla sicurezza. Doveva esserci una cantina abbastanza spaziosa da contenere tonnellate di suolo scavato, oppure un cortile ben nascosto nel caso avessero dovuto gettare la terra all'esterno o caricarla su un camion. Grazie a un altro ufficio municipale, ottennero le cartine che illustravano la profondità della falda acquifera di Berlino e scoprirono che la zona intorno a Bernauer Strasse permetteva un maggior margine di errore. Ma sotto quale edificio aprire una galleria?

Incredibile ma vero, il trio individuò un punto di approdo all'Est prima ancora di trovare un ingresso nell'Ovest.

Accadde per puro caso. Un amico di Spina conobbe qualcuno che conosceva un ingegnere bulgaro che abitava a Rheinsberger Strasse, la seconda parallela di Bernauer Strasse oltre il Muro, nell'Est. I due italiani fecero visita al bulgaro per salutarlo e riuscirono a strappare un invito alla sua festa di compleanno, di lì a un paio di settimane. Quel giorno, mentre Spina distraeva il padrone di casa, Sesta sfilò da un gancio una chiave della cantina. Esplorò il piano interrato e vide che era adatto ai loro scopi. A Mimmo tornarono in mente i film noir americani in cui si rubavano chiavi e se ne facevano le impronte nel sapone o nell'argilla. Poco lontano trovò un negozio che vendeva plastilina, premette la chiave in un campione, poi la risistemò nell'appartamento del bulgaro. Lo stratagemma funzionò, e poco tempo dopo un fabbro dell'Ovest produsse un duplicato della chiave.

Scelto l'obiettivo, le opzioni per l'entrata dall'Ovest si concentrarono sul tratto di Bernauer Strasse appena al di qua del confine. E lì, tra tutti, spiccava un edificio: un'enorme fabbrica di cinque piani, in Wolgaster Strasse, metà della quale era stata bombardata durante la seconda guerra mondiale e mai più ricostruita né spianata. Dietro c'era un cortile, protetto dagli sguardi sia dei passanti che dei VoPos.

Entrati nella fabbrica, Schroedter e Spina scoprirono che una piccola sezione del piano superiore era ancora utilizzata per fabbricare bastoncini da cocktail. Individuarono il proprietario, un uomo tarchiato di mezza età di nome Müller. A parlargli, per via delle difficoltà di Spina con il tedesco, fu Schroedter. Potevano usare il piano terra e il seminterrato come sale prove per il loro gruppo jazz? «Non raccontatemi storie», li derise Müller, prima di dare loro il permesso di usare l'edificio per il tunnel, a patto che dopo pulissero. «Vengo da Dresda», spiegò Müller. «La ditta della mia famiglia, che produceva porcellane, se la sono presa i comunisti. Quello che vedete qui ho dovuto rifarmelo da zero.» Non pretese alcun affitto, e concesse ai ragazzi di allacciarsi gratis all'impianto elettrico.[13]

Più esploravano quello spazio, più Schroedter e Spina si entusiasmavano. C'erano stanze in cui gli scavatori potevano dormire, appendere i vestiti sporchi o bere una birra, e ampi tratti di scantinato dove scaricare la terra. Rimaneva soltanto un problema: la fabbrica era piuttosto distante da Bernauer Strasse e dal Muro. Occorreva fare lo scavo più lungo tra quelli che avevano ipotizzato: prima di raggiungere anche soltanto il confine dovevano scavare almeno trenta metri di galleria sotto le fondamenta della fabbrica e Bernauer Strasse. Da lì in poi avrebbero dovuto proseguire sotto la "striscia della morte", lunga quanto un isolato, prima di approdare, come speravano, alla cantina di Rheinsberger Strasse. Gli studenti calcolarono di dover scavare per oltre 120 metri, il quadruplo rispetto alla galleria più lunga di cui si avesse notizia. Tre quarti della distanza, oltretutto, erano nell'ostile Est. Immaginavano di doverci impiegare almeno due mesi, nei quali avrebbero dovuto interrompere o abbandonare gli studi all'università.

Sapevano che in un tunnel così lungo aumentava il rischio di infiltrazioni d'acqua e cedimenti strutturali, ma ne parlavano raramente. Erano giovani, e in quanto tali pieni di coraggio e di un certo senso di onnipotenza. Una galleria sembrava l'unica maniera di salvare intere famiglie, come gli Schmidt. Evitare i VoPos e i soldati scavando buchi sotto i loro piedi, come talpe, sembrava più sicuro che cercare di imbrogliarli ai checkpoint, nascondendosi in un camion o tagliando il filo spinato a due passi dalle guardie armate e dai cani addestrati. Adesso avevano soltanto bisogno di qualche altro avventato scavatore che si unisse a loro. Di scorte generose, compresa una grande quantità di legna. Di un furgone che le trasportasse. Di sostanziosi finanziamenti (in totale disponevano di appena 1500 marchi). E in più, di qualche arma da fuoco, perché non si sa mai.

3

Le reclute
aprile-maggio 1962

Piers Anderton non era l'unico giornalista americano desideroso di esplorare una galleria con luci e macchina da presa. Con la ABC appena arrivata e ancora fuori dai giochi, tra la CBS e la NBC infuriava una battaglia ossessiva a colpi di scoop e reportage esclusivi, alimentata da nuove assunzioni e grandi budget di spesa. Nel suo ufficio alla NBC Reuven Frank aveva appeso un cartello con scritto: «Non importa come giochi, importa solo se vinci o se perdi».[1] Questa rivalità ispirò il più agguerrito duello giornalistico da quando, più di mezzo secolo prima, William Randolph Hearst aveva sfidato Joseph Pulitzer.

Era un'epoca d'oro per i documentari televisivi. Ne arrivavano di nuovi quasi ogni settimana, sotto forma di speciali in prima serata o puntate di serie come *CBS Reports* o *White Paper* della NBC. Le emittenti volevano far dimenticare al pubblico i recenti scandali delle vittorie pilotate nei giochi a premi, che avevano scatenato persino interrogazioni ufficiali al Congresso. La CBS continuava ad aggrapparsi all'eredità di una leggenda delle trasmissioni come Edward Murrow, ma la NBC sapeva sfruttare ogni occasione per battere la rivale, sul piano dell'ingegno e dei soldi. Gli inserzionisti, un tempo restii a sponsorizzare i documentari, si contendevano gli spazi in trasmissioni ormai prestigiose.[2]

L'uomo della CBS a Berlino, il rivale numero uno di Piers Anderton, era Daniel Schorr. Originario del Bronx, figlio di immigrati venuti da uno *shtetl* dell'Europa orientale (il suo cognome di famiglia era Tchornemoretz) e veterano della seconda guerra mondiale, era arrivato alla CBS nel 1953 a trentasei anni. Due anni dopo, con la morte di Stalin e l'inizio di un periodo di leggero ammorbidimento dei rapporti tra le superpotenze sotto Chruščëv, aveva aperto la prima redazione della CBS a Mosca. Nel 1957 aveva ottenuto un'intervista esclusiva con Chruščëv, salvo ritrovarsi subito ai ferri corti con i padroni di casa per questioni di censura. Nel 1959 i sovietici si rifiutarono di rinnovare il visto a Schorr e la CBS lo trasferì a Bonn.[3]

Come David Brinkley e Reuven Frank, il 13 agosto 1961 Schorr era a Berlino; nel cuore della notte lo svegliarono: «Daniel, stanno chiudendo i checkpoint», gli disse il suo cineoperatore tedesco. Schorr scoprì che nessuno tra i dipendenti dell'Est era arrivato all'hotel per il turno di notte, non un buon segno. Corse a Potsdamer Platz sulla sua Mercedes argentata e vide i soldati e le guardie che srotolavano il filo spinato e chiudevano le vie. Mentre il sole sorgeva, con la sua inconfondibile voce baritonale Schorr raccontò la scena alla cinepresa: «Io e il mio operatore siamo stati arrestati e trattenuti dalla polizia per novanta minuti». Inoltre, gli era stato sequestrato il materiale girato (anche Piers Anderton era stato fermato dalla polizia). Schorr fece poi giungere le immagini per via aerea a Francoforte e, con il primo volo Pan Am a disposizione, a New York.

Il giorno dopo, Schorr raccontò che «piccoli gruppi di tedeschi dell'Est continuano a fare breccia nel cordone comunista per raggiungere Berlino Ovest». Tra essi, un giovane ingegnere che aveva sferrato un calcio in pancia un poliziotto, un fuggitivo che aveva rubato la carabina a una guardia e un altro che aveva «sfondato la barriera in auto a tutta velocità». Dopo due giorni, Schorr era a Bernauer Strasse a osservare i primi blocchi prefabbricati di cemento disposti «come a formare un muro» (fu forse il primo inviato americano a usare la parola "muro"). «Forse eravamo disposti ad andare in guerra per difendere il nostro diritto a rimanere a Berlino», intonò davanti all'obiettivo, «ma possiamo andare in guerra per difendere il diritto dei tedeschi dell'Est a uscire dal loro paese?» Quel giorno, un fotografo immortalò una delle immagini simbolo del decennio, subito pubblicata in tutto il mondo: una guardia di confine dell'Est che fugge nell'Ovest, saltando un tratto di filo spinato basso lungo Bernauer Strasse.[4]

Due mesi dopo, in ottobre, Schorr fornì la cronaca avvincente di uno spaventoso confronto tra americani e sovietici presso il Checkpoint Charlie, il principale punto di attraversamento del Muro gestito dagli statunitensi. Allen Lightner, capo della Missione americana (l'organismo politico americano che nella Berlino occupata svolgeva le mansioni di una vera e propria ambasciata), si era rifiutato di mostrare i documenti alle guardie comuniste mentre si recava all'opera, a Berlino Est; in qualità di diplomatico di prima fascia doveva rendere conto soltanto ai sovietici e temeva così di stabilire un precedente. Nel giro di qualche ora sembrava stesse per scoppiare uno scontro a fuoco tra superpotenze, con i carri armati dispiegati lungo la frontiera. Schorr catturò quella tensione, mentre «i combattenti americani e russi si ritrovano schierati gli uni contro gli altri per la prima volta nella storia». Testimoniò anche le «strane» scene dei tedeschi occidentali che portavano fiori e spuntini agli americani sotto lo sguardo delle fotoelettriche sovietiche, al di là del confine. «Che immagine, per i libri di storia», predisse.[5]

Schorr era convinto che a Berlino rischiava di scoppiare, e presto, la terza guerra mondiale: lo si percepiva e lo si udiva, quando i MIG sovietici sembravano volare basso solo per creare bang sonici e innervosire i residenti. Schorr dubitava che Kennedy volesse la guerra, ma un presidente americano non poteva rischiare di perdere la faccia arretrando di fronte a una crisi. A Berlino Ovest, la prospettiva era tetra. La città, stretta tra le braccia della Germania Est, prima o poi doveva cedere.[6]

Come era capitato a Piers Anderton, i suoi capi gli avevano ordinato di fornire un quadro completo della vita in Germania Est, ma l'irascibile giornalista non aveva bisogno di molto incoraggiamento. Cresciuto senza padre, povero e sovrappeso, nonostante il successo era afflitto da una sorta di complesso di inferiorità. Non smise mai di considerarsi un outsider «prepotente», parole sue, che non sempre andava a genio ai superiori alla CBS e tendeva un po' troppo a cercare grane; tuttavia, quando andava a caccia di scoop era determinato come pochi. Nel tardo 1961 cominciò a lavorare a un documentario sull'Est, *The Land Beyond the Wall*

(La terra al di là del muro), e in qualche modo riuscì a passare più di due settimane nella città di Rostock (con un accompagnatore della Germania Est, ovviamente). Il "New York Times" lo definì un «capolavoro giornalistico».

Quasi alla fine della visita in Germania Est, Schorr aveva ricevuto un'offerta sbalorditiva: il leader comunista Walter Ulbricht era disposto a incontrarlo a Berlino per la sua prima videointervista concessa a un americano. Quel giorno, mentre Ulbricht dava risposte vaghe, farraginose, Schorr lo aveva interrotto con le sue osservazioni, innervosendo quell'uomo poco abituato all'impertinenza. Alla fine Ulbricht si era alzato e aveva segnato a dito Schorr, accusandolo ad alta voce di averlo «provocato»; se n'era poi andato sbattendo il pugno sul tavolo. Schorr aveva pensato: "Che gran finale". Dopo che la televisione della Germania Ovest trasmise il filmato, un giornale locale ne pubblicò in prima pagina un'immagine con il titolo: *L'America ride di Ulbricht*.[7]

A questo punto, Schorr mise gli occhi su un altro colpo: filmare un'importante operazione di scavo, magari calandosi insieme a un operatore dentro una galleria che portava fino ai comunisti. Come Piers Anderton, fece girare tra i suoi contatti la voce che la CBS era più che disposta a compiere un'impresa del genere. Sapeva che filmare una fuga sotterranea poteva mettere in pericolo la sua incolumità, ed era conscio di un ulteriore rischio: l'opposizione della Casa Bianca. Il capo di Schorr, il direttore dei notiziari della CBS Blair Clark, aveva studiato ad Harvard insieme al presidente ed era ancora suo amico, forse un po' troppo. Clark aveva riferito a Schorr dei continui malumori espressi dalla Casa Bianca per come l'inviato a Berlino si era basato su resoconti di funzionari tedeschi dell'Ovest che mettevano in cattiva luce l'attività – o l'inattività – americana. Clark gli rivelò poi che poco prima, durante una cena alla Casa Bianca, JFK lo aveva preso da parte per dirgli: «Blair, quel Dan Schorr in Germania rompe un po' le palle: perché non lo mandi da un'altra parte?».[8]

Mentre gli inviati delle tv americane cercavano il primo tunnel da raccontare dall'interno, Hollywood ne aveva già uno. La MGM annunciò che presto avrebbe cominciato a girare a Berlino un grosso film ispirato alla storia vera dell'unica galleria completata con successo quell'anno: l'opera di Becker, che in gennaio aveva liberato ventotto tedeschi dell'Est.

A occuparsene in qualità di produttore doveva essere Walter Wood, che aveva appena sfornato *Le canaglie dormono in pace*. Ingaggiò come attori protagonisti Don Murray, Werner Klemperer e una appena diciassettenne Christine Kaufmann, che non faceva nulla per nascondere la sua storia con l'attore Tony Curtis, all'epoca sposato con la Janet Leigh di *Psycho*: tanto bastava a fare un po' di pubblicità in più al film. Del regista non c'era ancora il nome. Le riprese erano in programma nei celebri studi UFA del quartiere di Tempelhof, culla dei classici di Fritz Lang e Josef von Sternberg, oltre che dei famigerati film di propaganda nazisti. Il sindaco Willy Brandt diede a Wood il permesso di girare nel campo profughi di Marienfelde.

Fu stabilito un ricco budget, 500 000 dollari, e fissata una scaletta di riprese, trentacinque giorni a partire dalla primavera. Un finto tunnel sarebbe stato costruito negli studi, ma per catturare la vera atmosfera del Muro gli operatori avrebbero filmato anche in esterna. Senza dubbio i VoPos avrebbero fatto da comparse involontarie e non pagate. Come consulente era stato ingaggiato Erwin Becker, uno dei fratelli scavatori. Hedda Hopper, la celebre giornalista di pettegolezzi hollywoodiani, scrisse che Becker «è stato trovato da Wood in un campo di transito e ora, sotto sorveglianza, racconta la sua storia per il grande schermo». La MGM temeva che la Stasi potesse rapire Becker e riportarlo a Berlino Est prima del termine delle riprese. Titolo del film: *Tunnel 28*.[9]

Mentre Hollywood ne ideava una versione romanzata, il più lungo e pericoloso progetto di galleria mai tentato nella Berlino reale era quasi pronto a partire. Wolf Schroedter, membro più giovane e unico tedesco del trio che guidava l'operazione, si era subito dimostrato indispensabile. Spiccava a prima vista: alto, magro, capelli cortissimi e biondi, lo si distingueva facilmente dallo scuro e robusto Gigi Spina e dal tarchiato Mimmo Sesta. Tramite l'Unione degli studenti aveva cominciato a identificare le potenziali reclute. Si era anche incaricato di trovare un furgone, certo di dover fare da principale autista (era l'unico della squadra ad avere la patente). Come se non bastasse, sapeva di doversi occupare della maggior parte dei negoziati con i funzionari della Germania Ovest che a volte donavano piccole somme sottobanco ai *Fluchthelfer*. E in qualità di unico organizzatore a possedere una pistola, Wolf era, per così dire, il responsabile della sicurezza.[10]

Grazie a una dritta di Egon Bahr, stretto collaboratore del sindaco Brandt, come fondo iniziale gli scavatori ottennero da un partito politico tedesco 2000 marchi. La svolta economica, tuttavia, venne grazie agli italiani. La madre adottiva dell'amico Peter Schmidt disse loro che aveva depositato in una banca di Berlino Ovest una discreta somma di denaro, almeno 3000 marchi tedeschi, lasciati dal suo compianto marito. Si offrì di dare a Spina o Sesta la procura necessaria a prelevare i fondi. Tuttavia, c'era un problema: a quel punto, ai cittadini della DDR era vietato depositare soldi nei conti correnti dell'Ovest. Se al checkpoint avessero fermato uno dei due italiani con un documento firmato dalla signora Schmidt per la banca, lei rischiava l'arresto.[11]

Gli italiani non si spaventarono e idearono un piano: presero una sigaretta e la svuotarono. La madre di Schmidt firmò la procura su un foglietto di carta sottilissima, tagliata e tinta in modo che somigliasse a quella delle sigarette. Dopo averlo riempito di tabacco rollarono il cilindro, lo inserirono nel pacchetto da cui avevano rimosso la sigaretta svuotata, e partirono per l'Ovest. Se alla frontiera li avessero disturbati, potevano sempre fumarsi le prove e farle scomparire.

Il piano funzionò. Con quell'immissione di capitale comprarono un furgoncino Volkswagen di seconda mano che, senza finestrini sul retro né sulle fiancate, era perfetto per nascondere attrezzi, scorte e lavoratori.

Nel frattempo Schroedter aveva arruolato altri due scavatori. Joachim Rudolf e Manfred Krebs vivevano dall'altra parte del dormitorio della TU a Hardenberger Strasse. Erano amici d'infanzia. A Schroedter ispiravano fiducia perché, come lui, erano scappati dall'Est.[12] Rudolph, ex studente di ingegneria a Dresda, aveva passato parecchie notti del settembre precedente senza dormire, tormentato dalla scelta se fuggire o no dalla DDR. Questo, oltre a interrompere gli studi, voleva dire abbandonare la madre con cui era sopravvissuto già a una fuga: quella dall'Armata Rossa che nel 1945 aveva invaso la Germania. Alla fine, insieme a un amico attraversò la frontiera nel quartiere isolato di Luebars, a Berlino Nord, impiegando quattro ore per strisciare su quasi duecentocinquanta metri di terreno, attraversare un fiumiciattolo e passare sotto le torri di guardia.

Lui e Krebs non lo sapevano, ma avevano già un amico di spicco nel movimento dei *Fluchthelfer*: Harry Seidel. Erano stati a scuola con lui. Durante un giro in bicicletta sul monte Harz, nel 1953, Rudolph si era meravigliato che Harry, all'epoca quattordicenne, sprigionasse tanta potenza da gambe relativamente magre. Quattro o cinque anni dopo, Harry era entrato in una squadra di ciclismo di punta ed era diventato famoso, e lo stesso Rudolph faceva il tifo per lui durante le corse. Seidel pedalava come un matto e correva rischi folli: sbatteva contro i muretti, Rudolph si convinceva che per lui fosse finita, e invece eccolo ricomparire e concludere la corsa.[13]

Da un po', Rudolph aveva perso le tracce del vecchio amico. Non sapeva che era stato proprio Harry a guidare la squadra degli scavatori di Heidelberger Strasse. Tuttavia, entrando nel giro delle fughe sotterranee si apprestava a seguire Seidel in un nuovo e rischioso genere di arena.

Con il passare dei mesi, sempre più berlinesi dell'Est abbandonarono la speranza di veder crollare il muro. Nel suo diario, una donna che abitava vicino al confine, a un piano alto, si lamentava che il Muro di Bernauer Strasse fosse diventato «l'attrazione turistica numero uno» della città. Da una finestra vedeva passare gli autobus dei turisti. «Ah, quanto ci piacerebbe che ci ignorassero», aggiungeva. «Che epoca terribile. Le nostre vite hanno perso lo spirito.» Le autorità «fanno di noi quello che vogliono», scriveva. «Chinate la testa, amici, siamo tutti diventati pecore.»[14]

Se da una parte il futuro apparentemente stabile del muro scoraggiava, dall'altra ispirava tanti berlinesi ad agire. La polizia cittadina e i giornali dell'Ovest monitoravano gli episodi su entrambi i lati del confine, e in aprile ne raccolsero la consueta ampia gamma:

– Philip Held, diciannove anni, elettricista, annegò nella Sprea dalle parti di Kreuzberg, cercando di fuggire. Sua madre lo seppe due settimane dopo; a quel punto, il ragazzo era già stato cremato.[15]

– Un bambino di nove anni fuggì di casa a Berlino Est, e dal tetto di un condominio di cinque piani che costeggiava la frontiera saltò verso la rete di salvataggio dei pompieri, dalla parte di Berlino Ovest. Lo portarono in tutta fretta all'ospedale per controllare che non si fosse rotto la schiena. Disse alla polizia che stavano per toglierlo a sua madre, disoccupata, e mandarlo in orfanotrofio. Voleva andare a vivere con i parenti di Berlino Ovest. Sullo stesso tetto, prima di saltare, un altro bambino fu trascinato via da una guardia. Entrambi i piccoli avevano lo zaino di scuola in spalla.[16]

– Tre giovani berlinesi dell'Est tentarono una coraggiosa fuga alla frontiera di Heinrich-Heine-Strasse. Klaus Brueske riempì di cemento e ghiaia il suo furgone per farlo pesare di più. Poco dopo la mezzanotte, fortificatosi con qualche bicchiere (pratica comune tra i fuggitivi) guidò il veicolo dritto contro due barriere e quasi riuscì a penetrare nell'Ovest, ma le guardie gli spararono e lo colpirono. Il furgone si schiantò contro un muro. La ghiaia penetrò nell'abitacolo e travolse Brueske, ferito, soffocandolo lentamente. I suoi due compagni sopravvissero. Il giorno dopo, un quotidiano dell'Ovest titolò: *È morto per guidarli verso la libertà.*[17]

– L'orticultore Horst Frank fu ucciso alla frontiera nel distretto di Pankow. Nel cuore della notte, per quattro ore, lui e un amico avevano strisciato sotto il filo spinato e oltre la "striscia della morte", schivato i cavi che facevano scattare gli allarmi e le guardie. Quasi all'ultimo, tre guardie gli spararono. Il suo amico approdò nell'Ovest.[18]

Nonostante le decine di morti per arma da fuoco, gli analisti dell'Ovest faticavano a identificare uno schema nelle direttive secondo cui le guardie dell'Est potevano o meno sparare. Dopo aver interrogato diversi disertori del corpo di guardia, l'esercito americano compilò una sorta di vademecum: «I fuggiaschi non possono varcare il confine vivi [...] Nessuna punizione verrà inflitta a chi spara verso Berlino Ovest se viene colpito un disertore, o se i berlinesi dell'Ovest tentano di tagliare la staccionata [...] Non è permesso sparare a bambini, donne incinte o anziani [...] I lacrimogeni si possono usare, ma non vanno lanciati all'interno di Berlino Ovest».[19]

Dopo ogni incidente fatale presso il Muro, che la DDR catalogava ufficialmente come «ritrovamento di cadavere», la Stasi prendeva il comando delle operazioni. I morti venivano portati nelle strutture mediche statali e sottoposti ad autopsia, contraffatta poi secondo necessità. L'obiettivo dello stato era nascondere i fatti ai cittadini dell'Est e ai media dell'Ovest. Quando gli agenti facevano visita ai parenti dei deceduti, se possibile dicevano soltanto che il loro caro era «disperso». Così facendo, speravano di provocare una reazione che rivelasse perché il colpevole aveva deciso di fuggire, o se avesse qualche complice. Quando la Stasi confermava una morte, la vera causa veniva tenuta nascosta persino ai parenti: la vittima era annegata o caduta, e nient'altro. A volte si ammetteva l'«incidente» durante un tentativo di fuga, e il profugo veniva accusato di aver «scatenato provocazioni alla frontiera». I familiari ricevevano l'ordine di non dirlo a nessuno. A quel punto la Stasi poteva avere già fatto mandare i resti al forno crematorio e ordinato di seppellire le ceneri. Se c'era un funerale, giorni o settimane dopo, gli agenti ci andavano. I familiari del fuggiasco potevano rimanere sotto osservazione a tempo indeterminato e rischiavano di perdere i privilegi o persino il lavoro.[20]

Al novero degli aspiranti fuggiaschi si erano unite decine di guardie di frontiera e soldati. Il 3 aprile, la guardia di un checkpoint cercò di raggiungere l'Ovest, ma un commilitone gli scatenò contro il suo cane e gli sparò due colpi di pistola. Qualche giorno dopo, due ufficiali dell'esercito della DDR scapparono nel cuore della notte. Uno era il diciannovenne Peter Böhme, scontento di dover prestare il servizio militare come pena per certi crimini commessi da minorenne. Ne nacque una caccia all'uomo. Al confine, dalle parti di Babelsberg, Böhme sparò a un VoPo e lo uccise; poi fu ferito a morte da un'altra guardia. Il suo compagno di fuga raggiunse l'Ovest.[21]

Fuori dalla bolla di propaganda della DDR, specialmente sui giornali e nei notiziari dell'Ovest, le sparatorie sul confine ebbero grande eco, e ispirarono almeno un romanziere alle prime armi. Un giovane agente dell'intelligence britannica, che all'epoca lavorava come funzionario politico nella sede di Amburgo, stava scrivendo un libro che finiva con la morte dell'eroe, una grande spia britannica, mentre aiutava un fuggitivo ai piedi del Muro di Berlino. L'agente era David Cornwell, e scriveva sotto lo pseudonimo di John Le Carré.

Nel pieno degli episodi di violenza, la CIA aveva commissionato uno studio delle probabilità che la rabbia dell'Est sfociasse in un'aperta ribellione. Il dossier, segreto, esprimeva parecchi dubbi in proposito. Dalla nascita del Muro lo scontento era aumentato, ma «non ci sono segni dell'esistenza di un'opposizione organizzata degna di tal nome». Una rivolta importante, innescata dalla «ripugnanza» per Ulbricht, poteva svilupparsi a partire da «focolai locali», ma «crediamo che la presenza delle forze militari sovietiche e il ricordo del loro utilizzo nelle repressioni del passato scongiuri una rivolta popolare».[22]

A Berlino Est il morale era ai minimi termini. Il regime della DDR si aspettava che il Muro rendesse la popolazione più malleabile, ma secondo il rapporto aveva «avuto l'effetto contrario». Oltre agli sconvolgimenti causati dalla perdita dell'accesso a lavoro e affetti, la chiusura del confine aveva avuto pesanti e ulteriori ricadute psicologiche e diffuso un clima disperato; lo dimostrava il sorprendente aumento dei suicidi. L'economia depressa non migliorava le cose; la qualità della vita in Germania Est era superiore al resto dei paesi del blocco orientale, ma i due anni precedenti al 1962 avevano visto crescere la domanda di cibo di qualità e beni di consumo, e diminuire l'offerta. Nel futuro immediato c'erano poche avvisaglie di miglioramento. La produzione industriale e agricola erano in stallo, e ciò significava ulteriori razionamenti.

Tuttavia, la maggior parte dei lavoratori dell'industria manteneva il tradizionale rispetto tedesco per l'autorità e il lavoro. Gli studenti esprimevano le posizioni anti-regime più violente, ma lo stato si era «mosso con velocità e senza scrupoli contro i leader giovanili», lasciando poche speranze a qualunque tipo di ampio movimento di protesta. Con questi presupposti, il dossier concludeva che una ribellione della Germania Est «non avrà successo se non sarà lanciata in congiunzione con operazioni militari occidentali».

Nonostante le tensioni a ridosso del Muro, capitava che le giovani guardie su entrambi i fronti, perlopiù coetanee, chiacchierassero, si lagnassero della loro condizione o si lanciassero sigarette al di là del cemento o del filo spinato. In un'occasione, una guardia della Germania Est mandò un biglietto al suo omologo dell'Ovest chiedendogli di passargli al di là del muro un pacchetto di «collant senza cuciture», che all'Est scarseggiavano, per la sua ragazza. «Taglia 9½» e di colore «non troppo sgargiante». «Grazie in anticipo!», concludeva. La guardia dell'Ovest rispose con un appunto scritto sul retro di un calendario da tasca, chiedendo a quale indirizzo spedire le calze. In alternativa proponeva di «lanciartele quando torni». Firmato: «Con amicizia!».

La guardia dell'Est rispose: «Purtroppo non posso specificare l'indirizzo. Ma per favore, controlla quando sarò di nuovo di guardia qui». Firmato: «Il tuo amico!».[23]

Il Gruppo Girrmann, sempre all'avanguardia tra i professionisti berlinesi della fuga, aveva escogitato un nuovo piano per rimpiazzare il giro dei passaporti contraffatti. Avendo giudicato inaffidabili (a dir poco) le gallerie, i *Fluchthelfer* aumentarono gli sforzi per trasportare i fuggiaschi nell'Ovest in automobile, nascondendoli sotto il cruscotto, sotto il sedile posteriore o nel bagagliaio. Chiunque, nell'Est, poteva chiedere a un amico o a un parente dell'Ovest di riempire il modulo necessario per godere di questo servizio, una lista di domande su professione, colore degli occhi e dei capelli del fuggitivo, dove lo si poteva raggiungere e quando, e chi poteva fare da corriere. Il richiedente forniva una parola d'ordine da dare al corriere, per comunicare con loro.[24] Poi c'era la domanda: *qualcuno sospetta qualcosa?*

Nel frattempo, il personaggio più sospetto del Gruppo Girrmann passava inosservato. Anzi, la carriera di Siegfried Uhse nella Stasi era in ascesa. Si era aggiudicato il lavoro da parrucchiere alla base americana McNair, dove gli ufficiali gli avevano dato persino il pass per accedere agli alloggi dei soldati. Conobbe tre fonti utili nei bar e nei club di Berlino Ovest. Una era una tedesca che conosceva molti americani. Il responsabile di Uhse alla Stasi, che si chiamava Lehmann – esperto, a quanto sembrava, nell'arte del corteggiamento a scopo spionistico – suggerì a Uhse di regalarle cioccolatini e fiori. Gli chiese inoltre di procurarsi una cartina delle caserme e gli insegnò a usare una «casella morta», un punto di scambio segreto dove gli agenti potevano depositare o ritirare documenti e attrezzature.[25]

Fino a questo punto, la Stasi aveva dovuto esercitare la propria influenza per aiutare Uhse ad attraversare i checkpoint ogni volta che doveva incontrare i suoi superiori nell'Est. Ora stava per ottenere un nuovo passaporto della Germania Ovest, che gli avrebbe permesso di andare avanti e indietro con più facilità. Ironia della sorte, a insistere perché Uhse chiedesse il documento che lo avrebbe reso un potenziale corriere per il Gruppo Girrmann era stato proprio Bodo Köhler. Al giovane dandy andava tutto a gonfie vele (comprò persino una tovaglia costosa per sua madre). Quando lo rivide, Lehmann scrisse nel suo rapporto:

> Abbiamo parlato di una sua possibile promozione. Gli ho detto che abbiamo raggiunto un livello più avanzato del nostro lavoro, e che a questo punto cominceremo a collaborare in maniera più «professionale». Abbiamo parlato dei suoi nuovi possibili obblighi. Soprattutto abbiamo chiarito che il suo è un lavoro volontario e dovrebbe essere svolto con onestà, e che in ogni caso è tenuto a non parlare dei suoi contatti con l'Mfs e la DDR [...] Gli ho spiegato

che baderemo alla sua sicurezza, ma che è meglio per lui se non parla con amici o parenti, nemmeno i più stretti, e non fa osservazioni ambigue. Se non rispetta i suoi obblighi, ne sarà dichiarato responsabile secondo le leggi della DDR.

Uhse acconsentì alle richieste dell'MFS e promise di «obbedire strettamente alle regole», come scrive Lehmann. In tal modo fu promosso, e il suo stipendio fu aumentato di circa 100 marchi alla settimana. Gli fecero anche scegliere un nuovo nome in codice: lasciò il poco dignitoso "Fred" e divenne "Hardy". Sempre secondo Lehmann, Uhse giurò di «ottenere risultati più qualificati e interessanti, e di essere più scrupoloso nello svolgimento dei compiti affidatigli». Il guadagno «non era la sua principale motivazione». Il ragazzo ammetteva di non capire la politica, ma aggiunse che «vista l'attuale situazione è giusto lavorare per l'MFS». Lehmann commentò che «è di mentalità aperta, ma va corretto riguardo a certe questioni». La Stasi spiava tutti, specialmente i suoi informatori, e con la promozione Uhse guadagnò anche una «osservazione», così la definiva Lehmann, più ravvicinata, per badare che seguisse le istruzioni. La nuova priorità di Uhse: «Prendere contatto con il direttore della Casa del futuro riguardo alle vie di fuga».

Avevano aspettato abbastanza. I tre studenti avevano trovato un'entrata e un punto d'uscita, e arruolato come scavatori Rudolph e Krebs.[26] Praticarono il primo buco nel pavimento della fabbrica con un piccone, disegnarono un grosso rettangolo nel cemento e cominciarono a scrostarlo. Dovevano scavare dritto verso il basso, allargando il buco iniziale fino ai due metri e più. Poi sarebbero scesi fino a circa quattro metri sotto terra e a sei per la maggior parte della galleria, prima di scavare verso l'alto in prossimità della fine, nel cuore di Berlino Est. La caverna che andava a Est doveva essere larga e alta circa un metro.[27]

Spina aveva una piccola cinepresa a 8 millimetri e nonostante la poca luce registrò i primi momenti per i posteri, e magari per farci qualche soldo. Per l'articolo sull'"Agenzia di viaggi d'affari" lo

"Spiegel" aveva pagato le sue fonti; magari i redattori della rivista, oppure uno studio cinematografico o una rete televisiva, si sarebbero contesi l'esclusiva su questo difficilissimo progetto di galleria. Consci che servivano finanziamenti, gli italiani avevano deciso di scattare foto e girare filmati amatoriali capaci di fruttare un contratto di distribuzione con pagamento anticipato.

Gli scavatori non impiegarono molto a capire che occorrevano rinforzi. L'apertura dell'ingresso verticale stava portando via più tempo del previsto, e cinque soli manovali non potevano bastare a lavorarci giorno e notte. Il primo acquisto fu semplice: un amico degli italiani, un certo Orlando Casola, un ragazzo tranquillo che portava gli occhiali da sole quasi ovunque. Ma i tre organizzatori ebbero qualche difficoltà a trovare altri di cui fidarsi.

Diversi giorni dopo, due uomini che avevano sentito parlare di un nuovo scavo avvicinarono gli italiani. Il primo si chiamava Hasso Herschel, era studente e li aveva conosciuti alla mensa della TU; l'altro, il suo amico Ulrich Pfeifer, lavorava come ingegnere civile. Davanti a qualche birra, Herschel, ex prigioniero politico sopravvissuto al *gulag* in Germania Est, ricamò su tutti i possibili progetti di fuga sotterranea, come trame del *Conte di Montecristo*. Schroedter siglò il patto portandoli sul sito dello scavo, dove i due videro l'inizio della strada che portava giù tra il cemento e la terra.

Herschel diede un contributo immediato. Per guadagnarsi da vivere aveva scavato i fossati di un cimitero e sapeva dov'erano nascosti vanghe, carriole e attrezzi. Quella notte si infilò nel cimitero, liberò il materiale, lo caricò sul furgone e insieme a Schroedter lo portò in fabbrica.

Le nuove reclute si erano conosciute un anno prima. Come Hasso, Uli Pfeifer era cresciuto a Dresda, e sopravvissuto sia ai devastanti bombardamenti incendiari della seconda guerra mondiale sia alle privazioni successive. Più tardi, un suo amico aveva corteggiato Anita, la sorella minore di Hasso. In visita a casa Herschel nel 1957, Uli notò in bella mostra sopra il mobile della radio la foto di un ragazzo dai capelli neri. Anita spiegò che era Hasso, suo fratello, in prigione da più di tre anni. Lo avevano arrestato diciottenne a Berlino, per aver preso parte alle epiche manifestazioni del 17 giugno 1953 contro la politica economica e lo stato di polizia dei comunisti. Nuotatore di calibro nazionale, come Harry Seidel anche Hasso sarebbe potuto diventare l'orgoglio sportivo della DDR. Invece era finito in cella insieme a ventidue altre persone per diverse settimane, con poco da mangiare e nessun cambio di vestiti. Lì decise che un giorno sarebbe sfuggito a quella metà della sua madrepatria.[28]

Quando riemerse dalla prigione, Hasso scoprì che lo avevano bandito dalla scuola superiore. Dopo aver preso il diploma alla scuola serale fu ammesso al Collegio tedesco di politica di Berlino Ovest, dove affittò un appartamento. Libertà! Ma poi, in visita ai genitori a Dresda, fu arrestato e accusato di violare la «legge per la protezione del commercio interno tedesco». Aveva venduto nell'Ovest una macchina fotografica, una macchina da scrivere e un binocolo dell'Est. Con questa accusa, o pretesto, subì una condanna a sei anni, e ne scontò quattro nel contesto brutale e degradante dei campi di lavoro. Tornò in libertà nel 1958, a ventitré anni.

All'uscita di galera Herschel conobbe Uli Pfeifer. Lavorò anche per i servizi segreti della Germania Ovest e per la CIA. Per gli americani spiò una base della Germania Est, scrivendo quanti uomini e veicoli ne entravano e uscivano, frugando persino nella spazzatura in cerca di lettere comprometenti. Dopo circa nove mesi, gli americani gli pagarono un biglietto aereo per Berlino. Si iscrisse di nuovo all'università, ma nell'agosto 1961, come migliaia di altri, rimase intrappolato dal Muro nell'Est.

Nello stesso periodo Pfeifer, che lavorava già come ingegnere nell'Est, studiava piani di fuga con la sua ragazza. Una notte del settembre 1961 arrancò in un condotto fognario diretto a ovest, sgattaiolando in mezzo a terribili fetori; la sua ragazza avrebbe dovuto seguirlo di lì a poco, ma nel frattempo la Stasi chiuse il tunnel. Qualche giorno dopo la arrestarono e la condannarono a sette anni di galera.

Chissà che sorpresa fu quando, una domenica mattina di quel mese di ottobre, Uli aprì la porta della casa di sua madre a Charlottenburg, un sobborgo di Berlino Ovest, e si ritrovò davanti Hasso

Herschel. Si abbracciarono forte. Hasso aveva passato il confine il giorno prima, al Checkpoint Charlie, usando un passaporto svizzero falso (procuratogli dal Gruppo Girrmann) dopo essersi tagliato i capelli e aver inforcato gli occhiali per somigliare alla foto del documento. Il suo unico rimpianto era di non essere fuggito anzi scavalcando il muro e facendo gestacci ai comunisti mentre saltava dall'altra parte. Questo, in una sola immagine, era Hasso.

Cinque mesi dopo, il progetto della galleria di Bernauer Strasse aveva guadagnato due scavatori motivatissimi. Pfeifer non sperava di salvare la sua ragazza incarcerata, ma era ancora infuriato per ciò che le era successo. Non riusciva a immaginare che avessero condannato una ventiduenne a trascorrere dietro le sbarre la maggior parte della sua vita di ragazza soltanto perché voleva abbandonare uno stato totalitario e raggiungere il suo amato. Il gioviale Herschel, che ora studiava scienze politiche alla FU, era ancora arrabbiato per aver passato così tanti dei *propri* anni formativi dietro le sbarre. Un obiettivo concreto, però, lo aveva: portare nell'Ovest la sorella minore Anita, insieme al marito di lei e al loro figlio. Anita avrebbe voluto andarsene con Hasso l'autunno precedente, ma lui l'aveva convinta a non farlo: «Uno alla volta: tu sei la più giovane, non possiamo ancora lasciare sola la mamma, e sarà difficile con il bambino. Ma ci penserò io». Giurò quindi che non si sarebbe tagliato la barba finché non l'avesse salvata. Hasso si paragonava a Fidel Castro, che nascosto sui monti di Cuba aveva giurato di non tagliarsi la barba finché i ribelli non avessero preso l'Avana.[29]

Con l'aiuto delle nuove reclute, finalmente gli scavatori raggiunsero la profondità che desideravano. Uno di loro disegnò un rettangolo sul lato della parete di argilla rivolto a est. Un grosso trapano elettrico aprì la strada. Andavano in direzione del Muro, e oltre.

4

Il presidente
maggio 1962

Il presidente Kennedy era sopravvissuto a un'economia debole, al disastro della Baia dei Porci e alle accuse di non fare abbastanza per porre fine alla segregazione razziale, senza perdere granché della sua popolarità. In questo avevano un ruolo chiave i tre network televisivi nazionali che gli consentivano di essere il primo presidente a parlare direttamente agli americani con frequenza: in diretta, senza censure, senza filtro. Le sue conferenze stampa, in media due al mese, venivano trasmesse in versione integrale dalle televisioni, per la prima volta in assoluto. Del resto, l'era della televisione non aveva ancora avuto a che fare con presidenti così giovani, belli e sagaci. Persino nel pomeriggio le dirette facevano milioni di ascoltatori e contribuivano a mantenere l'indice di gradimento di Kennedy attorno al 75 per cento.[1]

All'inizio della prima conferenza stampa del maggio 1962, nel solito contesto imponente – il nuovo auditorium del Dipartimento di stato – un giornalista gli chiese che cosa pensava del trattamento che gli avevano riservato i media, al di là dei suoi speciali televisivi periodici. «Be', più leggo giornali meno mi piacciono», commentò, suscitando qualche risata, «ma non mi sono lamentato né ho intenzione di lamentarmi. Leggo, e ci penso su per conto mio.» I giornalisti stavano «facendo il loro mestiere in qualità di organo critico, di quarto potere; io cerco di fare il mio. Per un po' coesisteremo, poi ognuno andrà per la sua strada» e arrivarono altre risate.[2]

Molti presidenti, prima di lui, avevano avuto un rapporto d'amore-odio con i mezzi d'informazione, ma nessuno come John F. Kennedy. L'ambivalenza saltava spesso agli occhi di Ted Sorensen, suo assistente e principale autore dei discorsi presidenziali. Gli sembrava che il capo considerasse i giornalisti suoi amici naturali, e le testate per cui lavoravano sue nemiche naturali, quasi come se le parole di apprezzamento dei reporter per lui fossero distorte prima della pubblicazione o della trasmissione. Il presidente non capiva perché un quotidiano come il "New York Times" sembrava sostenere la sua presidenza salvo stroncarla, di mese in mese e per questo o quell'altro difetto, negli editoriali. «Sono convinto», disse una mattina a Sorensen, «che tengono sempre in fresco un editoriale sulla "mancanza di leadership" e ogni qualche settimana lo ritirano fuori cambiando una cosa o due.»[3] Con l'amico Ben Bradlee, capo della redazione di Washington del "Newsweek", si lamentò: «Quando non abbiamo voialtri bastardi come tramite, allora sì che raccontiamo la nostra versione agli americani».[4]

Le conferenze stampa in diretta tv puntellavano la sua popolarità, ma l'idillio tra Kennedy e buona parte dei giornalisti della carta stampata non era sopravvissuta al primo quadrimestre del suo mandato. Nell'aprile 1961 il presidente aveva chiesto ai direttori dei media di mantenere il segreto sui (maldestri) piani di invasione della Baia dei Porci da parte di esuli cubani sostenuti dalla CIA. Soltanto una testata, il "New York Times", aveva pubblicato un articolo vago, e tanto era bastato a mandare JFK su tutte le furie. Due settimane dopo, in un discorso alla American Newspaper Publishers Association, chiese senza pudore che «ogni editore, ogni redattore e ogni giornalista [...] riconsiderasse i propri criteri e riconoscesse l'entità del pericolo che corre la nostra Nazione». La minaccia comunista incombeva sugli Stati Uniti in ogni angolo del mondo e «in tempo di guerra, governo e stampa hanno sempre collaborato allo sforzo, basato perlopiù sull'autodisciplina, di impedire fughe di notizie utili al nemico». I tribunali stessi avevano stabilito che «persino i diritti privilegiati del Primo Emendamento devono sottostare alla pubblica necessità di sicurezza nazionale».[5]

La minaccia comunista imponeva un cambiamento di prospettiva senza precedenti, non soltanto da parte del governo ma di tutti i quotidiani. Non c'è democrazia, diceva il presidente, che in certi frangenti non riconosca la necessità di porre limiti ai media, e la domanda, in America, era «se questi limiti debbano essere rispettati più severamente». Si scagliò contro le fughe di notizie che, se pubblicate dalla stampa, rischiavano di mettere pulci nell'orecchio alle potenze nemiche. Se il giornalismo poteva tollerarle, la sicurezza nazionale no, e Kennedy si chiese ad alta voce se fosse il caso di adottare criteri di tolleranza più stretti. Spronò i presenti a «pensarci seriamente» e a riesaminare le loro «responsabilità».

Quando furono pubblicati gli estratti del discorso, i commentatori – non sempre dopo averli valutati con serietà – rifiutarono quelle che molti consideravano minacce neanche troppo velate di imporre nuovi controlli se la richiesta di «autodisciplina» non fosse stata esaudita. In un articolo intitolato *La stampa: nessuna autocensura*, la rivista "Time" definiva il discorso «mal concepito». Persino diversi assistenti di Kennedy, come Arthur Schlesinger Jr., temevano che il presidente avesse esagerato. JFK fece marcia indietro, ma il suo atteggiamento nei confronti della stampa si inasprì.

Quasi ogni mattina, alla Casa Bianca, Kennedy riceveva dalla CIA la cosiddetta "Checklist informativa presidenziale", un agile promemoria di poche e concise pagine con le principali notizie e gli aggiornamenti dai punti caldi del mondo, dal Laos al Vietnam, da Cuba al Congo. Un giorno di maggio, tra le voci spiccava:

È probabile che la tensione a ridosso del Muro, già alta per via delle sparatorie e delle esplosioni seguite ai tentativi dei tedeschi dell'Est di fuggire a Berlino Ovest nell'ultima settimana, cresca ulteriormente. A stimolare l'interesse per il problema dei profughi sono insistenti uscite propagandistiche su entrambi i fronti. Il sindaco Brandt ha autorizzato i suoi uomini a usare le armi, se necessario, per aiutare i fuggitivi, mentre le forze di sicurezza di Berlino Est sembrano avere il grilletto più facile del solito e sono state pesantemente irrobustite lungo tutto il Muro. Ulteriori scontri tra forze di polizia contrapposte sembrano inevitabili.

«I tedeschi dell'Est», concludeva il rapporto, «sembrano intenti a contrastare il flusso dei fuggitivi, che si attesta sui 50-60 alla settimana. Può darsi che cerchino l'occasione per rispondere con la forza sufficiente a far naufragare la politica, pubblicamente annunciata da Brandt, di assistenza attiva ai fuggiaschi.»[6] Il 21 maggio la CIA confermò al presidente che l'epurazione degli estremisti dal governo comunista di Cuba aveva indispettito il Cremlino e «potrebbe portare a seri problemi con l'URSS».[7] L'agenzia non sapeva che cinque giorni prima Chruščëv aveva deciso di inviare a Cuba testate nucleari.

Capitava spesso che a dominare la "Checklist informativa" fossero i rapporti da Berlino. La città tedesca non era soltanto il punto critico della guerra fredda, ma anche il principale fronte della battaglia dello spionaggio, una delle poche arene in cui gli Stati Uniti e l'Unione Sovietica si scontravano faccia a faccia. Era un contesto spionistico forse unico nella storia: entrambi i centri operativi delle superpotenze erano nella stessa città (non più unita), e fino al 1961 ciascuna delle due aveva avuto straordinarie possibilità di infiltrarsi nell'altra. Il periodo dal 1945 al 1961 è considerato l'apogeo della guerra spionistica di Berlino, spia contro spia, oggetto di numerosi film e romanzi. Il Muro ostacolò considerevolmente queste operazioni, e Berlino vide piuttosto in fretta ridimensionato il suo ruolo nel confronto tra i servizi delle superpotenze. Nel 1962 entrambi gli avversari si stavano ancora adattando alla nuova realtà.

A Berlino le spie americane e sovietiche avevano due obiettivi comuni. Il primo era evidente: le informazioni. Ciascuna delle parti in gioco voleva scoprire il più possibile riguardo alla potenza militare, al clima politico e alle condizioni economiche dell'avversario, fosse quello tedesco o la superpotenza che lo proteggeva. Il Muro scombussolò le intricate reti di agenti e informatori.

Il secondo obiettivo dell'intelligence operativa in Germania era, come in tutti i giochi spionistici del mondo, autoreferenziale: impedire l'eversione e compiere operazioni di controspionaggio. In questo eccelleva la Stasi, che nell'Est e nell'Ovest aveva un numero di informatori senza precedenti. A guidare gli alti funzionari della DDR era la paura della ribellione, il carburante della paranoia e dell'ossessività tipiche dell'mfs. I cittadini della Germania Est erano considerati «inaffidabili», vulnerabili alla propaganda occidentale, e perciò bisognosi di stretti controlli. La Stasi si infiltrò persino nell'esercito e nelle sedi di polizia locale della DDR.[8]

Dal 1957 in poi, sotto la direzione del potentissimo – onnipotente, diceva qualcuno – Erich Mielke, la Stasi si era guadagnata una reputazione odiosa. Sebbene vi si esercitassero torture più psicologiche che fisiche, l'enorme prigione di Hohenschönhausen, a Berlino, era temutissima. Eppure, l'efficacia dell'mfs raggiunse il culmine soltanto dopo la costruzione del Muro, quando la sua capacità di controllare e monitorare la popolazione schizzò alle stelle. Una volta i dissidenti scappavano nell'Ovest da un giorno all'altro, ora non più. Certi agenti occidentali presero a identificare la DDR come una «dittatura della Stasi», quasi che a controllare tutto fosse l'mfs. Questa opinione sottovalutava il potere del SED (*Sozialistische Einheitspartei Deutschlands*), il partito unico al governo. In realtà, il motto della Stasi era *Schild und Schwert der Partei* (Scudo e spada del partito). A conti fatti, è probabile che il contributo più importante dell'mfs non fossero tanto le informazioni che raccoglieva, quanto l'aura di segretezza e onnipotenza che generava per conto del SED, permettendogli di stritolare la libera espressione e mantenere posizioni staliniste intransigenti.

Forse l'impatto maggiore del Muro sull'intelligence berlinese fu l'improvviso attenuarsi dell'ondata di profughi. Prima dell'agosto 1961 i servizi segreti dell'Est e dell'Ovest erano riusciti ad approfittare del movimento di massa dei rifugiati a Berlino. Le agenzie della DDR vi inserivano infiltrati per avere facile accesso all'Ovest. Ma c'era il rovescio della medaglia: i tedeschi dell'Est che arrivavano nell'Ovest dovevano registrarsi al campo profughi di Marienfelde, dove gli agenti dei servizi americani, francesi, britannici e tedeschi dell'Ovest erano liberi di interrogarli.

Ora che molti meno profughi approdavano nell'Ovest, però, il campo di Marienfelde sembrava destinato a trasformarsi in una città fantasma. Questo aumentò la brama dell'intelligence americana di parlare con qualunque tedesco dell'Est ce la facesse, attraverso le gallerie o altre strade. Gli agenti contavano sul contributo dei *Fluchthelfer* per entrare in contatto con nuovi profughi in possesso di informazioni fresche sull'Est. Al tempo stesso, ovviamente, i funzionari della CIA temevano che le evasioni organizzate provocassero uno scontro tra Stati Uniti e Unione Sovietica.

Dopo diversi giorni di scavi in verticale, la giovane squadra che lavorava nello scantinato della fabbrica di bastoncini da cocktail aveva finalmente fatto la svolta decisiva verso est. E il lavoro era sempre più pesante. Per prima cosa, la cavità era molto più fredda e umida di quanto avessero immaginato. Anche nelle giornate che in superficie erano caldissime, la temperatura in galleria non saliva di molto al di sopra dei 12 gradi. Ma il problema più critico era che quando si dedicarono alla lunga porzione orizzontale del progetto, i ragazzi scoprirono che le vanghe incontravano una testarda resistenza. A quella profondità, infatti, il suolo non aveva la consistenza sabbiosa della superficie; al contrario, era argilla più densa e ben più pesante. Questo rallentò sia gli scavi che lo smaltimento.[9]

All'inizio avevano allestito un sistema di carrucole con secchio, corda e argano, grazie al quale la terra veniva trasportata in superficie e poi depositata in un angolo. L'argilla rendeva l'operazione davvero faticosa. Inoltre, per infilare la vanga anche solo di pochi centimetri nel terreno, lo scavatore doveva mettersi schiena a terra e spingere con entrambi i piedi sulla lama, per poi voltarsi lentamente e goffamente a rovesciarne il contenuto – o quel che ne rimaneva – in un carrellino. All'inizio il trapano elettrico li aiutò a sbriciolare un po' il muro di argilla, ma gli scavatori sapevano che avvicinandosi al Muro avrebbero dovuto rinunciare a quell'utensile così rumoroso.

Avanzati di una ventina di metri, cominciarono a posare sottili assi di legno sul fondo terroso. Al centro fecero correre una rotaia d'acciaio e aggiunsero una ruota di gomma al carrellino. Lo scavatore riempiva il carrellino, non più grande di una cesta per le mele, con circa dodici chili di terra, e poi urlava o tirava la corda per avvertire chi stava all'imbocco del tunnel di portarla fuori girando una manovella. Quando il carico arrivava, l'addetto che stava all'esterno lo svuotava in una carriola e lo rimandava in fondo al buco. Presto gli scavatori si ritrovarono le mani indolenzite e callose. Ripetevano il ciclo di scavo e svuotamento senza sosta, illuminati da una fila di luci installate da Joachim Rudolph e alimentate dalla rete elettrica della fabbrica. Alla fine ottennero dei telefoni da campo della Wermacht alimentati a manovella (reliquie della seconda guerra mondiale) per comunicare dall'imbocco alla fine del tunnel.

La buona notizia era che grazie alla durezza dell'argilla i lati e il soffitto avevano più probabilità di reggere. Gli scavatori decisero comunque di costruire puntelli robusti. Con una parte dei pochi soldi rimasti loro comprarono un po' di legna (scaricata nel cortile della fabbrica, invisibile dall'Est) e cominciarono a tagliarla a ceppi lunghi circa un metro, del diametro di dieci centimetri circa. Uli Pfeifer aveva proposto di dare ai sostegni la forma di architrave triangolare. Ogni metro, o poco più, installarono coppie di ceppi che si univano alla sommità della galleria. Poi inserivano delle tavole di legno sui lati. Comunque fosse, anche così la possibilità di un crollo o di un'improvvisa infiltrazione d'acqua – sopra le loro teste correvano vecchie tubature – minacciava costantemente la loro sicurezza.

Comprensibilmente, il progresso quotidiano non si misurava certo in decine di metri. Avanzare di un metro e mezzo era una gran cosa. La legna già scarseggiava, e presto avrebbero dovuto installare un tubo, o qualcosa del genere, che pompasse aria in fondo alla galleria (Mimmo Sesta teneva d'occhio il livello d'ossigeno nello scavo accendendo fiammiferi). Avevano ovviamente bisogno di altra manodopera, ma non era facile trovare volontari per un lavoro così pericoloso e sfiancante. Un altro ostacolo era che quasi tutti i membri o i simpatizzanti di quest'ala della comunità dei *Fluchthelfer* erano studenti. Chi volesse davvero dedicarsi agli scavi rischiava di dover abbandonare i corsi per un semestre. L'altra ala della comunità – rappresentata da Fritz Wagner, Harry Seidel e da una coppia di fratelli, i Franzke – era più operaia. I due gruppi, studenti e lavoratori, interagivano raramente, il che limitava la possibilità di reclutare nuova manodopera.

Per fortuna diversi altri giovani avventurieri non vedevano l'ora di sporcarsi le mani.[10]

Il primo fu Joachim Neumann, un altro studente di ingegneria all'Università Tecnica, fuggito dall'Est alla fine del 1961 con un passaporto falso. In aprile era riuscito a far passare nell'Ovest sua sorella, nascondendola dentro un'automobile. Adesso voleva che lo raggiungessero la sua ragazza Christa e altri amici. Un altro studente, un certo Oskar, che aveva lavorato all'abortito tunnel sotto la S-Bahn di Wollank, sapeva che gli ex-colleghi di quello scavo erano disposti a unirsi a qualsiasi nuovo progetto. Un giorno di maggio i due andarono a parlare con un funzionario del Ministero degli interni tedesco che vedeva di buon occhio chi aiutava i profughi a scappare. L'uomo disse loro che non poteva finanziare la galleria che Joachim e Oskar gli proponevano, ma sapeva di un altro tentativo già avviato, i cui organizzatori avevano bisogno d'aiuto.[11]

Qualche giorno dopo, i due tornarono in quell'ufficio e si sentirono dire che era fissato un appuntamento tra loro e gli scavatori del tunnel, in un ristorante del quartiere di Wedding. Come riconoscere i cospiratori? Uno aveva la barba, che in quel periodo a Berlino era una rarità. E infatti quando arrivarono all'appuntamento notarono Hasso Herschel con il suo nuovo look barbuto. Lo accompagnavano Gigi Spina e Wolf Schroedter, che guardarono con sospetto le possibili recluse finché non seppero che uno era scappato dall'Est e l'altro aveva lavorato al tunnel di Wollank. Fissarono un appuntamento con Wolf, che sarebbe andato a prenderli in furgone per accompagnarli allo scavo.

Una volta nel tunnel, il paffuto Neumann stimò che gli scavi erano avanzati di circa dodici metri. Ne mancavano soltanto centoventi! Tuttavia, riferendosi alla struttura di sostegno, chiese: «Perché la forma a triangolo?». Secondo lui era inutilmente complicata. Consigliò di posizionare i ceppi superiori in orizzontale, a formare un quadrato, e aggiunse che in quel modo si sarebbe potuto inserire una specie di controsoffitto. Oskar, con un contributo altrettanto importante, disse che poteva coinvolgere altri cinque scavatori di Wollank. Finalmente, il lavoro poteva procedere a turni di otto ore, giorno e notte.

Agli scavatori di tunnel piaceva vantarsi di essere gli unici garanti della divisione in quattro zone della città, gli unici berlinesi che potevano entrare in tutti i settori, seppure solo sottoterra e seppure fossero decisamente indesiderati almeno in uno dei quadranti. Dopo la fuga coordinata dai fratelli Becker in gennaio, quasi tutti i tentativi erano andati dall'Ovest all'Est. C'erano motivi molto validi per farlo. Cominciare a scavare nella relativa sicurezza dell'Ovest, dove ci si poteva anche sbarazzare con una certa facilità delle prove terrose, era meno pericoloso. Inoltre, qualsiasi tunnel organizzato nell'Est era a più alto rischio di infiltrazione di uomini della Stasi.

Nulla di tutto questo, tuttavia, fermò Max Thomas: continuava a dire a tutti che non voleva nemmeno essere sepolto nell'Est, quando fosse morto (dichiarazione piuttosto impegnativa, considerato che aveva ottantun anni). In gennaio Thomas aveva cercato di unirsi alla spedizione dei Becker, ma gli era stato detto che la galleria era troppo stretta per lui e i suoi amici e parenti anziani, che oltretutto rischiavano di andare nel panico. Tre mesi dopo, Thomas decise di costruirsi una via di fuga da solo, arruolando un camionista cinquantasettenne e altri due soci, settantenni, come scavatori. Partirono da una stia nel cortile di Thomas e in sedici giorni asportarono quattrocento secchi di terra, che nascosero in una stalla in disuso.[12]

La galleria, lunga soltanto una trentina di metri, era cavernosa come le altre, alta appena un metro e mezzo. Tanto bastava per consentire ai fuggiaschi di camminare (un po' curvi) anziché strisciare, vestirsi eleganti e portarsi una valigia: il tutto, per scappare con dignità. Prima dello sbocco nell'Ovest costruirono una rampa, perché i fuggiaschi non dovessero salire una scala ripida. Funzionò. Cinque donne e dodici uomini – tutti ultracinquantacinquenni tranne uno – attraversarono il tunnel la notte del 5 maggio, ed emersero in un parco. La stampa di Berlino Ovest lo ribattezzò "il tunnel dei pensionati". Due settimane dopo, il "New York Times" ne parlò in un articolo nel quale Max Thomas, nascosto sotto lo pseudonimo "Nonno Fritz" spiegava che il suo tunnel era più largo dei precedenti «perché alcuni di noi sono così robusti che ci serve più spazio». Un rapporto della Stasi sull'accaduto criticava le guardie di confine che non erano «giunte alle necessarie conclusioni» dopo la fuga dei Becker in gennaio, appena quattro case più in là.[13]

Altrove, a ridosso del Muro, la violenza continuava a infuriare. Una sparatoria causò la rivolta più grande mai vista fino a quel momento. Cominciò poco dopo le cinque del pomeriggio del 23 maggio, quando il quattordicenne Wilfried Tews, nei guai dopo essersi rifiutato di distribuire volantini di propaganda di un gruppo giovanile comunista, cercò di svignarsela passando attraverso l'antico Cimitero degli Invalidi. Uno sparo gli fischiò accanto mentre si avvicinava all'alto muro esterno, e un altro mentre ci si arrampicava. Atterrato sull'alzaia del canale Humboldt, ci si tuffò e cominciò a nuotare verso l'altra sponda, a soli quindici metri da lui, come aveva stabilito basandosi su una cartina turistica. Le guardie esplosero decine di colpi; un proiettile gli perforò un polmone, altri lo colpirono al braccio e alla gamba. Tuttavia, mentre ancora gli sparavano riuscì a salire sulla sponda dell'Ovest. Decine di altri spari scheggiarono i sassi vicini (a Tews sembrava di stare in un Ovest che somigliava più al "Far West" hollywoodiano che a Berlino). I poliziotti dell'Ovest che cercavano di raggiungerlo risposero al fuoco. Uno gridò, verso l'altra sponda: «Smettetela di sparare! Siete tedeschi anche voi, o no?».

Poi il soldato Peter Göring, una guardia di confine ventunenne dell'Est, cadde, colpito da tre colpi mentre abbandonava la posizione per prendere di mira il fuggiasco.[14]

Tews sopravvisse, Göring morì. E allora scoppiò la guerra della propaganda. I funzionari comunisti fecero passare Göring per martire: organizzarono un funerale di stato e cominciarono a cercare vie e palazzi da intitolargli. Il quotidiano "Neues Deutschland", organo di partito della DDR, mise in prima pagina un'enorme foto del cadavere di Göring, a terra, con gli occhi spalancati verso il cielo. I media dell'Est raccontarono che la guardia era stata attirata in trappola e «assassinata». Sulla testa del berlinese dell'Ovest che aveva ucciso il povero Göring fu messa una taglia di 10000 marchi. Per tutta risposta, i funzionari dell'Ovest accusarono i VoPos di tentato omicidio, specificando che persino il regolamento delle guardie vietava di sparare a donne o bambini, come Tews; per non parlare dei proiettili arrivati nell'Ovest. In un cablogramma a Washington, i servizi americani sottolineavano che la versione comunista dell'incidente sorvolava sul dettaglio che a sparare per prime erano state le guardie della DDR.

Succedeva da mesi che dei tedeschi cercassero di abbattere altri tedeschi, ma dopo questo episodio eclatante i cittadini di entrambi i versanti rimasero scottati. Dopo aver letto della morte di Göring, una donna disse al marito, sergente in una brigata di confine della DDR: «Non azzardarti per nessun motivo a firmare per un altro anno di leva». Al che fu convocata nell'ufficio del comandante della compagnia per un «colloquio chiarificatore».[15] Tuttavia, le sparatorie continuarono. Il 27 maggio, un altro ragazzo che cercava di scappare fu colpito alla testa dal proiettile di un soldato di vedetta. E di nuovo la polizia di Berlino Ovest rispose al fuoco. I dottori e le infermiere di un ospedale vicino dovettero rimanere a guardare mentre la giovane vittima rimaneva per quaranta minuti in mezzo all'erba, prima che la portassero via.[16]

Un secondo muro, che incuteva molto meno timore, cominciava ad attirare l'attenzione degli abitanti di Berlino Ovest e dei turisti. La Associated Press scrisse, accompagnando l'articolo con una foto: «Una produzione hollywoodiana sta costruendo a Berlino un muro di gesso, per un film che racconterà la fuga di 28 rifugiati dalla Germania Est comunista. Il finto muro, lungo circa trecento metri, si trova in una zona di Berlino lontana dal muro lungo quaranta chilometri eretto dai comunisti. Ma per scongiurare errori, la direzione del set ha affisso cartelli in quattro lingue, che spiegano che si tratta di un'imitazione».[17] Il finto muro si trovava vicino al Tiergarten, il parco più famoso della città, e sul cartello c'era scritto: «Questo non è il vero Muro di Berlino, questo muro serve per il film *Tunnel 28* – W. Wood Prods». Fu una trovata pubblicitaria geniale. I turisti che si fermavano a vederlo – nonostante il vero Muro poco lontano – erano così tanti che spesso disturbavano le riprese.

La MGM sperava che le riprese andassero meglio rispetto all'ultima pellicola girata in città, *Uno, due, tre!* di Billy Wilder. Wilder aveva avuto la sfortuna di cominciare a girare appena prima della comparsa del muro e di non aver finito prima che la città fosse fisicamente divisa in due. Le location di Berlino Est furono depennate e la troupe dovette costruire vicino a Monaco una Porta di Brandeburgo di cartapesta a grandezza quasi naturale. L'altro problema era il tono del film, una commedia che segue la figlia di un dirigente della Coca-Cola di stanza a Berlino (James Cagney), che si innamora di un comunista della Germania Est (Horst Buchholz). Dopo l'agosto 1961 erano rimasti in pochi a ridere di Berlino, il che aveva affossato gli incassi del film sia negli Stati Uniti sia in Germania. «Billy Wilder trova divertente ciò che a noi spezza il cuore», protestò un quotidiano berlinese.[18]

Il regista di *Tunnel 28*, Robert Siodmak, sembrava una buona scelta. Di fughe dall'oppressione ne sapeva qualcosa. Ebreo, nato nel 1900 e cresciuto a Dresda, negli anni trenta era scappato prima a Parigi e poi a Hollywood, come il suo amico austriaco Billy Wilder. Dopo qualche film di serie B come *Il figlio di Dracula* era stato promosso a dirigere thriller, tra cui *La scala a chiocciola*, e si era guadagnato una nomination all'Oscar come miglior regista per *I gangsters*, del 1946. All'inizio degli anni cinquanta aveva lavorato con Budd Schulberg a una sceneggiatura intitolata *A Stone in the River Hudson*. Profondamente rimaneggiata, era divenuta il celebrato copione di *Fronte del porto* (Siodmak non fu menzionato come coautore, fece causa al produttore per centomila dollari e la vinse). Dopo una serie di film di scarso successo, era tornato in Germania Ovest a realizzare un paio di film drammatici molto apprezzati.

Gli sceneggiatori di *Tunnel 28* erano Peter Berneis, originario della Germania come Siodmak e coautore di *Il ritratto di Jennie*, e Gabrielle Upton, autrice (improbabile) del film adolescenziale *I cavalloni*. Il produttore Walter Wood aveva scelto Siodmak perché ne prediligeva il «realismo» rispetto all'eccessiva fiducia nella «spontaneità» della *nouvelle vague* francese. Il regista, tuttavia, faticò a trovare anche un solo berlinese dell'Ovest disposto a recitare nella parte del VoPo: i cittadini avevano paura che la polizia dell'Est potesse riconoscerli nel film e fermarli ai posti di blocco sull'autostrada verso la Germania Ovest. Per scritturare attori in quei ruoli, Siodmak dovette andare fino a Monaco.[19]

Secondo un articolo del "Los Angeles Times", durante un'intervista telefonica da Berlino Siodmak aveva «trattenuto a stento l'entusiasmo» per il film.[20] Aveva appena girato una scena lungo un canale, alla frontiera, con una folla di comparse dell'Ovest, e attirato l'attenzione dei VoPos che si erano avvicinati al confine con tre veicoli e avevano puntato le fotoelettriche contro le cineprese. Siodmak, che prevedeva l'azione di disturbo delle guardie, aveva messo una seconda troupe a filmare una scena simile più avanti, sullo stesso canale. Il regista commentò che, oltre ad avere girato le due sequenze che gli servivano, «si vedono anche i fari che vanno avanti e indietro. Puro realismo!». In un'altra occasione, Siodmak e Wood erano saliti su una piattaforma vicino al Muro a sbirciare dall'altra parte con il binocolo. Un militare americano era corso dai due ad avvertirli di smetterla. Le guardie dell'Est consideravano spia chiunque maneggiasse un binocolo e rispondevano a colpi di fucile, come avvertimento o con intenzioni più serie.[21]

Erwin Becker fece da consulente alla troupe su parecchi dettagli, dal tipo di suolo che aveva scavato insieme ai fratelli, ai cavi elettrici usati per collegare le luci. Quasi tutti i giorni andava sul set a esprimere pareri sugli attori e sulle atmosfere. Gradì l'aria tetra e sporca della finta cantina allestita nei teatri di posa. La galleria di cartapesta era molto diversa dalla sua, ovviamente: le pareti si potevano staccare e il soffitto alzare per far entrare le cineprese.

Quando Franz Baake sentì bussare alla sua porta agli studi UFA di Tempelhof, e andò ad aprire, fu piuttosto sorpreso di trovare tre ragazzi dall'aria serissima. Nessuno gli aveva chiesto un appuntamento, e lui era già preso dal suo ruolo di addetto stampa per *Tunnel 28* fintanto che la troupe girava a Berlino. Oltre ad arrotondare con la MGM, Baake stava dando gli ultimi tocchi a un suo cortometraggio sui primi mesi del Muro, *Test for the West*, in programma al Festival del Cinema di Berlino di giugno. Considerato il tema di entrambe le pellicole, non gli ci volle molto per drizzare le orecchie davanti a ciò che gli dissero i visitatori. Erano due italiani e un tedesco, un po' più giovani del trentenne Baake. Uno dei due italiani esordì con: «Ti piacerebbe vedere un tunnel *vero*?».[22]

Se in Germania si cominciava a parlare molto di *Tunnel 28* era anche grazie al lavoro di Baake, autore di slogan un po' enfatici come «*Tunnel 28* non è un film: è dinamite!». Quando apparve un articolo critico verso questo modo di presentare il film, Baake chiese al produttore Walter Wood di rassicurare la stampa: lui stava solo cercando di aiutare gli americani e i tedeschi a capire la vera natura malvagia del Muro. Certi lanci pubblicitari, come gli aneddoti sulla copia del Muro, avevano fatto il giro del mondo. Tra coloro che avevano saputo di *Tunnel 28* grazie alla stampa c'erano i tre giovani scavatori.

Non dissero a Baake come si chiamavano, gli intimarono di non parlare con nessuno del loro progetto, e gli chiesero se volesse scattare qualche foto del loro fantomatico tunnel. Affascinato, lui rispose di sì. Qualche giorno dopo tornarono, lo bendarono e lo caricarono sul furgone. Baake rispettò i loro scrupoli. Conosceva un giornalista tedesco che si era guadagnato la fama di traditore tra i suoi colleghi perché aveva parlato un po' troppo, tempo prima, di un'altra galleria. Baake portò con sé la sua Rolleiflex, per stampare foto un po' più grandi rispetto alla Leica che usava di solito.

Quando scese dal furgone lo accompagnarono nello scantinato di un edificio e poi nel tunnel. Gli tolsero la benda e lui rimase colpito dalla professionalità, dalle luci sul soffitto, dalle solide travi che reggevano la struttura. D'altra parte era anche semibuio, con qualche pozzanghera d'acqua per terra, insomma in breve «faceva paura». Sentì il cuore battere a mille mentre avanzava di qualche metro nel varco e scattava l'ultima di decine di foto. Poi annunciò che un suo amico aveva una camera oscura, per svilupparle. Gli scavatori insistettero per accompagnarlo, per motivi di sicurezza. Baake sviluppò il rullino e fece qualche ingrandimento. Apprezzava l'idealismo degli studenti, ne condivideva la missione, e per questo regalò loro foto e negativi.

Qualche giorno dopo, il trio tornò da Baake. I ragazzi non si accontentavano più di documentare lo scavo con immagini statiche. Volevano sapere se Baake aveva qualche aggancio con le reti televisive americane che, secondo loro, avrebbero garantito al progetto un pubblico più vasto, oltre a cospicui finanziamenti. Baake non aveva contatti ma conosceva qualcuno che poteva averli: Fritjof Meyer, dipendente di un'agenzia federale che sognava di fare il giornalista. Questo pazzo progetto di galleria avrebbe potuto essere d'aiuto.[23]

Meyer volle prima vedere il tunnel e anche a lui toccò il viaggio in furgone, bendato, dopo un appuntamento con i due italiani e il tedesco in un parco giochi. Ancora più nervoso di Baake mentre si infilava nel buco nero, Meyer quasi scappò via quando un tram passò a Bernauer Strasse, sopra la sua testa, e scatenò una pioggia di terra. Sopravvissuto all'esperienza, Fritjof chiamò un amico. Si trattava di Abe Ashkenasi, collaboratore locale part-time della NBC che da settimane andava in cerca di una dritta come quella. Meyer era suo saltuario compagno di bevute all'Eden Saloon, uno dei locali più frequentati dai giornalisti occidentali, descritto dalla guida turistica per i soldati americani come «un posto bohémien per giovani» (altro frequentatore assiduo: Siegfried Uhse). Ashkenasi, ex agente segreto dell'esercito americano, studiava per un dottorato alla Columbia University e al contempo si era iscritto alla FU berlinese. Raccontò del tunnel al suo superiore Gary Stindt, e Stindt informò l'inviato Piers Anderton.

Per Anderton fu un regalo tempestivo. Erano passati mesi da quando il suo capo Reuven Frank gli aveva chiesto di trovare un tunnel. Adesso un tunnel aveva trovato lui. Appena in tempo, visto che il suo rivale Daniel Schorr cercava di spillare informazioni nientemeno che al Gruppo Girrmann.[24]

Dopo sei mesi, la carriera di Siegfried Uhse come informatore giunse a nuove vette in maggio, quando per la prima volta il Gruppo Girrmann lo coinvolse in una fuga organizzata dal suo membro americano più importante. Tutto cominciò un pomeriggio, alla Casa del futuro, quando Uhse osservò il direttore Bodo Köhler impegnato in una curiosa conversazione con un giovane poliziotto di Berlino Ovest che voleva lasciare la sua «roba» in ufficio. Köhler accettò. In seguito, Bodo disse a Uhse: «Hai fatto bene a tornare. Quello che abbiamo deciso l'altra sera si fa. È un'idea così buona che possiamo scommetterci forte. Per adesso non ti dico niente, capisci bene perché». Uhse si offrì di fare da corriere e incontrare i potenziali fuggitivi, aiutato dal suo nuovo passaporto della Germania Ovest.[25]

Qualche giorno dopo, sempre alla Casa del futuro, Uhse conobbe una giovane americana, Joan Glenn, giunta a Stoccarda nel mese di giugno in visita di scambio dall'università di Stanford (era originaria di Salem, Oregon).[26] In dicembre, di passaggio a Berlino Ovest, aveva preso alloggio nell'ostello della Casa del futuro. Tutta entusiasta, la diciannovenne Glenn lasciò perdere Palo Alto e rimase a Berlino per collaborare al piano dei passaporti falsi vivendo nella cantina, e poi nella soffitta, della Casa del futuro.

Berlino era diventata una specie di Mecca degli studenti idealisti europei e americani, che desideravano aiutare i loro compagni intrappolati al di là del Muro.[27] Alcuni, come Glenn, studiavano in Germania; altri dedicavano le vacanze alla causa o saltavano interi semestri. Correvano molti rischi di varia natura. Perlopiù risiedevano a Berlino Ovest, riempiendo le stanze della Casa del futuro. Aiutavano gli organizzatori del Gruppo Girrmann a individuare e associare le fototessere di vecchi passaporti alle facce di tedeschi dell'Est che volevano scappare. Le studiavano sparpagliandole sui tavoli massicci degli uffici del Girrmann. Qualcuno accettava il compito, ben più pericoloso, di portare le foto o i passaporti nell'Est, a costo di essere trattenuto alla frontiera mentre andava o tornava. Diverse decine di studenti stranieri erano già state arrestate. Due californiani e un olandese, incarcerati per tratta di esseri umani, erano stati poi rilasciati da un «atto di clemenza» di Walter Ulbricht. Il destino di altri era sconosciuto.

Due compagni di Joan Glenn a Stanford, come lei in visita di scambio e residenti nella Casa del futuro, usarono i loro passaporti americani per andare a Berlino Est e distribuire documenti falsi a potenziali fuggitivi.[28] A fine gennaio si persero le tracce di uno di loro, Robert A. Mann. Glenn raccontò alla direzione di Stanford e ai genitori del ragazzo cosa stava facendo. Poco dopo, i tedeschi dell'Est annunciarono che Mann era stato incarcerato per aver contribuito alla fuga di un ex studente della FU. I genitori di Robert, intervistati dall'altra parte del mondo a Sepulveda, in California, dissero di sperare che fosse liberato dalla prigione di Brandeburgo senza processo, ma Washington poteva esercitare ben poche pressioni oltreconfine. Dopo mesi, ancora non si sapeva nulla.

A quel punto Joan Glenn chiese a Siegfried Uhse di aiutarla a portare una madre e una figlia all'Ovest senza specificare come. Uhse si offrì di collaborare. Glenn gli confidò altro: avevano organizzato uno «sfondamento violento» del confine, tra il 23 e il 25 maggio.[29] Per paura di insospettire la ragazza, Uhse non chiese altri dettagli. Ma la prese sul serio. Dopotutto, Köhler gli aveva spiegato che Joan era «coinvolta in tutta la faccenda» e che, addirittura, era «il suo braccio destro». Joan aveva anche la grandissima responsabilità di tenere aggiornata la lunga lista segreta dei potenziali rifugiati e organizzare le iniziative future dei corrieri. Si diceva che tra Köhler e Glenn ci fosse una storia.

Siegfried Uhse non dovette aspettare molto per scoprire in cosa poteva consistere lo "sfondamento". Avvenne in leggero ritardo, nelle prime ore del mattino del 26 maggio, ma l'impatto fu, a diversi livelli, tremendo. Il titolo dell'articolo pubblicato sul "New York Times" era: *Quattro esplosioni in 15 minuti squarciano il Muro dei rossi a Berlino*.[30] Fu l'assalto al Muro più clamoroso che si fosse mai visto, e sparpagliò pietra e sassi nel raggio di decine di metri, su Bernauer Strasse. Nessuno si fece male – e non sembra che nessun fuggiasco approfittò della breccia – ma l'esplosione distrusse alcune postazioni della DDR sul confine. Un agente di polizia dell'Ovest disse che a quel punto sembrava essere nato «un movimento operativo per abbattere il Muro».

Il "Times" raccontava che secondo i funzionari «i responsabili erano gruppi clandestini di berlinesi dell'Est». Pubblicò una grossa foto UPI di due poliziotti di Berlino Est intenti a sbirciare in un buco nel Muro largo quattro metri e mezzo. La redazione non poteva sapere, ma neanche immaginare, che il poliziotto nel lato destro della foto era l'uomo che aveva contribuito a organizzare e innescare l'esplosione principale (con un sigaro, disse qualcuno).

Si chiamava Hans-Joachim Lazai, aveva ventiquattro anni e pattugliava da tempo la zona di Bernauer Strasse. Nell'agosto dell'anno precedente, dalla sua auto della polizia aveva visto Ida Siekmann, la prima vittima del Muro, lanciarsi verso la morte dalla finestra di casa.[31] Era sul posto anche qualche settimana dopo, quando un giovane tedesco si gettò verso la rete dei pompieri, ma la mancò e morì (Lazai era tra quelli che lo avevano incoraggiato a provarci). Le morti lo avevano fatto infuriare. In un'altra occasione, quando gli ordinarono di colpire con gli estintori i giovani tedeschi dell'Ovest che protestavano contro la barriera, si era sentito male. Certi suoi colleghi aiutavano chi collaborava alle fughe prestandogli armi o stando di guardia durante le fughe sotterranee. Lazai stesso aveva collaborato a diversi tentativi di scavo, tutti falliti, e voleva fare qualcosa di ancora più provocatorio per erodere una struttura che considerava profondamente disumana. A questo pro, aveva messo a disposizione del Gruppo Girrmann le proprie competenze di artificiere (probabilmente era lui il poliziotto che qualche giorno prima Uhse aveva visto lasciare roba alla Casa del futuro).

I capi del Gruppo Girrmann erano contro l'uso della violenza, ma odiavano il regime comunista con ardore. L'anti-autoritarismo di Detlef Girrmann e Dieter Thieme risaliva agli ultimi mesi della seconda guerra mondiale. Ancora adolescente, Thieme si era arruolato nell'esercito e Girrmann aveva chiesto di entrare nelle SS. Dopo la guerra, vergognandosi del loro passato, i due erano diventati accesi socialdemocratici, nell'Est. Thieme aveva passato tre anni in prigione per aver distribuito libri e volantini critici con il governo, poi era fuggito nell'Ovest. A quel punto, Girrmann e Bodo Köhler, anch'essi sotto minaccia di arresto, erano già scappati. Dopo anni di attivismo in altre forme, il trio aveva trovato la sua vera vocazione organizzando fughe dall'Est.[32]

Si opponevano alla violenza contro le persone, ma un muro inerte di cemento era un'altra faccenda. Stabilirono insieme a Lazai di farlo esplodere in una zona affollata e molto visibile, ma gli ordinarono di non fare male a nessuno. Grazie a uno del Gruppo, uno studente svizzero di mineralogia, Lazai ottenne sei chili di plastico malleabile, dodici cilindri che sembravano marzapane. I colleghi poliziotti lo aiutarono a scaricare sacchi di sabbia da venti chili che servivano a dirigere l'esplosione verso est, oltre il Muro. Non riuscì a sfruttare il colpo per provocare una fuga: ci si dovette accontentare di uno scoppio simbolico.

Poco dopo la mezzanotte del 26 maggio, Lazai innescò l'esplosione all'angolo tra Bernauer Strasse e Schwedter Strasse. Sessanta secondi dopo, mentre il plastico detonava, il poliziotto stava correndo a rifugiarsi sulla sua volante, a qualche centinaio di metri da lì. Poi fece rapporto al quartier generale dall'interno del veicolo coperto di polvere. La polizia francese e quella di Berlino Est arrivarono subito sul posto. Mentre il sole sorgeva, i fotografi immortalarono i poliziotti di Berlino, compreso uno spudorato Lazai, sul luogo dell'esplosione. E Lazai non si accontentò. Il giorno dopo volò a Francoforte con l'intenzione di prelevare altro esplosivo custodito in segreto in una base americana. La polizia militare ebbe una soffiata e lo arrestò. Gli interrogatori tedeschi dell'Ovest gli dissero: «Non ci piace quello che hai fatto, ma ti capiamo». Non rimase in galera per molto; non fu mai incriminato per il sabotaggio, ma soltanto trasferito in Bassa Sassonia.

Non c'era da stupirsi: Lazai aveva sostenitori altolocati. Poco prima dell'attentato, Bodo Köhler aveva parlato con Egon Bahr, un influente collaboratore del sindaco Willy Brandt che non nascondeva le proprie simpatie per chi aiutava i fuggiaschi.[33] Prima di scappare nell'Ovest in segno di protesta contro la censura governativa, Bahr era stato giornalista a Berlino Est e disprezzava quello che definiva *Scheissmauer*, muro di merda. Dopo aver discusso con Köhler iniziative più clamorose contro l'Est, magari anche una detonazione o due, Bahr aveva alzato le mani con enfasi e aveva detto: «Qualcosa *deve* succedere al Muro! Capito?». Köhler si sentì autorizzato a mettere le bombe.[34]

Al momento delle esplosioni, il Partito socialdemocratico (SPD) di cui Bahr faceva parte stava tenendo a Colonia il proprio congresso nazionale, nel corso del quale Willy Brandt sperava di essere eletto numero due dell'organizzazione. Da una cabina telefonica di Berlino, Köhler informò Bahr che l'operazione era andata bene. Bahr rispose, in altre parole, *Ragazzi, era ora.* Brandt annunciò al congresso che studenti dell'Ovest avevano fatto saltare un pezzo di Muro, e li elogiò per non averne accettato passivamente l'esistenza. Il Muro, disse, era talmente «innaturale e disumano che non potremo mai accettarlo». Tutti si alzarono ad applaudire. Brandt finì per ottenere la vicepresidenza del partito, e fu il suo primo passo verso la Cancelleria.

Il 27 maggio, dopo l'esplosione di Bernauer Strasse, Piers Anderton incontrò Franz Baake e Fritjof Meyer per parlare del loro misterioso tunnel. I due gli diedero l'indirizzo di un appartamento nei pressi del campus della TU, dove l'indomani avrebbe visto gli organizzatori. Anderton scrisse in agenda, sotto il 28 maggio: «Studenti, etc.» per mantenere il segreto nel caso qualcuno la leggesse.[35]

Anderton arrivò all'appuntamento e scoprì che uno degli italiani – quello basso, Sesta – parlava piuttosto bene in inglese. Quello alto, Spina, parlava poco. Il tedesco, Schroedter, non parlava per niente... mentre giocava con l'otturatore di una pistola automatica. Anderton capì che quella gente faceva sul serio. Sesta gli illustrò l'impresa di Peter Schmidt e gli mostrò cartine delle reti sotterranee della città e vari progetti del tunnel. Dichiarò senza scomporsi che per completare gli scavi avevano bisogno di cinquantamila dollari. Anderton sapeva che, da New York, Reuven Frank non avrebbe mai acconsentito, ma chiese di vedere la galleria.[36] Così, come Baake e Meyer, ecco anche lui sul furgone, scortato da Schroedter.

Quando Anderton lo vide per la prima volta, il tunnel misurava più di venti metri e arrivava quasi al Muro. Il giornalista fu stupito da quanta terra avevano già ammassato nella cantina. La forma triangolare dei supporti di legno all'inizio dello scavo lasciava posto alla struttura quadrata. Anderton disse a Schroedter che aveva tutta l'intenzione di filmare il progetto, ma prima aveva bisogno del via libera, e dei soldi, da New York. Il caso volle che di lì a poco sarebbe partito per Manhattan: andava a sposarsi. Al ricevimento di nozze avrebbe visto il suo capo, Frank.[37] Schroedter gli fece firmare un accordo (probabilmente inapplicabile) che diceva: «Io dichiaro, oggi 28 maggio 1962 [...] che manterrò il silenzio sull'impresa di Wolfhardt Schroedter. Se infrango il patto, pagherò 50 000 dollari a Herr Schroedter».[38]

Tre giorni dopo, Anderton partì per New York.

5

L'inviato
giugno-luglio 1962

Piers Anderton aveva affari importanti da sbrigare a New York, ma prima di tutto si doveva sposare. Già divorziato e padre di sei figli, convolò di nuovo a nozze con una breve cerimonia civile. La sua attraente e bionda moglie svedese, Birgitta, di diciotto anni più giovane di lui, aveva visto molto più mondo di Anderton: era stata assistente di volo della Pan Am. Piers, con la barba spuntata di fresco, sfoggiava un completo elegante; Birgitta un abito di seta. Il corrispondente della NBC John Chancellor e sua moglie aspettarono la coppia raggiante fuori dal municipio e insieme ai due andarono al pranzo in loro onore, organizzato dalla NBC al prestigioso Four Seasons.[1]

Mentre Reuven Frank si godeva i festeggiamenti – vista l'occasione, diversi colleghi avevano cominciato a bere prima del solito – lo sposo lo prese da parte e gli intimò: «Dobbiamo parlare. *In privato*. Nel tuo ufficio». A Frank parve strano, in quel contesto; cercò di rimandare ma Anderton insisteva.[2] Alla fine della festa, anziché proseguire con Birgitta, Anderton accompagnò la moglie fuori dal ristorante e le disse: «Devo andare in ufficio».

«Mi stai dicendo che vuoi lasciarmi qui sul marciapiede il giorno delle mie nozze?», protestò lei. Piers raggiunse un compromesso accompagnandola in taxi al Summit Hotel, poi andò da Frank al 30 di Rockefeller Plaza, dove aveva sede la NBC.

Dopo avergli chiesto di chiudere la porta dell'ufficio, Anderton disse a Frank: «Ho un tunnel».

«Cosa vuol dire?»

Anderton spiegò. Non soltanto l'aveva visto, ma ci era entrato, per qualche decina di metri. E voleva che la NBC pagasse tre degli scavatori in cambio dell'accesso esclusivo alla galleria.[3]

Frank, che nell'agosto dell'anno prima aveva praticamente intimato ad Anderton di trovare un'impresa rischiosa come quella, era felicissimo. Al contempo, però, insistette perché tutto rimanesse strettamente confidenziale. Anderton poteva parlarne soltanto con un altro paio di persone alla NBC, e solo per necessità. Siccome, presumibilmente, i russi, i tedeschi dell'Ovest o gli americani (o tutti e tre) intercettavano le telefonate in uscita da Berlino, Anderton doveva comunicare con Frank soltanto in codice o quando non si trovava in Germania. Doveva agire «alla James Bond», disse Frank, certo che Piers sapeva mantenere un segreto: durante la seconda guerra mondiale, per due anni, era stato agente segreto nel Pacifico.

A quel punto Anderton rivelò che i tre organizzatori dello scavo avevano chiesto 50 000 dollari.

«Ma è assurdo!», disse Frank. «Non possiamo.»

«E se pagassimo il materiale, e nient'altro?», ribatté Anderton.

«Magari sì», rispose Frank. Ma mise un limite a 7500 dollari (comunque una somma non da poco, dato che un'auto nuova in America costava allora circa 2000 dollari) in cambio dei diritti di filmare il resto degli scavi e la fuga conclusiva: prendere o lasciare. Frank rintracciò alla svelta il suo capo William McAndrew, dal 1951 vicepresidente della NBC e responsabile dei notiziari. McAndrew diede l'ok, ma non in via ufficiale. Convenne con Frank che era meglio tenere tutto nascosto agli avvocati e persino al *suo* capo, il presidente della NBC Robert Kintner. A trovare i soldi sottobanco ci avrebbe pensato lui stesso.[4]

Anderton comprò in fretta e furia un paio di biglietti aerei e corse in albergo per dire a Birgitta che quella sera stessa dovevano tornare in Europa. La luna di miele poteva aspettare.[5]

Frank sapeva che Anderton era già del tutto votato a questo reportage, ma non era preoccupato per la sua obiettività. A differenza di tanti suoi colleghi, Frank non la considerava poi indispensabile per un documentario. Era convinto che i film fossero fatti dagli uomini, non dalle macchine; che gli scrittori e gli inviati degni di tal nome fossero quelli che si interessavano a fondo a un problema o a un evento e che poi *reagivano*. A questi giornalisti non chiedeva nemmeno la correttezza, ma quella che definiva «responsabilità». A Frank piaceva ripetere: «Non si giudica l'equità con il cronometro».

Quella sera, Piers e Birgitta (ancora all'oscuro dell'intrigo) salirono su un aereo per Parigi. Anderton teneva nascosti nei pantaloni i contanti della NBC. Noleggiò un'auto a Parigi e insieme alla sposa andò a Bonn. Lasciò Birgitta a casa e ripartì a tutta velocità sull'autostrada che portava in Germania Est e a Berlino.[6]

Era tutt'altro che finita, e Anderton lo sapeva. Ancora non poteva dire, ammesso che i tre studenti accettassero la proposta della NBC e lui riuscisse a immortalarne la fuga, come avrebbero reagito le autorità americane a Berlino, o addirittura Washington. Quella primavera Anderton si era già guadagnato la sua dose di notorietà e le critiche proprio per colpa, a suo dire, del Dipartimento di stato.

I guai erano arrivati dopo un servizio in cui Anderton raccontava che le truppe della DDR sparavano contro i trasporti militari americani nel corridoio autostradale tra la Germania Ovest e Berlino. L'amministrazione americana voleva che non se ne parlasse, per non smascherare la vulnerabilità della posizione statunitense laggiù. Un funzionario del Dipartimento di stato se la prese con Anderton per le sue rivelazioni. Il reporter chiese se il servizio fosse veritiero. «Sì», rispose il funzionario, salvo aggiungere: «Ma raccontarlo va contro le direttive americane». Anderton lo prese per un tentativo di censura.[7]

In seguito un funzionario della Missione di Berlino riferì (in malafede) al segretario di stato Rusk che Anderton sembrava sostenere «una posizione molto negativa del tipo "fuori gli USA da Berlino"», il che lo rendeva restio a collaborare con lui. Rusk rispose che «sulla situazione nel corridoio occorre andare cauti». I giornalisti potevano sì accedere a certe informazioni, ma «non crediamo sia il caso di impegnarsi più di tanto a fornire ulteriori agevolazioni o di contribuire alla risonanza o alla pubblica diffusione della situazione, né cooperare generosamente in altri modi».[8]

Qualche giorno dopo, il sottosegretario di stato George Ball segnalò all'ambasciata di Bonn che i reportage di Anderton avevano un tono da «uccello del malaugurio» ed erano stati «assai critici» con la politica governativa.[9]

Anderton si era poi attirato ulteriore biasimo in un'occasione pubblica, in aprile, tenendo un discorso di venti minuti in un club femminile, composto perlopiù da mogli di diplomatici e altri funzionari americani. Presunti stralci del discorso finirono alla redazione di "Variety" che li riportò in dettaglio in un articolo di prima pagina intitolato *A Berlino il discorso incendiario di Anderton della* NBC *sciocca le mogli dei* VIP *americani*. A quanto sembrava, Piers aveva attaccato Kennedy e Rusk definendoli (secondo "Variety") «indecisi» su Berlino. I berlinesi erano «ipocriti» perché, nonostante in privato si lamentassero dei pericoli, chiedevano alla stampa di ridimensionarli per non perdere i dollari dei turisti; quanto al pubblico americano, di Berlino non sapeva molto, e non gliene importava. L'articolo rivelava che mentre Anderton diceva tutte queste cose la moglie dell'ambasciatore americano Walter Dowling era uscita dalla sala, indignata; altre erano «scioccate». Anderton se l'era presa persino con la NBC, accusandola di voler mettere «la museruola» (sempre parole di "Variety") ai suoi inviati. Questo, più di ogni altra cosa, avrebbe fatto infuriare i suoi superiori. Come a volerlo confermare, l'incipit dell'articolo dichiarava che, a causa dei suoi commenti, Anderton era «nei guai» con i suoi capi a New York e «con i più alti rappresentanti del governo americano in Germania».[10]

Anderton andò su tutte le furie. Le sue dichiarazioni erano state citate fuori contesto e distorte. In alcuni casi, la sua opinione era il contrario di quanto concludeva "Variety". Non aveva detto che la NBC stava mettendo la museruola a nessuno. La vicenda gli sembrava un chiaro tentativo di pressione del Dipartimento di stato, per costringere la sua emittente a trasferirlo o a licenziarlo.[11] Fino a quel momento i suoi capi lo avevano sostenuto, ma in giugno Anderton valutò con un avvocato la possibilità di denunciare "Variety" per diffamazione. Nel frattempo, due inviati gli dissero di avere visto un cablogramma del Dipartimento di stato che lo accusava di essere «filocomunista».

Mentre il tunnel di Bernauer Strasse si avvicinava al confine e alla "striscia della morte", Harry Seidel non stava affatto con le mani in mano. Insieme a Fritz Wagner aveva escogitato un piano promettente per sconfiggere il Muro nella zona che conoscevano bene. Il *Dicke* aveva dato 4000 marchi al padrone della birreria Krug, all'angolo tra Heidelberger Strasse ed Elsenstrasse, per poter utilizzare temporaneamente la sua cantina. L'obiettivo distava soltanto venticinque metri, oltre il confine: era il sotterraneo di un laboratorio fotografico, chiuso per il week end della Pentecoste.[12]

Heidelberger Strasse rimaneva forse la strada residenziale più bizzarra al mondo. Il confine della DDR copriva l'intera via fino alla facciata dei palazzi dell'Ovest, ai quali, a differenza di Bernauer Strasse, i tedeschi dell'Est non avevano avuto potuto sbarrare porte e finestre. Avevano invece costruito il Muro al centro della strada nonostante metà di essa e il marciapiede oltre la barriera fossero ancora territorio dell'Est. I berlinesi dell'Ovest potevano entrare e uscire dalle loro case, e i bambini giocavano ancora sul marciapiede, ma era territorio della DDR e in quanto tale sorvegliato da vicino dai VoPos. Se un cittadino dell'Ovest lasciava l'auto parcheggiata troppo a lungo, rischiava che i comunisti la reclamassero e gliela sollevassero buttandola al di là del Muro.

Guidate da Seidel, due squadre di tre uomini ciascuna cominciarono a scavare il 6 giugno, alternandosi ogni dodici ore, lavorando per due ore e riposando per altre due sui materassi sotto la birreria. Avevano immagazzinato scorte di cibo e bevande per sopportare una settimana di permanenza. Un detective della polizia di Berlino Ovest, che era anche un informatore della Stasi, ficcò il naso di sopra ma non vide nulla di sospetto. Secondo un rapporto della Stasi, la birreria era un «covo di cospiratori» frequentato perlopiù da poliziotti di Berlino Ovest che andavano a ubriacarsi e da ragazzi che architettavano «azioni sovversive». A uno di questi attaccabrighe, che abitava sopra il locale, piaceva mettere gli altoparlanti del suo stereo sul balcone e trasmettere a tutto volume, verso il confine dell'Est, i discorsi dei leader occidentali.[13]

I tentativi di fuga sotterranea nella zona avevano fatto aumentare la presenza delle pattuglie di guardia e delle ispezioni di agenti della Stasi, ma gli scavatori continuavano imperterriti. Uno di loro era il giovane Peter Scholz, un macellaio deciso a far evadere la fidanzata e il figlioletto di quattro mesi. Come tanti altri era intimorito all'idea di lavorare con "*quell'*Harry Seidel", come spesso lo chiamavano per via dei suoi successi ciclistici. Sembrava che Harry non riposasse mai; se vedeva qualcuno rallentare, gli prendeva la vanga e finiva il turno al suo posto. Per scoprire se il tunnel, che era soltanto un buco senza strutture di sostegno, avrebbe tenuto, Harry fece passare per Heidelberger Strasse un suo conoscente alla guida di un furgone carico di carbone. Quando vide che dal soffitto cadeva soltanto un po' di terra immaginò che fosse sicuro, o, almeno, abbastanza sicuro. Seidel passava per uomo taciturno e forte, ma alcuni scavatori lo avevano visto perdere la pazienza. Una volta, le chiacchiere e le spacconate incessanti di Wagner lo irritarono a tal punto che gli puntò la vanga in faccia e urlò: «Per l'amor del cielo, taci, *Dicke!*».[14]

In superficie, la sera dell'8 giugno, diversi tedeschi dell'Ovest lanciarono bottiglie e pietre al di là del muro di Bernauer Strasse contro le guardie di frontiera, che furono costrette a cercare riparo. Poi qualcuno issò una scala sul muro nell'Est e una ragazza cominciò a salirvi. Esplosero tre spari, ma la fuggiasca ce la fece. Un informatore della Stasi comunicò che sul posto, venti minuti dopo, fu avvistato il leggendario Harry Seidel.

Qualche giorno dopo, Harry bucò la parete del sotterraneo del laboratorio di fotografia. Il pomeriggio seguente, era domenica, mentre aspettavano nel negozio con le tende tirate, gli scavatori cercarono di rilassarsi nonostante sapessero che pochi metri più in là c'era la polizia dell'Est di pattuglia. Diversi agenti erano armati di pistola. All'inizio della giornata Dieter Gengelbach, corriere di Wagner, nonché, strano ma vero, macellaio, aveva detto ai fuggiaschi di raggiungere il laboratorio a piccoli gruppi. Presto due donne raggiunsero l'ingresso, parzialmente nascosto da una veranda, appesantite da grossi pacchi, a dispetto delle istruzioni. Una di loro, nonostante sapesse che avrebbe dovuto strisciare per terra e nel fango, indossava una pelliccia. Mentre le accompagnava nel tunnel, Harry espresse il suo fastidio senza scomporsi.

Arrivarono altre due donne con bambini. Una andò nel panico e si mise in ginocchio a pregare. Peter Scholz la sollevò da terra e la accompagnò giù per le scale. Quando lei cominciò a strillare, le tappò la bocca con la mano. Ma lui stesso stava per cedere al panico. La sua fidanzata Erika e la figlia non erano arrivate e il tempo stava per scadere. Dopo aver chiesto il permesso ad Harry, le telefonò all'ospedale dove lavorava. Erika non era stata avvertita dal corriere. Secondo le istruzioni, diede alla piccola un po' di sonnifero e raggiunse in taxi il laboratorio fotografico. Peter corse il rischio e uscì incontro alla ragazza. Wagner lo vide e brontolò: «Maledetto pazzo!». Quando entrarono nel negozio, Harry Seidel prese in consegna da Erika la bambina addormentata, la mise dentro uno dei grossi catini di latta che usavano per trasportare la terra e la trascinò nella galleria. Poco dopo, eccoli nella cantina della birreria, dove Seidel affidò la bambina a Erika e disse: «Benvenute a Berlino Ovest».[15]

Il giorno dopo, il "New York Times" scrisse che dalla galleria erano fuggite in tutto dodici persone (ma il vero numero doveva aggirarsi sulla ventina). «Pare che il crescente numero di fughe e l'instabilità della situazione sul confine stiano allarmando le autorità della Germania Est»,[16] raccontava il pezzo. Quando Harry Seidel tornò a casa dopo il suo successo, la moglie lo implorò di smetterla con le gallerie.[17] Poteva sentirsi fiero di quanto aveva fatto e chiudere in bellezza. Per l'ennesima volta, Harry le disse di no. Doveva ancora liberare sua madre. E aveva già stabilito dove aprire un nuovo passaggio, nella zona che conosceva meglio, dove aveva aiutato la moglie, il figlio e tanti altri a scivolare oltre il filo spinato: Kiefholzstrasse.

All'inizio di giugno, chi sperava in un calo delle violenze a ridosso del Muro dopo la fuga di Wilfried Tews e la morte di Peter Göring, dovette fare i conti con una triste realtà: la disperazione nell'Est cresceva, portando a un incremento dei tentativi di fuga. «Il Muro non ha esaudito la speranza comunista di stabilizzare la situazione in Germania Est», obiettava il "New York Times". «Al contrario, si dice che tra i berlinesi dell'Est crescano malcontento e inquietudine. Nelle ultime settimane ci sono state fughe drammatiche, su base quasi quotidiana.»[18]

Fu forse per reagire a questa situazione che gli operai dell'Est e i sovietici aumentarono l'altezza del muro di cemento in alcuni tratti, e lungo altri costruirono un secondo muro interno, al di qua della "striscia della morte". Installarono alti pannelli di legno per impedire ai berlinesi persino di salutare gli amici o i parenti dall'altra parte. Le pattuglie di polizia aumentarono, ogni settimana spuntavano torri di guardia con una visuale più ampia. In certi punti furono piazzate mine antiuomo. Per impedire le fughe acquatiche fu posato del filo spinato nel letto dei canali, e le chiuse bloccate con il filo di ferro. Tuttavia, secondo la polizia di Berlino Ovest, nel mese di giugno ottantasei fuggitivi valicarono il Muro – perlopiù scavalcandolo o sgusciando sotto il filo spinato e le recinzioni nei quartieri meno centrali – compresi sei soldati dell'esercito sovietico.

La polizia riportò anche non meno di diciannove nuovi casi di guardie dell'Est che aprivano il fuoco sui fuggiaschi. Il primo fu un sedicenne dell'Ovest colpito all'addome mentre aiutava un amico a scappare. Poi Axel Hannemann, di diciassette anni, morì ammazzato nello Sprea dopo aver lasciato un biglietto alla famiglia: «Non ho altra scelta. Vi spiegherò le mie ragioni quando l'avrò fatto. Per ora posso solo dire che non ho fatto niente di male». Due giorni dopo, una coppia di adolescenti di Berlino Est cercò di scalare il muro del cimitero che coincideva con la barriera a Bernauer Strasse. Uno fu colpito alla gamba, ma entrambi approdarono nell'Ovest.[19]

Una fuga particolarmente spettacolare fu escogitata da un gruppo di quattordici berlinesi dell'Est che noleggiarono una barca per una gita sul canale Landwehr. Si trasformò in una festa, e i gitanti, come da programma, fecero ubriacare il capitano e il macchinista. Poi un passeggero prese il timone e mandò la nave verso Ovest, sotto il fuoco dei mitragliatori dell'Est che percuotevano la pesante timoniera di metallo dove tutti (compreso un neonato) avevano trovato protezione. Le mitragliate continuarono anche dopo l'approdo della nave a Berlino Ovest. Erano partiti più di duecento proiettili, che colpirono anche case e palazzi del settore americano. Uno sfondò la vetrina di una caffetteria poco lontano; nessuno si fece male. La polizia di Berlino Ovest rispose al fuoco. I fuggiaschi sbarcarono, il capitano e il macchinista ebbero il permesso di ricondurre l'imbarcazione nell'Est. I profughi dissero ai reporter che erano così disperati che, se non fossero riusciti a impossessarsi della nave, si sarebbero tuffati dal ponte pur di raggiungere l'Ovest a nuoto, nonostante il fuoco dei mitragliatori.[20]

Altrove, un piccolo tunnel crollò e seppellì un fuggiasco. Per fortuna accadde nel territorio di Berlino Ovest: i suoi tre compagni lo tirarono fuori usando le vanghe e i cucchiai che avevano usato per scavare la galleria.

Poi un altro episodio finì in sparatoria, e stavolta provocata da uno scavatore. Lo scontro iniziò una sera, quando un VoPo notò un uomo, una donna e due bambini che andavano verso un palazzo di quattro piani nella zona centrale di Berlino. Quel giorno la polizia aveva drizzato le orecchie dopo aver visto macchine fotografiche sospette sul tetto della sede dell'editore Axel Springer, al confine con il Muro nell'Ovest. Quando le guardie chiesero i documenti ai sospettati, la donna e i bambini cominciarono a correre mentre l'uomo, Rudolf Müller, prendeva la pistola, sparava a un VoPo e si univa alla frettolosa fuga degli altri verso Ovest. Müller, marito della donna e padre dei bambini, aveva scavato il tunnel insieme ai suoi fratelli e amici, partendo dalla sede di Springer.

Un giornalista intercettò le chiacchiere della nutrita folla che si era radunata sul lato occidentale. Uno studente che si vantava di aver lavorato al tunnel disse dell'esercito americano: «Vengono qui, masticano gomme e non fanno niente».

«Nessuno fa nulla per aiutare i poveri diavoli di là.»

«Cosa possono farci gli alleati?»

«Niente, niente. Ci si spara tra tedeschi, non basta?»

La guardia, il ventenne Reinhold Huhn, morì, e come Peter Göring fu immediatamente trasformato in martire comunista. La Germania Est chiese l'arresto dell'assassino. Sulle prime Müller negò, poi ammise di avere una pistola, ma disse alle autorità dell'Ovest che Huhn era stato ucciso accidentalmente da un suo commilitone. Le autorità locali e i media occidentali (anche Daniel Schorr della CBS) ripeterono la bugia. Così, per giorni infuriò un'altra battaglia a colpi di propaganda. [21]

Si capiva, come previsto da un recente rapporto settimanale della CIA, che «probabilmente il clima più caldo e le vacanze estive faranno aumentare gli incidenti lungo il settore di Berlino Ovest».[22] Sul confine, nel solo mese precedente, erano morti sei rifugiati, che portarono il totale dei morti post-Muro ad almeno trenta. «I leader di Berlino Ovest sono già allarmati per il numero di incidenti durante le fughe, per la frequenza e la gravità degli scontri a fuoco, per i tentativi di distruggere il muro con cariche esplosive», rivelava il rapporto della CIA. In qualche modo, l'agenzia era venuta in possesso di informazioni precise sulle operazioni di fuga:

> Molti tedeschi e berlinesi dell'Est evadono con l'assistenza diretta dei berlinesi dell'Ovest, perlopiù studenti universitari. La polizia di Berlino Ovest, se avvertita per tempo, si nasconde vicino al confine per portare aiuto in caso di necessità […] I tunnel sono diventati uno strumento di fuga diffuso. Gli studenti di Berlino Ovest […] sembrano aver sfruttato cartine dettagliate della città e una conoscenza di prima mano delle vie, della ferrovia sopraelevata e delle fognature per organizzare scavi che dagli edifici adiacenti al confine portano a palazzi dell'Est poco lontano. Riescono a contattare gli aspiranti fuggiaschi – molti dei quali sono ex studenti o parenti – e a volte mandano uno dei loro a Berlino Est per guidarli.

Nel frattempo il sindaco Brandt aveva garantito che la sua polizia avrebbe usato le armi per assistere i fuggitivi. Berlino Ovest aveva contrastato la crescente militarizzazione dell'Est presso il Muro costruendo torri di vedetta sue e dotando le volanti di nuove armi, come la carabina M2. Con l'arrivo dell'estate, Berlino rischiava di raggiungere il punto di ebollizione.

Piers Anderton non dovette fare il muso duro per convincere gli scavatori di Bernauer Strasse ad accettare i 7500 dollari offerti dalla NBC per filmare la loro avventura. Fritjof Meyer negoziò a nome di Spina, Sesta e Schroedter, con la speranza di essere coinvolto nella produzione NBC insieme all'amico Franz Baake.[23] Alla fine, invece, gli scavatori scelsero di escludere Baake e Meyer dal contratto (e di impedire loro di contribuire ai filmati). Lavorare con la NBC e nessun altro semplificava il progetto ma anche le questioni legate a pagamento e diritti futuri. Ciò significava, però, che nonostante Baake e Meyer non fossero in grado di localizzarne la posizione, a Berlino Ovest almeno due persone non coinvolte nel progetto sapevano del tunnel. Mimmo Sesta li avvertì che se ne avessero fatto parola «se la sarebbero vista con tutto il gruppo».[24]

Il contratto con la NBC, firmato dai tre organizzatori il 17 giugno, prometteva un bonus di altri 5000 dollari da dividere se e quando il film fosse stato completato, per un compenso totale di 12500 dollari. Spina, Sesta e Schroedter avrebbero ricevuto ciascuno una copia del materiale e conservato il diritto di vendere le foto che scattavano. Se avesse svelato il segreto del tunnel prima del giorno della fuga, la NBC era tenuta a versare al trio altri 50000 dollari.[25] Reuven Frank non mostrò mai il contratto ai legali della NBC, e perciò non era chiaro se lo si potesse impugnare in tribunale. Secondo gli organizzatori ogni obiezione sui pagamenti si smontava razionalmente: potevano spendere subito l'anticipo in attrezzature, cibo e altre scorte; il saldo era il risarcimento per i pericoli che avevano corso e le lezioni che avevano perso. Il bonus un ulteriore incentivo a completare l'operazione nel modo più veloce e sicuro possibile.

Uno dei motivi per cui gli organizzatori avevano accettato dalla NBC meno di quanto richiesto era che avevano appena trovato il modo di rimpinguare le scorte di legna praticamente gratis.[26] Uno scavatore aveva uno zio ricco, Dietrich Bahner, fiero anticomunista fuggito dall'Est e divenuto attivista del Partito democratico libero in Baviera. Spesso diceva ai figli: «Siamo scappati una volta, non possiamo scappare ancora!». Tra le sue proprietà c'era un deposito di legname a Wellenburg, in Baviera, e si era offerto di donare agli scavatori tutto quello di cui avevano bisogno. C'era soltanto un inghippo: suo figlio Christian, che studiava economia all'università di Berlino, voleva a tutti i costi accompagnare gli scavatori quando avessero fatto breccia nell'Est. Sembrava un po' rischioso, tanto per gli scavatori quanto per il giovane Bahner, ma gli organizzatori accettarono. Ci avrebbero pensato più avanti.

Un'altra e più urgente questione delicata incombeva: che cosa dire agli altri scavatori riguardo alle riprese della NBC... e ai soldi? I tre erano convinti di meritare un risarcimento, ma anche consapevoli che a motivare la loro impresa era il puro e semplice idealismo. Qualcuno avrebbe protestato, sapendo che c'erano organizzatori che intascavano anche dei soldi grazie ai tunnel. Per quanto tempo potevano mantenere il segreto? L'arrivo della troupe della NBC era imminente. L'unico modo di tenere nascosto l'accordo era fare in modo che, alla comparsa degli operatori, gli unici scavatori di turno fossero Sesta, Spina e Schroedter.

Gli scavi, a ogni modo, ormai andavano spediti, nonostante non fossero ancora certi di puntare precisamente in direzione della casa del bulgaro di Rheinsberger Strasse, nell'Est (i ragazzi non avevano ancora messo le mani sugli strumenti di rilevazione necessari). Quando pensarono di aver raggiunto la linea di confine, qualcuno affisse nel tunnel un cartello simile a quello, fotografatissimo, del Checkpoint Charlie: *Achtung! State uscendo dal settore americano!* Poco importava che, fino a quel momento, avessero scavato sotto il settore francese. Poco tempo dopo, i ragazzi raggiunsero la "striscia della morte", controllata giorno e notte da pattuglie, torri e cani da guardia. I rumori forti rischiavano di arrivare in superficie. Se le guardie li avessero sentiti, per caso o grazie a strumenti d'ascolto sul terreno, potevano fare un buco e infilarci una carica di dinamite (capitava davvero).[27]

Il momento che tutti aspettavano era arrivato: alla fine del tunnel cominciava a mancare l'aria. I ventilatori industriali che avevano usato fino a quel momento per areare lo scavo erano inservibili. Senza scoraggiarsi, due ingegneri progettarono un sistema complicato fatto di decine di tubi da stufa lunghi poco meno di un metro incollati insieme e fissati al soffitto o ai lati della galleria, nei quali pompavano ossigeno grazie ai motori di aspirapolvere o di ventilatori. Funzionò. Per ridere, un giorno uno scavatore versò nella tubatura qualche goccia di profumo; in un'altra occasione, di cognac. Gli odori raggiunsero l'estremità est del tunnel, e ricordarono agli scavatori cosa si stavano perdendo nel mondo reale (o era *questo*, ormai, il mondo reale?).

Joachim Rudolph continuò a sfoggiare le sue doti di elettricista allungando la fila di luci e dotando il primitivo sistema a rotaia di un motore e di un argano nuovo, per aumentare la velocità dei carrelli che scaricavano. Anche i cavi del telefono furono allungati. Gli scavatori dicevano, per scherzare, che quella era «l'unica linea telefonica tra Berlino Ovest ed Est!», e pazienza se per usare il telefono dovevano caricarlo a mano.

L'ingegnere civile Uli Pfeifer era uno dei pochi scavatori che avevano un lavoro fisso in superficie, e per questo i suoi turni erano soltanto il venerdì sera e nel fine settimana. La mancanza di tempo libero e il contrasto impietoso tra la vita sopra e sottoterra erano pesanti da sopportare, ma ogni settimana Uli tornava all'opera, e mise persino a disposizione la casa di sua madre a Charlottenburg per qualcuna delle periodiche riunioni del sabato tra scavatori. Sua madre non rimase a lungo all'oscuro di questi incontri. I panni sporchissimi del figlio l'avevano già insospettita.

Al piano terra della fabbrica di bastoncini c'era uno spogliatoio con le finestre tappate. Sul pavimento c'erano scarpe incrostate di fango e pile di vestiti lerci da lavare (sul posto o fuori), sotto fili a cui erano appese decine di magliette e pantaloni, puliti e sporchi. La routine quotidiana di quasi tutti gli scavatori era: raggiungere lo scavo facendosi dare un passaggio da Wolf Schroedter, oppure a piedi o in autobus. Entrare in fabbrica con il cestino del pranzo o qualche altra cosa da mangiare (come un qualsiasi operaio). Levarsi i vestiti puliti e indossare quelli sporchi, scendere a lavorare per otto ore insieme a due o tre compagni di turno. Scavare magari due ore, per poi scambiarsi di ruolo con quello che caricava e portava via la terra. Se a condividere con te le mansioni di scaricatore c'era qualcuno, non andava poi male: almeno ci potevi fare due chiacchiere. Nello scantinato c'erano acqua corrente e un grosso lavabo dove pulire mani e vestiti. E uno scarico delle fogne aperto, largo più di una ventina di centimetri, per scaricare l'acqua sporca, urinare (quando non si usavano le montagne di terra) o defecare. In un'altra stanza c'era un paio di materassi sui quali potevano riposarsi.

In diverse occasioni Anderton scese di persona nel tunnel. Una volta, mentre alloggiava con la moglie nello storico hotel Kempinski di Berlino Ovest, sgattaiolò via nel cuore della notte per far visita allo scavo. Ancora ignara dell'operazione segreta, Birgitta si svegliò e vide Piers rientrare in stanza con gli stivali incrostati di fango.

«Dove sei stato?», gli chiese accendendo la luce.

«Ah, è per un reportage», disse lui e chiuse l'interrogatorio.[28]

Con il passare dei giorni, gli ingegneri del tunnel capirono che ormai era tassativo controllare se la direzione dello scavo fosse giusta. Ovviamente, la galleria deviava un po' a sinistra di qui, un po' a destra di là: era difficile andare dritto a colpo sicuro mentre scavavi sdraiato per terra. E a volte occorreva curvare intorno a un masso. Alla fine riuscirono a prendere in prestito dalla TU qualche strumento di misurazione. Nessuno li aveva mai usati sottoterra, e non c'erano punti di partenza o di riferimento da sfruttare. Quando riuscirono a determinare la posizione finale furono sbalorditi ma felici di sapere che in qualche modo il loro "serpente" puntava ancora, in modo quasi perfetto, verso lo sbocco nell'Est.

Mancava ancora un dettaglio: ottenere altre armi da fuoco per proteggersi nei mesi successivi. Mimmo Sesta seppe di un possibile aggancio ad Amburgo. Da quelle parti il controllo sulle armi, ancora illegali, era molto meno stretto che a Berlino, e la città era una Mecca per i giovani (allo Star Club spopolava un gruppo emergente inglese, si chiamavano Beatles). Arrivato ad Amburgo, tuttavia,

Mimmo capì che del trafficante d'armi non si fidava e gli comprò soltanto un fucile da caccia da due soldi.[29]

Firmato il contratto e versato il compenso, la NBC era finalmente pronta a girare. A New York, Reuven Frank aveva approvato l'accordo ma era ancora preoccupato, persino combattuto. Sì, gli scavatori erano volontari, ma correvano un rischio enorme, e forse in qualità di adulto vaccinato non era il caso che incoraggiasse (anzi, finanziasse) dei giovani scapestrati. Un po' rimpianse di non essersi comportato come Errol Flynn in *Missione all'alba*, un capitano dell'aeronautica britannica che durante la prima guerra mondiale non vuole costringere i suoi avieri a pilotare vecchi aerei traballanti, al punto da dire al maggiore (Basil Rathbone): «Non può far uscire i ragazzi dentro quei trabiccoli!».[30]

Frank aveva fissato alcune regole base. Piers Anderton non poteva offrire agli scavatori né consigli né aiuto concreto; Frank non voleva che qualcuno accusasse la NBC di averli aiutati o spalleggiati, nonostante l'avesse già fatto con il denaro contante. L'inviato poteva portare con sé nel tunnel soltanto due tecnici, una coppia di fratelli tedeschi che lavorava molto per la NBC: Peter Dehmel, di ventotto anni, incaricato di girare le riprese, e Klaus Dehmel, di tre anni più giovane, al quale era affidata l'illuminazione. Dovevano usare soltanto pellicola in bianco e nero. Nell'Ovest nessun altro poteva sapere delle riprese escluso Gary Stindt, capo della redazione di Berlino, e al massimo un altro cineoperatore in superficie. A garanzia di ulteriore sicurezza, Frank non avrebbe mai fatto visita al tunnel e non voleva sapere, almeno fino agli ultimi giorni, dove fosse. Anderton non doveva chiamarlo né scrivergli per dirgli a che punto era il lavoro. Se necessario, si sarebbero visti di persona a Parigi o Londra.[31]

Il giorno fatidico era il 20 giugno. Dal momento che non conoscevano i fratelli Dehmel e non erano obbligati a fidarsi di loro, gli scavatori, almeno per la prima volta, li portarono bendati alla fabbrica di bastoncini. Nonostante il buio e le condizioni precarie, per i due della NBC fu facile immortalare i ragazzi nello scantinato mentre scaricavano terra, segavano legna o si rilassavano. Ma come filmare l'interno della galleria, dove non era possibile stare dritti in piedi a riprendere né puntare le luci a dovere? I Dehmel improvvisarono. Prima entrava Peter, sdraiato sulla schiena con i piedi in avanti a tenere puntata la cinepresa (avvolta nella plastica contro l'umidità), mentre Klaus, sdraiato sulla pancia, dietro di lui dirigeva il fascio dei faretti alimentati a batteria. Era un procedimento molto, molto intricato e scomodo, ed erano così costretti a girare poco materiale per volta. In quello spazio angusto dovevano usare la cinepresa professionale più piccola, la cui capacità non andava oltre i due minuti e mezzo.[32]

A differenza del suo principale rivale, Daniel Schorr della CBS non aveva ancora trovato il suo tunnel. Alla ricerca disperata di uno scoop con cui segnare il primo anniversario del Muro, il 13 agosto, fece di nuovo girare la voce tra i suoi contatti nel Gruppo Girrmann. Ormai tutti i giornali parlavano regolarmente dei tunnel. Perché lui non riusciva a trovarne uno? Forse perché era di stanza a Bonn; Piers Anderton e la maggior parte degli inviati della carta stampata gravitavano intorno a Berlino. A Dan non restava che perseverare. Prima o poi, qualcosa si sarebbe mosso.

Nel frattempo aveva parecchio da offrire ai notiziari della CBS. Nel suo reportage del 15 giugno esordì dicendo: «Lungo i centocinquanta chilometri di barriere che circondano Berlino Ovest, ormai vecchie di dieci mesi, procedono febbrili i lavori di consolidamento». Il Muro stava diventando quello che i funzionari alleati consideravano una frontiera nazionale armata e fortificata, con sempre più filo spinato, feritoie per le armi e guardiole di cemento. «Lo scopo», spiegava Schorr, «non è, ovviamente, contrastare un attacco dall'Occidente, ma sparare ai fuggitivi con più facilità e con una certa protezione dal fuoco degli agenti della Germania Ovest.»[33] Quel giorno il sindaco Willy Brandt si era riunito con i suoi amministratori per decidere se e cosa fare al riguardo.

Tre giorni dopo, raccontando la morte della guardia dell'Est Reinhold Huhn, Schorr citò Brandt, che davanti a 160 000 persone radunate per manifestare aveva dichiarato: «Tutti i nostri poliziotti, e tutti i berlinesi, sappiano che quando fanno il proprio dovere, quando si difendono e quando offrono tutta la protezione possibile ai compatrioti perseguitati, il sindaco è con loro». Schorr aggiunse il proprio commento: «La polizia di Berlino Ovest ha avuto ordine dagli alleati di sparare soltanto per difendersi. Altri berlinesi seguono regole diverse. E l'obiettivo di tanti è di salvare dal Muro il maggior numero possibile di concittadini».

Il 20 giugno, vigilia della prima visita ufficiale a Berlino del segretario di stato Rusk, Schorr diede la nefasta notizia che la polizia stava ammucchiando sacchi di sabbia e alzando barriere di terra sul versante occidentale del Muro a mo' di protezione in caso di scontri a fuoco. «Si sa che domani», scandì Rusk, «il sindaco Brandt dirà a Rusk che le tensioni continueranno, fintanto che il Muro resta in piedi, e che Berlino Ovest non asseconderà alcuna politica basata sul riconoscimento formale di questa barriera.» Da una parte, Rusk aveva una certa paura di provocare la risposta esplosiva dei russi per colpa del Muro; dall'altra, Brandt sottolineava che come sindaco non poteva «ordinare alla polizia di non agire mentre i fuggitivi muoiono ammazzati senza che ciò abbia un effetto catastrofico sul morale di Berlino Ovest».

Per pura coincidenza, Dean Rusk arrivò a Berlino il giorno dopo l'inizio delle riprese sotterranee della NBC. Il cinquantatreenne Rusk, originario della Georgia, non era stato la prima scelta di JFK come segretario di stato. Al suo posto Kennedy avrebbe voluto il più pragmatico senatore dell'Arkansas William Fulbright, ma alla fine si convinse che sarebbe stata una scelta controversa (per dirne una, Fulbright era segregazionista). Rusk non poteva contare su molti forti sostenitori, anzi, qualcuno ce l'aveva ancora con lui per aver creato un certo scalpore come direttore della Rockefeller Foundation.[34]

Da quando amministrava i seimila funzionari esteri del Dipartimento di stato, Rusk aveva confermato la sua reputazione di diplomatico intelligente e cauto. Era rimasto neutrale rispetto alla disastrosa decisione di Kennedy di invadere la Baia dei Porci e non era ancora convinto della necessità di una escalation militare americana in Vietnam. Era senz'altro un convinto anticomunista, ma a differenza di altri suoi colleghi non sopportava la "politica del rischio calcolato" ed era a favore dei negoziati con Chruščëv. Secondo certi assistenti di JFK e alti funzionari alleati, Rusk era troppo morbido nei contatti con i sovietici, tendeva troppo al compromesso. La sua riluttanza a prendere posizioni decise o personali irritava il presidente, che con lui non aveva rapporti amichevoli. Qualcuno alla Casa Bianca lo chiamava "il Buddha", per via del contegno imperscrutabile e della testa calva. Rusk era fastidiosamente elegante nel clima spesso *casual* della "Nuova Frontiera", al punto da presentarsi talvolta in giacca e cravatta anche sullo yacht presidenziale. Si autodefiniva "inquadrato", addirittura. Parlava di persona con il presidente diverse volte alla settimana, ma gli faceva rabbia sapere che tanti cablogrammi "confidenziali" a lui diretti, compresi quelli dalla Germania, venivano spesso inoltrati a Kennedy.

I principali consulenti di JFK per la politica estera rimanevano il fratello e procuratore generale Bobby Kennedy, lo stratega della sicurezza nazionale McGeorge Bundy e il segretario alla difesa Robert McNamara. In questa cerchia ristretta nessuno era esperto di questioni berlinesi, e di conseguenza Kennedy si atteneva alle direttive del suo segretario di stato. Rusk, com'era sua consuetudine, non aveva proposto iniziative drastiche per Berlino. Anzi, a un certo punto confessò che non ci teneva affatto a lasciarsi rovinare il sonno da Berlino. La divisione della città gli sembrava fondamentalmente irrazionale, ma anche impossibile da correggere: a lui bastava che la tensione non peggiorasse. Kennedy, al contrario, era sempre più ossessionato da Berlino, al punto che un suo assistente aveva l'impressione che vi fosse "imprigionato".

Eppure, nel giugno 1962 fu Rusk, e non Kennedy, a far visita alla città. All'epoca in cui ci era stato da studente, la Germania e il suo popolo gli avevano fatto un'impressione dubbia (comprensibile, visto che si era in pieno nazismo). In seguito vi era tornato come funzionario del Pentagono, a coordinare l'occupazione americana.

Non era sicuro che i berlinesi dell'Ovest sarebbero sopravvissuti a un altro blocco dei sovietici: dopo la nascita del Muro gli sembravano "nervosi come gatti", sempre a "mordersi le unghie", reazione che giudicava esagerata. Quel giorno di giugno, durante la parata ufficiale tra decine di migliaia di persone venute a salutarlo, Rusk si domandò ad alta voce quante di loro avessero, ai tempi, «applaudito Hitler».

Salito insieme al sindaco Brandt su una piattaforma panoramica a Potsdamer Platz, Rusk dichiarò che il Muro «finché non lo vedi, non ci credi. È un affronto alla dignità umana. Prima o poi andrà a pezzi. Così va la storia della libertà umana». Anche nelle sue altre tappe berlinesi, compresa Bernauer Strasse – dove sotto i suoi piedi gli scavatori continuavano a scaricare terra –, si premurò di giurare che il sostegno americano rimaneva vigoroso. «Noi americani siamo fianco a fianco con voi», disse Rusk, «per il bene della nostra stessa libertà.»[35]

Uhse fece di nuovo visita alla Casa del futuro, e Bodo Köhler gli annunciò che la politica del Gruppo Girrmann stava cambiando. Da quel momento ogni corriere, lui compreso, avrebbe coordinato un gruppo preciso di berlinesi intenzionati a fuggire dall'Est, anziché una serie di contatti eterogenei. Nella cellula affidata a Siegfried c'erano due professori, due liceali, e una ragazza con sua madre. Uhse ricevette l'ordine di portare al gruppo messaggi in codice dattilografati. Come riuscì a farli passare oltre i checkpoint? Nel manico di un ombrello "telescopico". Due giorni dopo, Uhse tornò alla Casa del futuro a prendere il suo primo ombrello "ripieno". Naturalmente, prima di consegnare il biglietto a un dissidente di Berlino Est, lo diede alla Stasi. Un agente dell'MfS copiò il biglietto e fotografò l'ombrello ingannatore, aperto e chiuso.

Quando Uhse andò a restituirgli l'ombrello, Köhler sembrava distaccato e non gli volle parlare. Possibile che avesse intuito qualcosa? Joan Glenn, l'americana che di solito era molto seria, fu invece piuttosto amichevole quando chiacchierò con lui in cucina. Glenn era snella, con i capelli lisci e castani, occhi grandi, il viso ovale e la voce sottile. Si vestiva bene, di solito in pantaloni, e parlava un tedesco quasi perfetto. Köhler era riuscito a farle avere una borsa di studio dall'Università Tecnica, dove studiava filosofia e storia delle religioni.

Qualche giorno dopo, Köhler disse a Uhse di non andare più a ricevere istruzioni alla Casa del futuro; gli sarebbero giunte per telefono o in giro per la città. Da quel momento, il suo contatto principale era Joan Glenn. Quando Uhse chiese perché, l'altro gli disse di «leggere i giornali». In tal modo seppe della recente tragica sparatoria dentro un tunnel.[36]

Era scoppiata durante un'operazione fin lì impeccabile di tre uomini, due dei quali motivati al massimo: il Muro li aveva separati dalle mogli. Uno, Siegfried Noffke, era riuscito a vedere il figlioletto appena nato soltanto al di là del confine, oltre una recinzione, per qualche istante. Noffke era un esperto muratore che dal suo arrivo nell'Ovest, pochi anni prima, lavorava come autista; aveva trovato il punto di partenza del tunnel nell'appartamento seminterrato di un fabbro a Sebastianstrasse, di fronte al distretto di Mitte. Il lavoro era andato avanti bene per diverse settimane, in quel passaggio relativamente corto (una trentina di metri).[37]

Poi, la disgrazia: Ernst-Jürgen Hennig, cognato di uno degli scavatori di Noffke, era un informatore della Stasi. A quanto sembrava, "Pankow", questo il suo nome in codice, non si fece molti scrupoli davanti alla possibilità che sua sorella andasse in galera. Grazie a lui, la Stasi lanciò l'operazione *Maülwurfe* (talpe): per tre settimane spiò oltre una decina di fuggitivi con l'intenzione di arrestarli insieme agli scavatori una volta completato il progetto del tunnel. Per Hennig fu facile infiltrarsi nel gruppo dell'Ovest. Contribuì persino a scegliere il punto di uscita. Il pomeriggio del 28 giugno lo raggiunsero e lui aiutò Noffke a bucare la parete.

Quando gli scavatori giunsero nella cantina dell'Est in cui avevano aperto il varco, trovarono gli agenti della Stasi. Il piano era di arrestare i tre venuti dall'Ovest, ma un agente dell'Mfs perse la calma e aprì il fuoco, ferendo fatalmente Noffke. Mentre giaceva a terra, la Stasi cercò di estorcergli una confessione. Un altro scavatore fu ferito gravemente e arrestato. Il terzo fuggì. La sorella di Hennig e la moglie di Noffke vennero arrestate insieme agli altri fuggitivi. L'informatore ricevette dalla Stasi una ricompensa in denaro.

Due giorni dopo, i berlinesi dell'Ovest posarono una corona di fiori su una strada vicina. Sul nastro c'era scritto: «Al caro Siegfried Noffke, vittima del Muro, l'ultimo saluto degli amici». Nelle dichiarazioni alla stampa, le autorità della Germania Est non espressero il minimo rimorso. La Stasi aveva fermato ancora una volta l'invasione degli "agitatori", dei "terroristi" e degli "agenti armati" venuti dall'Ovest. Ma soprattutto, gli ufficiali della DDR dissero di conoscere altri cinque tunnel che presto avrebbero fatto la stessa fine.

6

Crepe
luglio 1962

Ogni due sabati il gruppo di Bernauer Strasse si riuniva per stabilire i turni di scavo bisettimanali, che Gigi Spina scriveva e affiggeva sulle pareti del sotterraneo, in fabbrica. La tabella di marcia di una settimana di inizio luglio per esempio prevedeva tre turni di otto ore al giorno, anche nel weekend, e squadre di tre persone, talvolta quattro. Il martedì c'era scritto: «Mimmo, Wolf, Kleiner, Jurgen / Rainer, Gunther II, Langer / Rudolf, Achim, Hasso».[1] Ogni tanto Piers Anderton contattava gli organizzatori del tunnel e fissava l'appuntamento con i Dehmel. Spina, Sesta e Schroedter facevano in modo che fosse durante un loro turno.

I fratelli Dehmel cercarono di immortalare ogni dettaglio: la scatola del pronto soccorso, il cicalino che segnalava l'arrivo di un carico di terra da svuotare, i vestiti sporchi appesi al piano terra. Mostravano ragazzi che, a volte a torso nudo, scavavano, studiavano cartine, parlavano con vecchi telefoni dell'esercito, mangiavano panini, sonnecchiavano su materassi gonfiabili, fissavano i supporti di legno ai lati e al soffitto della galleria.[2] A volte la cinepresa staccava sul cartello, scritto a mano, «Produzione Stindt-Anderton – Speciale fuggiaschi».[3] A entrambi i Dehmel, che stavano per sposarsi, risultava parecchio arduo spiegare alle fidanzate perché passassero così tante ore di notte in un posto segreto.

Anderton, con i suoi capelli grigi e bianchi e i suoi aneddoti di viaggio da corrispondente estero, diventò per certi scavatori una specie di confidente, quasi un'insolita figura paterna. Si sforzava sempre di tenere a mente la raccomandazione di non dare consigli né aiuto ricevuta da Reuven Frank. Se possibile, quando la discussione prendeva una piega pratica cercava sempre di virare sul politico o sul filosofico.

Lo scavo sotto Bernauer Strasse era sempre umido. Anderton ci sentiva l'odore del muschio dei secoli andati, rimasto intatto fino a quel momento.[4] Dalla condensa sulle pareti o dal suolo, in alto, colavano gocce d'acqua che si accumulavano sul fondo. La squadra non smetteva di piazzare assi di legno ad affiancare la rotaia. Grazie al loro benefattore, adesso ne avevano in abbondanza: diverse tonnellate di abete rosso tagliate in quattro misure diverse prima della consegna. Sulle ricevute di trasporto, come promesso, risultava che la legna e la spedizione non erano costate nulla; l'unica somma da pagare erano sei marchi per la pesatura del carico.[5] Dovevano ancora vedersela con il figlio del benefattore, che difficilmente si sarebbe dimenticato la promessa di portarlo con loro al loro primo ingresso nella cantina di Berlino Est. Li stava già facendo innervosire. Una volta era andato a trovarli nella fabbrica di bastoncini e aveva mostrato con fierezza una mitragliatrice e un revolver Smith & Wesson calibro 38.[6]

Organizzare i turni di lavoro in modo che i Dehmel filmassero soltanto gli organizzatori divenne presto un compito ingrato. Il trio dei leader decise perciò di parlare dell'accordo a due reclute, Orlando Casola e Joachim Rudolph. Soltanto a quest'ultimo offrirono dei soldi (1000 marchi subito, altri 1000 dopo la fuga), perché faceva gola alla NBC, a caccia di immagini di questo genio della tecnica e dell'elettricità. Quando seppe del ruolo della NBC, Rudolph sollevò qualche obiezione legata alla sicurezza, ma gli organizzatori gli garantirono che i visitatori della tv avevano giurato di mantenere il segreto. Se le riprese avessero messo a repentaglio il progetto, l'emittente ci avrebbe rimesso parecchio (soldi, ma non soltanto).[7]

A quel punto, a sapere della presenza dell'NBC erano in cinque. Un'altra decina di scavatori, tra i quali Hasso Herschel e i preziosi ingegneri Uli Pfeifer e Joachim Neumann, ne era all'oscuro. Ma con un tunnel ormai lungo cinquanta metri, e giunto ben al di là della frontiera, le preoccupazioni legate al personale diminuirono: gli organizzatori stavano per affrontare la loro prima, vera situazione critica.

All'altezza della frontiera di Bernauer Strasse, un insistente gocciolio dal soffitto del tunnel si era trasformato in una vera e propria perdita. Sul fondo terroso della galleria c'erano un paio di centimetri d'acqua, in altri punti anche di più. Grazie a certi loro contatti nei vigili del fuoco di Berlino Ovest – sempre pronti a favorire i tentativi di fuga, sin da quando prendevano con la rete chi si lanciava dalla finestra – gli scavatori ottennero una pompa a mano e un centinaio di metri di tubo per asciugare la perdita. L'acqua andava a scaricarsi in una tubatura collegata a una fogna che la portava (ironia della sorte) nel cuore dell'Est. Pomparono più che potevano – circa trentamila litri d'acqua nella prima settimana – ma non reggevano il volume della perdita. Si affidarono a una pompa elettrica, sempre prestata dai vigili del fuoco, ma il livello dell'acqua non calava.

In alcuni punti, le pareti e il soffitto del tunnel crollarono. Gli scavatori scoprirono a proprie spese un difetto dell'argilla: quand'era secca restava solida, ma una piccola quantità di umidità era sufficiente a trasformarla in fango. In certi punti il fango aveva l'aspetto e la consistenza del burro; in altri, di sapone nero. I vestiti, le scarpe e gli attrezzi degli scavatori erano più che mai incrostati. Nelle loro brevi riprese, i Dehmel immortalarono anche questo. Se non si trovava il modo di tappare la falla, quasi due mesi di scavi sfiancanti e pericolosi rischiavano di risolversi in nulla. Si sperava che la colpa fosse delle piogge più intense del solito, ma quando cessarono la perdita aumentò. Colpevole doveva essere una tubatura rotta.

Capito questo, giunsero a una nuova soluzione: dal momento che la perdita riguardava una zona dell'Ovest, forse i ragazzi potevano chiedere l'intervento dell'ente cittadino che gestiva l'acquedotto. Con il pretesto di intervistarlo per un giornale studentesco, Sesta e Spina andarono a parlare con un suo dirigente, che capì subito dove volevano arrivare. Disse loro che li avrebbe aiutati volentieri, ma prima occorreva chiedere il consenso dei servizi segreti americani e tedeschi. Fu Wolf Schroedter ad avere, tramite il Gruppo Girrmann, il nome dell'uomo a cui rivolgersi.[8]

Noto tra gli attivisti con il solo pseudonimo "Mertens", era un agente del *Landesamt für Verfassungsschutz* (Lfv), l'"Ufficio del Land per la protezione della costituzione", ossia i servizi segreti interni di Berlino Ovest.[9] Si diceva che avesse l'incarico di supervisionare tutti i progetti di fuga in quelle zone. Per conto dell'Lfv doveva tenere il governo, e di conseguenza gli americani, al corrente delle attività dei *Fluchthelfer*, e al contempo fare da punto di contatto se avevano bisogno di assistenza ufficiale o di un tramite con i loro colleghi. In cambio, chi organizzava una fuga garantiva a Mertens che lo avrebbe contattato all'arrivo dei nuovi fuggiaschi nell'Ovest, così che gli uomini dell'Lfv potessero interrogarli.

Per farlo serviva molta, molta fiducia. Le agenzie governative sia della Germania Ovest che di Berlino Ovest erano infestate di uomini della Stasi, e gli organizzatori dei tunnel erano sempre restii a fidarsi di qualcuno al primo incontro. Mertens, un robusto quarantenne che si pettinava i sottili capelli castano chiaro all'indietro, rischiava di essere una lingua lunga; magari, addirittura, un uomo della Stasi. Eppure sembrava ben intenzionato. All'inizio dell'anno aveva avvertito gli scavatori di una galleria di Heidelberger Strasse che la Stasi li teneva d'occhio: quelli abbandonarono il progetto senza conseguenze. E il primo contatto di Bodo Köhler con Girrmann e Thieme era avvenuto grazie a Mertens, che insieme a Thieme giocava persino regolarmente a carte. Da mesi aveva convinto i coordinatori delle fughe di essere un agente semi-indipendente, libero di non dire ai superiori quel che sapeva, purché impedisse il verificarsi di episodi che rischiavano di inasprire la tensione sul confine (nessuno seppe mai che era tenuto a inoltrare rapporti periodici alla CIA).[10]

In un ufficio di Ernst-Reuter-Platz gli scavatori gli parlarono del loro progetto senza dargli l'ubicazione precisa del punto di partenza, né spiegargli il percorso. Lui li ringraziò, ma disse che in questo caso dovevano parlare direttamente con gli americani. Così Spina e

Sesta andarono svelti verso quella che la stampa aveva ribattezzato "P9", una villa al civico 9 di Podbielskiallee.[11]

Buona parte dell'attività spionistica americana a Berlino faceva riferimento a quella base, nel quartiere di Dahlem. Dietro l'angolo della villa che ospitava la CIA c'erano la sede berlinese dell'Armed Forces Network e dell'emittente radiofonica e televisiva tedesco-americana RIAS (*Rundfunk Im Amerikanischen Sektor*). Quest'ultima vantava il più grosso trasmettitore d'Europa. Un'altra villa faceva da residenza temporanea dell'ambasciatore americano quando arrivava da Bonn. Ai fuggiaschi dell'Est che dopo gli interrogatori di Marienfelde mostravano di avere informazioni particolarmente utili veniva ordinato di presentarsi alla villa di Podbielskiallee 9.

Agli uomini dell'intelligence americana non interessava intimidire nessuno, ma essere aggiornati sui tentativi di fuga sì, in modo da: 1) poterne stare alla larga; 2) reagire se qualcosa fosse andato veramente storto; 3) avere liste di tutte le persone coinvolte per... qualsiasi motivo. La maggior parte dei *Fluchthelfer* considerava gli americani molto più contrari ai tunnel rispetto ai loro omologhi francesi e britannici. Quel giorno di luglio, Spina e Sesta furono accolti cordialmente dagli americani ma si sentirono subito chiedere nome, indirizzo ed età di tutte le persone coinvolte nel loro progetto.[12] Poiché gli americani, almeno in teoria, erano dalla loro parte, gli italiani furono ben lieti di dare queste informazioni. Gli americani garantirono che non avrebbero ostacolato il progetto e che, anzi, forse li avrebbero persino potuti aiutare, senza rivelare esattamente come o quando.

Poco dopo, l'ente che gestiva i servizi idrici di Berlino Ovest si mise in moto con solerzia. Le riparazioni lungo Bernauer Strasse, tuttavia, dovevano avvenire senza dare troppo nell'occhio, come lavori di routine, per non insospettire le guardie di Berlino Est. Mentre una squadra di operai bucava l'asfalto per ispezionare le tubature, Harry Thoess, che aveva lavorato per più di dieci anni come cineoperatore per la NBC in Germania, ne filmò le attività dal piano superiore della fabbrica di bastoncini. Uli Pfeifer, l'ingegnere, uscì a chiacchierare con gli operai. Vide che il tubo di piombo, probabilmente posato il secolo precedente, si trovava soltanto un metro o poco più sotto il marciapiede. Dedusse che avevano scavato troppo in alto il soffitto della galleria, togliendo sostegno alla tubatura e causandone la rottura. Non poté non ridere quando gli operai gli dissero di non avere mai visto niente di simile: perché la terra sotto il tubo non era più fangosa di come gli si presentava? Dov'era andata tutta l'acqua uscita dalla crepa? Non sapevano che era gocciolata giù, in una stanza segreta.

Comunque, le riparazioni si conclusero presto. Gli scavatori trattennero il fiato. La perdita rallentò fino a fermarsi. Potevano ripartire.[13]

Ma non subito. Nel tunnel c'era così tanta acqua che le tavole di legno del fondo si erano staccate e ci galleggiavano. I ragazzi dovevano dedicare parecchi giorni a svuotarla con le pompe e poi aspettare che il fango si asciugasse. Perlomeno, adesso potevano riposarsi e riprendere le forze.[14] Hasso Herschel colse l'occasione per studiare in vista dell'esame di guida. Altri fecero migliorie ai sistemi di ventilazione e illuminazione. Mimmo Sesta chiacchierò a lungo con Piers Anderton. Gli disse che a lui i governi e i leader non piacevano, che la gente doveva occuparsi in prima persona dei problemi. «Ho visto e sentito cos'è successo dopo che i comunisti hanno chiuso la frontiera», spiegò, mentre Anderton prendeva appunti. «A Berlino Est ho visto donne piangere perché i loro mariti sono nell'Ovest, e sono costrette a vivere per sempre senza di loro. Quelli che comandano in Germania Est sono dei porci, non perché sono comunisti, ma perché fanno vivere il popolo nella paura. La gente dovrebbe vivere felice adesso, non secondo una teoria idiota di un futuro che verrà tra cent'anni. Devo aiutare il mio amico Peter e la sua famiglia. L'amicizia non è soltanto sedersi a bere un caffè e chiacchierare, bisogna agire per aiutare gli amici e quelli a cui hanno rubato la libertà. Al governo della Germania Est non dobbiamo dare pace né tregua. Deve sapere che ci sono persone semplici che vogliono fare qualcosa contro la disumanità.» Nelle parole di Sesta riecheggiavano quelle di Heinrich Albertz, il leader del senato di Berlino Ovest, che di recente aveva paragonato i "coraggiosi" giovani che aiutavano i fuggiaschi ai combattenti della resistenza contro i nazisti.[15]

Anderton sfruttò il momento di quiete per filmare i tre organizzatori mentre ricostruivano scene avvenute nei primi due mesi del progetto, prima che entrasse in scena la NBC. Giravano per la città esplorando ancora una volta i siti scartati dalle parti del Reichstag e della Porta di Brandeburgo. Sbirciavano oltre il Muro, si chinavano su cartine e altri documenti in un appartamento, fumavano e cercavano di decidere dove cominciare a scavare. Come sempre, l'audio non fu registrato.[16]

A quel punto nella comunità dei *Fluchthelfer* si era diffusa la voce che i membri più importanti di una squadra qualificata e di talento avevano del tempo libero. Gli andava di prestare mani e muscoli a un altro scavo?

Dan Schorr, senza ancora un tunnel di cui parlare a poco più di un mese dal primo anniversario del Muro, era deluso e sempre più ansioso. Gli serviva una distrazione. Fortunatamente, la trovò: Shirley MacLaine.[17] La giovane attrice americana, in ascesa dopo aver recitato in *Can Can* e ne *L'appartamento*, era arrivata a Berlino per l'annuale festival del cinema. Assenti i cinefili di Berlino Est, quest'anno gli eventi della rassegna erano meno affollati. Le stelle non mancavano, tuttavia, grazie a James Stewart, James Mason e Maximilian Schell, il cui figlio aveva avuto un ruolo in *Tunnel 28* della MGM. Tony Curtis si nascondeva in un appartamento segreto con la sua nuova fiamma (e coprotagonista di *Tunnel 28*) Christine Kaufmann.

Schorr, che era single, si ingraziò MacLaine, sposata, aiutandola a imparare la pronuncia tedesca della battuta importante di uno dei suoi discorsi ufficiali, un semplice *Ich liebe dich*. Finì per accompagnarla al ballo del festival, dove i due furono fotografati allo stesso tavolo (Shirley MacLaine posò anche con Jimmy Stewart). Un'altra sera, Schorr andò a prenderla all'Hilton di Berlino per uscire a cena e si divertì a vedere un gruppo di fan circondarla nella hall, chiedendole l'autografo. A *lui* non era mai successo. Qualcuno seguì la coppia fino al ristorante. Schorr le chiese se si arrabbiasse mai, in quelle occasioni. «Sarà molto peggio quando smetteranno», rispose lei.

Dopo cena, i due andarono sullo splendido lago Wannsee a bordo della Mercedes di Schorr. Si avvicinarono troppo all'acqua e si ritrovarono con le ruote immerse fino al coprimozzo. Camminarono mezz'ora, prima di trovare un taxi. L'indomani Shirley MacLaine doveva partire per Roma e invitò Schorr ad andare con lei. Lui rispose che era a dir poco una delle proposte più strabilianti che avesse mai ricevuto, ma non poteva piantare in asso la CBS con così poco preavviso. Shirley protestò, dicendo che Schorr era – dopotutto – troppo "terra terra".

Durante il festival, Franz Baake, che poche settimane prima aveva messo in contatto gli scavatori di Bernauer Strasse con il rivale di Schorr alla NBC, vinse l'Orso d'argento con il suo incantevole documentario di ventotto minuti sul Muro, *Test for the West*.[18]

Era un ordine diretto del presidente, perciò l'agente segreto Robert Bouck non aveva alcun dubbio che si trattasse di una questione seria. Doveva installare nello Studio Ovale e nella Stanza del Gabinetto un sistema di registrazione segreto. In precedenza, altri tre presidenti avevano installato dispositivi di ascolto, usandoli però con parsimonia. Franklin Roosevelt aveva registrato qualcosa nel 1940; Harry Truman e Dwight Eisenhower avevano lasciato meno di una dozzina di ore di nastri ciascuno. Il piano di Kennedy prometteva opportunità molto più grandi.

Per anni, da senatore degli Stati Uniti, JFK aveva usato un dittafono sul quale registrava appunti per il suo libro *Ritratti del coraggio* e altri scritti. Ne aveva uno anche nello Studio Ovale, per dettare i discorsi. Adesso voleva documentare le conversazioni con gli assistenti e gli ospiti, per uso personale e per i posteri. Senza dire a nessuno perché (in fondo è per questo che i servizi segreti sono "segreti") Bouck chiese al corpo comunicazioni dell'esercito americano alcuni registratori a nastro Tandberg di alta qualità. Li nascose in un archivio nel sotterraneo della West Wing e li collegò a un paio di microfoni nello Studio Ovale e a un altro paio nella Stanza del Gabinetto. Su ordine di Kennedy, installò i microfoni dello Studio Ovale sotto la scrivania del presidente e dentro un tavolino. Kennedy li poteva attivare senza dare nell'occhio, premendo un pulsante sulla scrivania. I microfoni della Stanza del Gabinetto erano nascosti dietro le tende e li azionava un pulsante a capo del tavolo, dove sedeva JFK.

Di questo, Kennedy non aveva ancora informato nessuno tranne la sua segretaria personale e gli agenti dei servizi segreti. Non aveva ancora deciso nemmeno quanto spesso attivare il sistema, quali riunioni registrare e quali ignorare. Meglio concentrarsi sui dibattiti di politica estera durante una crisi, nel caso fossero nati dei contrasti? (Aveva detto a Bouck che il motivo principale per cui voleva installare il sistema era la paura di un conflitto che coinvolgesse i sovietici.) E le discussioni squisitamente politiche, o di campagna elettorale? C'era il rischio che un giorno gettassero cattiva luce su di lui? E cosa avrebbero pensato i suoi ignari assistenti e ospiti se il sistema segreto di registrazione fosse stato smascherato? In un recente promemoria al direttore della CIA John McCone, suo fratello Bobby aveva detto scherzando (con un fondo di verità) che loro padre aveva insegnato ai figli a «non lasciare mai nulla di scritto». Adesso JFK aveva deciso, non per la prima volta, di disobbedire al volere di Joseph P. Kennedy.[19]

Da Berlino Est giunse la notizia che Robert Mann, lo studente di Stanford amico di Joan Glenn arrestato in gennaio, era stato incriminato e condannato a ventuno mesi di prigione.[20] Piers Anderton fu tra i pochi inviati americani presenti al suo breve processo. L'avvocato di Mann, come al solito in questi casi, era Wolfgang Vogel. Noto per i suoi contatti con i legali della Germania Ovest, Vogel lavorava per lo stato e/o per la Stasi in tribunale quando si verificavano scambi di prigionieri (l'esempio più noto fu il "baratto di spie" che all'inizio dell'anno aveva coinvolto il pilota americano di U-2 Gary Powers e l'agente sovietico Rudolf Abel). Anche Vogel, nel

1953, aveva organizzato una fuga all'Ovest, ma la Stasi lo aveva scoperto e costretto a diventare, per diversi anni, un suo informatore.

All'inizio del mese, la DDR aveva allestito quello che il "New York Times" definì il primo «processo-farsa» dalla costruzione del Muro, un chiaro segnale ai *Fluchthelfer* dell'Ovest.[21] Condannati per aver collaborato alle fughe, tre uomini dell'Ovest e due dell'Est avevano subìto condanne severe: tra i cinque e i quindici anni di lavori forzati. Al confronto, la sentenza di Mann sembrava più sopportabile. Il padre del condannato volò dalla California a Berlino e riuscì a parlare con Robert per venti minuti, trovandolo in condizioni di salute relativamente buone. Poi disse a Joan Glenn che se un tempo si era domandato perché mai suo figlio corresse simili rischi per salvare studenti tedeschi che neanche conosceva, adesso, dopo aver visitato l'opprimente Berlino Est, lo capiva.

Harry Seidel aveva praticamente finito il suo rozzo tunnel a Kiefholzstrasse. Era già sotto il cortile anteriore del rustico in cui abitavano in affitto i Sendler, una coppia di mezza età che aveva dato a intendere di voler ospitare lo sbocco dall'Est. Fritz Wagner era andato in Belgio a comprare due mitragliatrici per la missione, ma il *Dicke* aveva un problema: il mese precedente avevano salvato così tanti tedeschi dell'Est attraverso il cosiddetto "tunnel della Pentecoste" che adesso era difficile trovarne un gran numero pronto a fuggire. Di solito i clienti di Wagner erano proletari, e molti di quelli che erano scappati stavano scoprendo che nell'Ovest non era facile trovare lavoro. Perciò qualche aspirante profugo dell'Est cominciava a ripensarci. Certo, al di là del Muro la vita non era rose e fiori, ma quasi tutti avevano un lavoro e ai bisogni primari badava lo stato.

I liberi professionisti e gli studenti erano molto più ottimisti riguardo al farcela nell'Ovest, oltre che più gelosi della propria libertà personale. Questo era il genere di profughi che si era specializzato ad accogliere il Gruppo Girrmann. Wagner lo sapeva e andò a contattarli in cerca di fuggiaschi e corrieri per il progetto di Kiefholzstrasse. I capi del Girrmann furono lieti di dargli una mano, pescando nomi dalla lista di fuggiaschi affidabili, continuamente aggiornata da Joan Glenn. Harry Seidel, tuttavia, era sempre impaziente e non aveva voglia di aspettare altre settimane prima di aprire il varco. Sua madre, ancora in prigione, non sarebbe comunque riuscita a unirsi al flusso dei rifugiati, e c'era una gara di ciclismo per cui voleva allenarsi. Così mollò il progetto di Kiefholzstrasse offrendosi di dare una mano se e quando fosse arrivato il momento cruciale. Improvvisamente, quando un altro suo scavatore si ammalò e un secondo volle andare in vacanza, Fritz Wagner si ritrovò a dover cercare una squadra nuova di zecca.[22]

Entrò quindi in scena l'agente Mertens, che aveva saputo di un grosso ritardo, per allagamento, nella costruzione di un tunnel sotto Bernauer Strasse. Mertens parlò del progetto di Kiefholzstrasse a Dieter Thieme, che il 22 luglio fissò un appuntamento con l'amico Wolf Schroedter. Tre giorni dopo, alla Casa del futuro, Thieme vide Schroedter, i due italiani, Hasso Herschel, Joachim Rudolph e Manfred Krebs. Decisero di finire la galleria di Kiefholzstrasse soltanto se avesse superato i loro controlli. Per Herschel e gli italiani c'era un incentivo in più: potevano portare i loro cari (la sorella di Hasso) e i loro amici (la famiglia di Peter Schmidt) nell'Ovest con un paio di mesi di anticipo.[23]

Il 27 luglio, Schroedter, Rudolph e Krebs attraversarono la fitta vegetazione che nascondeva l'imbocco del tunnel. Rudolph e Krebs rimasero scioccati quando riconobbero l'uomo che li accoglieva. «Ma è... Harry Seidel!», esclamò Rudolph. Solo in quel momento lui e Krebs scoprirono cos'aveva combinato nell'ultimo anno il loro ex compagno di scuola. Seidel fu altrettanto sorpreso di incontrarli. Sapeva soltanto che "certi studenti" volevano portare avanti il suo progetto perché il loro tunnel aveva incrociato un tubo che perdeva.

Harry spiegò che aveva scavato quasi tutto il varco, ma adesso «ho bisogno di una pausa. È tutto vostro». Diede loro le torce e li portò nella galleria. Rispetto al loro scavo semi-professionale, rimasero scioccati per il fatto che questo era privo di luci, condotte per l'aria, puntelli. Dai lati, qui e là, spuntavano radici spezzate di alberi. Il suolo sabbioso si sfaldava dal soffitto ogni volta che lungo Kiefholzstrasse passava un camion. Non ci si poteva inginocchiare né procedere gattoni: scavatori e fuggiaschi dovevano strisciare sulla pancia. Il tunnel era così stretto che Rudolph temeva potesse provocare attacchi di claustrofobia (lui stesso ne aveva un po' paura). In caso di collasso parziale, non c'erano sacche d'aria in cui respirare mentre si cercava di uscire scavando.[24]

Era obiettivamente un lavoro approssimativo. Harry era coraggioso e lavorava sodo, ma non era certo un ingegnere. Questo era anche il suo primo tunnel suburbano, nonché il più lungo. A quel punto rivelò che dopo mezz'ora di scavi l'aria in fondo alla galleria finiva, perciò si era costretti a scavare a brevi riprese e chiamare un sostituto. Ammise anche che c'era un po' puzza di gas, forse per una perdita: quindi attenzione a usare i fiammiferi! Per non parlare del resto: vicino all'ingresso non c'era nessuna struttura, nemmeno una baracca, in cui riposarsi o mangiare, niente bagni, niente acqua corrente. Non c'era un carrello per scaricare la terra, ma soltanto grossi catini da macellaio. E poi le questioni di sicurezza: la terra del tunnel era stata semplicemente ammucchiata vicino all'imbocco. In teoria i cespugli e gli alberi la nascondevano alla vista da Est, ma era proprio così? *Dulcis in fundo*, non si capiva se i Sendler avessero davvero confermato se come uscita si poteva usare casa loro.

Tuttavia, la squadra di Bernauer Strasse accettò di collaborare con il Gruppo Girrmann, raccogliendo il testimone da Seidel. Il fatto che fosse stato Harry a iniziare il tunnel ridimensionava le preoccupazioni. Harry aveva rischiato più volte la vita per combattere contro il Muro; di certo non era un infiltrato della Stasi. Quello che gli scavatori non sapevano, però, era che stavano stringendo un legame temporaneo con il Gruppo Girrmann, che in realtà un infiltrato, nel cuore, lo aveva: l'intrepido agente della Stasi Siegfried Uhse.

Nel giro di qualche giorno allargarono notevolmente la cavità. Ora ci poteva passare davvero un uomo o una donna sovrappeso, e non era per forza detto che i bambini, strisciando nel buio con una torcia, si spaventassero. Entro pochi giorni sarebbe stato tutto pronto. Era forse il caso di darne notizia a Piers Anderton che poteva fare qualche ripresa? Sarebbe stata un'aggiunta notevole al suo speciale televisivo, e avrebbe potuto fare da materiale di riserva nel caso che il tunnel di Bernauer Strasse fosse crollato o fosse invaso da un'altra perdita. Consci che gli scavi erano in buone mani, in tutta fretta Bodo Köhler e Joan Glenn allertarono i corrieri. La loro lista di aspiranti profughi copriva ormai diverse pagine.

Lo scrupolo con cui Siegfried Uhse aveva coltivato il rapporto con Joan Glenn cominciava a dare frutti: la ragazza lo inserì come corriere in una non meglio precisata operazione di fuga in programma a breve. Quando Glenn lo convocò per uno scambio di informazioni volante, passeggiando per strada, lui ci andò «con addosso i miei nuovi vestiti chic», come disse al suo responsabile. «Da come mi guardava e si comportava ho capito che mi trovava piacevole.» Si poteva ben permettere di migliorare il suo guardaroba perché continuava a lavorare come parrucchiere (non più alla base americana) oltre che cameriere nei fine settimana, e intanto riscuoteva lo stipendio della Stasi.[25]

Una settimana dopo, venerdì 27 luglio – a poche ore dal sopralluogo del gruppo di Bernauer Strasse nella galleria di Harry Seidel – Glenn ordinò a Uhse di andare subito nell'Est a dire al suo contatto principale tra gli organizzatori della fuga (noto solo come "82") di «radunare il gruppo» per un incontro da fare l'indomani. Entro la domenica sera, "82" doveva stare pronto alla telefonata che dall'Ovest gli avrebbe dato «le informazioni essenziali per la fuga in programma» prevista il martedì successivo dalle parti di Kiefholzstrasse; nessuno, però, sapeva come sarebbe avvenuta né in quale punto. Glenn gli domandò anche di individuare nella DDR angoli tranquilli dove parcheggiare dei camion senza farsi vedere e caricare una sessantina di profughi. A quel punto, Uhse non sapeva nulla di nessuna galleria. Immaginava che ci fossero camion corazzati che portavano gente nell'Ovest attraverso un checkpoint isolato, o magari sfondando un tratto debole del muro. Glenn, tuttavia, aveva sottolineato che «questa fuga dovrebbe avvenire senza usare la violenza».[26]

L'indomani, la missione di Uhse fu di nuovo aggiornata da Glenn nell'ufficio di lei (a quanto sembrava, la sua messa al bando dalla Casa del futuro era finita). Doveva tornare nell'Est e dire a "82" di un incontro finale pre-fuga la sera seguente. Uhse obbedì, e tornò nella sede del Girrmann. Poi si accorse di uno sconosciuto, nell'ufficio vicino, che parlava con un accento svizzero. Quando Glenn abbandonò momentaneamente la scrivania, Uhse origliò l'ospite mentre diceva che l'uso dei camion in questa operazione «non andava bene» perché era «pericoloso». Glenn tornò e chiuse la porta.[27]

Dopo una settimana con la famiglia a Hyannis Port, in Massachusetts, il presidente Kennedy tornò alla Casa Bianca e andò direttamente nello Studio Ovale. Non gli ci volle molto per inaugurare il nuovo invisibile sistema di registrazione, attivandolo per un incontro con McGeorge Bundy riguardo a una crisi politica in Brasile.[28] Poco dopo pranzo le discussioni continuarono con Bundy, Dean Rusk e il sottosegretario di stato George Ball. Il tema era l'Europa.

«A Berlino non ci resta più niente da fare», disse Kennedy rassegnato. Qualche minuto dopo, si lamentò delle «nuove reclute» delle missioni diplomatiche. «Vedo un sacco di gente che, mi pare... sembra non abbia i *cojones*.»[29]

Bundy rispose: «Eh, sì».

Nel pomeriggio la discussione si spostò per quasi due ore sul tema del nucleare, nella quale fu interpellata oltre una decina di consulenti e ministri.[30] Kennedy aveva cercato di negoziare con i sovietici un trattato di abolizione globale dei test atomici. In teoria, ostacolare lo sviluppo di congegni ancora più letali avrebbe dovuto rallentare la corsa agli armamenti. I sovietici si erano tirati indietro, rifiutando le ispezioni *in loco* necessarie a verificare il rispetto dei divieti. Kennedy aveva rilanciato chiedendo almeno la messa al bando delle esplosioni nucleari non sotterranee (i test "atmosferici") per ridurre la diffusione di particelle radioattive nell'aria. Sul fronte interno, però, stava proponendo un piano da 700 milioni di dollari per costruire o irrobustire i rifugi antiatomici in tutti gli

Stati Uniti. Poco tempo prima, il direttore della Protezione civile Steuart L. Pittmann aveva dichiarato che in caso di massiccio attacco nucleare sovietico sarebbero morti con tutta probabilità 110 milioni di americani, ma che i rifugi ne avrebbero salvati tra i 50 e i 55 milioni. «E potrebbero essere abbastanza da garantire la sopravvivenza degli Stati Uniti come nazione.»[31] Pittmann ammise, tuttavia, che per l'americano medio era difficile accettare che «una struttura fragile come il rifugio antiatomico possa sopportare la potenza enorme di un attacco nucleare».[32]

La riunione finì con questioni ancora aperte e ben poche decisioni prese. A complicarla fu un fattore: quattro giorni prima, il "New York Times" aveva pubblicato un articolo basato sulla più grave fuga di notizie verificatasi, fino a quel momento, sotto la presidenza Kennedy. L'episodio aveva già portato a un tentativo, senza precedenti, di intimidazione dei media, condotto proprio mentre era in corso la riunione alla Casa Bianca. JFK non era il solo a registrare conversazioni in segreto.

L'articolo di prima pagina del "Times", firmato dal famoso inviato di guerra Hanson Baldwin, rivelava che i sovietici stavano «irrobustendo» i propri silos missilistici con coperture di cemento, per proteggere le armi nucleari in caso di attacco americano. Le più alte autorità americane l'avevano tenuto nascosto ai media e al pubblico, nonostante la mossa sovietica offrisse una protezione limitata e gli Stati Uniti stessero a propria volta rafforzando le proprie basi missilistiche. Forse, più di questo, a far arrabbiare Casa Bianca e Pentagono era stata un'altra rivelazione di Baldwin, secondo il quale a individuare le modifiche sovietiche erano state macchine fotografiche aeree americane; il suo articolo citava anche la nuova scienza dell'«aerofotointerpretazione», basata su analisi agli infrarossi e tracciature radar, e su «segnali elettronici».

Controlli del genere potevano ridimensionare il bisogno di ispezioni *in loco*, una notizia ottima, anche se i sovietici erano sensibili a qualunque tipo di spionaggio americano, e a quel punto era probabile che volessero cercare di nascondere i propri missili anche agli sguardi indiscreti aerei. Baldwin rivelava anche il numero dei missili nucleari Atlas, Titan e Polaris dell'arsenale americano, che a suo dire dava agli Stati Uniti un netto vantaggio sui sovietici. Considerata la sua lunga esperienza al "Times", Baldwin godeva di una grande credibilità, che lo rendeva inattaccabile. Era entrato in redazione nel 1929 e grazie ai suoi reportage dal Pacifico durante la seconda guerra mondiale aveva vinto un Pulitzer. Le sue opinioni si potevano definire "aggressive", e gli era spesso consentito di esprimerle negli articoli.

La Casa Bianca si mise subito alla ricerca del responsabile della fuga di notizie, e il procuratore generale Robert Kennedy ordinò al capo dell'FBI J. Edgar Hoover di darsi da fare.[33] Il 27 luglio, all'indomani dello scoop di Baldwin, gli agenti misero sotto controllo il telefono di una segretaria nella sede di Washington del "New York Times". Dopo un giorno piazzarono una cimice nel telefono di casa Baldwin a Chappaqua, nello stato di New York. Ma non solo. La sera del 30 luglio, gli agenti dell'FBI fecero visita all'appartamento della segretaria nella capitale e nella residenza del giornalista. Messa sotto torchio dagli agenti, la sbalordita segretaria diede loro i dettagli precisi delle interviste organizzate da Baldwin per scrivere l'articolo, dei luoghi in cui aveva dimorato, degli appuntamenti presi (con oltre una dozzina di funzionari del Pentagono, dell'esercito e della CIA).

Quando Baldwin, alla stessa ora, andò ad aprire la porta, disse agli agenti che stava per mettersi a cena.[34] Quelli gli chiesero se potevano parlare con lui dopo mangiato, ma lui rifiutò e aggiunse che «questo tipo di approccio» non gli piaceva. Dopo che gli agenti se ne andarono, Baldwin ricevette la telefonata dell'editorialista più influente degli Stati Uniti, il suo collega James "Scotty" Reston, mentre l'FBI, ovviamente, ascoltava.

Reston informò Baldwin che l'FBI era stata dalla segretaria. La definì una caccia alle streghe, «uno scandalo» che andava reso immediatamente pubblico. Baldwin si disse d'accordo e aggiunse che non avrebbe mai fatto i nomi delle sue fonti. Suggerì di contattare l'editore del "Times" Orvil Dryfoos. «Questa amministrazione sta andando davvero un po' troppo in là... penso sia estremamente pericoloso», si lamentò. Reston disse che al Congresso sospettavano che su certe persone ci fossero "dossier" segreti. Baldwin rispose di non averne mai sentito parlare. Reston propose di approfondire e denunciare il fatto dalle pagine del "Times".[35]

Il giorno dopo, J. Edgar Hoover comunicò a Robert Kennedy che alla luce del «rancore e dell'arroganza» di Baldwin, non avrebbero più cercato un dialogo. Quanto alle sue possibili fonti... era un'altra questione. Baldwin vide Dryfoos (con Reston in viva voce) e discusse con lui la possibilità di denunciare l'attacco della presidenza alla libertà di stampa. Come primo passo, decisero che Reston avrebbe chiamato McGeorge Bundy e chiesto dettagli sull'ampiezza dell'indagine dell'FBI e su chi l'avesse promossa. Quella sera Robert McNamara passò a casa Reston per un'amichevole chiacchierata di due ore. Si scusò per la tattica brusca, ma d'altra parte la fuga di notizie era «una chiara violazione della legge». Non precisò, però, di quale legge si trattasse.[36]

L'ultimo giorno del luglio 1962, Daniel Schorr ebbe finalmente il suo tunnel. La svolta non venne grazie al Gruppo Girrmann. A salvarlo fu James P. O'Donnell.[37]

Il quarantacinquenne Jim O'Donnell, nato a Boston, era un veterano di Berlino. Da studente, nella Germania negli anni trenta, aveva persino incontrato Hitler. Dopo essersi laureato ad Harvard e aver combattuto in Europa durante la seconda guerra mondiale, fu mandato da "Newsweek" a esplorare il bunker dov'era morto il Führer e dove (grazie a una bustarella passata a un soldato sovietico) trovò fascicoli, quaderni e diari sfuggiti agli altri. In qualità di capo della redazione berlinese della rivista fece la cronaca dei processi di Norimberga e del ponte aereo di Berlino. Per la maggior parte degli anni sessanta fu redattore e inviato, spesso dalla Germania, per il "Saturday Evening Post". Amico di vecchia data dei Kennedy, come consulente su Berlino O'Donnell aveva lavorato anche per la campagna elettorale di JFK del 1960. L'anno seguente gli era stato chiesto di guidare un nuovo "gruppo di guerriglia psicologica" presso il Dipartimento di stato, con lo scopo di inoltrare articoli di propaganda anticastrista ai media latinoamericani.

All'apparizione del Muro di Berlino, O'Donnell aveva preteso che gli Stati Uniti abbattessero il filo spinato, dichiarando: «È peggio della Baia dei Porci!». La proposta rimase inascoltata. Per sottolineare la fermezza americana, la Casa Bianca si limitò a mandare a Berlino il vicepresidente Lyndon Johnson. O'Donnell ebbe un ruolo decisivo nel convincere Kennedy a fare accompagnare Johnson dal generale in pensione Lucius Clay (Johnson aveva protestato: «Ci sarà sicuramente qualche sparatoria, e io mi ci troverò nel mezzo. Perché io?»).[38] In seguito, quando il presidente convinse Clay a tornare al servizio del governo come supervisore delle operazioni americane a Berlino, O'Donnell fu promosso primo assistente del generale. Nella primavera del 1962 Clay fu richiamato in America e O'Donnell tornò a fare il giornalista, senza perdere la sua personalità mondana e di mediatore tra i più in vista di Berlino. Nonostante il temperamento irascibile e gli attacchi di logorrea, O'Donnell rimase per la Missione americana una fonte cruciale di informazioni sullo stato d'animo e sull'umore dei giornalisti e dei cittadini tedeschi.

A fine luglio, Rainer Hildebrandt lo avvertì di un nuovo progetto di fuga. Hildebrandt, amico di Harry Seidel, era un noto agitatore anticomunista nonché fondatore della prima galleria di reperti storici legati al Muro. Disse a O'Donnell che un certo Fritz Wagner cercava di finanziare un tunnel vendendo i diritti di ripresa televisiva. O'Donnell conosceva tutti i veterani della tv e della carta stampata in città, ma contattò per primo Schorr, forse perché Dan lo aveva implorato di farlo, se mai avesse saputo di un progetto del genere. O'Donnell chiese a Schorr se l'indomani gli andava di vedere lui, Wagner e Hildebrandt per discutere un accordo.[39]

Dopo tutti quei mesi di ricerche a vuoto, Schorr accettò senza riserve. E se il tunnel fosse stato aperto entro il 13 agosto, anche il suo clamoroso servizio speciale avrebbe visto la luce.

Schorr e la segretaria
1-6 agosto 1962

Come da programma, e con James O'Donnell a fare da intermediario, il primo giorno d'agosto si tenne l'incontro tra Daniel Schorr e Fritz Wagner per discutere la vendita dei diritti televisivi sul tunnel di Kiefholzstrasse. Spiccavano per la loro assenza l'ideatore del tunnel Harry Seidel e la squadra di Bernauer Strasse, in quel momento impegnata a rischiare la vita *pro bono* per completare l'opera. Wagner chiarì i dettagli del piano e spiegò che aveva in programma, entro pochi giorni, di far strisciare verso la libertà almeno quarantacinque fuggiaschi. Per il diritto a filmare gli ultimi preparativi e la fuga, chiese 100 000 marchi tedeschi.[1] Schorr gli rise in faccia e rilanciò a 5000. Quello stesso giorno, durante un secondo incontro, alzò l'offerta quando Wagner gli disse che uno dei profughi avrebbe portato con sé riprese esclusive effettuate il 13 agosto dell'anno precedente, perfette per lo speciale del primo anniversario che il giornalista aveva in mente. Poi Schorr andò a discuterne con il suo cameraman tedesco.

Sempre che fossero all'oscuro dell'imminente fuga di massa attraverso una galleria di Kiefholzstrasse, i diplomatici americani scoprirono tutto il 3 agosto, quando Jim O'Donnell si presentò nella massiccia struttura a L che ospitava la Missione americana e gli uffici della Brigata berlinese dell'esercito americano. Il complesso di Clayallee (via intitolata al generale Lucius Clay, eroe del ponte aereo di Berlino) era stato, in precedenza, il quartier generale della Luftwaffe hitleriana. Le vecchie insegne naziste erano state rimosse dalla facciata, ma qualche aquila ornamentale di cemento rimaneva.

O'Donnell chiese a Ralph A. Brown, membro del personale della Missione, di procurargli informazioni su due tedeschi da lui conosciuti qualche giorno prima, Rainer Hildebrandt e un certo "Warner" (si trattava di Wagner, ovviamente). Gli descrisse il piano in dettaglio, comprese le trattative che avevano portato Dan Schorr a versare più di 5000 marchi tedeschi. O'Donnell non si tenne quasi nulla per sé e rivelò persino la posizione del tunnel, per quanto ne sapeva. Gli scavatori, disse, erano a pochi metri dal punto d'uscita, la fuga era in programma per domenica 5 agosto. E Schorr aveva già mandato i suoi operatori sul posto almeno una volta, il giorno prima.[2]

Perché O'Donnell, giornalista, raccontava tutto questo a un membro della Missione? A suo dire, voleva «fare in modo che un tentativo di fuga abbia la risonanza che merita». Se poi volesse sfruttare la storia per ricavarne un articolo in esclusiva, Brown non poteva saperlo. Forse O'Donnell stava soltanto verificando la ricettività della Missione a una sensazionale fuga di massa: pro o contro? Turbatissimo dalla visita, Brown decise di inoltrare ai piani alti della Missione un memorandum che si concludeva così:

> Mi sono detto preoccupato per questi piani e ho raccomandato a O'Donnell di interrompere i contatti con il gruppo. Gli ho sotto-lineato che in passato la stampa americana è già stata accusata di speculare sulle fughe dall'Est e che ciò ha avuto un effetto negativo sulle nostre relazioni con la stampa tedesca e le autorità berlinesi. Gli ho detto che probabilmente anche le autorità dell'Est sanno di questo tunnel, e perciò le probabilità di riuscita del progetto non sono alte.[3]

Stranamente Brown non spiegava *perché* pensava che all'Est sapessero tutto del tunnel. Chi o quale era la fonte di tale opinione? (Lo stesso Siegfried Uhse, a questo punto, conosceva soltanto pochi dettagli del progetto.) Brown allegò al promemoria anche un foglio a righe con lo schizzo, probabilmente fatto da O'Donnell, della zona in cui si trovava la galleria. Ne rappresentava persino il tracciato, da un buco nel terreno dell'Ovest, a ridosso del Muro, fino a una struttura non identificata appena oltre la frontiera, il tutto sotto i binari della S-Bahn e non lontano dalla stazione di Baumschulenweg, dal Parco di Treptow e da una torre di guardia della Germania Est che si trovava, curiosamente, a un paio di fermate dal luogo della fuga. Possibile che O'Donnell avesse informazioni sbagliate, o che stesse volontariamente disinformando la Missione (e se sì, perché)?

Il promemoria di Brown attirò l'attenzione di Arthur Day, che dirigeva l'ufficio "politico" della Missione. Questi inviò subito a un collega dell'ambasciata americana a Bonn un cablogramma che conteneva buona parte delle informazioni di O'Donnell. «Pare che Schorr abbia in programma di filmare la fuga, per un documentario sul 13 agosto», ammoniva Day. Questi i suoi consigli:

> Riteniamo particolarmente dannoso per l'interesse americano rendere pubblica associazione con Schorr e O'Donnell. In particolare, considerati piani per documentario, sembra molto probabile diventerà pubblica. Intendiamo tentare di persuadere Schorr e O'Donnell a dissociarsi e a non usare le riprese della fuga in modo da indicare alcuna associazione. Se Schorr non è d'accordo, possiamo raccomandare al dipartimento di avvicinare la CBS negli USA. Causa impossibilità di parlarti al telefono, e urgenza della situazione, procediamo a organizzare un incontro con Schorr e O'Donnell oggi pomeriggio.[4]

Il collega rispose che aveva discusso della situazione con due superiori, tra i quali l'ambasciatore Walter Dowling. «Naturalmente approvano il tentativo di dissuadere O'Donnell e Schorr ad accostare i propri nomi alla fuga», osservava nel suo cablogramma.[5]

Ottenuto il via libera, Brown affidò la risoluzione del problema a Charles Hulick, vicecapo della Missione, che contattò subito Schorr; l'irascibile inviato della CBS, però, non intendeva rinunciare ai suoi piani. Il pomeriggio seguente, dopo un incontro di routine con la stampa, Hulick tornò sull'argomento con Schorr e gli disse chiaro e tondo che se «gli altri» avessero scoperto l'operazione e la

CBS fosse andata avanti con le riprese, c'era il rischio che i comunisti sequestrassero le sue «prove documentarie» e persino alcuni dei «suoi uomini». Eppure, nonostante i ripetuti (ma non comprovati) sospetti che il tunnel fosse compromesso, dalla Missione di Berlino nessuno aveva dato segno di voler avvertire del pericolo gli scavatori o i membri del Gruppo Girrmann. Forse il loro destino non era così segnato. Il vero punto fermo era un altro: la tv non doveva occuparsene, tantomeno per un documentario da prima serata. Schorr ribadì a Hulick quello che aveva detto la sera prima, ma aggiunse che ci avrebbe almeno pensato su.[6]

Poco dopo, Jim O'Donnell informò la Missione che la fuga era programmata per le sei del pomeriggio del 7 agosto e che il numero di probabili profughi era schizzato a circa novanta, di gran lunga il più grosso esodo in un giorno solo, fino a quel momento. Disse poi che Schorr aveva deciso di tornare a Bonn, ma che il suo operatore berlinese poteva trovarsi all'uscita della galleria. Più che disinteressarsi del caso, sembrava che Schorr si stesse soltanto allontanando dal rischio.[7]

In realtà, Schorr era ancora intenzionato a essere a Berlino il giorno della fuga.

Hulick mandò un cablogramma non soltanto all'ambasciata di Bonn («nel caso che l'ambasciata volesse avvicinare Schorr a Bonn, domani») ma anche al capo della task force berlinese di Washington, che coordinava le politiche presidenziali, segno, questo, che la preoccupazione aumentava. Hulick ridimensionò l'intenzione di Schorr di tirarsi indietro lamentando «la poca affidabilità» di O'Donnell. Era forse il caso di informare il presidente?[8]

Ignari di tutto questo, e nonostante in certi tratti della galleria l'ossigeno scarseggiasse, gli scavatori di Kiefholzstrasse continuavano ad ampliare il tunnel di Harry Seidel. Per verificare che Harry avesse davvero tracciato il percorso giusto, uno di loro strisciò fino alla fine dello scavo e infilò una sbarra di metallo nel soffitto, facendola uscire in superficie per meno di mezzo metro. Un collega con il binocolo la teneva d'occhio da una collinetta dell'Ovest. Quando la vide apparire, si capì che gli scavatori avevano raggiunto il cortile dei Sendler, sì, ma leggermente fuori asse rispetto al previsto.[9] Per fortuna c'era il tempo di correggere verso sinistra il punto d'uscita. Il momento di sfondare si stava avvicinando: corrieri e profughi erano pronti?

In una riunione serale alla Casa del futuro si fece il punto sull'operazione. Erano presenti i leader degli attivisti, Bodo Köhler e Detlef Girrmann; la coordinatrice dei corrieri Joan Glenn; Hartmut Stachowitz, un veterinario che voleva far evadere dall'Est sua moglie e suo figlio; Rudi Throw, ex guardia di confine della Germania Est divenuta membro operativo del Gruppo; una ventenne dell'Est che era stata appena portata nell'Ovest dentro, o sotto, un'automobile; e una studentessa svizzera appena tornata dall'Est dopo aver avvertito certe persone dell'imminente operazione. Un giorno di lavoro come un altro, insomma.[10]

Nel corso della riunione, Köhler ricevette alcune telefonate. Al termine di una di esse, informò il gruppo che secondo lui "qualcuno" aveva seguito la conversazione dall'esterno. Probabilmente aveva sentito un rumore di fondo o un respiro. Quando Stachowitz chiese lumi, Köhler ipotizzò che un "dipartimento" americano nell'Ovest stesse intercettando le telefonate.

Il presidente Kennedy accese il microfono segreto dello Studio Ovale mentre si preparava a una riunione con il Foreign Intelligence Advisory Board (Comitato consultivo sull'intelligence estera). Erano presenti il dottor James Killian (ex presidente del MIT), il noto avvocato Clark Clifford, il generale Maxwell Taylor, Robert Kennedy e il dottor Edwin H. Land, quello della Polaroid (nonché la persona che aveva contribuito a progettare l'aereo spia U-2 e i suoi obiettivi fotografici). Argomento dell'incontro fu la recente fuga di notizie sul "New York Times".

JFK aveva approvato in tutta fretta l'indagine dell'FBI e le intercettazioni dei telefoni di Hanson Baldwin e di una segretaria del "Times", ma considerava importante anche il parere di quel prestigioso comitato.[11] Killian, che la presiedeva, dichiarò subito:

«Siamo concordi nel ritenerla una delle più pericolose rivelazioni di sempre [...] una crepa tragica e seria nelle misure di sicurezza». La discussione, tuttavia, passò immediatamente dalla necessità di trovare i colpevoli a quella di vigilare sulla burocrazia. Killian chiese «misure drastiche e senza precedenti» alla luce del fatto che i responsabili della fuga «in fondo non credono di poter incorrere in vere sanzioni punitive». Propose un nuovo regolamento per il Dipartimento della difesa e le altre agenzie che gestivano informazioni riservate: dopo qualsiasi interazione con i media, ogni funzionario e dipendente doveva fare rapporto ai superiori e indicare con chi aveva parlato, quando e di cosa. Secondo Killian, ciò avrebbe costretto i potenziali chiacchieroni a essere «più attenti, più reticenti», mettendoli «in una posizione molto più esposta alle azioni punitive nel caso fossero necessarie».

«Insomma se ne dovrebbe occupare il governo, anziché i giornalisti», affermò Kennedy.

Killian azzardò: «Dubitiamo che la stampa reagirà male, anzi. Perché non sono affari loro... Lei non sta negando l'accesso al personale». Inoltre, suggerì, andava istituito un organo dedicato esclusivamente a quel tipo di indagini, «un gruppo di esperti sempre a disposizione, che si occupi delle fughe di notizie». La sua stessa esistenza avrebbe avuto «un effetto deterrente».

Clark Clifford, ex avvocato di JFK, appoggiò l'idea con entusiasmo e propose di andare anche oltre le indagini sugli avvenimenti. Occorreva seguire lo "schema" delle fughe, fino a ricostruire l'attività di certi giornalisti. «Si può fare senza alzare polveroni e senza lasciare tracce», dichiarò. Se in passato non c'era stato bisogno di intensificare i controlli sulla stampa, oggi il pericolo era più grave che mai. «Un gruppo particolarmente attento potrebbe risultare utilissimo», aggiunse, «potrebbe seguire la stampa e trovare la prova che...»

Il presidente lo interruppe: «Ottima idea. Facciamolo».

Clifford continuò: «Allora cominciamo col creare un dossier su questi [giornalisti]... che io sappia, nessuno ci ha mai pensato, e sarebbe anche ora».

Al presidente andava bene. La stampa «è il gruppo più privilegiato […] Considereranno questo tipo di iniziative una limitazione dei loro diritti civili», disse. «E non ci sono molto abituati.»

JFK fece stendere la bozza di una lettera di reclamo, a suo nome, da consegnare a mano quella settimana a Dryfoos, l'editore del "New York Times", scritta in modo da «dimostrare che questa non è una presidenza particolarmente suscettibile». Tutti risero, perché in fondo era una battuta, e la riunione terminò.[12]

Nei giorni successivi, la Casa Bianca ricevette dal Dipartimento di stato diversi messaggi urgenti in merito a una crisi mediatica molto diversa: ci si aspettava un sensazionale reportage su un nuovo tunnel sotto il Muro di Berlino, firmato da uno dei giornalisti "privilegiati" meno amati dal presidente: Daniel Schorr. I cablogrammi da Berlino e da Bonn sottolineavano le probabilità che si scatenasse un incidente internazionale. Il progetto del tunnel rischiava di essere smascherato sia dalla Germania Est sia dalla CBS. Era un tema delicato, di quelli che Dean Rusk affrontava quotidianamente con Kennedy. Gli addetti stampa di Rusk sapevano che anche Pierre Salinger voleva essere informato personalmente sulla vicenda. Il Dipartimento era già tentato di intraprendere azioni preventive per dissuadere o fermare Schorr, ma Salinger, in qualità di tramite con JFK, insisteva perché qualsiasi mossa contro i media fosse prima autorizzata da lui. Salinger, addetto stampa del presidente sin dall'inizio della campagna elettorale del 1960, era a strettissimo contatto con Kennedy. In un modo o nell'altro – da Kennedy o da Salinger – l'approvazione di una mossa contro Schorr era quasi certa.

Come al suo capo, a Rusk i giornalisti non stavano simpatici. Troppo spesso sminuivano le scelte politiche americane soltanto per creare clamore. In quel senso non erano patrioti, e si rifiutavano di guardare al quadro complessivo. Sì, il pubblico aveva "il diritto di sapere", ma secondo Rusk tale diritto doveva essere limitato da quello delle autorità di gestire gli affari con giudizio, e in segreto. Non riusciva a capire perché un reporter passava giustamente per traditore se carpiva un segreto al Dipartimento di stato e lo dava

ai russi, ma se lo rivelava sulle pagine di un quotidiano lo candida-
vano al Pulitzer. Per tutti questi motivi Rusk aveva imparato che
prima delle conferenze stampa era meglio rilassarsi con un paio di
bicchierini di scotch. A quel punto le schermaglie con i giornalisti
quasi lo divertivano, a dispetto di uno dei suoi motti preferiti: «Ci
sono momenti in cui un segretario di stato deve rimanere in silenzio – e per un lasso di tempo considerevole».

Adesso Rusk era abbastanza teso da chiedere a James L. Greenfield, il suo numero due nell'ufficio pubbliche relazioni del Dipartimento, di convocare Blair Clark, direttore dei notiziari della CBS.
Rusk spiegò a Greenfield che Schorr era coinvolto con lo scavo di
un tunnel berlinese, sottolineando che si trattava con buone probabilità di una missione destinata a fallire (non chiarì come faceva
a saperlo) in una maniera «troppo evidente», e che avrebbe «aumentato le tensioni». C'erano vite «in pericolo».[13] Sempre secondo
Rusk, Clark, che era un vecchio amico di Jack Kennedy, sarebbe di
sicuro stato a sentirli. Aggiunse infine che Kennedy non vedeva di
buon occhio Schorr e che l'avventurismo dei media tanto detestato
dal presidente aveva minacciato la sicurezza nazionale.

Greenfield, a suo tempo uno degli inviati esteri di spicco del
"Time", era ben consapevole dell'estrema sensibilità di Rusk riguardo al confronto con i sovietici a Berlino, e parlare con Clark gli
parve una mossa sensata. Ma nonostante i suoi buoni rapporti con
il dirigente della CBS (erano entrambi laureati a Harvard), sapeva
quanto fosse insolito che un pezzo grosso della tv ricevesse la visita
di un portavoce del Dipartimento di stato. Tuttavia la discussione riguardo al progetto di Daniel Schorr andò benissimo, almeno
stando al suo successivo resoconto. Greenfield disse a Clark che
c'erano «vite a rischio».[14] E Clark, a poche ore dall'inizio dell'operazione di fuga, si dichiarò decisamente intenzionato a ordinare a
Schorr di abbandonare il suo tunnel.

I guai di Schorr non finivano qui. Dopo aver saputo che, vicino
all'ingresso di una galleria nell'Ovest, altri giornalisti avevano trovato scatole di pellicole di un tipo utilizzato soltanto dagli operato-

ri della CBS, Piers Anderton scoprì il suo piano di filmare la realizzazione di un tunnel nella zona di Kiefholzstrasse. Che fare? Piers infranse la regola di Reuven Frank sull'assoluto riserbo e cercò di contattare il produttore, che tuttavia era in visita dalla sua famiglia a Montreal. Il capo dei notiziari NBC Bill McAndrew, preoccupatissimo che i rivali arrivassero per primi allo scoop, riuscì a raggiungere Reuven. Gli chiese di interrompere la vacanza per volare a Berlino e indagare su quello che chiamò «il tunnel della CBS». Frank decise di aspettare.[15]

Poi, grazie a uno scavatore di Bernauer Strasse, Anderton scoprì l'ora e il luogo della fuga, e persino la posizione del punto d'arrivo a Kiefholzstrasse. Fu una manna dal cielo. Da due mesi aveva a che fare con il tunnel di Bernauer Strasse, il cui destino, specialmente dopo l'inondazione, era ancora incerto. Anche se il progetto si fosse concluso bene, la CBS sembrava destinata a ridimensionare il successo del suo programma. E se la NBC avesse neutralizzato il vantaggio della rivale anticipandone lo scoop con uno scoop? Da Bonn, Anderton ordinò di filmare, dalla finestra della torre abbandonata di uno scambio ferroviario, la casa dei Sendler, appena oltre il confine. Sull'agenda, al 7 agosto, scrisse soltanto «Tunnel». A fine giornata prese un aereo per Berlino.

Se lo studente della Libera Università Wolf-Dieter Sternheimer voleva far uscire dall'Est la sua fidanzata Renate – e lo voleva eccome – il giorno della fuga doveva svolgere alcuni lavoretti fondamentali per il Gruppo Girrmann. La data dell'operazione era stata posticipata al 7 agosto, e Detlef Girrmann mandò Sternheimer tre volte nell'Est (dotato di passaporto della Germania Ovest), a portare aggiornamenti a un certo negoziante che voleva fuggire. Girrmann gli chiese anche di trovare un camion e un autista per trasportare i fuggiaschi, il cui numero era aumentato di parecchio.[16]

Poi le cose si complicarono. Renate parlò della fuga con l'amica Britta Bayer, la quale disse al proprio fidanzato, Manfred Meier, di cercare Sternheimer a Berlino Ovest. Sternheimer disse che Britta poteva unirsi ai fuggiaschi se Meier fosse riuscito a procurarsi un camion. Meier trovò prontamente, nell'Est, un uomo che promise di prendere in prestito un mezzo di trasporto... se avessero fatto scappare anche *lui*!

Meier non era nuovo ai sotterfugi: l'anno precedente aveva aiutato un gruppo di suore a far evadere circa una dozzina di tedeschi dell'Est (le religiose si erano scambiate d'abito con i fuggiaschi). Girrmann gli chiese di esplorare la zona di Kiefholzstrasse e gli diede persino l'indirizzo del rustico dei Sendler, che si trovava «tra due grossi cancelli».[17] Non gli ordinò, tuttavia, di fare visita ai Sendler per confermare che fossero ancora intenzionati a collaborare alla fuga. Meier la trovò una cosa stranissima, anzi, inquietante. Perché Girrmann, primo responsabile dell'organizzazione della fuga, era così poco informato, alla vigilia dell'operazione? Stava chiedendo a Meier di identificare dettagli basilari come il cancello d'ingresso, il cortile e le porte di casa.

A ogni modo, Meier andò e tornò dall'Est senza problemi. Nella Casa del futuro contribuì ad abbozzare una mappa con tutte le strade e gli accessi che portavano al luogo della fuga, e i punti delle vie circostanti dove i camion potevano scaricare i passeggeri. Girrmann continuava a chiedergli di trovare un certo albero, forse un punto di riferimento per i fuggitivi. Meier pensò: "Un albero? Ma per piacere. Avete dato appuntamento a decine di persone, nessuno ha ancora badato a controllare il posto e adesso mi chiedete se c'è un albero? Ma scherziamo?". Gli sembrava tutto così dilettantesco. Cominciò a preoccuparsi per Britta e per ciò che, l'indomani, le sarebbe potuto succedere.

Dopo il 6 agosto nessuno avrebbe avuto nulla da ridire se Siegfried Uhse avesse cambiato il proprio nome in codice da "Hardy" a "Lucky", cioè "fortunato". Tutto cominciò quando, nel pomeriggio, andò a trovare Bodo Köhler alla Casa del futuro. Köhler sospettava di Uhse da parecchio. Aveva persino chiesto all'Lfv di controllarlo, ma non era venuto a galla niente. Soltanto la settimana prima, Joan Glenn aveva chiesto a Uhse di trovare posti "appartati" da usare come luoghi di ritrovo per i fuggitivi e per i camion che li avrebbero portati sul luogo della fuga. Lui aveva proposto un paio di posti – consigliati dai suoi gestori alla Stasi – ma Köhler si era domandato perché non fosse stato in grado di rispondere a domande dettagliate sui dintorni. Tuttavia Glenn lo aveva rassicurato sull'affidabilità di Uhse, e Köhler l'aveva convocato con urgenza.[18]

Quando lo accolse gli disse che la fuga era programmata per il giorno seguente. Secondo Girrmann i residenti della casa dell'Est avevano acconsentito al piano. Tuttavia, considerati l'audacia dell'operazione e il grande numero di rifugiati, rischiava di essere una missione kamikaze. Köhler chiese a Uhse di andare in taxi nel distretto di Zehlendorf a parlare con il giovane corriere Sternheimer, che doveva spiegargli il da farsi. C'erano poco tempo e pochi corrieri, e tanto bastò a ridimensionare i timori su Uhse.

Sternheimer gli disse di andare a trovare la donna che stava aiutando a organizzare i camion a Berlino Est. Doveva farle una serie di domande e comunicare le risposte alla Casa del futuro: il guidatore e il suo camion erano pronti alla fuga, il pomeriggio del giorno dopo? Il guidatore aveva la tela cerata con cui coprire il retro del camion? Dov'era l'appuntamento con i fuggiaschi, e quali le parole d'ordine? La capacità del camion era cambiata? Era possibile aggiungere profughi?

A quel punto Uhse sapeva per certo che la fuga era in programma per l'indomani. Non sapeva con esattezza dove i fuggiaschi avrebbero trovato i camion, né il percorso di questi ultimi, ma di colpo si ritrovava al centro esatto dell'operazione, con un ulteriore incontro con Sternheimer in programma per la mattina seguente. Corse nell'Est, parlò con la donna e andò a trovare i suoi gestori. Quasi in extremis la Stasi seppe che poteva stroncare il più ambizioso piano di fuga concepito fino a quel momento.

Le voci sulla fuga cominciavano a circolare. Una dei primi a sentirle, alla vigilia del tentativo, fu Anita Moeller, sorella minore di Hasso Herschel, che abitava a Dresda con la madre e aveva bisogno di raggiungere Berlino Est per questo grande evento. Hasso le aveva detto che l'avrebbe avvertita con un telegramma in codice, qualcosa del genere "Vieni a prendere i biglietti per l'opera domani alle tre del pomeriggio". Il 6 agosto, ecco arrivare il telegramma. Non spiegava in che modo sarebbe avvenuta la fuga: meglio, visto che Anita sapeva di essere piuttosto claustrofobica.

Meno di un anno prima, quando Anita aveva implorato il fratello di portarla nell'Ovest, lui aveva insistito perché lei rimanesse nell'Est e le aveva promesso: «Ti ci porterò più avanti». Anita lavorava part time per suo cognato, architetto, ma l'urgenza di scappare era aumentata. Ex membro dei Giovani pionieri, la principale associazione giovanile comunista, Anita si era resa conto di quante bugie le avessero fatto credere. Desiderava una vita come quella che aveva visto a casa della famiglia di sua madre, a Colonia, nell'Ovest. Dopo il Muro aveva osservato le foto dei soldati che dalla Porta di Brandeburgo puntavano le armi sull'Est anziché sull'Ovest, e l'aveva considerato un simbolo. Il Muro era una Linea Maginot al contrario.

Voleva scappare insieme a suo marito Hans-Georg e Astrid, la loro figlioletta di sedici mesi. Il suo matrimonio traballava; lei e Hans si erano sposati poco dopo aver scoperto che Anita era incinta, e avevano vissuto divisi per quasi tutto il tempo. Quando arrivò il telegramma in codice di Hasso, i due raccolsero poche cose e partirono per Berlino, ospiti di amici che come loro volevano fuggire. Là, a un passo dal ricongiungimento con il fratello, il nervosismo e l'emozione ebbero la meglio, e diedero il via a una notte di bevute un po' esagerate.[19]

A Washington, la sera del 6 agosto, dopo una soffocante giornata a più di 30 gradi, Dean Rusk era così preoccupato per il possibile fiasco del tunnel di Berlino che si trattenne fino a tardissimo nel suo ufficio al settimo piano. Dieci minuti dopo le dieci telefonò a Charles Hulick della Missione di Berlino, per chiedergli aggiornamenti sulla fuga e, soprattutto, sui piani di Daniel Schorr di raccontarla nonostante i molteplici avvertimenti ricevuti.

Qualche minuto dopo, Rusk parlò con Pierre Salinger, il quale gli garantì che Kennedy appoggiava senza riserve l'intervento del

Dipartimento di stato. Alle 22.50 Rusk vide Robert J. Manning e James Greenfield, i due uomini più importanti del Dipartimento per i rapporti con le istituzioni. Con loro c'erano tre agenti della CIA. Alla fine, alle 23.25, invitato da Greenfield, arrivò Blair Clark, il direttore dei notiziari CBS.[20]

Nato nel 1917, Ledyard Blair Clark era cresciuto a Princeton e aveva conosciuto John F. Kennedy a Harvard, dove divise con lui un alloggio. Prima di entrare nell'esercito, Clark era stato direttore dell'"Harvard Crimson" e giornalista per un quotidiano di St. Louis. Congedato, aveva comprato un quotidiano del New Hampshire il cui reporter più famoso era Ben Bradlee. Dopo aver venduto il quotidiano, era entrato alla CBS nel 1953, come inviato da Parigi, produttore e conduttore radiofonico. Era rimasto amico di Kennedy, e in un'occasione era andato a fare festa a Las Vegas in compagnia del giovane Jack e di Frank Sinatra.[21]

Dopo che fu eletto presidente, JFK aveva chiesto a Clark di fargli da consulente sul modo migliore di sfruttare il mezzo televisivo. Nonostante il rischio di vedere screditata la sua reputazione di giornalista imparziale, Clark aveva accettato. In seguito Kennedy gli aveva offerto un posto da ambasciatore in Messico, ma lui aveva rifiutato per rimanere alla CBS, dove era stato nominato – grazie ai legami con la Casa Bianca, diceva qualcuno – vicepresidente e direttore generale dei notiziari. Aveva subito lasciato il segno, ingaggiando diversi giovani e promettenti inviati (tra i quali Dan Rather), ma era stata l'amicizia tra Clark e JFK a dare alla CBS l'opportunità di produrre uno degli speciali di maggior successo mai trasmessi in televisione: la visita guidata della Casa Bianca con Jacqueline Kennedy, nel febbraio 1962. Era stato l'ennesimo favore reciproco tra un'emittente nazionale e il telegenico presidente americano.[22]

Ora Dean Rusk chiedeva a Clark di sfilare dalle mani di Dan Schorr il reportage sul tunnel.[23] Il Dipartimento di stato era pronto a dargli persino una linea telefonica protetta per chiamare Berlino. Salinger e Rusk – e gli esperti della CIA – accennarono a non meglio precisate "prove" che il tunnel era stato scoperto e che c'erano diverse vite in pericolo. Con poco tempo a disposizione, e impossibilitato a verificare questi dati, Clark accettò di parlare con Schorr quella notte.

All'alba, quando ricevette una telefonata nel suo hotel di Berlino, Schorr rimase perplesso. La Missione americana in città lo convocava.[24] Al suo arrivo, accolto da una guardia dei Marine, lo stupì ancora di più sapere che avrebbe parlato su una linea protetta (a conferma che si trattava di una questione top secret) gestita dall'esercito. Non fu così sorprendente sentire la voce del suo capo Blair Clark. Ma cosa ci faceva, a mezzanotte, nell'ufficio di Dean Rusk a Washington?

«Cos'è questa faccenda che vuoi filmare la fuga da un tunnel a Berlino?», chiese Clark.

«Ho già detto tutto al caporedattore dell'estero», rispose Schorr.

«Sai, sono qui con il segretario di stato, nel suo ufficio», disse Clark.

«Sì?»

«E mi ha convinto che non è il caso che tu vada avanti.»

«Perché no?»

«Perché la scambierebbero per una provocazione, potrebbe creare parecchi guai, e il Dipartimento di stato non vuole guai non necessari dal Muro.»

«È il guaio del Dipartimento di stato. È il motivo per cui *esiste* il Muro.»

«Dan, so che non ti piace ricevere ordini», disse Clark, minimizzando, «ma è così: voglio che rinunci al piano di filmare.»

Schorr era basito. «Okay», disse, «ma ti cambia qualcosa sapere che, dicendogli che non lo facciamo, quelli [gli scavatori] andranno dalla NBC o, per l'amore del cielo, dalla ABC?»

«È un ordine.»[25]

La telefonata durò appena sei minuti.[26] Schorr tornò in albergo umiliato e furente. L'idea che questa presidenza, che una qualsiasi presidenza, dicesse ai giornalisti cosa raccontare e cosa no era sbagliatissima. Sapeva che Blair Clark era un uomo di Kennedy e immaginò che JFK gli avesse parlato, che lo avesse addirittura minacciato, e questo aumentò la sua rabbia. Ma non ci poteva fare niente, ormai. Né Schorr né la Casa Bianca sapevano che un'altra troupe giornalistica americana sarebbe andata, di lì a poco, a filmare la fuga.

Rusk riuscì ad andare a casa dopo mezzanotte, ma non senza prima dettare un cablogramma "riservato" che giunse a Hulick, della Missione di Berlino, poco dopo l'una.

Stasera ho visto Clark che ha accettato di cancellare la partecipazione della CBS al progetto del tunnel. Tuttavia ci sono prove che Schorr ne ha parlato per un certo periodo con la sua redazione. Mi turba che in così tanti sapessero del progetto. Non posso valutare appieno la vicenda qui e devo affidarmi alla discrezione locale. Ma occorre urgentemente valutare l'opportunità di avvertire i tedeschi dell'Est coinvolti dell'alta probabilità che il segreto sia stato violato e che stiano cadendo in una trappola. Se possibile, valutare se non sia il caso di cancellare il tentativo.

Meglio anche valutare la sorveglianza della zona per garantire che non ci siano fotografi e altri a controllare l'uscita del tunnel.

Una copia del cablogramma giunse a Mac Bundy e Pierre Salinger, che ragguagliarono il presidente. Come al solito, l'assenza di risposte dalla Casa Bianca era segno di approvazione.[27]

139

Kiefholzstrasse
7 agosto 1962

Siegfried Uhse si ritrovava ormai nel cuore della nuova operazione di salvataggio del Gruppo Girrmann. Ed eccolo a Moritzplatz, alle sette e mezza del mattino nel giorno della fuga, insieme al collega corriere Wolf-Dieter Sternheimer, per scoprire l'indirizzo dell'ultima riunione preparatoria. Sternheimer era sveglio dalle quattro e mezza, quando Detlef Girrmann e Dieter Thieme erano andati a portargli la mappa dei paraggi di casa Sendler disegnata il giorno prima. A margine del foglio, Sternheimer aveva scarabocchiato anche i segnali che i soci di Girrmann dovevano dare ai fuggiaschi in arrivo sui camion o a piedi, e che lui stesso aveva l'incarico di trasmettere agli altri corrieri dell'Est.[1]

Sternheimer decise invece di consegnare la mappa a Uhse, spiegandogli che quel pomeriggio non voleva rischiare di essere intercettato con un foglio così compromettente al checkpoint di Heinrich-Heine-Strasse. Uhse, ovviamente, era la peggior persona al mondo a cui potesse fare quel dono. Sulla mappa erano appuntati il tragitto dei camion verso la destinazione finale, i nomi delle vie, i punti di scarico, la posizione dei due cancelli sul retro del cortile dei Sendler, e un quadrato che segnalava il punto di sfondamento del tunnel. «Vedi un po' se ti ci orienti», suggerì Sternheimer.

Qualche minuto dopo, Uhse, che aveva deciso di fare la cronaca di quella giornata scrivendo qualche appunto a mano, annotò: «Girrmann non sa che ho avuto lo schizzo da Sternheimer».

Durante la riunione dei corrieri e degli organizzatori del Girrmann, lo snello e timido Uhse, in giacca scura di nylon, passò perlopiù inosservato. Scoprì che la fuga era in programma tra le quattro e le sette del pomeriggio. Tre camion dovevano portare i tedeschi dell'Est sul luogo dello scavo. Uno caricava i passeggeri davanti a un cimitero della zona di Lichtenberg, un altro vicino a una scuola di Weissenseer Weg. Il punto di partenza del terzo camion, del quale si occupava Mimmo Sesta, non era ancora deciso. I passeggeri dovevano ritrovarsi a una certa ora e identificare il mezzo di trasporto grazie a un pezzo di nastro bianco sulla parte destra del parabrezza. Dovevano chiedere all'autista di un indirizzo inesistente. Lui avrebbe risposto: «Dev'essere da queste parti». Al che gli avrebbero chiesto un passaggio.[2]

Una volta carichi, i camion dovevano seguire un percorso ben definito, lungo una precisa serie di checkpoint creati dal Gruppo Girrmann; anche chi arrivava a piedi era tenuto a rispettarlo. Gli uomini di Girrmann in strada avevano una serie di segnali: *Pettinarsi*, continua a guidare. *Soffiarsi il naso*, torna tra dieci minuti. *Allacciarsi la scarpa*, pericolo, andarsene subito. Se l'evasione era ancora in corso, i fuggiaschi, sui camion o a piedi, dovevano attraversare i due cancelli che davano sul retro di casa Sendler, che si trovava quasi in corrispondenza della frontiera. Qualcuno li avrebbe portati dentro (l'indirizzo preciso, per sicurezza, non lo sapeva nessuno), e da lì gli scavatori li avrebbero guidati verso l'Ovest.

Prima della fine della riunione Uhse ricevette l'incarico di incontrare, quel pomeriggio, due corrieri – ancora Sternheimer e un certo Stachowitz – per ripassare i segnali e scoprire il punto di incontro con il terzo camion, da riferire poi alla Casa del futuro. Uhse aggiornò i suoi appunti. Tra i presenti c'era un italiano basso (Sesta, di sicuro), «di circa ventiquattro anni», con i capelli ricci, che si stava dando «molto da fare» con i camion. Un altro era «un uomo basso, grasso», all'apparenza «influente»; lo chiamavano *der Dicke*. Doveva procurare all'italiano un camion e un autista. Poi c'erano una svizzera che aveva già visto tante volte alla Casa del futuro e tre ragazzi (due «in blue jeans con le borchie»).

Con i suoi appunti in mano, Uhse corse incontro ai suoi capi della Stasi. Grazie alla mappa sapevano dove si sarebbe aperta la breccia. Qualcuno aveva persino scritto i segnali dei checkpoint. Riguardo all'imbocco del tunnel, Uhse disse ai suoi gestori: «La casa dovrebbe essere abitata». I residenti sapevano del piano? Questo era ancora dubbio. «Durante la riunione», raccontò, «si è detto che il collegamento con la casa si è rotto e che ancora non si sa se la breccia è aperta, e se tutto andrà come previsto.»[3]

All'alba del giorno della fuga il cielo era nuvoloso e faceva un po' freddo, per essere agosto; minacciava di piovere, e per la sorella e la famiglia di Hasso Herschel le cose cominciarono male. Anita Moeller e suo marito avevano dormito fino a tardi dopo aver bevuto troppo con gli amici. Ora temevano di perdere l'appuntamento con il camion che doveva portarli alla frontiera. Gli amici che li ospitavano avevano una vaga idea di dove si trovavano i checkpoint del Gruppo Girrmann dalle parti della casa del tunnel, così decisero di fare con calma e andare a piedi. Sembrava decisamente più sicuro che nascondersi in un camion, oltretutto. Come aveva suggerito Hasso, Anita diede alla figlia un po' di sonnifero per farla stare tranquilla durante l'avventura. Per un po' funzionò, ma la piccola si svegliò e cominciò a gattonare mezza intontita e a sbattere la testa.[4]

Grazie alla squadra di Bernauer Strasse, anche Peter Schmidt, sua moglie Eveline e la loro bambina erano nella lista degli aspiranti profughi (la fuga li avrebbe costretti a un addio strappalacrime ai nonni di Eveline, che l'avevano cresciuta dopo che sua madre si era ammalata di tubercolosi). Qualche giorno prima, gli Schmidt avevano ricevuto il consiglio di non allontanarsi da casa, perché stava arrivando un'occasione di fuga. Ma il pomeriggio del 7 agosto, quando passò il corriere, Eveline era fuori per commissioni. Quando rientrò dalla sarta, Peter la sgridò perché li stava facendo tardare. «Dobbiamo andare!», strillò. «Dobbiamo andare subito! C'è un tunnel! È oggi!»[5]

Raccolti in tutta fretta vestiti, documenti, un cambio di pannolini e la bambina, dissero addio alla loro casetta e alle loro cose. Non c'era tempo per raggiungere l'appuntamento in camion, e optarono per un viaggio di un'ora sulla S-Bahn seguito da una camminata di venti minuti verso l'indirizzo che avevano ricevuto, quello del primo checkpoint di Girrmann, in Puderstrasse. Siccome erano già in ritardo, non poterono invitare la madre di Peter a seguirli.

In un'altra zona di Berlino Est, vicino al Müggelsee, il lago più grande della città, un altro bambino piccolo si preparava alla fuga nell'Ovest. Per anni i suoi genitori, Hartmut e Gerda Stachowitz, avevano dovuto vivere lontani per dei periodi, così da accelerare gli studi universitari – lui alla Libera Università di Berlino Ovest, lei a Dresda – ma rimanevano fedeli l'uno all'altra. Adesso, intrappolata dal Muro, Gerda non poteva più stare con Hartmut, nonostante le visite occasionali che lui poteva renderle grazie al passaporto dell'Ovest. Il ragazzo aveva immaginato che Gerda avesse l'autorizzazione a seguirlo, ma nessuna delle richieste ufficiali presentate era servita, nemmeno quelle alla Croce rossa tedesca, ai vescovi e tramite il padre di lei, il pluripremiato direttore di un istituto ittico (la Stasi reagì indagando sia sul padre sia sull'istituto).

All'inizio del 1962, Hartmut aveva fatto aggiungere il nome di Gerda alla lista dei potenziali rifugiati stilata da Joan Glenn, e in giugno si era offerto volontario per fare da corriere il giorno della fuga. Sì, scappare attraverso un tunnel era pericoloso, ma quella poteva essere l'ultima occasione per sua moglie e sua figlia. Doveva soltanto vedersi con Sternheimer il pomeriggio del 7 agosto per ricevere informazioni sui segnali, sulla posizione dei camion e sui suoi compiti di corriere.[6]

Giunto dalle parti di una stazione della S-Bahn di Berlino Ovest per l'incontro dell'una di pomeriggio, Stachowitz trovò anche il ragazzo taciturno in giacca di nylon che aveva visto alla Casa del futuro la sera prima (non ne conosceva il nome, ma ovviamente era Uhse).[7] Sternheimer riferì a Stachowitz la posizione di un camion e l'indirizzo di una coppia di sposi da informare, nell'Est; poi andò a verificare che l'autista del camion fosse pronto. L'operazione doveva cominciare intorno alle 16.30. Stachowitz prese la S-Bahn fino a una stazione lontana dell'Est. Non trovando alcuna traccia della coppia continuò oltre.

Rintracciò sua moglie a casa dei suoceri, la aiutò a fare le valigie e a prepararsi per la corsa sul camion della fuga. Era deciso ad accompagnarla, insieme alla bambina, per controllare che andasse tutto bene. Le sue istruzioni alla donna furono: «Se durante la fuga vedi poliziotti o guardie di confine, torna subito a casa. Se estraggono le armi, alza le mani e arrenditi». Poi caricarono il piccolo nel passeggino e dissero ai genitori di Gerda che avrebbero incontrato degli amici per un caffè.

Mimmo Sesta aveva deciso di badare di persona al disperato bisogno di un terzo camion. Fritz Wagner lo aveva indirizzato verso un macellaio, in un mercato di Berlino Est. Mimmo attraversò il confine, ma non lo trovò da nessuna parte (per come la sentì Siegfried Uhse: il camion c'era, ma l'autista, forse dopo aver capito quanto fosse rischiosa la missione, se ne andò).[8] Ottenere un grosso mezzo di trasporto a Berlino Est era difficilissimo, specialmente uno con un telo per nascondere quel carico di persone, e quel giorno la possibilità di non riuscirci non era contemplata. Così Sesta andò in giro per il mercato alla ricerca di qualche vecchio amico di Wagner. Per fortuna incrociò uno che conosceva il *Dicke...* e poteva procurargli un camion. Sesta scoprì che l'uomo voleva andarsene dall'Est, e gli disse: «Be', indovina un po': puoi guidarlo tu, proprio oggi, il tuo camion, e andare verso la libertà!».

Nell'Ovest, mentre la giornata scivolava verso il tardo pomeriggio, Manfred Meier diventava sempre più nervoso. A quel punto si aspettava che uno o più dei corrieri fossero tornati nell'ufficio del Gruppo Girrmann con la conferma che l'operazione procedeva liscia, ma non ne vide. La sua ragazza, Britta, stava per raggiungere a piedi il punto d'incontro vicino a casa Sendler, e lui decise di correre nell'Est a vedere se i fuggiaschi erano arrivati al traguardo. E se la polizia o la Stasi li stavano aspettando.[9]

Grazie al rapporto di Siegfried Uhse e alla mappa di Sternheimer, vari membri delle forze di difesa della DDR – polizia, esercito, Stasi – passarono all'azione. Sapevano a grandi linee dove si trovava la casa della fuga, ma non erano sicuri di quale fosse.

Venti minuti dopo le tre, il comandante della Prima brigata di frontiera dell'esercito ordinò che una squadra di soldati, un trasporto di truppe corazzato e un camion armato di idrante si radunassero dalle parti del parco di Treptow, a pochi isolati dal rustico dei Sendler, e che aspettassero «sotto copertura», come segnalava il registro della brigata. Altri due capitani ricevettero l'ordine di «prendere tutte le iniziative per la prevenzione di uno sfondamento del confine». Secondo il registro, ciò implicava un «aumento della vigilanza» lungo il confine, un «monitoraggio intensificato del territorio nemico» vicino al cantiere dove probabilmente cominciava il tunnel, e il dispiegamento di ulteriori soldati. Oltreconfine furono avvistate quattro jeep americane, ciascuna con a bordo tre soldati armati di mitragliatore. Presto arrivò anche una Mercedes nera (era quella di Fritz Wagner).

Anche l'MFS, coordinato con l'esercito, si stava mobilitando. Doveva, come spiega il registro della Stasi, «impedire un attraversamento della frontiera presumibilmente organizzato tra Kiefholzstrasse e l'angolo di Puderstrasse». Attorno alle quattro del pomeriggio due agenti della Stasi avvicinarono quello che consideravano il probabile punto d'arrivo dei fuggiaschi, il cortile dei Sendler. Friedrich Sendler li notò e andò a chiudere i cancelli di legno. Gli uomini della Stasi se ne andarono, ma un'ora dopo un comandante ordinò agli agenti di tornare e forzare la mano.[10]

Nel frattempo, due isolati più a nord lungo Puderstrasse, appena fuori dal parco di Treptow, tre agenti della Stasi in borghese si mescolavano a cinque civili dalle parti del punto in cui la mappa di Uhse indicava che i camion avrebbero scaricato i rifugiati. Quando Manfred Meier arrivò alla fermata del tram vicino a Puderstrasse individuò subito altri agenti in borghese, intenti a controllare i documenti di chiunque entrasse o uscisse dalle traverse della via. Qualcuno doveva avere fatto una soffiata.

Camminando su e giù per la via, Meier aspettava di scorgere la sua ragazza. Quando la notò, a piedi lungo Puderstrasse, accompagnata dalla fidanzata di Sternheimer, andò a grandi passi incontro alle due. Mentre le incrociava, senza rallentare, sussurrò loro: «L'operazione è saltata, andatevene subito». Le ragazze girarono i tacchi e obbedirono. Meier era sollevato, ma temeva di essersi fatto troppo notare. Sapeva inoltre che la Stasi avrebbe avuto da ridire su qualsiasi tedesco dell'Ovest presente in quel momento nell'isolato.

In effetti lo fermarono mentre cercava di andare via. Gli sequestrarono il passaporto della Germania Ovest e gli chiesero: «Cosa fa lei qui?».

Meier protestò e spiegò che era venuto a trovare un cugino. «Voglio parlare con un vostro superiore!», pretese invano. Per salvare la sua ragazza aveva sacrificato se stesso, guadagnandosi il titolo di primo arrestato della Stasi sul luogo della fuga, quel pomeriggio.[11]

Alle 17.15 altri due tedeschi dell'Ovest si avvicinarono agli agenti in incognito e, forse scambiandoli per collaboratori del Gruppo Girrmann, domandarono se l'operazione fosse ancora in corso, dal momento che non avevano visto nessuno al punto di raccolta dei camion. Avevano due fuggiaschi sulla loro auto: potevano questi *Fluchthelfer* (gli agenti della Stasi) occuparsi di loro? Altroché. Anziché far saltare la propria copertura, a quel punto gli uomini della Stasi lasciarono che uno dei tedeschi dell'Ovest se ne andasse, mentre attaccavano bottone con l'altro. Questi confermò prontamente che il tunnel sbucava dentro la casa di Sendler, il falegname, affacciata su Kiefholzstrasse.[12]

Al di là del confine, nell'ombra del tardo pomeriggio, sotto un groviglio di cespugli e alberi, si era radunato il trio che doveva aprire la breccia. Hasso Herschel, atletico e scavezzacollo come Harry Seidel, si offrì di guidare la squadra ed essere il primo a uscire dal buco a casa Sendler. Nessuno obiettò. Hasso non aveva contribuito a scavare il tunnel, ma era spinto dalla convinzione di poter trovare sua sorella. Joachim Rudolph e Uli Pfeifer non avevano amici o parenti tra i potenziali fuggiaschi, ma accettarono la richiesta di aiuto di Herschel. Hasso conosceva Uli da anni e in Joachim vedeva un uomo tutto d'un pezzo che difficilmente sarebbe andato nel panico sotto pressione. Più tardi li avrebbero raggiunti diversi membri del giro di Fritz Wagner, a portare illuminazione (con le torce) e qualche parola di rassicurazione ai fuggitivi che strisciavano sporchi nel tunnel.

Quando giunsero sul posto, i tre non immaginavano di trovare una piccola folla e questo quadretto: alcuni poliziotti armati di mitra; Fritz Wagner sulla sua Mercedes; Harry Seidel sulla sua auto, più piccola; Dieter Thieme; i colleghi del tunnel di Bernauer Strasse Wolf Schroedter (che considerava questo passaggio verso l'Est una "tana di conigli" o poco più) e Joachim Neumann (altrettanto preoccupato per l'esito); uno spettatore non identificato (forse un giornalista o un dottore, oppure un inviato della Missione americana) e un'ambulanza.

Per prepararsi a questo momento i tre scavatori avevano messo dentro una sacca un'ascia, una grossa sega, un martello, diverse torce elettriche, due trapani manuali, tre armi e dei walkie-talkie per comunicare con l'Ovest. Sapevano che aspetto avesse l'estremità del tunnel nel profondo Est, ma non cosa avrebbero trovato una volta sbucati in quello che secondo loro era il salotto di casa Sendler. L'abitazione non aveva piano interrato, né cemento da rompere: soltanto un pavimento di legno. Ecco la ragione del trapano e della sega. Qualcuno aveva rassicurato i tre che i Sendler sapevano del loro arrivo ed erano pronti a fuggire, ma gli scavatori non potevano prevedere per quanto tempo le guardie della DDR nei paraggi sarebbero rimaste ignare della loro presenza. Ecco il perché delle armi: una pistola Smith & Wesson, un mitra MG 42 della seconda guerra mondiale e un fucile a canne mozze. Se non altro, avrebbero potuto spaventare i commando della Stasi senza dover sparare un colpo.

Rudolph non vedeva l'ora di cominciare, ma aveva anche un po' paura. Era la sua prima irruzione nell'Est. Non conosceva i Sendler e non aveva idea di che aspetto avesse casa loro, da dentro. Aveva inoltre poca esperienza con le armi. Trasportare così tanti fuggiaschi in camion gli sembrava rischiosissimo, e potevano volerci due o tre ore per farne passare decine e decine attraverso un tunnel molto stretto; di più, se qualcuno avesse avuto (e c'era da aspettarselo) un attacco di panico. A quel punto sapevano così in tanti dell'operazione, e il totale dei fuggiaschi era talmente cresciuto, che le probabilità di un'intrusione della Stasi si erano moltiplicate. Persino l'esuberante Herschel la trovava una situazione terribile.

Nessuno di loro voleva diventare un martire, ma la decisione di portare a termine quel progetto così pazzo e pericoloso era stata presa, il giorno e l'ora erano stabiliti, e decine di loro compatrioti erano partiti. I tre si tuffarono nell'impresa.[13]

Giunta ai militari americani a Berlino, la notizia dell'imminente fuga sotterranea fu trasmessa al Dipartimento di stato da un tenente colonnello che spedì un cablogramma il cui oggetto era *Possibile afflusso di rifugiati (U)*.[14] Probabilmente la "U" stava per *Underground*, ossia sottoterra. Una «fonte affidabile» aveva rivelato che l'«afflusso» ammontava a una novantina di fuggiaschi, in un'operazione organizzata da studenti e «macellai che fanno la spola tra Berlino Est e Ovest al volante di camion». Daniel "Shore" (*sic*) della CBS, continuava il cablogramma, aveva già riempito due bobine di pellicola con immagini del tunnel da trasmettere il 13 agosto.

Alle 18 il capo della Missione americana Allen Lightner mandò un cablogramma al segretario di stato Rusk.[15] Un funzionario della Missione aveva parlato con un agente dell'LfV – possiamo presumere che fosse Mertens – il quale confermava che probabilmente l'operazione si stava svolgendo, poiché era prevista tra le 16 e le 20. Mertens aveva rivelato che l'LfV sapeva del tunnel da tempo, e gli erano note sia l'identità degli organizzatori sia il coinvolgimento della CBS. Sempre l'LfV aveva «consigliato caldamente» agli scavatori di «rinunciare alla pubblicità [cioè alla CBS], ma il gruppo ha rifiutato». Tuttavia, Mertens aveva esaminato il piano di fuga e trovava «infondata la necessità di intervenire per fermarlo».

Perché non interrompere l'operazione, considerata l'insistenza del Dipartimento di stato sul fatto che i tedeschi dell'Est sapessero del tunnel e avessero pianificato una retata? Secondo Mertens non c'erano «indicazioni concrete» che le misure di sicurezza fossero compromesse. Inoltre, «i gruppi coinvolti hanno ottimi precedenti in fatto di fughe riuscite». Un po' esagerato, considerato che il curriculum di Seidel e Wagner aveva qualche macchia e che la squadra di Bernauer Strasse non aveva alcuna credenziale. Tuttavia, Mertens si era dichiarato «non disposto a cancellare l'intero progetto». Posto che Mertens fosse la persona a cui la Missione aveva chiesto di avvertire gli scavatori del pericolo, sembra proprio che non lo fece; l'unico "avvertimento" noto riguardava la copertura della CBS.

Lightner chiudeva il cablogramma con una nota positiva. Gli era giunta notizia che quel mattino alle 9, poche ore dopo la discussione notturna, Rusk aveva convocato di nuovo Blair Clark della CBS. Non sapeva cosa si fossero detti, ma la pressione del Dipartimento aveva funzionato: «Schorr ha ordinato agli operatori rimasti di cancellare le riprese e abbandonare Berlino per qualche giorno». Ma era vero?

Quando Hartmut e Gerda Stachowitz uscirono dalla S-Bahn e raggiunsero la via vicino al cimitero di Triftweg, intuirono subito che qualcosa era andato storto. Cinque o sei sconosciuti, presumibilmente fuggiaschi come loro, gironzolavano nei paraggi mentre i minuti passavano.[16] Dopo oltre un'ora di attesa, Hartmut e Gerda persero la speranza e si affrettarono per la via, spingendo il passeggino, ma si videro sbarrare la strada da uomini con l'aria minacciosa e con grosse auto. Si voltarono e videro altri uomini in impermeabile sbucare dagli alberi e dai cespugli. Erano circondati. In pochi secondi furono spinti su due veicoli diversi – Gerda insieme al bambino – che partirono a tutta velocità. Del loro sogno non rimaneva che un passeggino abbandonato nella via vuota.

Le famiglie Moeller e Schmidt, che come gli altri avevano perso il passaggio in camion, stavano completando l'ultimo tratto del loro viaggio verso casa Sendler a piedi, con le bambine. Quando arrivarono al checkpoint del Girrmann a Puderstrasse si capiva che qualcosa non andava. I segnali che si aspettavano dai *Fluchthelfer* non c'erano o erano sbagliati, e nei dintorni sembrava esserci un numero insolito di personaggi dall'aria sospetta, in impermeabile e cappello nonostante il caldo agostano. Sembravano i soci fondatori della "Mafia del cappello floscio", come i diffidenti tedeschi dell'Est soprannominavano gli agenti della Stasi.[17]

Gli Schmidt se la svignarono; Anita Moeller insistette per continuare. Possibile che avessero soltanto capito male i segnali? Il marito non la ascoltò e insieme a lei cercò di mescolarsi alla gente della zona in coda dal fruttivendolo per comprare banane appena consegnate, che nell'Est erano un lusso. Dopo una pausa per calmare i nervi, anche i Moeller scapparono senza far rumore. Forse fare le ore piccole a bere vino e perdere il passaggio in camion li aveva salvati.

Dalla scena si allontanava anche il corriere Dieter Gengelbach. Era venuto dall'Ovest per aiutare a caricare i fuggiaschi anziani su uno dei camion vicino al Müggelsee. Poi era andato in taxi a Puderstrasse. Quando vide l'insegna della bottega di Sendler, andò in quella direzione per vedere se incrociava qualcuno con scritto in faccia "Stasi". Naturalmente incontrò tre di quei personaggi e si ritirò. Chiamò un taxi e si fece portare al più vicino checkpoint per l'Ovest.[18]

Nel frattempo, Mimmo Sesta aveva accompagnato il suo nuovo amico autista a prendere un gruppo di fuggiaschi. Dopo averli caricati, i due andarono verso un checkpoint di Girrmann dalle parti della galleria. Anche loro, però, si accorsero dei segnali confusi; tornarono indietro senza caricare passeggeri e si allontanarono dalla zona del pericolo.[19]

I personaggi sospetti – gli agenti della Stasi in incognito – continuavano ad aggirarsi per Puderstrasse in attesa dell'arrivo di altri fuggitivi. Circa quindici sospetti passeggiavano nervosi o stazionavano nei paraggi in attesa di istruzioni. Gli uomini della Stasi avevano saputo che il tunnel di casa Sendler era ormai circondato dalla squadra del commilitone maggiore Kretschmer della Stasi. Si aspettavano che uno degli scavatori arrivasse da un momento all'altro a Puderstrasse a convocare i fuggiaschi, ma alle 18.30, proprio quando gli aspiranti profughi sembravano pronti a sparpagliarsi nell'Est da un momento all'altro, decisero di arrestarli tutti. Uno degli agenti espresse soltanto un rammarico nel suo rapporto:

«Vista la confusione del momento (e della zona) è possibile che qualcuna delle persone intenzionate a scappare a Berlino Ovest sia riuscita a sfuggire alla nostra vigilanza e all'arresto». Forse si riferiva alle fortunatissime famiglie Schmidt e Moeller.

Manfred Meier non fu altrettanto fortunato. Dopo il suo arresto lo fecero marciare per qualche centinaio di metri fino al cortile di una vecchia fabbrica, circondato da una palizzata di legno con il cancello chiuso da un catenaccio. Lì si ritrovò insieme a una trentina di altri arrestati, alcuni con bambini, anche piccoli. Era orribile. Tanti bimbi piangevano. "Che situazione di merda" si disse Meier, e fu felice di non averla messa su lui, una famiglia. Dopo un'ora interminabile, un autobus grigio e anonimo si fermò; caricò gli arrestati e li trasportò al quartier generale della polizia di Alexanderplatz.[20]

Hasso Herschel non immaginava che sua sorella Anita, e tanti altri, non sarebbero arrivati dai Sendler. Scavando, lui e i compagni Uli Pfeifer e Joachim Rudolph erano arrivati in superficie, impresa già difficile e ulteriormente complicata dal duro strato di carbone sotto la casa (molte abitazioni berlinesi prive di fondamenta lo usavano come isolante termico per l'inverno). Adesso gli scavatori erano sporchi di nero, ma pazienza: dovevano praticare nelle assi del pavimento, dal basso, un grosso buco, più largo di una persona in sovrappeso, servendosi di utensili semplici, in penombra, con la polvere di carbone negli occhi e poca aria per respirare.[21]

Per prima cosa disegnarono un grosso rettangolo sulla parte inferiore delle assi e con il trapano manuale fecero quattro buchi agli angoli. Con una piccola sega, Herschel e Rudolph tagliarono i lati mentre Pfeifer li illuminava dal basso con una torcia. Ci volle un'eternità, e serviva così tanta forza da costringerli a darsi continuamente il cambio. Adesso nei loro occhi cadeva anche la segatura. Stavano facendo un bel chiasso, oltretutto, e immaginavano che i Sendler, in attesa dall'altra parte, li avessero sentiti.

Dopo circa dieci minuti, giusto a metà dell'opera, sentirono una donna urlare di colpo: «Andate via! Via di qui!». Doveva essere Edith Sendler, però perché diceva così?

Da sotto il pavimento, Hasso gridò: «Potete venire con noi, non preoccupatevi, è tutto a posto!».

«Non vogliamo venire nell'Ovest!», strillò la donna. «Neanche per sogno! Basta! Andate via!»

Hasso cominciò a offrirle soldi, migliaia di marchi, purché tacesse e si preparasse a scappare con loro come lei e suo marito, in teoria, avevano promesso. Quando lei gridò *Nein*, le chiese almeno di uscire di casa e rimanere in silenzio per un paio d'ore, fino alla fine dell'operazione. Non ebbe risposta. Forse aveva accettato? Nella casa calò il silenzio. I tre nel tunnel, agitati, con l'adrenalina a mille, si consultarono brevemente. Decisero che non avevano altra scelta che finire l'opera. Presto sarebbero arrivati tre camion pieni di fuggiaschi.

In quel momento Friedrich Sendler parlava con i due uomini della Stasi tornati all'ingresso del cortile, non più a chiedere ma a pretendere di entrare. Disse loro che non gradiva avere sconosciuti che «"bighellonavano" dalle parti di casa sua, e che era già nervoso perché certa gente, dall'altra parte del Muro, sembrava aver preso di mira la sua proprietà. Gli agenti della Stasi gli dissero di aprire i cancelli, e alla svelta. Poi andarono a ispezionare la facciata dell'abitazione. Se mai lui avesse concesso di usarla come via di fuga, a quel punto sapeva che l'idea era morta.

Mentre gli agenti conversavano con Herr Sendler, da casa emerse di colpo sua moglie. Forse, per un attimo, aveva ipotizzato di fare un giro a piedi o in auto con il marito mentre gli scavatori usavano la casa, come le aveva chiesto Hasso. Ma ora, sorpresa: ecco la Stasi! Lamentò di sentirsi poco bene, forse per guadagnare tempo. I due agenti non se ne andarono, anzi, si insediarono lì, perché Frau Sendler sembrava nervosa. Le domandarono di nuovo perché fosse uscita di casa, e lei rispose, come recita il rapporto dell'MFS, «che mentre si trovava in salotto aveva sentito rumore di trapani venire dal pavimento». Non disse nulla, tuttavia, del turbato scambio di battute con Hasso, né della richiesta di lasciare la casa per qualche ora.

Senza ulteriore indugio, i due agenti della Stasi seguiti da Edith Sendler entrarono in casa dal lato destro, attraversarono in punta di piedi lo stretto corridoio dell'anticamera ed «entrarono in silenzio nella stanza di cui sopra» al centro del piano terra, come dice il rapporto della Stasi. Là, vicino alla finestra della facciata, confermarono che un trapano era «penetrato» in diversi punti del pavimento di legno, e notarono i trucioli sparsi. I tre fecero ritorno nell'anticamera all'ingresso. Poi, ancora più silenziosamente, in salotto. Stavolta sentirono il rumore inconfondibile degli scavatori che si accingevano a sfondare le assi. Uno di loro disse: «Abbiamo trovato la casa giusta». Un altro ringhiò alla radio: «Mi sa che la mia pistola non spara: prendi il mitra!». Qualche momento dopo, i rumori sotterranei sembrarono essere quelli di armi estratte e caricate.

Gli uomini della Stasi tornarono in anticamera ad aspettare l'arrivo dei soldati con i kalashnikov. Il maggiore Kretschmer, giunto in casa, ordinò loro di aspettare che i criminali occupassero il salotto, prima di fare irruzione e arrestarli. In marzo, quando i commando della Stasi avevano aperto il fuoco contro Heinz Jercha, c'era anche lui: difficile che l'idea di una sparatoria lo mandasse in crisi.

Al di là del confine, dall'alto dalla torre ferroviaria abbandonata, Piers Anderton e gli operatori della NBC assistevano al disastro. Dalla finestra della torre, oltre l'intrico dei cespugli posti davanti a una staccionata di legno e a diverse linee di filo spinato (che qui formavano il Muro), il reporter vedeva chiaramente Kiefholzstrasse, un marciapiede parallelo alla via, il giardino e la casetta dei Sendler. Poco più a sinistra, le rotaie sopraelevate della S-Bahn nascondevano il cielo. Un isolato più a destra della casa, Puderstrasse portava al parco di Treptow. Il retro di casa Sendler, che conteneva una pila di legname e una specie di bottega, o laboratorio, era più difficile da scorgere. Di tanto in tanto, quel pomeriggio, i poliziotti o le guardie della DDR si erano avventurati su quel marciapiede, con i cappelli militari abbassati e i cappotti sollevati dalla brezza

agostana insolitamente fredda, davanti a casa Sendler. Anderton si
domandò se quella fosse la normale frequenza delle pattuglie. Non
poteva sapere se, sottoterra, fossero arrivati anche Daniel Schorr e
gli operatori della CBS.[22]

Per qualche momento la troupe della NBC aprì una tenda e filmò
le guardie che camminavano svelte davanti al rustico dei Sendler
e gettavano frequenti occhiate casuali all'ingresso. Sapevano che
dentro stava per succedere qualcosa? Anderton fece puntare le cineprese anche verso un uomo in camicia bianca che arrancava tra
la vegetazione fitta sul lato occidentale della recinzione. Un organizzatore del tunnel? Un poliziotto? Un giornalista? Un cameraman della CBS?

Alle prime ore della sera vide una donna robusta, con i capelli
scuri, uscire dalla casa "obiettivo". Dal cortile posteriore dell'abitazione dei Sendler emersero due uomini incappottati. La donna,
sulla cinquantina, si mise a chiacchierare con un terzo visitatore,
fuori casa. Vicino a lei c'era un uomo della sua età, forse il marito. I
due incappottati andarono verso la porta dei Sendler, sulla destra,
ed entrarono. Le tende della stanza più grande, sulla sinistra, erano
ancora tirate.

A quel punto arrivarono due uomini in uniforme, soldati o
guardie, guidati da un civile, senza dubbio era la Stasi. Erano armati di kalashnikov. All'interno, qualcuno doveva aver ordinato ai
tre di fare piano per sorprendere gli scavatori: prima di entrare si
fermarono, posarono le armi e si sfilarono gli stivali, come bambini rimproverati dalla mamma in un giorno di pioggia. Ciò che
accadde poi non fu catturato dalla cinepresa della NBC. Anderton
avrebbe voluto gridare ai tre scavatori un avvertimento, ma sapeva
di non poterli raggiungere.

A quel punto i tre, ignari della trappola che li aspettava circa un
metro più su, dovevano sbrigarsi.[23] Segarono qualche altro centimetro di assi e poi, per finire più in fretta, presero il rettangolo
di legno a colpi d'ascia. Fecero un bel baccano: rischioso a pochi
metri da una via pattugliata dalle guardie. Lo udirono persino i

loro compagni oltrefrontiera. Qualcuno gridò nella galleria: «Silenzio! Basta!».

Alla fine tolsero di mezzo il legno. Hasso Herschel prese uno specchietto e lo sollevò oltre la soglia del pavimento. Non si vedeva nessuno. Uscì dal buco. Joachim Rudolph lo seguì. Uli Pfeifer posò la borsa con gli attrezzi sul pavimento e raggiunse i compagni. Videro che il buco era a meno di un metro e mezzo dalla parete del soggiorno affacciata su Kiefholzstrasse. Che visione spaventosa sarebbero stati per i fuggiaschi o per i soldati: avevano ancora le facce coperte di carbone. Joachim estrasse la pistola e si mise in un angolo della stanza, ampia e buia. Al centro c'era un tavolo, e poi qualche poltrona, un divano e un televisore. Verso il fondo: un corridoio e altre stanze. Ma ancora nessun segno dei Sendler.

Per fortuna, le tende alle finestre erano tirate. Rudolph sbirciò da quella sul davanti e vide un uomo che si aggirava per il cortile. Non indossava la divisa e non sembrava armato: poteva essere uno della Stasi, ma anche un fuggiasco o un *Fluchthelfer*.

Dentro casa, gli agenti della Stasi erano rintanati nell'anticamera insieme ai due soldati scalzi con i fucili automatici. Considerato il grande numero di agenti armati e di militari nella zona, era una squadra sorprendentemente piccola. Avanzando in silenzio in corridoio erano in grado di sbirciare nel salotto da una porta semiaperta. Attorno alle 18.45 notarono un uomo che spuntava dal buco, ma dalla loro posizione riuscivano a tenere d'occhio soltanto la parte più vicina della stanza. Forse non si accorsero degli altri due scavatori, oppure si aspettavano che dal buco ne emergessero ancora, armati fino ai denti. In ogni caso, gli agenti della Stasi e i soldati decisero di aspettare. «Alle 19 l'opera [di scavo] era terminata e si sentivano voci», registra il rapporto della Stasi.

In quel momento esatto, nel walkie talkie degli scavatori risuonò un avvertimento dall'Ovest: «Tornate, tornate! C'è gente in casa!». E non intendevano certo fuggiaschi.

Nell'Ovest, un preoccupato Joachim Neumann sentì le urla dalla collina dietro di sé: «La Stasi!». Fritz Wagner, nella sua Mercedes, aggiunse all'allarme colpi di clacson lunghi e brevi, ma in casa nessuno lo udì. All'imbocco della galleria i poliziotti di Berlino Ovest sfoderarono le armi. Avevano l'ordine di non sparare mai verso il confine, ma qualche colpo in quella direzione poteva fare guadagnare un po' di tempo agli scavatori.

I tre non scapparono subito. Stringevano armi potenti, ma non le avevano mai usate e non sapevano nemmeno se avrebbero funzionato, dopo tutti quei minuti passati in un tunnel fradicio. Dal soggiorno udirono le grida d'allarme dall'Ovest sia nel tunnel sia nella radio, sempre più forti. Dopo un breve consulto, Hasso prese la decisione finale: «Okay, basta!». In tutta fretta riempirono la sacca, la gettarono nel varco e tornarono nell'Ovest strisciando con tutta la forza che avevano nelle braccia e nelle gambe.

Alle 19.10, secondo il rapporto della Stasi, «nel tunnel si registrava il silenzio assoluto». Gli agenti e i soldati scalzi entrarono infine nel salotto... e scoprirono che la loro preda era fuggita. Nel timore di un massiccio scontro a fuoco con i "terroristi", avevano indugiato e aspettato i rinforzi troppo a lungo, a dispetto della loro reputazione di forza organizzata, competente e sempre pronta all'azione. A quel punto non gli restava che arrestare i Sendler e segnalare il sospetto "sovraccarico", in due stanze della casa, di merce comprata al mercato nero: burro, salsicce, farina, vino, cognac, champagne, carta igienica, caffè e cioccolato. In soggiorno trovarono un'ascia e, nel buco, due trapani.

Quando uscirono dalla caverna nell'Ovest, i tre scavatori non si fermarono a chiedere a nessuno cos'era successo, nonostante una domanda li tormentasse già: "Quand'è stata l'ultima volta che qualcuno ha verificato il ruolo dei Sendler nella missione?". Possibile che, senza volerlo, Harry Seidel li avesse cacciati in una trappola? Sporchi, insanguinati, esausti, felici almeno di essere sopravvissuti, salirono su una camionetta della polizia che partì a tutta velocità. Gli agenti notarono l'arsenale nella sacca – tutte armi illegali, a Berlino Ovest – ma non fecero niente.[24]

All'imbocco del tunnel, la maggior parte dei testimoni se la svignò, casomai i tedeschi dell'Est, frustrati, decidessero di allenarsi al tiro al bersaglio da un capo all'altro della galleria. Sarebbe stato meglio se nessuno, a parte quei pochi, avesse saputo della vicenda. Invece per diverse ore continuò l'andirivieni di poliziotti e civili dell'Ovest dall'ingresso del tunnel. Alcuni studiarono la zona di Kiefholz/Puderstrasse con il binocolo. La Stasi studiò loro, prese persino il numero di targa di un'auto della polizia dell'Ovest. Fritz Wagner tornò a dare un'occhiata con la sua Mercedes. L'ultima annotazione nel rapporto della Stasi recita: «All'una di notte il tunnel è stato messo in sicurezza dalle nostre forze».

Così terminò uno storico faccia a faccia. Per la prima volta, quell'anno, un'unica operazione aveva radunato nello stesso luogo, nel raggio di poche centinaia di metri, l'intero cast dei personaggi coinvolti nel dramma delle fughe berlinesi: scavatori, corrieri e fuggiaschi; uomini della Stasi, guardie della DDR e soldati; polizia di Berlino Ovest e soldati americani; giornalisti di un network televisivo americano, se non due.

Nonostante il fiasco della missione, i tre scavatori, così come i tre Schmidt, i tre Moeller e le fidanzate di Meier e Sternheimer, erano stati fortunati a evitare per un pelo l'arresto, o addirittura peggio. Altre decine di persone non lo furono. Più di quaranta fuggiaschi furono arrestati e la Stasi ne convinse subito qualcuno a fare i nomi di chi lo aveva assistito. Sternheimer, tradito da Uhse a inizio giornata, fu arrestato quella sera al checkpoint di Heinrich-Heine-Strasse mentre cercava di rientrare nell'Ovest. Portato al commissariato di polizia, pensò di potersela cavare con una scusa – dichiarando di essere entrato nell'Est come studente e turista – finché non seppe che la fidanzata Renate era stata arrestata a casa propria.[25]

La Stasi non perse tempo con Friedrich Sendler, e alle 22.20 cominciò un interrogatorio interminabile con la domanda: «Quali crimini ha commesso contro la DDR?». Sendler rispose «nessuno» e si dichiarò «scandalizzato di ritrovarmi coinvolto in una faccenda con cui non ho niente a che fare. Mi dispiace molto che abbiano scavato una galleria verso la mia abitazione; fino a oggi non ne sapevo nulla, altrimenti avrei informato la polizia di frontiera».

Sendler aggiunse che aveva passato la giornata nel suo laboratorio di falegnameria, a controllare il lavoro di sei dipendenti, senza mai mettere piede in casa. «Attorno alle 18.15, dalla cucina mia moglie ha sentito dei rumori da sotto la casa», disse «ed è immediatamente venuta all'entrata della veranda, dove mi trovavo con due persone, a dirmi che da sottoterra le era sembrato di sentire dei rumori.» Mancava un dettaglio chiave del rapporto della Stasi: che la moglie non aveva dato *subito* questa versione, dicendo invece che si sentiva male.

Il poliziotto non ci credette. «La sua dichiarazione è illogica», spiegò a Sendler. «Come spiega che la galleria, partita da Berlino Ovest, finisca proprio a casa *sua*?»

Sendler rispose: «Né oggi né in passato ho avuto contatti con nessuno che mi potesse chiedere una cosa simile». Poi fece una chiosa avventata, ma coraggiosa: «Anche se non sono del tutto d'accordo con le azioni e le iniziative della DDR, e a volte mi informo tramite la televisione dell'Ovest per avere opinioni diverse, non commetterei mai un tale crimine». Difficile, a quel punto, che lo rimandassero a casa presto.

Anche Edith Sendler subì un interrogatorio notturno. Dichiarò che da quando era sorto il Muro, lei e suo marito non avevano avuto alcun contatto con gente di Berlino Ovest né con «intermediari» dell'Est. Era stata «estremamente sorpresa» di vedere il trapano dell'invasore che spuntava dal pavimento del salotto. Poi, disse, era corsa fuori ad «avvertire subito» i due agenti della Stasi (triste bugia). E infine: non sapeva come spiegare la presenza dei beni preziosi, «di lusso» e dell'alcol scoperti in casa sua. «Mi rendo conto che non mi crederete», disse alla fine dell'interrogatorio, «ma non ho altre dichiarazioni da fare in merito.»[26]

Ancora peggio dei Sendler andò a Hartmut e Gerda Stachowitz. Furono condotti, su due auto diverse, in prigioni differenti: quella femminile per lei, la brutale Hohenschönhausen per lui. Mentre interrogavano Gerda le misero il figlio su un tavolo vicino, con il pannolino fradicio. Attorno a mezzanotte glielo portarono via, senza dirle dove, né se e quando, avrebbe potuto rivederlo.[27]

9

Prigionieri e contestatori
8-14 agosto 1962

La qualità delle informazioni americane riguardo alla fallita operazione di Kiefholzstrasse lasciava un po' a desiderare. Dopo il messaggio spedito verso le 12 del giorno della fuga da Lightner, il capo della Missione di Berlino, per ore il segretario di stato Rusk non aveva saputo nulla della fuga. Alle 23.15, infine, ecco un cablogramma di aggiornamento da Lightner: «Evasione non completata oggi. Non è chiaro a questo punto se il progetto è abbandonato o posticipato».[1]

Rusk non ebbe più notizie fino al pomeriggio del giorno seguente, quando Lightner inviò un altro cablogramma. A quanto sembrava, la fuga di massa era stata «annullata» dopo che «un contro-sorvegliante di Berlino Est aveva notato una pesante concentrazione di uomini in uniforme» vicino a casa Sendler. L'LFV, presumibilmente tramite Mertens, aveva informato la Missione dell'arresto di almeno venti fuggiaschi. Diverse decine di altri erano scampati all'arresto grazie a un presunto «messaggio di allarme mandato ai partecipanti» (nessuno, in realtà, lo aveva ricevuto). Un anonimo organizzatore aveva detto all'LFV che il tunnel non sarebbe più stato utilizzato: di sicuro l'eufemismo del mese. Il cablogramma si concludeva così:

Sembra che le conseguenze peggiori di un evento che avrebbe potuto essere politicamente davvero imbarazzante siano state evitate. Tuttavia, considerati due arresti sicuri e altri possibili tra gli aspiranti fuggitivi, è possibile che il regime della DDR allestisca processi farsa nei quali gli arrestati citino la partecipazione della CBS all'operazione. C'è anche la possibilità che a un certo punto gli organizzatori di Berlino Ovest sfruttino il coinvolgimento di Schorr e O'Donnell per giustificare il fallimento dell'operazione, specialmente se almeno venti persone verranno arrestate e processate.[2]

Un funzionario del Dipartimento inoltrò il cablogramma a Mac Bundy, alla Casa Bianca, segnalando che secondo Rusk «è il caso che lo veda il presidente. Salinger non è in città e non l'ha visto».

Sempre l'8 agosto un membro non identificato del corpo diplomatico americano in Germania (molto probabilmente Lightner) scrisse un lungo memorandum dal titolo: *Fallimento della fuga sotterranea.* C'era un nuovo e bizzarro dettaglio: Rainer Hildebrandt, amico di Harry Seidel, «aveva ottenuto e dato a un partecipante dell'Ovest un'uniforme da VoPo, da usare a Berlino Est come copertura di sicurezza per i fuggiaschi quando i camion che li trasportavano avessero raggiunto il parcheggio orientale». Secondo il dossier non risultava che Mertens, come aveva fatto altre volte nell'anno precedente, avesse avvertito gli scavatori che il progetto era «compromesso».[3]

L'unico che sicuramente era stato informato della situazione di pericolosità estrema attorno al tunnel era Daniel Schorr, che non aveva per nulla gradito l'avvertimento. Un funzionario dell'ambasciata di Bonn chiese ad Allen Lightner di fare un'altra chiacchierata con l'inviato della CBS per verificare che fosse al corrente «dei risultati e delle implicazioni» del fallito tentativo di fuga. A quanto ne sapevano, Schorr sosteneva una «linea» secondo la quale il Dipartimento di stato, incapace di «prendere provvedimenti» per aiutare coloro che cercavano la libertà a Berlino, era invece «prontissimo a fermarli».[4] Dean Rusk approvò l'incontro con Schorr con un cablogramma alla Missione (mettendo di nuovo in copia Salinger e Bundy). Aggiunse:

Le autorità degli Stati Uniti non devono affatto scusarsi per la sollecita azione intrapresa riguardo alla CBS e Schorr; Schorr si è immischiato in una faccenda che andava ben al di là delle sue responsabilità private o giornalistiche e si è comportato in maniera dilettantesca in un contesto di estremo pericolo per tutte le parti coinvolte. Come avevamo previsto, la parte avversa era al corrente di tutta l'impresa e ha teso una trappola che sarebbe potuta finire in un massacro dei coinvolti. Non possiamo che essere indignati dal grado di coinvolgimento che Schorr aveva preso in considerazione, senza alcuna apparente considerazione per le possibili gravi conseguenze.[5]

Naturalmente, «la parte avversa» era stata messa «al corrente di tutta l'impresa» soltanto il giorno dell'operazione (grazie a Uhse): difficile, perciò, spiegare perché il Dipartimento fosse così certo di tale sviluppo.

La Stasi aveva sprecato l'occasione d'oro di arrestare in casa Sendler tre dei più importanti scavatori di Berlino, ma l'indomani ebbe la possibilità di studiarne l'opera. La galleria, però, aveva un'aria così pericolosa che i poliziotti non osarono strisciarvi troppo in là. Nemmeno il cane da soccorso che portarono sul posto andò più avanti di una decina di metri. Ispezionato il tunnel, molti uomini della Stasi approfittarono dei beni di lusso accumulati dai Sendler.[6] I due sembravano destinati a un lungo soggiorno in carcere, dove certo non avrebbero avuto bisogno di cosmetici, belle calze di nylon, giacche e maglioni di lana, scarpe con il tacco, gioielli costosi e orologi. Tanto, probabilmente li avevano ottenuti dall'Ovest illegalmente, e lo stato li avrebbe confiscati. Perché la prima linea dei "protettori della frontiera" non poteva dividere il bottino?

Qualche ora dopo, la Stasi approntò un dettagliato rapporto sul tentativo di fuga. Vi si lodava la maniera in cui i suoi uomini avevano «protetto la pace» contro «l'organizzazione terroristica Girrmann di Berlino Ovest», sorvolando sul pasticcio del mancato arresto dei criminali. Gli agenti dissero di aver ricevuto le informazioni direttamente da Siegfried Uhse ed elencarono nomi, cognomi e indirizzi degli arrestati; fino a quel momento quarantatré persone. Gli arresti erano elencati per luogo: sei in ciascuno dei punti di raccolta dei camion, diciannove vicino al tunnel in Puderstrasse, più il corriere Wolf-Dieter Sternheimer e altri undici fermati «autonomamente» altrove dalla polizia di frontiera. Con il procedere degli interrogatori ci si aspettavano ulteriori arresti.

Il rapporto descriveva in dettaglio la collaborazione vecchia di mesi tra Sternheimer e il Gruppo Girrmann, con lo scopo di organizzare «irruzioni violente oltreconfine». Sternheimer era stato uno dei pochi a conoscere l'ubicazione esatta della casa incriminata, come dimostrava la mappa da lui affidata a Uhse. Si citava anche «l'accusato Stachowitz, Hartmut». Già a luglio Stachowitz aveva contattato «la studentessa americana» che lavorava con Girrmann – Joan Glenn – per far fuoriuscire sua moglie. Fino a quel momento, la Stasi aveva interrogato più di trenta arrestati. Uno di essi non poté essere sentito «per via di un infarto, ed è stato ricoverato nell'ospedale della polizia».

Nel frattempo Manfred Meier sentiva di avere una possibilità di tornare libero, nonostante gli uomini che lo interrogavano nella violenta Hohenschönhausen continuassero a ripetergli: «Sappiamo tutto». Lui insisteva nel dichiararsi innocente; si era ritrovato nella zona della fuga perché andava a trovare un cugino. E aveva davvero un cugino da quelle parti.[7]

Grazie all'avvertimento ricevuto da lui in Puderstrasse, la sua ragazza Britta era scampata all'arresto, e con grande trepidazione decise di raccontare ai suoi genitori del fallimento della fuga e dell'arresto di Manfred. Si sedette sull'orlo del letto di suo padre e disse: «Ho una cosa da raccontarti». Lui la prese per mano e rispose: «Sai, Britta, avrei fatto anch'io la stessa cosa. Non hai niente da rimproverarti». Qualche ora dopo, uno dei fermati fece il suo nome alla Stasi, che andò ad arrestarla.[8]

Oltre ai nomi dei cospiratori rimasti a piede libero, la Stasi sperava di carpire informazioni sui tunnel in corso d'opera (gli scavatori di Bernauer Strasse colsero subito l'entità del rischio). In effetti, l'interrogatorio di un fuggiasco fece venire a galla una notizia vaga ma preoccupante. L'uomo disse che il suo contatto con il gruppo della fuga di Kiefholzstrasse, un certo Gengelbach, gli aveva spiegato che a Berlino Ovest c'erano due gruppi distinti di scavatori. Uno era composto da studenti. Gengelbach non sapeva chi li finanziasse, ma era certo che stessero «lavorando a un altro tunnel che è già lungo 150 metri e dovrebbe essere completato tra la fine di agosto e l'inizio di settembre». I dettagli erano approssimativi, ma la Stasi aveva capito di dover drizzare le antenne per carpire ogni nuova informazione su operazioni più importanti.[9]

A differenza dell'MfS, nel Gruppo Girrmann c'era parecchia perplessità riguardo alla vicenda di Kiefholzstrasse. Il mattino dopo, i capi dell'organizzazione si riunirono insieme a Harry Seidel e Dieter Gengelbach. Un informatore aveva avvertito la Stasi, era ovvio, ma dopo un'animata discussione nessuno riuscì a individuare un sospetto.[10]

La sera successiva, Siegfried Uhse fu convocato alla Casa del futuro per esaminare i tragici eventi. Ci si può immaginare quanto fosse nervoso "Hardy" durante il tragitto. A quel punto, la sua identità di spia poteva essere stata smascherata in tantissimi modi. Quando arrivò, lo accolsero tutti e tre i capi: Girrmann, Thieme e Köhler. Non un buon segno. Köhler lo salutò dicendo: «Ecco un altro cadavere». Di sicuro si sentì mancare, almeno finché non gli spiegarono che da quel giorno non sarebbe più uscito da Berlino Ovest: non era sicuro rischiare una sortita nell'Est, con la Stasi alle sue calcagna.[11]

In cerca di indizi sull'identità dell'informatore, i tre organizzatori chiesero a Uhse e ad altri corrieri – quelli che non erano stati arrestati – di riesaminare tutto ciò che avevano fatto e visto il 7 agosto. Uhse rievocò la giornata in ogni dettaglio (tralasciando la consegna della mappa alla Stasi), compreso l'incontro con Sternheimer e Stachowitz all'una del pomeriggio. Ma dal momento che entrambi erano stati arrestati, sembrava improbabile che la talpa fosse uno di loro. Un membro del gruppo disse a Uhse che poteva considerarsi «fortunato» ad averla scampata.

Entrò in ufficio un altro ospite, un uomo robusto sulla quarantina, con i capelli scuri ingrigiti e gli occhiali. Uhse scoprì che era uno dei principali finanziatori del gruppo. Thieme disse allo sconosciuto che il disastro del 7 agosto era stato la sconfitta più grossa da quand'era sorto il Muro, ma in cambio ricevette un messaggio di incoraggiamento. Il suo interlocutore era appena tornato da Bonn, dove aveva incontrato certi grossi uomini d'affari disposti a offrire fino a 2000 marchi per ogni fuggiasco liberato dal Gruppo Girrmann; anche di più se il profugo era uno studente o un operaio specializzato. Che cosa li aveva convinti? «Gli ho spiegato che possono detrarli dalle tasse», spiegò l'emissario, che probabilmente era un funzionario del governo. «Se riescono a detrarre qualcosa dalle tasse... li ho in pugno!» Poi aggiunse che per ricevere i soldi, al Gruppo bastava chiedere a ogni profugo o profuga un curriculum; non c'era bisogno di sapere in che maniera illegale fossero arrivati nell'Ovest. Infine li spronò a mettersi all'opera al più presto, se volevano approfittare dei soldi.

La cattiva notizia, però, era che per non rischiare che il governo venisse "compromesso" le autorità di Bonn non erano più intenzionate a offrire assistenza al Gruppo Girrmann. Pretendevano che Köhler desse le dimissioni da direttore della Casa del futuro, in quanto lo consideravano responsabile di diversi fiaschi, in primis quello a Kiefholzstrasse. Il visitatore rivelò poi che qualcuno stava scavando un altro grosso tunnel «nel nord» (cioè, potenzialmente, anche nella zona di Bernauer Strasse). Ormai il segreto sembrava svelato. Chi altro lo sapeva?

Ne nacque una discussione riguardo a Manfred Meier, il corriere disperso. Il sempre servizievole Uhse si offrì di andare subito a parlare con il fratello. Quando tornò, disse di averlo trovato sospettoso e diffidente. Era un tentativo, parzialmente riuscito, di far passare per talpa il corriere assente all'appello (nell'Ovest nessuno sapeva che Meier era stato fermato). Poi Uhse varcò la frontiera e raccontò tutto ai suoi responsabili dell'Mfs.

Si disse certo di «aver guadagnato o consolidato la fiducia dei capi del Girrmann». Al che la Stasi lo riempì di compiti: approfondire le indagini sulla tratta di profughi in automobile; ottenere i nomi dei corrieri rimasti; scoprire qualcos'altro sull'ospite che aveva promesso i soldi degli investitori; aiutare Köhler a «smantellare» il suo ufficio alla Casa del futuro «e tentare di accedere al materiale che vi custodiva», specialmente alla lista dei tedeschi dell'Est che avevano chiesto di fuggire. E «cercare di scoprire la posizione del nuovo tunnel e chi lo sta costruendo».

Al successivo incontro, Uhse annunciò: «Mi hanno informato che il tunnel è lungo circa 150 metri. Non si sa nulla dell'imbocco, e nemmeno se ci stiano lavorando». I suoi sorveglianti insistettero: «Dov'è il nuovo tunnel? Non appena avrai l'informazione, comunicala per telegramma».[12]

Il pomeriggio del 10 agosto, Daniel Schorr ebbe la sua lavata di capo all'ambasciata di Bonn. Venne così a sapere, se già non lo sapeva, che l'operazione del tunnel di Kiefholzstrasse era finita con una sfilza di arresti, e che il processo rischiava di coinvolgere anche lui e la sua emittente. Schorr si sentì dire che il suo coinvolgimento, definito «incredibile», aveva messo a repentaglio più di una vita. Fu costretto ad ammettere di aver dato agli organizzatori del tunnel oltre 5000 marchi. Perché? Occorreva fare *qualcosa* per sottolineare l'orrore del Muro, dal momento che riguardo alla commemorazione dell'anniversario il Dipartimento di stato aveva assunto un «atteggiamento ostile». Una fuga di massa, raccontata in tv, poteva servire proprio a questo. L'uomo dell'ambasciata gli ordinò di non parlare della fuga fallita né degli arresti con nessuno, tranne che con i funzionari della Missione.

Un altro dipendente dell'ambasciata mandò un riassunto a Rusk e Lightner, e poi a Salinger e Bundy alla Casa Bianca. Commentava che Schorr «sembra colpito dal fatto che un piano, che doveva essere il suo più grande successo televisivo, sia andato a monte». Tuttavia «non ha dato la minima impressione di essere contrito». Un breve passo del riassunto poneva più interrogativi di quanti ne risolvesse. A quanto sembrava, il funzionario dell'ambasciata aveva detto a Schorr che il piano «sarebbe potuto finire con gravissime perdite di vite umane, se nessuno avesse preso l'iniziativa attiva di impedirne la realizzazione». Quale «iniziativa» era stata presa, e da chi?[13]

Il giorno successivo, Schorr andò da Lightner alla Missione di Berlino di Clayallee. La conversazione seguì la falsariga dell'incontro di Bonn, ma Schorr si lamentò per un'ulteriore notizie: aveva sentito che Piers Anderton della NBC si aggirava dalle parti dell'imbocco del Tunnel nell'Ovest e aveva filmato l'attività della polizia e l'irruzione in casa Sendler. Schorr presumeva che la NBC intendesse usare le riprese (soltanto due minuti di materiale, in realtà) per un imminente programma di attualità.

«Schorr si è detto preoccupato che la concorrenza stia facendo ciò che alla CBS, tramite l'intervento del Dipartimento [di stato], è stato impedito», scrisse Lightner a Rusk in un cablogramma, ancora una volta inoltrato a Salinger. Aggiunse che «nonostante non siamo nella posizione di risolvere il problema di concorrenza della CBS, siamo concentrati sul modo migliore di prevenire azioni simili, in futuro, da parte di CBS o NBC». Dettaglio cruciale, perché non erano «affatto sicuri che Schorr non tenti di filmare un'altra fuga» nonostante potesse «evitare pericolosi incontri preliminari con gli organizzatori». Forse era il caso che il Dipartimento di stato prendesse in considerazione «un intervento ad alto livello presso la NBC sulla falsariga di quanto avvenuto con la CBS. Visto l'atteggiamento non collaborativo di Anderton, non prenderemo iniziative con lui senza ordini precisi».[14]

Sulle intenzioni di Anderton avevano ragione da vendere. Quanto a Schorr e alla CBS, avevano soltanto cominciato a combattere: non più per il *loro* film, ma *contro* quello della NBC.

Il crescente malumore del presidente Kennedy riguardo alla strategia nucleare USA-NATO in Europa raggiunse il culmine in agosto, quando convocò i suoi consiglieri più stretti per una riunione di quasi novanta minuti nello Studio Ovale.[15] Era presente anche Walter Dowling, l'ambasciatore in Germania Ovest. Dall'ultima volta che gli Stati Uniti avevano usato un'arma nucleare, uccidendo almeno 75 000 giapponesi a Nagasaki, erano passati diciassette anni esatti.

L'ombra della guerra atomica continuava a incombere su ogni discussione riguardo a Berlino. Appena insediatosi alla presidenza,

Kennedy aveva scoperto che l'unica strategia militare dettagliata messa a punto dal suo predecessore in caso di attacco convenzionale sovietico alla Germania era la cosiddetta "rappresaglia nucleare massiccia". JFK era turbato anche dalla possibilità di un'accidentale guerra atomica, scatenata da un segnale frainteso, e da una linea gerarchica militare che concedeva ai più alti generali l'autorità di lanciare missili. Quando chiedeva ai suoi consulenti militari «immagino di poter fermare l'attacco strategico in qualsiasi momento... mi sbaglio?», la risposta era spesso paurosamente vaga.

Kennedy era convinto che certi generali parlassero degli effetti della guerra nucleare con un po' troppa arroganza. Un generalissimo dello Strategic Air Command, aggiornato sugli effetti genetici a lungo termine della ricaduta radioattiva, aveva commentato: «Non mi hanno ancora dimostrato che due teste non sono meglio di una».[16] A differenza di molti suoi consiglieri, il presidente vedeva troppa enfasi su come vincere una possibile guerra atomica, e troppo poca sulla sopravvivenza concreta della specie umana.

Tuttavia, aveva dichiarato legittima la possibilità che gli Stati Uniti fossero i primi a usare armi nucleari se l'Armata Rossa avesse invaso l'Europa occidentale. Una lista degli obiettivi americani, intitolata *Atomic Weapons Requirements Study for 1959* (Studio sulla necessità di armi atomiche per il 1959) e approntata dallo Strategic Air Command, oltre a migliaia di bersagli nell'Unione Sovietica ne indicava novantuno a Berlino Est e dintorni. Oltre a diverse basi aeronautiche nei sobborghi, decine di luoghi nel centro della città rientravano nell'elenco in vista della «distruzione sistematica» di Berlino: fabbriche, snodi ferroviari, centrali elettriche, trasformatori della radio e della tv. Sembrava non ci si rendesse conto che colpire anche soltanto uno o due bersagli a Berlino Est avrebbe portato incendi e ricadute radioattive anche nell'Ovest. Una voce inquietante, intitolata semplicemente e brutalmente «popolazione», prendeva di mira, alla cieca, i civili.[17]

Kennedy, ancora giovane e con due figli piccoli, parlava spesso in privato del terrore che gli suscitava l'idea di un attacco nucleare. Accogliendolo in una stanza da letto della Casa Bianca dopo lo snervante summit di Vienna con Chruščёv, suo fratello Robert lo aveva visto con le lacrime agli occhi, la prima volta che JFK piangeva per uno stress politico. «Bobby, se scoppia una guerra nucleare», gli confidò JFK, «non mi importa di noi... Il pensiero delle donne e dei bambini che muoiono per le bombe nucleari, però, non riesco a mandarlo giù.»[18]

Henry Kissinger, un giovane e ambizioso professore di Harvard figlio di tedeschi fuggiti dalla Baviera dopo l'ascesa al potere di Hitler, era tra i consulenti che spingevano per un piano di risposta nucleare progressivo, soprattutto in risposta a una crisi berlinese. Kissinger era un accanito anticomunista ma, a differenza di tanti altri, nel confronto con i sovietici preferiva un atteggiamento più raffinato. Aveva incoraggiato Kennedy a ordinare una revisione competa delle opzioni possibili nel caso in cui gli Stati Uniti avessero attaccato per primi. A meno che gli americani non avessero abbattuto subito tutte le basi di lancio sovietiche – eventualità molto improbabile – il nemico avrebbe lanciato tutti i suoi missili e fatto decine di milioni di vittime. A quel punto l'alternativa del presidente era «la resa o il suicidio», come dicevano i suoi collaboratori più stretti.[19]

Ora Kennedy voleva sapere se c'era un modo di usare il nucleare limitando i bersagli, e con essi il numero delle vittime su entrambi i fronti. Cominciò a sostenere, in caso di attacco sovietico alla frontiera tedesca, la cosiddetta "risposta flessibile", anziché una "rappresaglia massiccia" automatica. La bozza del documento prodotto dal Pentagono era così voluminosa che la nuova strategia venne ribattezzata internamente "coperta da cavallo". La versione accorciata era la "coperta da pony". Ridotta infine a poche pagine, si guadagnò il nomignolo ingannatore e carino di "coperta da barboncino" e fu approvata nell'ottobre 1961 come documento NSAM 109. Prospettava una «sequenza di risposte graduali alle azioni sovietiche/DDR» che avrebbe portato, nel tempo, a un attacco nucleare limitato e poi (se necessario) massiccio. Poteva trattarsi di una rappresaglia contro un'azione nucleare sovietica come di un primo attacco. Un consigliere di primo piano di Kennedy lo definì «il momento della verità termonucleare».[20]

Pochi giorni prima di questo importante aggiornamento della politica nucleare della Casa Bianca, i sovietici avevano ricominciato i test atomici in grande stile, facendo detonare sopra un'isola artica una bomba da 40 megaton, forse la seconda esplosione più potente di sempre. Le speranze kennediane di una moratoria sui test si fecero ancora più esili. *Dulcis in fundo*, il ministro della difesa della Germania Ovest Franz Josef Strauss aveva appena criticato pubblicamente gli Stati Uniti perché puntavano i loro missili soltanto su obiettivi militari, scordandosi di quelli civili (la presidenza lo rassicurò immediatamente che l'America teneva sotto entrambi). Strauss chiese anche alla NATO di dotare di armi nucleari "da campo" le sue forze sul fronte, convinto che il loro utilizzo non avrebbe necessariamente scatenato una reazione sovietica letale. Gli americani si opposero con convinzione alla proposta.

Tuttavia, durante la riunione ristretta alla Casa Bianca, Kennedy ammise candidamente che a Berlino i sovietici avevano messo gli americani con le spalle al muro. Se si fossero impossessati di tutta la città, era il caso di usare l'atomica? Era meglio aspettare che il nemico varcasse il confine con la Germania Ovest, oppure aspettare ancora? In altre parole, la risposta nucleare degli alleati a queste mosse era un bluff? Se avessero usato l'atomica, si sarebbe trattato di un assalto limitato o esteso?

John Ausland, vicedirettore della task force di Berlino, diede a JFK l'ennesimo ragguaglio sulla "coperta da barboncino". Secondo Dean Rusk, a preoccupare gli alleati dell'America nella NATO era il fatto che, se l'Occidente non avesse risposto con l'atomica a una prova di forza, «i sovietici si prenderanno un bel pezzo di Germania e pretenderanno di negoziare a partire da lì». Robert McNamara, invece, era convinto che gli alleati degli USA agissero secondo il malinteso che «nelle armi nucleari tattiche ci possa essere *salvezza*», parzialmente basato sulla «poca comprensione dell'utilizzo delle armi nucleari tattiche e delle sue conseguenze». Per qualche motivo, si sottovalutavano gli effetti delle radiazioni che sarebbero calate dal cielo su tutta l'Europa. McNamara avrebbe potuto puntualizzare che le testate moderne erano molto più distruttive della bomba di Nagasaki, ma non lo fece.

Kennedy ribadì che la minaccia di attaccare per primi sarebbe stata più valida «se non ci fosse il problema di Berlino». Per cominciare, le forze americane in Germania Est sarebbero rimaste intrappolate al di là del confine nucleare. Inoltre, davvero gli alleati se la sarebbero sentita di far scoppiare una guerra nucleare per una Berlino già divisa? A quel punto Bundy ridusse brillantemente il dibattito sull'opportunità di primo attacco nucleare ai termini più semplici: «Va bene soltanto se sai che puoi farlo e non lo farai mai». Non si poté dire granché, a quel punto, e la riunione si concluse in fretta senza aver risolto nulla.

Non era difficile per un giovane come Peter Fechter immaginare una vita migliore al di là del Muro. Era l'unico figlio di una famiglia che faticava a tirare avanti nella disastrata economia dell'Est nel dopoguerra. Suo padre costruiva motori, sua madre faceva la commessa.[21] Prima del Muro, il vivace adolescente biondo che a quattordici anni aveva smesso di studiare per fare l'apprendista muratore era stato sempre felice di fare visita a sua sorella Liselotte a Berlino Ovest, dove se n'era andata nel 1956 per sposarsi. Peter, che compiva diciotto anni nel 1962, sognava di raggiungerla. Ma la prospettiva di avere abbastanza soldi per uscire dal trilocale che condivideva con i genitori e un'altra sorella nel quartiere di Weissensee sembrava irrealizzabile, impossibile.

«Quaggiù va tutto male», scriveva in una lettera a Liselotte, lamentandosi che «i maiali» avevano innalzato le quote di produzione e imposto orari più pesanti in cambio dello stesso misero stipendio. Come se non bastasse, qualche mese prima aveva temuto che lo costringessero a lavorare alla costruzione del Muro. «Stamattina sono andato a Friedrichstrasse [vicino al Checkpoint Charlie] con un amico e ho visto le bandiere americane... così vicine, eppure così lontane! Mi è venuto da piangere. Divido il tempo tra il cantiere e la mia ragazza... Andiamo d'accordo, ma secondo sua madre prima di sposarci dobbiamo aspettare due anni. Chissà che cosa sarà di noi allora?» In cantiere era molto apprezzato, ma di sicuro nell'Ovest avrebbe avuto più possibilità di guadagnare, lavorando così sodo.

Insieme all'amico Helmut Kulbeik, suo collega nella ricostruzione dell'Altes Palais di Unter den Linden e frustrato quanto lui, Peter cominciò a meditare la fuga. Il loro cantiere non era lontano dal Muro. Quell'estate sfruttarono le pause pranzo per passare al setaccio tratti vicini e lontani della frontiera, ma senza ancora un piano preciso. Nessuno dei due ne parlò con la famiglia. Un giorno di inizio agosto scoprirono una fabbrica fatiscente che ospitava un laboratorio di falegnameria, esattamente sul confine. Le finestre del retro si affacciavano su Zimmerstrasse: da lì al Muro la distanza era breve, per chi avesse il coraggio di correre.

Mentre si avvicinava il primo anniversario del Muro, i leader americani e tedeschi si chiedevano con un certo nervosismo come lo si sarebbe commemorato nelle strade. Le autorità di Berlino Ovest avevano annunciato iniziative tranquille e isolate, come qualche minuto di silenzio e la sospensione del lavoro e dell'attività dei mezzi pubblici, a mezzogiorno. Una "campana della libertà" avrebbe suonato e il sindaco Brandt avrebbe detto qualche parola in tv e alla radio. Ai berlinesi dell'Ovest fu chiesto di rimanere in casa, quella sera, per scrivere lettere ad amici e parenti dell'Est. Con un cablogramma dalla Missione americana, Charles Hulick aveva informato Dean Rusk che le celebrazioni avrebbero avuto un basso profilo «e lasciato il minimo spazio possibile a manifestazioni che potrebbero scatenare incidenti [...] Precauzioni speciali prese da entrambe le parti del muro dovrebbero impedire lo sviluppo di azioni su vasta scala».[22]

Certi parlamentari e commentatori dell'Ovest lo giudicarono un atteggiamento fin troppo passivo. Diversi gruppi avevano intenzione di posare corone e alzare la voce nei luoghi dov'erano stati uccisi i fuggiaschi dell'Est. Un tabloid molto letto chiese di far suonare le campane, le sirene e i clacson delle auto perché «dobbiamo gridare, allertare il mondo». Il blocco comunista aveva alzato il tono della propaganda, dipingendo Berlino Ovest come un centro di spionaggio e fonte di tensioni. In uno dei suoi rapporti quotidiani al presidente, la CIA ammoniva che l'esercito della Germania Est sembrava fare le prove «non sappiamo ancora stabilire per cosa». E Chruščëv poteva avere in serbo «un gesto importante».[23]

Gli Stati Uniti celebrarono il 13 agosto con un programma di novanta secondi sulle quattro più importanti reti radiofoniche nazionali: il generale Lucius Clay parlò e la Liberty Bell di Philadelphia suonò (tuttavia, il generale si lamentò aspramente con il Dipartimento di stato, che secondo lui stava decisamente sottovalutando l'anniversario). Per motivi sconosciuti, la NBC non trasmise il breve filmato della recente retata di Kiefholzstrasse. A Berlino Ovest, sia gli eventi ufficiali che quelli non ufficiali andarono come previsto. La sosta e il silenzio di mezzogiorno furono osservati quasi ovunque e, secondo molti, risultarono assai commoventi. Poi lo strombazzare dei clacson si dimostrò assordante. Quando una grossa croce con la scritta «Noi accusiamo» fu eretta sul muro lungo Wilhelmstrasse, la polizia di Berlino Est cercò di abbatterla con gli idranti. Poco dopo, tra le forze di polizia al di qua e al di là del muro scoppiò un ping pong di lacrimogeni.

Un'altra azione indicò che le proteste rischiavano di prendere una piega più militante. Il Gruppo Girrmann aveva organizzato una dozzina di squadre, che dovevano salire a bordo della S-Bahn e durante il momento di silenzio tirare le corde d'emergenza per fermare i vagoni. Anche se i suoi treni attraversavano l'Ovest, la S-Bahn era ancora di proprietà dell'Est che la gestiva (in teoria anche i binari erano comunisti): il gesto dei manifestanti avrebbe avuto eco anche oltreconfine. Dieter Thieme chiese a Wolf Schroedter di partecipare alla protesta, e Schroedter invitò Joachim Rudolph. Dovevano occuparsi della stazione di Moabit. Era un atto di disobbedienza civile: tirarono la corda d'emergenza e rimasero in attesa che arrivasse la polizia ferroviaria dell'Est (che, con un certo fastidio, vigilava sui vagoni anche nell'Ovest). Si rifiutarono di mostrare i documenti. Furono consegnati alla polizia di Berlino Ovest e costretti a passare cinque giorni in galera o, in alternativa, a pagare una multa di 28 marchi. Scegliere la multa fu facile, perché la rimborsava Girrmann.[24]

Nel tardo pomeriggio, come temevano le autorità, le proteste si fecero ancora più rabbiose. I brevi appunti sul diario dell'ufficiale americano della Brigata di Berlino in servizio quel giorno catturano l'atmosfera:

18.55 – Ricevuto rapporto da C/P Charlie che l'autista dell'autobus del monumento ai caduti all'angolo tra Koch e Freid è stato colpito dai sassi lanciati dalla folla.
20.30 – Tre chilometri di auto in coda, protestano verso il ponte a 942182.
21.55 – Gartenplatz – la polizia di Berlino Est lancia lacrimogeni – la polizia di Berlino Ovest risponde con lacrimogeni – 500 persone in zona.
22.47 – 1000 scioperanti in *sit-in* si spostano da Bernauer Strasse verso Kreuzberg.
22.53 – 2000 manifestanti a Moritzplatz e Prinzenstr. Nutrita forza di polizia dell'Ovest li allontana dal "muro".
22.55 – Circa 20 auto abbattono la barriera alla Porta di Brandeburgo e arrivano fino alla piattaforma di osservazione britannica.
Mezzanotte – Oberbaumbrücke, circa 100 persone cercano di attraversare il ponte verso l'Est – la polizia di Berlino Ovest ha sbarrato l'ingresso al ponte con i furgoni – costretta a usare i manganelli.[25]

I rapporti della polizia di Berlino Ovest segnalano molti altri atti di violenza e diverse "semi-sommosse". I manifestanti avevano lanciato sassi e bottiglie di birra contro le guardie al di là del Muro. Lungo un tratto ruppero i lampioni sul lato occidentale, per poter scagliare pietre nell'Est al riparo dell'oscurità. A Bernauer Strasse trecento persone cercarono di sfondare il Muro, e presero a sassate la polizia dell'Ovest che cercava di farle indietreggiare con i manganelli. Quattro poliziotti rimasero feriti lì e venti altrove.

Quella sera scoppiò il caos di fronte all'ormai famigerata (in certi circoli) casa Sendler. Una nutrita squadra di poliziotti e soldati di Berlino Est era dispiegata in zona dopo l'avvistamento di quattro uomini a meno di cento metri dalla frontiera, nell'Ovest, con una cinepresa puntata verso l'abitazione: probabilmente era la troupe di una tv locale o di un cinegiornale. Dall'Ovest qualcuno aveva sparato una o più volte contro le guardie dell'Est. Qualcun altro lanciato sassi. Arrivò la polizia di Berlino Ovest, armata, e setacciò l'Est con il binocolo. Poi i vandali dell'Ovest cominciarono a spaccare i lampioni tra Kiefholzstrasse e Puderstrasse, luogo di quasi tutti gli arresti del 7 agosto. Gli spari e le sassaiole contro le guardie della DDR continuarono fin dopo mezzanotte.

«Considerati le azioni e il comportamento del nemico, si presume che fosse stato organizzato uno sfondamento del confine», dichiarava in un rapporto di cinque pagine il capitano dei tedeschi dell'Est, citando anche la presenza di cineprese. La zona di frontiera attorno a casa Sendler andava sorvegliata «in via permanente». La polizia dell'Ovest da quelle parti andava tenuta d'occhio da vicino, perché era chiaramente intenzionata ad aiutare i «trasgressori della frontiera». Gli squadroni militari più fidati dovevano ispezionare cantine, garage e officine dell'Est, presumibilmente in cerca di altri tunnel.

Il giorno dopo, qualcuno scrisse a mano, in testa al rapporto formale, che il tunnel di Kiefholzstrasse collegato a casa Sendler era stato «esplorato dalla polizia di frontiera».[26]

10

L'intruso
15-17 agosto 1962

Nonostante la catastrofe sfiorata – erano andati più vicini all'arresto che al successo – Hasso Herschel, Uli Pfeifer e Joachim Rudolph tornarono a Bernauer Strasse impazienti di rimettersi all'opera. Dimenticata quell'esperienza terribile, i tre ragazzi confidavano che il loro progetto fosse parecchio più sicuro di quello a cui erano sopravvissuti per un pelo. Non tenevano conto che il tunnel a cui lavoravano non era ancora avanzato di molto nell'ostile Est, e che li aspettavano ancora diverse settimane di scavi. Rischiavano di essere inondati da un'altra perdita improvvisa e, quanto alla sicurezza, a quel punto il numero di scavatori e fiancheggiatori del Gruppo Girrmann che avevano sentito parlare dell'impresa non poteva non preoccupare.[1]

Lo sconcerto per la vicenda di casa Sendler, tuttavia, continuava a pesare. Non potendo sapere che a mandare il piano a monte era stato un informatore della Stasi, in molti attribuirono la colpa del disastro ai Sendler, oppure a Wagner e Seidel. Harry Seidel aveva garantito che i Sendler erano d'accordo con la fuga, ma alla squadra di Bernauer Strasse cominciavano ad arrivare versioni diverse. Uli Pfeifer disse a Joachim Neumann: «Non ci azzarderemo più a lavorare con un matto come Fritz Wagner, specialmente per sbucare dentro una casa. Non so se davvero pensavano che i due ci lasciassero scappare, o se è stato uno scherzo di Wagner!». L'episodio aumentò le preoccupazioni di Neumann riguardo alla possibilità di far scappare la sua ragazza, qualche settimana più in là, attraverso il loro tunnel. Hasso Herschel, da parte sua, accusava Seidel di non averli avvertiti dell'incertezza dei Sendler.

Tornati al lavoro, gli scavatori rafforzarono la galleria con i puntelli di legno, controllarono che luci e telefoni non fossero danneggiati, rimisero in funzione la rotaia elettrica. Piers Anderton e i Dehmel tornarono a seguire l'operazione. Dall'argilla in fondo allo scavo era spuntato un masso enorme e impossibile da rimuovere, che costrinse gli uomini a girargli intorno, prima a sinistra, poi a destra, e infine a chiedere di nuovo in prestito gli strumenti di misurazione per verificare la direzione del tunnel.

Poi un altro di loro venne a sapere delle riprese della NBC. Herschel, che da un po' era perplesso dall'organizzazione arbitraria dei turni, ne parlò faccia a faccia con Gigi e Mimmo. Gli italiani gli spiegarono che avevano già intenzione di dirgli, prima o poi, dell'accordo con la NBC. Anderton aveva bisogno di filmare altri scavatori: nessuno avrebbe creduto che una squadra di così pochi elementi aveva costruito una galleria così lunga. Hasso pretese dei soldi, se proprio doveva recitare un ruolo importante davanti alla cinepresa. Venuto dall'Est dopo anni di reclusione in un campo di lavoro, non aveva immaginato che i media potessero pagare anche solo un centesimo i diritti sulle foto o sulle riprese, ma ora che lo sapeva voleva sfruttarli. Come fecero con Joachim Rudolph, gli italiani gli diedero 1000 marchi subito e gliene promisero altri mille se e quando avessero portato a termine il progetto.[2]

Nel frattempo Sesta tornò da Peter Schmidt nell'Est e gli garantì che, dopo la catastrofe di Kiefholzstrasse, il progetto originale di tunnel era tornato in pista. Herschel mandò il medesimo messaggio a sua sorella. Entrambe le famiglie erano scampate all'arresto per un pelo, ma erano pronte a riprovarci entro qualche settimana, tanto disperato era il bisogno di fuggire. Perso oltre un mese a causa dell'inondazione, il nuovo termine per l'apertura della galleria a Rheinsberger Strasse era fissato per il 1° ottobre.

Mentre i protagonisti del suo film ricominciavano a scavare, una nuova minaccia incombeva sulla NBC. Robert Manning, capo delle pubbliche relazioni del Dipartimento di stato, aveva chiesto a Bill McAndrew, dei notiziari NBC, di incontrare il suo vice per parlare «di una questione berlinese di cui non è opportuno discutere al telefono».[3] McAndrew capì subito di cosa si trattava: in giugno era stato lui ad autorizzare Piers Anderton ad avvicinare gli scavatori. Sapeva anche che Anderton aveva lavorato per diversi anni con Pierre Salinger al "San Francisco Chronicle" e che i due erano ancora in buoni rapporti. E poi, coincidenza pazzesca, Anderton e Bobby Kennedy avevano frequentato lo stesso collegio cattolico di Portsmouth, nel Rhode Island, a pochi anni di distanza. Non era molto, ma McAndrew sapeva che per questa presidenza le relazioni personali contavano.

La riunione, autorizzata dalla Casa Bianca, si tenne a New York.[4] James Greenfield, vice di Manning, disse a McAndrew che il Dipartimento di stato aveva convinto la CBS a cancellare il reportage sul tunnel di Kiefholzstrasse dopo aver scoperto, grazie a un «agente doppiogiochista» (*sic*) che il tentativo era compromesso. In seguito, sempre il Dipartimento aveva scoperto che il 7 agosto qualcuno aveva visto anche Anderton nei paraggi dell'ingresso del tunnel. McAndrew ammise che il suo inviato era lì, ma spiegò che erano state le sue uniche riprese del progetto di Kiefholzstrasse. Se ne stava occupando «per dare la notizia» e nulla più. Anzi, aggiunse, la NBC aveva avuto la grande accortezza di non trasmettere quelle immagini drammatiche. Possibile, disse Greenfield, ma in futuro? Rusk era preoccupatissimo dal coinvolgimento delle reti tv americane in *qualsiasi* impresa degli scavatori berlinesi, per paura che ciò inasprisse ulteriormente le tensioni USA-URSS.

Il dirigente della NBC decise di non confessare che la sua emittente aveva già girato 1800 metri di pellicola, cioè tre ore, proprio dentro uno di quei tunnel. Non lo disse chiaro e tondo, ma era convinto che ci fossero differenze nette tra la galleria della NBC e quella della CBS. A Kiefholzstrasse avevano cominciato a scavare all'aperto. L'organizzatore dell'impresa era un personaggio sgradevole, un certo *Dicke*, che voleva ricavarci qualche quattrino. Le misure di sicurezza erano state un disastro: questo ormai lo sapevano il Dipartimento di stato, i tedeschi dell'Ovest e dell'Est, e la NBC. Il tunnel di Bernauer Strasse, al contrario, era un'impresa motivata da ideali più alti nonché un'opera ingegneristica modello. Le sue misure di sicurezza tenevano da mesi senza alcun incidente.

McAndrew non colse l'occasione per dire la verità riguardo al tunnel della NBC e preferì tacere. Rivelò, tuttavia, che secondo una fonte dell'emittente, al contrario di quanto promesso, il giorno della fuga Schorr aveva mandato un operatore all'imbocco del tunnel. Alla fine della riunione, Greenfield ebbe la sensazione che fosse andata male.[5] Il dirigente della NBC gli era sembrato ostile: niente a che vedere con l'atteggiamento di Blair Clark della CBS, l'amico di JFK. McAndrew, da parte sua, non aveva perso niente, e ottenuto invece la conferma che il Dipartimento di stato non sapeva ancora nulla del tunnel di Bernauer Strasse.

Era un normale turno serale nel tunnel di Bernauer Strasse, ormai penetrato in piena Berlino Est, sotto la "striscia della morte". Quattro ragazzi si occupavano della routine di scavi, carico e scarico, mentre le montagne di argilla umida crescevano nell'angolo del sotterraneo della fabbrica. Di colpo le luci in un tratto di galleria sfarfallarono. L'argano smise di funzionare per un istante. Poi, dopo una pausa, accadde di nuovo, e poi di nuovo.

Joachim Rudolph, che era in servizio, andò a controllare l'imbocco del tunnel. Era stato lui a collegare l'illuminazione alla scatola delle valvole della fabbrica, montata vicino al vecchio portone di legno che metteva in comunicazione il sotterraneo e il cantiere. Di solito il portone era chiuso e "sprangato" da una sola sbarra di legno. Al suo arrivo, Rudolph vide un braccio che si infilava da uno stretto varco a lato del portone, e cercava la scatola delle valvole.[6]

Allarmato, Rudolph chiese cosa diavolo stesse succedendo al di là dell'ingresso. «Aprite, so cosa succede qui!», esclamò l'intruso. Immaginava che stessero scavando un tunnel – anche lui ci aveva provato, invano, un paio di volte – e voleva disperatamente far evadere dall'Est sua moglie e due figli. Poteva aiutarli a scavare? Era una storia che aveva dell'incredibile, ma Rudolph aprì il portone per vedere meglio il visitatore. Si ritrovò davanti un giovane ansioso, di corporatura media che si chiamava (così disse) Claus

Stürmer. Almeno trenta studenti lavoravano part-time alla galleria; non tutti erano amici intimi degli organizzatori, ma arrivavano sempre con un invito chiaro e a un'ora precisa. Questa era stata la prima falla nella sicurezza.

A Stürmer parve che gli scavatori avessero visto un fantasma. Erano sporchi e apparentemente disorganizzati – fu *lui* a chiedersi se fosse il caso di fidarsi di *loro* – mentre discutevano se ordinare al ragazzo di andarsene e dimenticare il tunnel. Ma ciò significava lasciare a piede libero a Berlino qualcuno che sapeva dei loro piani e che con tutta probabilità ce l'aveva con loro e poteva parlarne con chissà chi. Meglio scoprire se il ragazzo era pulito e tentare di controllarlo in qualche modo, o almeno non perderlo di vista. Rudolph disse a Stürmer di tornare la sera dopo, quando avrebbe trovato i tre organizzatori del tunnel. Quando Stürmer seppe che due di loro si facevano chiamare Hasso e Mimmo, pensò: "Ma come? Sono nomi da cane".

Arrivato all'ora stabilita, Stürmer fu circondato dai due italiani e da Wolf Schroedter, Hasso Herschel e Joachim Rudolph, che gli ordinarono di sedersi. Uno di loro mostrò una pistola. Stürmer trasalì e sentì un chiodo della sedia che gli pungeva il sedere. Un altro scavatore, sospettando che Stürmer fosse della Stasi, aveva già contattato l'Lfv per chiedere un controllo di sicurezza.

Stürmer, che diceva di avere ventisei anni, aveva una storia notevole: non certo unica ma difficile da prendere tutta per buona. Faceva il macellaio nell'Est e l'anno prima aveva cercato di scappare con sua moglie Inge e una figlia di sei anni. Era riuscito ad attraversare il filo spinato, prima che le guardie cominciassero a sparare. Sua moglie era rimasta impietrita; l'avevano catturata insieme alla bambina e messa in galera. All'epoca Inge era incinta e venne liberata per pietà nel marzo 1962, dopo la nascita del bambino. Incoraggiato da un banchiere dell'Ovest che lavorava per i servizi segreti, Stürmer aveva cominciato a scavare tunnel per salvare la sua famiglia, salvo rinunciare dopo la morte di Heinz Jercha (quando Inge seppe che avevano trucidato un macellaio sui venticinque anni, era sicura che fosse Claus). Poi aveva cominciato a scavare un altro tunnel a Bernauer Strasse, ma la sua squadra lo aveva mollato. Disperato, aveva cominciato a curiosare in giro. E se, com'era successo a Heidelberger Strasse, ci fosse qualcun altro che scavava nei dintorni?

Infatti, la sera precedente aveva sentito dei rumori dall'interno della fabbrica di bastoncini da cocktail. Avvicinandosi aveva visto l'argilla secca che incrostava i gradini che portavano al sotterraneo. Adesso voleva unirsi alla squadra e salvare moglie e figli, uno dei quali non l'aveva mai visto. Era disposto a donare la sua auto, se necessario, e abbandonare il lavoro per scavare a tempo pieno.

Tutt'altro che convinti, gli scavatori continuarono a chiedergli ad alta voce se lo mandasse la Stasi, e a pretendere le prove che era sincero. Uno gli disse: «Se fossi in noi, *tu* non ti crederesti». Mimmo Sesta era particolarmente nervoso. Volevano anche controllare che Stürmer non possedesse armi. A questo pro si fecero dare le chiavi di casa sua, nel quartiere di Spandau. Stürmer confessò che sì, aveva una pistola, e potevano prenderla dal suo comodino. Hasso e Gigi la cercarono invano. Su cos'altro stava mentendo Stürmer? Lo legarono a una sedia, stringendogli mani e piedi. Dietro di lui, Mimmo fece il gesto di spingerlo in un buco e seppellircelo. Qualcuno gridò: «Se scopriamo che sei della Stasi, da qui non esci!».

Stürmer diede i dettagli esatti sulla posizione della pistola nascosta nel cassetto. La trovarono alla seconda visita, era una 9 millimetri che furono felici di aggiungere al loro piccolo arsenale. Trovarono anche qualcos'altro: una scatola di lettere di Inge, la presunta moglie dell'Est, in cui si parlava dei due figli. Almeno quella parte della storia, adesso, era credibile.

I sospetti su Stürmer rimasero, però, e poco prima di mezzanotte gli scavatori lo avvolsero in una coperta – senza slegarlo – e lo caricarono in fretta a bordo del furgone. Mentre lo portavano all'aeroporto di Tempelhof per essere interrogato dai membri dell'Lfv, uno scavatore lo mise in guardia: «Se cerchi di scappare, spariamo!». Gli sembrava di essere in un film di gangster americani. Quando gli dissero dove lo portavano pensò ehi, hanno dei begli agganci: "Forse mi stanno portando via da Berlino in aereo per evitare che li tradisca". Aveva sognato un volo del genere, ma non in quelle circostanze. Purtroppo per lui, non andò oltre Tempelhof. L'Lfv lo mise sotto torchio per tutta la notte. Un agente gli mostrò la scatola con le lettere. «Lettere d'amore», spiegò Stürmer. «Anche due al giorno!» Non riuscirono a far vacillare il resto della sua storia e così, il mattino dopo, lo liberarono e dissero agli scavatori che tutto sommato poteva anche essere pulito.

Dopo quell'esperienza da incubo, ringraziò la sorte e cercò un altro modo di liberare la sua famiglia? Neanche per idea. Poche ore dopo che l'Lfv lo lasciò libero, Stürmer si ripresentò al tunnel di Bernauer Strasse, pronto a lavorare. «Non ce l'ho con voi», insistette.

Gli organizzatori ne discussero di nuovo. Che fare? L'unica maniera di tenerlo d'occhio era fargli questa offerta: coprire ogni giorno un turno di scavi. In cambio gli avrebbero permesso di far passare la moglie e i figli, che però sarebbero stati gli ultimi ad attraversare il tunnel. Prima gli amici e i familiari degli altri scavatori dovevano fuggire incolumi: soltanto a quel punto Stürmer avrebbe avuto il permesso di contattare la moglie. Se non era a casa la sera della fuga, peggio per lui. Gli scavatori ricordarono a Stürmer che erano armati e pronti a sparare. O che, se avessero trovato nuove e sospette informazioni su di lui, potevano imprigionarlo in una di quelle specie di segrete nel sotterraneo del sotterraneo fino alla fine del lavoro. Nel caso fosse uno della Stasi, giurarono di non dirgli mai, nemmeno vagamente, dove o quando avevano intenzione di sbucare nell'Est. Stürmer accettò le condizioni senza battere ciglio e imbracciò la vanga.

Pochi giorni dopo la proposta, l'Mfs accettò di premiare con la Medaglia d'argento al merito dell'esercito popolare il sempre più importante informatore della Stasi "Hardy". Siegfried Uhse ricevette anche una ricompensa in denaro di 1000 marchi, non poco considerato che l'Mfs lo pagava 100 marchi circa due volte al mese. Considerata l'impresa di Uhse in occasione della retata di Kiefholzstrasse, ci si chiede cos'avrebbe dovuto fare per meritare la medaglia d'oro. I suoi responsabili scrissero un elogio di due pagine:

Grazie ai rapporti e alle informazioni dell'IM [l'informatore], è stata impedita un'ambiziosa, organizzata e violenta incursione oltrefrontiera di terroristi dell'Ovest, e arrestate le persone coinvolte. I banditi armati progettavano di penetrare nel territorio della DDR attraverso un tunnel scavato da Berlino Ovest alla Berlino Democratica, garantendosi la riuscita dello sfondamento con le armi [...] all'incursione violenta avrebbero dato grandissimo risalto stampa, radio e televisione dell'Ovest [...]

L'IM ha mostrato prontezza operativa e dedizione, affidabilità, spirito di iniziativa e coraggio. Grazie alla giudiziosa azione dell'IM è stato possibile arrestare in totale 40 individui, compresi quattro membri dell'organizzazione terroristica di Berlino Ovest con un ruolo di primo piano nell'organizzazione e nell'esecuzione delle azioni sovversive al confine con la Berlino Democratica.

Il premio era approvato da un appunto manoscritto sulla prima pagina: «Visto, Mielke». Erich Mielke era il capo dei capi della Stasi.[7]

Intanto la Stasi aveva completato un altro rapporto interno sulla retata di Kiefholzstrasse, che per il momento totalizzava quarantasei arresti.[8] Sei prigionieri, tra i quali Wolf-Dieter Sternheimer, gli Stachowitz e i Sendler, rimanevano sotto la stretta sorveglianza dell'MfS. Il rapporto includeva una sezione insolita, intitolata "Ragioni per fuggire illegalmente" dalla DDR e basata sugli interrogatori. Risultato: undici persone avevano cercato di andarsene per raggiungere fidanzati o fidanzate nell'Ovest, altrettante per ricongiungersi ad amici o parenti; cinque avevano detto di sperare in una migliore qualità della vita oltreconfine; due volevano evitare il servizio di leva; uno ambiva soltanto ad andare a scuola nell'Ovest.

I corrieri continuavano a subire lunghi interrogatori diurni e notturni. Dopo diverse sessioni, Sternheimer aveva stabilito che a smascherare la fuga doveva essere stata una fonte interna al Gruppo Girrmann, con tutta probabilità il ragazzo magro con la giacca di nylon, Siegfried Uhse.[9] Gli sembrava strano che gli uomini della Stasi gli domandassero spesso dei suoi colleghi corrieri, come Hartmut Stachowitz, e di altri fiancheggiatori del Gruppo, senza mai fare il nome di Uhse. Inoltre sembravano conoscere dettagli della casa di Sternheimer dove soltanto Uhse era entrato. Purtroppo per il Gruppo Girrmann, Sternheimer non poteva comunicare a nessuno i suoi sospetti, e rischiava di non riuscirci mai. Per chi alloggiava in una prigione della Stasi, il mondo cessava di esistere a tempo indeterminato.

Sulle prime, Manfred Meier aveva sperato che la Stasi non lo trattenesse a lungo perché, a quanto ne sapeva, né la sua ragazza Britta né il suo compagno di cospirazione Sternheimer erano stati arrestati. Poi scoprì che avevano fermato quest'ultimo, e uno di quelli che lo stava interrogando gli disse: «Tanti saluti da Britta Beyer».[10]

Sotto il fuoco di fila delle domande si trovava anche Dieter Gengelbach, il più importante corriere di Fritz Wagner. Interrotti gli studi a quattordici anni, nel 1956 era fuggito nell'Ovest dove si era sposato e lavorava per dei macellai. Lo avevano arrestato otto giorni dopo il fiasco di Kiefholzstrasse. Nonostante il rischio che uno dei fermati avesse fatto il suo nome (andò proprio così), era stupidamente tornato nell'Est. Non ci mise molto a confessare alla Stasi: «Faccio parte di un'organizzazione che traffica in fuggiaschi».[11]

Gengelbach fu altrettanto diretto quando gli chiesero dell'origine del tunnel di Kiefholzstrasse. Rivelò che nell'inverno precedente il famoso ciclista Harry Seidel aveva individuato il punto di ingresso. Scoperto che la falda acquifera era troppo alta, era tornato in giugno, cominciando da «un mini-bunker circondato dai cespugli» e avendo come obiettivo la casa dei Sendler. Dopo aver scavato i primi due terzi della galleria, Harry aveva informato un uomo dell'LFV, Mertens, che gli serviva aiuto. Mertens aveva contattato un'altra squadra, che aveva completato gli scavi e i «preparativi per la fuga». Un certo Hasso aveva guidato il «gruppo di studenti» incaricato di aprire l'ultima breccia.

Riguardo agli altri tunnel, Gengelbach spiegò: «So anche che il gruppo degli studenti [guidati da Hasso] sta costruendo una galleria sotto un edificio di Bernauer Strasse. Pare che sia lunga

150 metri, a sette metri sotto il livello del suolo, e che il lavoro sia difficile per via della terra argillosa e dura. Ho sentito anche dire che vicino a questo tunnel c'è una tubatura dell'acqua rotta, nel territorio di Berlino Est». Era come minimo la terza soffiata che la Stasi riceveva quel mese riguardo al tunnel della NBC.[12]

Anche Friedrich Sendler aveva sostenuto ripetuti interrogatori e cambiato la sua versione. All'inizio ammise di aver parlato già a febbraio, con uno sconosciuto, della possibilità di un tunnel (in febbraio Harry Seidel aveva fatto il suo primo breve tentativo di scavare in zona). Un capomastro della compagnia elettrica gli aveva fatto notare che casa Sendler era in una posizione perfetta come punto d'arrivo di un tunnel dall'Ovest. Sognava di raggiungere sua madre a Berlino Ovest: si poteva fare, magari con l'aiuto di Sendler? Questi sostenne di aver considerato la proposta «un'idea come un'altra».

Poi uno dei due Sendler, o entrambi, rivelarono di aver ricevuto misteriose telefonate e visitatori a casa nei giorni precedenti alla tentata fuga. Il 4 agosto un certo Gengelbach aveva chiamato Friedrich Sendler per chiedergli se avesse bisogno di manodopera nel suo laboratorio. Non se ne fece nulla (che coincidenza: il più importante corriere di Fritz Wagner che chiedeva un lavoro inesistente). Poi, alla vigilia della fuga, un altro sconosciuto era andato dai Sendler a cercare lavoro come falegname, salvo trovare in casa soltanto la madre di Herr Sendler. Quell'uomo, o un altro – forse nel tentativo disperato di confermare che i Sendler erano d'accordo con il piano di evasione – chiamò anche l'indomani, poco prima che gli scavatori aprissero la breccia, e chiese se il "lavoro" inesistente fosse ancora disponibile.

I Sendler negarono più volte di aver incoraggiato i *Fluchthelfer*, ma la Stasi non ci credeva. Un rapporto dell'Mfs concludeva che il 7 agosto, quando Edith Sendler era uscita di casa dopo essersi accorta dei buchi nel pavimento del salotto, lei e suo marito avevano «intenzione di andarsene dalla loro proprietà». Chiarito dagli agenti che ciò era impossibile, Frau Sendler «non ha potuto non rivelare» cosa stava succedendo sotto le sue assi.

A Berlino l'alba del 17 agosto era grigia e piovosa. Peter Fechter e Helmut Kulbeik, i giovani muratori, lavorarono quasi tutta la mattina al cantiere dell'Altes Palais, poi andarono a bere una birra con due colleghi dalle parti della zona militare. Prima di tornare al lavoro sotto il cielo bigio del pomeriggio, capirono che era un'occasione d'oro per staccarsi dal gruppo e fuggire.[13] Forse erano stati toccati nell'animo dalle manifestazioni che ancora infuriavano quattro giorni dopo l'anniversario del Muro. Peter era ancora arrabbiato per come la DDR gli aveva negato di fare visita a sua sorella nell'Ovest.

Dissero ai colleghi che passavano a comprare le sigarette, presero qualcosa da mangiare al volo e andarono verso la fabbrica che avevano individuato diversi giorni prima. Era affacciata sul confine lungo Schützenstrasse, a due isolati a sud del Checkpoint Charlie. Soltanto una corsa la separava dal Muro. Con i loro abiti blu da lavoro, una sorta di travestimento, i due ragazzi entrarono dalla strada e si levarono le scarpe per non fare rumore. Scoprirono che tutte le finestre del retro, al primo piano, erano murate, tranne una, piccola e sbarrata dal filo spinato, che faceva entrare un po' di luce. Staccarono chiodi e staffe e smontarono il filo. Poco più in là, per terra, c'era un enorme mucchio di trucioli di legno, dietro il quale decisero di nascondersi e, così speravano, riposarsi fino a sera, quando il calare del buio li avrebbe coperti. Il caldo d'agosto – e l'ansia, senza dubbio – impediva loro di dormire. Trascorsero più di un'ora così, in silenzio.

Poco prima delle 14 sentirono delle voci nella fabbrica. Forse qualcuno aveva notato la finestra senza il filo. Nel timore di essere scoperti, decisero di correre verso il Muro in pieno giorno non appena le voci si fossero allontanate. Peter, di qualche centimetro più basso dell'amico, si infilò nella finestra proprio mentre Kulbeik notava un falegname che entrava nella stanza. Questo li vide ma, sorpreso, non disse nulla, poi se ne andò, forse a informare gli altri. Kulbeik seguì Fechter fuori dalla finestra, atterrando il più vicino possibile alla facciata del palazzo per rimanere nel punto cieco delle guardie della DDR, che qualche decina di metri più a destra sorvegliavano la zona. Poi saltarono oltre il filo spinato e, con Peter in vantaggio di qualche passo, sfrecciarono nella stretta "striscia della morte" verso al muro, ormai lontano una decina di metri.

Senza che nessuno desse l'avvertimento previsto dalle regole della DDR, due kalashnikov automatici fecero fuoco. Kulbeik scattò davanti a Fechter e riuscì ad arrampicarsi sul Muro e infilarsi in mezzo al filo spinato teso sull'orlo dai supporti a V. Era pronto a scavalcare, aveva giusto qualche graffio al petto, ma vide Peter ancora immobile ai piedi del Muro, probabilmente troppo scioccato dall'improvvisa scarica di fucile.

«Sbrigati, svelto, salta!», gli gridò, e si lasciò cadere sul lato occidentale del Muro. Forse Fechter aveva pensato di scalare il Muro e aveva capito che da fermo non ce l'avrebbe mai fatta. L'unica opzione era ripararsi dietro uno dei puntelli di cemento che spuntavano dal Muro a intervalli di qualche metro e decidere se provare ad arrampicarsi o arrendersi. Ma i puntelli, larghi meno di un metro, lo riparavano soltanto dagli spari che venivano da destra. A un certo punto i proiettili giunsero anche dalla direzione opposta (alcuni, come segnala il diario dell'ufficiale di servizio alle 14.14, colpirono l'edificio a destra del Checkpoint Charlie). Dalla loro postazione, le guardie di confine di Berlino Est, Erich Schreiber e Rolf Friedrich, fresche di arruolamento e ancora inesperte, avevano esploso una ventina di colpi verso l'inerme Fechter. Un proiettile d'acciaio calibro 7,62 lo colpì all'addome trapassandolo. Fechter crollò a terra: iniziò a perdere molto sangue e a urlare per il dolore, a mezzo metro dal Muro.

Tutto questo accadeva sotto gli occhi della diciassettenne Renate Haase, che davanti a un ufficio poco lontano aspettava il suo ragazzo. Aveva appena completato un corso della Croce rossa e si sentiva in dovere di intervenire, ma quando corse verso il giovane ferito una guardia la ricacciò indietro gridando: «Non puoi! C'è una sparatoria in corso!».

Lei strillò per tutta risposta: «Porci! Criminali!» e pretese che qualcuno fotografasse le guardie che avevano sparato. I passanti la tennero a bada.[14]

Nel frattempo, al di là del Muro, uno sconvolto Kulbeik correva verso il quartier generale del magnate della stampa Axel Springer. Notò due soldati americani e attirò la loro attenzione. Quelli lo caricarono su una jeep e lo portarono via. Poi arrivò un'auto della polizia di Berlino Ovest. Diversi cittadini avevano formato capannelli in uno spiazzo dal quale si sentivano le urla di Fechter: «*Helft mir doch, helft mir doch!*» (Qualcuno mi aiuti! Qualcuno mi aiuti!) Un agente si arrampicò sul Muro e mise la testa oltre la corona di filo spinato, il regolamento gli impediva tassativamente di oltrepassare la linea di demarcazione. Vide il giovane sdraiato sulla schiena. Un altro ufficiale di polizia dell'Ovest cercò di parlare con Fechter e gli lanciò delle bende, ma la vittima, troppo debole per agguantarle, si rannicchiò sul fianco in posizione fetale.

Alle 14.17 un giovane tenente americano del Checkpoint Charlie chiamò il maggior generale Albert Watson, comandante della guarnigione americana a Berlino, per chiedergli istruzioni. Watson rispose: «Resistete. Mandate una pattuglia ma rimanete dalla nostra parte!». Mentre sei agenti della polizia militare americana giungevano sul posto, circa 250 berlinesi dell'Ovest stavano gridando verso l'Est: «Criminali! Assassini!». Oltrepassando la catena di comando, il generale Watson chiamò il suo comandante in capo direttamente alla Casa Bianca, e chiese ordini sul da farsi a Kennedy in persona. JFK era in visita in Colorado, ma il suo principale consulente militare, il generale Chester V. Clifton, gli riferì della situazione. «Signor presidente», disse, «un fuggiasco sta morendo dissanguato ai piedi del Muro di Berlino.»[15]

Alle 14.40, mezz'ora dopo i primi spari, un interprete tedesco dell'esercito americano comunicò che un ragazzo era «ferito e sdraiato contro il muro dalla parte orientale. È in grado di parlare con il personale sul lato occidentale del muro». Gli americani tenevano d'occhio eventuali movimenti di truppe dell'Est verso il luogo degli spari. La polizia di Berlino Ovest chiese l'intervento di un'ambulanza americana.

Tra coloro che udirono le grida di Fechter c'era Margit Hosseini, apprendista libraia che era stata a trovare alcuni amici nell'Est. Avevano sentito che stava accadendo qualcosa dalle parti del Muro ed erano usciti per guardare da una finestra del quarto piano. La ragazza vide l'uomo a terra, con le ginocchia piegate verso il petto. Lo sentì urlare e implorare aiuto, prima che la voce si facesse più fioca, fino a tacere completamente. Si sentì all'improvviso inutile, e ne rimase ferita.[16]

Anche Wolfgang Bera, un giovane fotografo di Berlino Ovest, aveva sentito gli spari ed era accorso. Sulle prime pensò che non ci fosse nulla da vedere, poi si accorse di un'anziana affacciata alla finestra di un condominio, al di là del Muro. Con il dito lei gli indicò la barriera, poi tirò la tenda. Wolfgang capì subito. Trovò una scala, salì su Muro e vide sotto di sé il ragazzo che sanguinava. Infilò la sua piccola Leica oltre il filo spinato e immortalò Fechter sdraiato sul fianco, con il braccio destro allungato e la mano aperta. Il sangue gli gocciolava sul palmo, lo riempiva.[17] Bera scese, intuì che la paralisi della polizia su entrambi i lati del Muro significava che soltanto gli americani potevano prendere l'iniziativa, e corse a chiedere aiuto al Checkpoint Charlie. I soldati non batterono ciglio. Uno gli disse: «Non è un problema nostro». Cinque parole che sarebbero passate, purtroppo, alla storia.

Nei paraggi c'era poi il giornalista freelance Herbert Erts, che cercava quotidianamente notizie da filmare a Berlino Ovest, spesso percorrendo centinaia di chilometri al giorno lungo i confini dei settori, a bordo del suo Maggiolino Volkswagen. Si era appena fermato a comprare un obiettivo nuovo in un negozio di Friedrichstrasse, quando udì gli spari. Fu subito tra i berlinesi dell'Ovest radunatisi mentre i soldati giravano a vuoto e un elicottero americano vegliava dall'alto. Salì su una delle piattaforme di osservazione disseminate lungo il lato occidentale del Muro e cominciò subito a filmare tutto, senza nemmeno sapere che cosa stava succedendo.[18] La voce cominciò a girare, arrivarono altri giornalisti e fotografi. Le guardie dell'Est risposero lanciando lacrimogeni, nel tentativo di bloccare la visuale. Ne spararono anche verso Fechter, forse per nascondere il corpo agli obiettivi e ai curiosi, o per poterlo recuperare celandosi nella nebbia.

Tornato al Muro, Bera inserì un teleobiettivo sulla sua Leica, salì su un piedistallo basso fissato al terreno e, sollevando la macchina fotografica sopra la testa, scattò una delle foto simbolo della guerra fredda: quattro guardie di confine della Germania Est che, cinquanta minuti dopo avergli sparato, trascinano via il corpo inerte di Fechter. Un'altra immagine sconvolgente ritrae una delle guardie mentre porta in braccio Fechter verso il veicolo della polizia che lo porterà in ospedale.

Da un piccolo punto rialzato, Ernst catturò quegli stessi momenti con la cinepresa. Immortalò un VoPo che prendeva Fechter per le ascelle e un altro che lo prendeva per i piedi – "come un sacco", pensò – mentre si affrettavano per Charlottenstrasse (questa sequenza, lunga appena quaranta secondi, fu la prima in assoluto a mostrare il recupero di un fuggitivo dal Muro). Passarono davanti a Renate Haase e al suo ragazzo, che insultarono i VoPo ad alta voce. La giovane coppia, che l'indomani intendeva annunciare il fidanzamento ufficiale e il matrimonio, fu subito arrestata e trasferita in una vicina stazione di polizia.

Il generale Watson chiamò di nuovo la Casa Bianca – dalla quale non aveva ricevuto ordini – per informare che «la questione si è risolta da sé».[19]

Nel tardo pomeriggio, intorno al Checkpoint Charlie si radunarono centinaia di berlinesi dell'Ovest, infuriati. Alle 17 la Prima brigata di frontiera di Berlino Est ricevette la notizia che «il ferito era deceduto». Quasi due ore dopo, due giovani berlinesi dell'Est si sporsero con un cartello da una finestra al terzo piano di un palazzo vicino al Checkpoint Charlie. Un interprete americano riuscì a dire loro, a gesti, di usare un cartello più grosso, e così fecero.[20]

C'era scritto: «È morto».

Giunta sera, la folla dei manifestanti raggiunse le migliaia di persone. Tanti urlavano «assassini!» alle tre guardie che da Berlino Est li guardavano impassibili, con le pistole automatiche sfoderate. Altri VoPos lanciarono lacrimogeni oltre il Muro. La polizia dell'Ovest rispose con i propri candelotti.

Poi scoppiò la rivolta. La folla cominciò a lanciare sassi, bottiglie e pezzi di ferro contro la polizia di frontiera dell'Est. I VoPos risposero con fumogeni e gas lacrimogeno. Le autorità di Berlino Ovest mandarono la polizia a disperdere la folla, che se la prese anche con le forze dell'ordine. All'arrivo della polizia militare alleata, i manifestanti arrabbiati contro gli americani che non avevano aiutato Fechter gridarono: «Yankee codardi! Traditori! *Yankees go home!*». In questo caos, l'autobus che portava le sentinelle sovietiche a vegliare sul loro monumento ai caduti nel settore britannico cercò di fare la sua solita strada; la folla lo prese a sassate e sfondò i finestrini. All'interno, si vedevano i soldati russi che si proteggevano con le mani sulla faccia, ma l'autobus non rallentò. Al ritorno, ci volle una scorta di poliziotti militari britannici per riaccompagnarlo nell'Est.

A quel punto le drammatiche foto di Wolfgang Bera erano pronte per essere pubblicate sul "Bild Zeitung", mentre un'importante emittente tedesca aveva comprato le riprese di Herbert Ernst per 100 marchi (più due bottiglie di whisky, da un'agenzia fotografica, in cambio di alcuni fotogrammi).

A Berlino Est il giovane fotografo Dieter Breitenborn, che lavorava per la rivista "Neue Zeit" di Zimmerstrasse, stava per sviluppare i suoi scatti. Aveva immortalato la tragedia di quel pomeriggio da un'altra prospettiva, affacciato alla finestra del suo ufficio che dava sul Muro: il corpo di un ragazzo ai piedi della barriera, gli elicotteri in cielo, i fumogeni, il tardivo recupero della vittima inerte (ritratto in una serie di diversi inquietanti scatti). Mentre cominciava a lavorare nella camera oscura, sentì bussare alla porta. Un suo collega, da tempo sospettato di essere un informatore della Stasi, gli disse: «Dammi la pellicola!». Breitenborn non ebbe il coraggio di opporsi.[21]

Quella sera, altri agenti della Stasi si presentarono a casa Fechter a Weissensee. Chiesero dove fosse il ragazzo e perquisirono l'appartamento in cerca di armi o documenti politici illegali, ma uscirono a mani vuote. Alla fine fecero capire ai Fechter, senza dirlo chiaro e tondo, che forse, quel pomeriggio, davanti al Muro, qualcuno aveva sparato a Peter.

Harry Seidel (*a sinistra*), campione di ciclismo della Germania Est, fuggito nell'Ovest liberò decine di altre persone usando tunnel e altri espedienti per superare il Muro.

Fototessera ufficiale, dall'archivio della Stasi, dell'informatore Siegfried Uhse, nome in codice "Hardy". Nel 1962 contribuì a far arrestare decine di tedeschi dell'Est.

Divisa al suo centro dal Muro, Heidelberger Strasse, la famosa "Via delle lacrime", fu scelta come punto di attraversamento per buona parte dei primi tunnel.

L'ingegnere Joachim Neumann, intenzionato a garantire alla sua fidanzata una via di fuga dall'Est.

I tre organizzatori del tunnel del 1962 sotto Bernauer Strasse – protagonisti di *The Tunnel* della NBC – per le strade di Berlino. Da sinistra: Gigi Spina, Mimmo Sesta e Wolf Schroedter.

Joachim Rudolph fece da capo elettricista per il tunnel di Bernauerstrasse e partecipò ad altri piani di sfondamento a Est.

Hasso Herschel giurò che non si sarebbe tagliato la barba finché sua sorella Anita e la nipote non avessero attraversato incolumi il suo tunnel. Pur di riuscirci guidò due operazioni di sfondamento.

I pezzi grossi della NBC nei pressi del tunnel di Bernauer Strasse, su uno sfondo di palazzi con porte e finestre sbarrate. Da sinistra: il capo della redazione berlinese Gary Stindt, il produttore Reuven Frank e l'inviato Piers Anderton. Dietro la cinepresa c'è probabilmente Harry Thoess.

L'inviato della NBC Piers Anderton all'imbocco del tunnel di Bernauer Strasse, che nel primo tratto aveva una forma triangolare e poi diventava più squadrato.

Nell'estate 1962 una brutta infiltrazione d'acqua causò l'interruzione dei lavori di scavo a Bernauer Strasse.

Daniel Schorr della CBS trovò il suo tunnel berlinese molto più tardi di Piers Anderton, ma sarebbe stato il primo a trarne un documentario se non fossero intervenuti il Dipartimento di Stato, la Casa Bianca e il suo stesso capo.

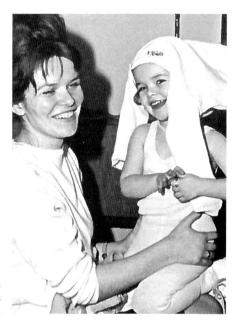

Il tunnel di Bernauer Strasse nacque, in primis, per salvare la famiglia Schmidt (nella foto, Eveline Schmidt e la figlia Annett).

Il segretario di stato Dean Rusk cercò, con il sostegno del presidente Kennedy, di impedire che la televisione desse notizia dei tunnel.

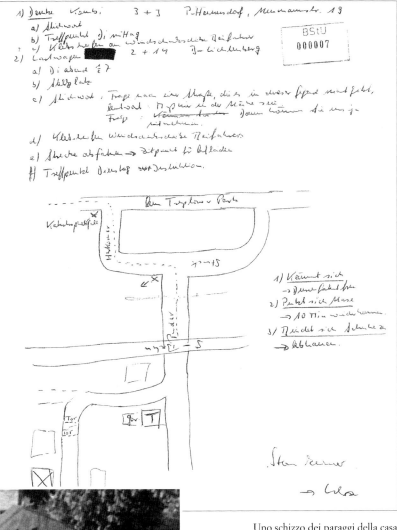

Uno schizzo dei paraggi della casa di Friedrich e Edith Sendler, nel cui soggiorno doveva sbucare il tunnel di Kiefholzstrasse. La mattina dell'evasione un corriere diede a Siegfried Uhse il disegno, con annotati i punti di raccolta dei fuggiaschi e i segnali convenuti.

7 agosto 1962: gli agenti della Stasi entrano in casa Sendler per arrestare gli scavatori del tunnel di Kiefholzstrasse.

17 agosto 1962: questa celebre foto ritrae le guardie di confine dell'Est mentre recuperano il cadavere di Peter Fechter, diciotto anni, ucciso mentre cercava di scappare nell'Ovest.

Veduta sul Muro e Schönholzer Strasse dalla finestra dell'appartamento che aveva affittato la NBC. Il civico 7, dove il tunnel stava per sbucare, è all'estrema destra. Un lenzuolo appeso alla finestra dell'appartamento segnalava ai corrieri e ai fuggiaschi che la via era libera.

14 settembre 1962: Ellen Schau, una dei corrieri, filmata da Peter Dehmel della NBC mentre si dirige alla stazione della S-Bahn, punto di partenza del suo fatidico viaggio nell'Est.

Eveline Schmidt, con la sua borsetta, fu la prima a uscire dal tunnel.

Anita Moeller, sorella di Hasso Herschel, esce dal tunnel con il suo abito da sposa di Dior lacerato.

L'ultimo tunnel di Harry Seidel, completato nel novembre 1962, seguiva questo tracciato dall'Ovest fino allo sbocco in una casa nell'Est. La Stasi piazzò dell'esplosivo tra le due case.

Quattro dei più importanti scavatori di Bernauer Strasse, quasi mezzo secolo dopo, davanti al civico 7 di Schönholzer Strasse fresco di ristrutturazione. Da sinistra: Uli Pfeifer, Joachim Rudolph, Joachim Neumann, Hasso Herschel.

11

Il martire
18-31 agosto 1962

L'omicidio di Peter Fechter colpì i tedeschi dell'Ovest come un pugno nello stomaco. Sulla prima pagina del "Bild Zeitung", il quotidiano più letto del paese, spiccavano un'enorme ingrandimento della foto di Bera con le quattro guardie che portavano via Fechter e il titolo *I VoPos lasciano morire dissanguato un diciottenne – e gli americani stanno a guardare*. Il "Morgenpost" pubblicò la stessa foto e, a grandi lettere, l'implorazione di Fechter in punto di morte: *Helft mir doch, helft mir doch!*

L'eco della vicenda risuonò anche all'estero. A Londra, il "Guardian" commentò che la polizia aveva portato via Fechter «come un sacco di patate». Il "New York Times" pubblicò in prima pagina un'altra foto di Bera, quella con le due guardie che caricano su un'auto la vittima inerte e non identificata, con il titolo *I rossi tedeschi sparano a ragazzo in fuga e lo lasciano morire sotto il Muro*. Il "Neues Deutschland" della Germania Est, da par suo, riportò che due «criminali in fuga» avevano cercato di scappare aiutati dalla polizia di Berlino Ovest. Poiché non avevano risposto ai «ripetuti avvertimenti e domande» (cosa peraltro falsa) la polizia di frontiera era stata costretta a ricorrere «all'uso delle armi da fuoco». L'autopsia ufficiale del giorno dopo, mai resa pubblica, stabilì che soltanto un proiettile sui quasi trenta sparati aveva colpito Fechter, all'anca. Possibile che qualche guardia l'avesse mancato di proposito?[1]

Sul luogo dell'uccisione, davanti alle strutture militari americane e al Checkpoint Charlie scoppiarono violente manifestazioni di protesta; al Checkpoint apparve un cartello contro gli Stati Uniti, con scritto «Potenza protettrice = Complice degli assassini». Ancora una volta l'autobus che portava i soldati sovietici al monumento ai caduti fu preso a sassate, che ruppero un finestrino. Le autorità americane a Berlino ammisero che «l'indignazione» della cittadinanza era comprensibile, e promisero di cercare nuovi modi di reagire alle brutalità nei pressi del Muro.[2] Un ufficiale dell'esercito americano disse ad Arthur Day, capo degli affari politici presso la Missione di Berlino, che «ci saranno ripercussioni pesanti».[3] Nell'Ovest, a pochi metri da dov'era caduto Fechter, furono eretti una grossa croce di legno e una corona.

Dall'altra parte del Muro, i poliziotti dell'Est sorvegliavano ossessivamente il monumento improvvisato. Alle 8.40 del mattino contarono quindici persone venute a posare fiori; alle 10.25 altre cento. A mezzogiorno vi si erano radunati più di cinquecento manifestanti. Liselotte, la sorella di Fechter, arrivò insieme al marito a posare un'altra corona. Una guardia di confine della DDR si sporse al di là del Muro e si appuntò la scritta: «In muto ricordo, tua sorella Lilo, tuo cognato Horst. Volevi la libertà e hai dovuto morire».[4]

Proprio in quel giorno assurdo, un'adolescente strisciò sotto il filo spinato nel quartiere di Spandau e scatenò una sparatoria, ma fuggì appena in tempo. Non rimase ferita ma dovettero ricoverarla in stato di choc.

Anche i ragazzi che da Bernauer Strasse scavavano sotto la "striscia della morte" erano furiosi per l'assassinio di Fechter, avvenuto meno di cinque chilometri più a sud. Come molti di loro in passato, Fechter era deciso a scappare dall'Est, ma il suo tentativo era stato particolarmente rischioso e aveva fallito. A quel punto, alcuni degli scavatori che possedevano un'arma erano ancora più disposti a usarla durante un'azione di fuga, se necessario. Altri confessarono di voler andare subito a sparare a un VoPo, per vendetta. Uno degli organizzatori del tunnel ritagliò le crude foto pubblicate dai giornali in cui Fechter moriva dissanguato o veniva portato via morto, e le affisse nel cantiere, per motivarli. Joachim Neumann rifletté: "Tipico del regime dell'Est, non soltanto sparare a un ragazzo, ma rifiutarsi di aiutarlo". Quando i muscoli o l'entusiasmo si infiacchivano, le immagini di Fechter, eroe e martire, li rafforzavano.[5]

Il rapporto ufficiale dell'Est sull'uccisione di Fechter concludeva in poche righe che le azioni delle guardie erano state «corrette, efficienti e determinate. L'uso delle armi era giustificato». Due militari e due agenti presenti sul luogo del delitto furono premiati.[6] A Daniel Schorr, spedito dalla CBS a Cipro per occuparsi di un reportage di secondo piano, faceva rabbia essere così lontano dall'azione: chiese di poter tornare al più presto.

Hartmut e Gerda Stachowitz continuavano a ignorare dove si trovassero il rispettivo coniuge né il figlio, Jörg, sequestrato dopo la retata di Kiefholzstrasse. Gerda era chiusa nel carcere femminile di Barnimstrasse (dove un tempo era stata anche Rosa Luxemburg) ma ancora non sapeva quando l'avrebbero processata. Hartmut, nella temuta Hohenschönhausen, si preparava ad andare in tribunale a fine agosto, per quella che si annunciava l'ennesima messa in scena del regime. Entrambi erano stati duramente interrogati giorno e notte. Hartmut, veterinario, era accusato di aver sprecato l'ottima istruzione ricevuta dallo stato comunista.

A differenza di tanti altri arrestati, si era rifiutato di fare nuovi nomi o rivelare alla Stasi dettagli sull'operazione clandestina, rispondendo spesso «non lo so» alle domande (a coordinare alcuni suoi interrogatori fu Herr Lehmann, il principale responsabile di Siegfried Uhse). Quando gli chiesero di identificare Sternheimer finse di non sapere nulla, e di Joan Glenn fece giusto il nome sapendola al sicuro nell'Ovest. Quando parlò dell'incontro con Uhse lo chiamò «il tizio con la giacca di nylon» e aggiunse che gli sembrava molto considerato dal Gruppo Girrmann.[7]

Ogni volta che Gerda domandava di suo figlio, il membro della Stasi che la stava interrogando la sgridava dicendole: «Non sei degna di crescere un figlio in una società socialista» o «Lo rivedrai, forse, se ci dici tutto quello che sai». Hartmut si pentì di non avere mai stabilito con sua moglie che cosa dire in simili circostanze, nelle quali nessuno dei due aveva mai osato immaginarsi. Entrambi scoprirono presto che, se era saggio riferire almeno qualche dettaglio vero durante l'interrogatorio, era tassativo non lasciarsi sfuggire una parola con gli altri detenuti. In carcere la Stasi aveva organizzato una rete di informatori non meno efficiente di quella nel mondo esterno, e chi si lamentava del trattamento o delle condizioni in prigione rischiava di essere accusato di un ulteriore crimine: *Staatshetze*, istigazione alla rivolta.[8]

Una svolta avrebbe potuto dare loro conforto, ne fossero stati al corrente. L'ultima volta che Gerda aveva visto Jörg era stato la notte dell'arresto, in una stanza degli interrogatori, addormentato su un tavolo con il pannolino fradicio. Il giorno dopo, all'insaputa della madre, il piccolo era stato affidato a una famiglia di Berlino Est che l'aveva prontamente iscritto a un asilo nido. Quella settimana una dipendente dell'asilo ne riconobbe il cognome: lo stesso della figlia di una sua conoscente, che dopo il matrimonio aveva assunto quello di Stachowitz. La sua conoscente era nientemeno che la nonna di Jörg, che non vedeva il piccolo da quando Gerda e il marito erano «usciti a prendere un caffè con gli amici» il 7 agosto. Il dipendente affidò allora il bambino alla nonna. Fu un momento tenero. Se soltanto avessero potuto scordare che i genitori erano confinati in una prigione della polizia di stato, per un tempo indeterminato.[9]

Sempre a Hohenschönhausen, anche Manfred Meier continuava a subire gli interrogatori della Stasi, lunghi ore e ore. Volevano a tutti i costi fargli ammettere che il giorno della fuga un commando di tedeschi dell'Ovest era pronto ad aprire il fuoco in Kiefholzstrasse. Lui rispose che non ne sapeva niente. Non poteva immaginare che presto sarebbe diventato una star della tv. Un giorno, un agente della Stasi gli annunciò: «Buone notizie! Forse ti abbiamo arrestato per sbaglio. Hai la possibilità di difenderti!». La Stasi aveva deciso di mandarlo in televisione a «raccontare la sua storia».[10]

L'MfS non stava lasciando niente al caso. Il 20 agosto, un giorno prima della trasmissione sul canale televisivo di stato, un funzionario della Stasi presso l'Agit-Prop (il Dipartimento dell'agitazione/propaganda, che nome meraviglioso) redasse un dettagliato canovaccio – a tutti gli effetti il copione – del programma. «L'obiettivo dell'intervista dovrebbe essere spiegare che [il 7 agosto] una violenta agitazione sul confine» era stata scongiurata soltanto «grazie all'intervento degli organi di sicurezza della DDR.» In apertura del programma, il conduttore avrebbe dichiarato che dietro il tunnel c'era il Gruppo Girrmann, deciso a usare «le armi da fuoco e le tattiche terroristiche» che da sempre, inevitabilmente, prediligeva. Poi avrebbe mostrato cartine e foto della scena del crimine. Di seguito avrebbe intervistato Meier, uno degli "organizzatori" del tunnel, per approfondire gli incontri con Sternheimer nei quali aveva discusso l'operazione e i "sopralluoghi" a casa Sendler. Non gli avrebbe domandato delle armi, perché era probabile che Meier avrebbe negato: era l'ultima cosa che la Stasi desiderava.[11]

Il copione continuava con quello che Edith Sendler avrebbe dovuto dire per spiegare cos'era successo il giorno della fuga. Doveva dirsi "indignata" per l'indesiderata invasione di casa sua, dopodiché il conduttore avrebbe mostrato le foto della breccia aperta nel pavimento del salotto. Avrebbe elogiato gli agenti della Stasi che avevano fermato gli invasori, senza precisare che li avevano lasciati scappare. Infine, sempre secondo il copione, due tedeschi dell'Ovest che presumibilmente avevano collaborato con il Gruppo Girrmann, dovevano testimoniare riguardo all'acquisto di mitragliatrici americane e al possibile utilizzo degli esplosivi.

Il mattino dopo, Meier si vide restituire i suoi abiti da civile.[12] Tre agenti della Stasi lo bendarono e lo accompagnarono a bordo della limousine con i finestrini oscurati che doveva portarlo all'emittente tv (prima di coprire gli occhi a Meier, un agente si alzò il bavero della giacca e mostrò una pistola, dicendo «perché tu non ti faccia venire strane idee»). Arrivato in studio, Meier rifiutò il caffè nel timore che fosse drogato o avvelenato. «Puoi berlo», gli garantì un agente. «Solo veri chicchi cubani!»

Poi Meier fu intervistato da Karl-Eduard von Schnitzler, principale addetto stampa della DDR, nonché famigerato propagandista radiofonico. L'intenzione era di registrare il tutto per una trasmissione da irradiare più tardi, quello stesso giorno, dal momento che la Stasi non poteva fidarsi delle incognite di una trasmissione in diretta. Meier ammise di aver contribuito ad aiutare i fuggiaschi (non poteva fare altrimenti), ma non fu abbastanza. I conduttori del programma insistettero perché ammettesse che molti dei *Fluchthelfer* del 7 agosto erano armati fino ai denti e avevano intenzione di scatenare un bagno di sangue. Lui negò, spiegando che mai sarebbe ricorso alla violenza, e che quel giorno non aveva visto armi. Finita l'intervista, Meier si rese conto che, trattandosi di una registrazione, l'avrebbero senza dubbio rimontata per modificare le sue risposte.

Andò proprio così. La sua paura di un bagno di sangue risultò figlia della sicurezza che gli "estremisti" e i "gangster" dell'Ovest erano decisi a scatenarlo. Il giorno dopo, il "Neues Deutschland" riprese l'intervista corredandola con una grossa foto di Meier («membro del famigerato gruppo terrorista Girrmann»), in studio, con gli occhiali. Il titolo era: *Istigatori sociali di Bonn e degli USA progettavano azioni sanguinose e omicidi.*

In una Berlino Ovest scandalizzata dalla vicenda Fechter, le manifestazioni – contro i sovietici, gli americani, la polizia, forse anche l'intero genere umano – continuavano, e non davano segno di rallentare. Un altro autobus sovietico venne assalito, e una decina e più di finestrini sfondati. Migliaia di persone, soprattutto giovani, lanciarono sassi oltre il Muro e cercarono di dare fuoco a due auto. Alcuni issarono sul Muro cartelli per avvertire gli "assassini", cioè le guardie, che "il giorno della resa dei conti" stava arrivando. La piega antisovietica delle sommosse, perlomeno, non dispiaceva alla Missione americana. Il suo responsabile politico, Arthur Day, spiegò in un appunto al suo superiore che «noi della Missione e il Generale Watson» convenivano che «dovremmo sostenere l'iniziativa contro i sovietici», originata dall'*affaire* Fechter.[13] Il comandante sovietico a Berlino, tuttavia, aveva già rimandato al mittente la protesta ufficiale con cui gli americani criticavano l'assassinio e chiedevano, in futuro, più attenzione.

Più problematiche per il Dipartimento di stato erano le sfumature antiamericane delle proteste. Il «non è un problema nostro» del soldato americano mentre Fechter moriva aveva scatenato rancore un po' ovunque. «Non voglio esagerare questo malcontento», scriveva Day, «che tuttavia esiste, ed è difficile dire oggi se in futuro lo vedremo aumentare o svanire.»[14]

Per questo, uno scocciato Dean Rusk ordinò via cablogramma alla Missione berlinese di «non rinunciare all'uso delle forze americane se fosse necessario per mantenere l'ordine [...] nel caso che la polizia di Berlino Ovest si mostrasse inadeguata». I berlinesi dell'Ovest «non possono godere della nostra protezione sulla base dei diritti di occupazione e, d'altra parte, ignorare le nostre direttive».[15] In realtà temeva che a zittire i tumulti di Berlino Ovest si inserissero i sovietici. Alla fine la polizia di Berlino Ovest, forse in risposta all'avvertimento di Rusk, tirò fuori i manganelli e svuotò gli idranti sulla folla. I manifestanti lanciarono sassi e petardi contro la polizia, intonando «*Mauer muss weg*» (Il muro deve sparire). Sette poliziotti e dodici civili rimasero feriti durante quella che la Associated Press definì la peggiore nottata di proteste dalla nascita del Muro. Daniel Schorr, tornato a Berlino, raccontò che «il cadavere di Peter Fechter è diventato un simbolo del conflitto tra Est e Ovest, tanto quanto il cadavere di John Brown simboleggiò il conflitto tra Nord e Sud» prima della guerra di secessione americana.

Il 20 agosto il Generale Clifton, consigliere militare di Kennedy, diffuse tra i funzionari diplomatici e militari un promemoria piuttosto informale: «Il presidente vuole sapere cosa è successo all'uomo colpito e lasciato a morire. Secondo quali regole non abbiamo potuto toccarlo?». Al presidente «piacerebbe sapere come mai».[16] Il sindaco Willy Brandt propose agli alleati di mantenere in servizio perenne vicino al Checkpoint Charlie un'ambulanza autorizzata a entrare nell'Est a curare le vittime dei proiettili ai piedi del Muro. Quando la proposta ebbe il via libera dagli alleati, dalla Missione berlinese Charles Hulick comunicò a Rusk che i comandanti speravano che la mossa convincesse i tedeschi dell'Est a prendere l'iniziativa per risolvere certi problemi da sé.[17]

Due settimane dopo la ripresa dei lavori, gli scavi del tunnel finanziato dalla NBC procedevano bene. Claus Stürmer aveva rinvigorito l'impresa facendo doppi turni e dormendo spesso nel cantiere, su un divano malconcio. Gli sembrava di essere più adatto all'impresa rispetto ai compagni: a differenza di quasi tutti gli studenti era abituato al lavoro manuale. Sperava anche che la sua presenza alleggerisse i sospetti che a mandarlo fosse la Stasi (fu sempre stupito dal fatto che lui era riuscito a trovare il tunnel mentre la Stasi, così piena di informatori e risorse, no). La maggior parte degli altri scavatori continuava a non rivolgergli la parola, gli sembrava persino che gli augurassero una qualche disgrazia in cantiere. Sopportare il silenzio era più difficile che reggere la fatica. Una nuova paura, poi, lo attanagliava: e se dopo tutto quel lavoro "non avvertissero mia moglie della fuga?".[18]

I lavoratori presero uno spavento la notte in cui Wolf Schroedter, che da tempo soffriva di un misterioso dolore interno, quasi collassò. Un altro scavatore era fuori con il furgone, e i ragazzi non volevano chiamare taxi, amici o poliziotti per chiedere aiuto. Infine, alle sei del mattino arrivarono con il furgone gli scavatori del primo turno. Gli altri portarono subito Wolf in ospedale: aveva i calcoli. Si sarebbe ripreso in fretta, e oltretutto aveva il permesso di bere quanta birra voleva per espellere i sassolini, ma non poteva fare sforzi pesanti come, per esempio, scavare l'argilla. Una ventina di colleghi era già pronta a sostituirlo.

Il periodo di pausa consentì a Schroedter di meditare su un'altra questione che lo preoccupava da un po' di tempo: l'accordo con la NBC. Non trovava più giusto che il nucleo principale della squadra continuasse a filmare in segreto e decine di collaboratori non sapessero nulla. Coinvolgendo gli uomini della NBC, gli organizzatori avevano ampliato il numero di persone al corrente del tunnel ed esposto tutti gli scavatori al pericolo. C'era poi la questione dei soldi, finiti in parte nelle tasche di Schroedter. Certo, lui li spendeva quasi tutti per l'attrezzatura e i fabbisogni quotidiani, ma una volta divisi per tre i 5000 marchi promessi dalla NBC a operazione finita, più i soldi per la vendita delle foto, era probabile che i tre ideatori del tunnel ottenessero una discreta rendita. Non gli sembrava giusto, nonostante lo si potesse motivare in maniera molto semplice (e così era stato): loro tre avevano faticato di più, e perciò corso rischi maggiori, degli altri scavatori, per non parlare del fatto che avevano sacrificato gli studi universitari.

Eppure l'accordo gli bruciava quasi quanto il dolore ai reni. I calcoli sarebbero passati, il crescente senso di colpa no.[19]

Esclusi gli scavatori, nessuno più di Piers Anderton era felice dei rapidi progressi del tunnel. Il progetto, che la NBC aveva sperato di vedere completo in tempi più brevi, aveva ripreso a marciare. Anche la reputazione dell'inviato era in ripresa. Grazie alle minacce di una denuncia per diffamazione, "Variety" aveva fatto il raro gesto di pubblicare una parziale ritrattazione dell'articolo di aprile sul discorso di Anderton al club femminile tedesco. Il nuovo pezzo, con l'insulso titolo *Chiarimenti sul discorso di Piers Anderton*, ammetteva che l'inviato non aveva accusato la NBC di «mettergli la museruola». E l'osservazione per cui la NBC avrebbe voluto erigere «un muro» intorno a lui era «scherzosa»; l'avevano «fraintesa» loro. Un altro errore era che all'epoca fosse «ai ferri corti» con i suoi capi.

Le correzioni continuavano: nel discorso di aprile Anderton non aveva detto che al pubblico americano non interessava Berlino. Al contrario, aveva sostenuto che gli americani gli sembravano più interessati a Berlino di chiunque altro, compresi i tedeschi dell'Ovest. Anderton non aveva mai insinuato che gli Stati Uniti non si ergessero a ferma difesa di Berlino. Anzi, aveva rivelato di aver saputo da Kennedy in persona che l'America era disposta a far scoppiare una guerra atomica per Berlino.

Anderton era convinto che l'articolo originale fosse opera di un funzionario del Dipartimento di stato, con l'intenzione di portare la NBC a licenziarlo o a trasferirlo. Per il momento, almeno, la sua posizione restava salda.[20] Fiducioso nel tunnel e nella possibilità di raccontarlo, Anderton volle condividere il suo rinnovato ottimismo con Reuven Frank. Fino a quel momento si erano visti una sola volta, a Londra, dove Anderton e il suo caporedattore Gary Stindt erano volati a discutere delle nuove paure riguardo al fallimento del progetto, sorte in seguito all'inondazione. Là, dopo una lunga e abbondante cena al Savoy Grill, Frank aveva deciso di andare avanti.[21]

Anderton avvertì quindi il capo che era necessaria un'altra riunione inusuale fuori città. Stavolta i tre si videro a Parigi, nel celebre ristorante Maxim's. Era quanto di più lontano possibile dai confini umidi e viscidi del tunnel, dove, senza un frigorifero, i panini andavano a male in fretta. Anderton rivelò che lo sfondamento era in vista. Parlarono di come sarebbe stato il film, alla fine. Per il momento nemmeno un fotogramma era uscito da Berlino, e Frank andava alla cieca. Immaginarono che lo speciale della NBC avrebbe illustrato i metodi di fuga sperimentati nell'anno precedente, dalle fognature ai primi tunnel. Anderton aveva ripreso tutto. La galleria di Bernauer Strasse sarebbe stata l'elemento chiave, nonché il punto più alto, ma finché non l'avessero completata, con successo o meno, non si poteva stabilire quanto farvi affidamento nella scaletta del programma. In caso di misero fallimento del progetto, forse era il caso di non parlarne nemmeno, specie se fosse venuto a saperlo il Dipartimento di stato.

Frank, che non andava a Berlino da quando avevano aperto il tunnel, disse ad Anderton di non volerci tornare fino alla vigilia dello sfondamento. «Quando mi vuoi?», chiese. Anderton gli garantì che stavolta i ritardi sarebbero stati minimi.[22]

Tutti i cablogrammi sulla più recente crisi berlinese non soddisfacevano l'unico uomo che avrebbero davvero dovuto soddisfare, il presidente Kennedy. Il 21 agosto, tornato a Washington dopo una lunga trasferta nell'Ovest, JFK mandò un breve promemoria a Rusk: «Pur riconoscendo le difficoltà che i comandanti affrontano a Berlino, gradirei un rapporto dettagliato sull'incidente al fuggiasco dello scorso venerdì. Vorrei sapere quanto tempo è passato prima che il comandante fosse informato dei fatti, e quali sono state le contromisure».[23] Chiedeva poi che cosa stessero facendo per impedire altre sassaiole sulle truppe sovietiche.

Senza aspettare una risposta scritta, il presidente telefonò a Rusk e chiese se esistessero piani d'emergenza per il «tipo di incidenti» creati «da questo fuggiasco [Fechter]». Dopotutto «ce n'erano stati tanti che ci erano andati vicini.»

> Rusk: «Ecco, ne abbiamo per situazioni più grosse…».
> Kennedy: «E per un singolo episodio come questo?».
> Rusk: «Ogni caso fa storia a sé. E i canali sono… per esempio, i nostri non li ripescano dai canali. A quelli badano nell'Est. Penso che l'errore sul posto sia stato quello di non offrire cure mediche [a Fechter]».
> Kennedy: «Certo […] Naturalmente, i [manifestanti] berlinesi dell'Ovest non sono molto generosi, ma […] va bene così. Credo che dobbiamo aspettare che passi».[24]

Quel giorno Kennedy incontrò Adlai Stevenson, ambasciatore americano alle Nazioni Unite, di ritorno da una riunione con i leader europei. Stevenson gli spiegò che, ancora memori dell'epoca nazista, in privato quasi tutti si opponevano alla riunificazione della Germania. Kennedy si domandò perché nessun leader la criticasse mai in pubblico. Poi analizzò il desiderio di Nikita Chruščëv di unificare Berlino senza più gli alleati, e rifletté: «Ha ragione di volerci fuori da Berlino, in fondo […] Hanno il Muro, hanno questo paese che sarà sempre disturbato fintanto che c'è Berlino». Ma c'era un inghippo: «Il problema è che andarcene da Berlino sarebbe un disastro per noi».[25]

Il rischio che la CBS parlasse dei tunnel era scampato, ma Kennedy non aveva abbassato la guardia di fronte a un ben diverso scandalo mediatico: la fuga di notizie sfruttata da Hanson Baldwin sul "New York Times". Bisognava trovare il modo di scoraggiarne altre. Kennedy aveva inoltrato ad alcune persone, tra cui il direttore della CIA McCone, il piano dei servizi segreti per tenere d'occhio i giornalisti, e si aspettava azioni concrete per «proteggere dalla diffusione non autorizzata le nostre informazioni, le fonti e i metodi con cui le acquisiamo».[26] L'FBI non smetteva di intercettare il telefono di Baldwin, ma la Casa Bianca non aveva ancora minacciato esplicitamente né lui né il "Times", che decise quindi di astenersi dal pubblicare un lungo pezzo sull'indagine dei federali.[27]

Su richiesta della Casa Bianca, un funzionario dell'FBI discusse con Kenneth O'Donnell, stretto collaboratore di Kennedy, i risultati dell'indagine del *bureau* (fecero più di 125 interrogatori) riguardo alla fuga di notizie di Baldwin. L'FBI aveva mandato diversi estratti delle intercettazioni a O'Donnell, che a sua volta li aveva girati al presidente. Fu O'Donnell, infine, ad avere qualcosa di interessante per l'FBI. «Io e il presidente abbiamo dedotto che il dito accusatore sembra puntare verso una persona precisa.» Kennedy voleva che il sospetto fosse interrogato dall'FBI, perché in precedenza aveva negato tutto. Il presidente precisò: «Non ditegli che indagare ulteriormente su di lui è stata un'idea *mia*».

Chi era il sospettato? Nientemeno che Roswell L. Gilpatric, vicesegretario alla difesa. Era il numero due del Pentagono e sapeva abbastanza da fornire a Baldwin le informazioni chiave pubblicate; inoltre aveva parlato con il giornalista il 17 luglio, a Washington. Accusarlo doveva essere stato difficile, per Kennedy. A differenza di quasi tutti i membri di primo piano del governo, Gilpatric, nato nel 1906, era stato scelto personalmente dal presidente. Ex avvocato societario, nei primi anni cinquanta era stato sottosegretario delle Forze aeree. Adesso l'FBI doveva parlare di nuovo con lui.

La sera del 22 agosto, Kennedy accolse alla Casa Bianca il direttore McCone e il generale Maxwell Taylor. La riunione cominciò con un aggiornamento sul nuovo ufficio creato alla CIA dagli esperti dell'intelligence di Kennedy per controllare le fughe di notizie. Come da raccomandazione di JFK, i funzionari di alto rango che maneggiavano informazioni importanti dovevano segnalare ai propri superiori qualsiasi contatto con la stampa. Il nuovo organo infrangeva un punto del regolamento della CIA che, in base al National Security Act del 1947, vietava strettamente qualsiasi attività di spionaggio dell'agenzia all'interno dei confini statunitensi. Kennedy predisse che la mossa avrebbe avuto «un forte effetto inibitore» sui funzionari che parlavano con i ficcanaso della stampa.

McCone precisò che le cose si potevano organizzare in modo da far sembrare che il presidente non fosse "coinvolto".[28]

Poi la discussione toccò un altro fronte della guerra fredda: Cuba. All'inizio della settimana gli aerei spia avevano fotografato un grosso contingente di cargo sovietici nell'Atlantico. Ciò riportò in auge un dibattito che da tempo scuoteva la presidenza. A oltre un anno dal fiasco della Baia dei Porci, il presidente continuava a sostenere i vari tentativi segreti – dalla propaganda al sabotaggio – di far cadere Castro, ma i suoi consiglieri più stretti avevano qualche dubbio sulla reale volontà dei sovietici di sostenere il dittatore. Qualcuno ipotizzava che per i sovietici Cuba fosse un pozzo senza fondo, sul piano economico; qualcun altro che servisse soltanto a distrarre dal vero punto critico, cioè Berlino. Altri, tuttavia, sottolineavano che a prescindere da tutto Cuba restava una pedina importante per i comunisti, una morsa da stringere finché Kennedy non avesse preso in considerazione un baratto cruciale: *via i sovietici da Cuba, via gli americani da Berlino.*

Di fronte all'aumento delle consegne militari sovietiche nell'isola, John McCone aveva invocato un qualche tipo di "azione dinamica" degli Stati Uniti. E se i sovietici stessero inviando testate nucleari? Sarebbe stato l'inizio di una crisi ben peggiore. Robert Kennedy la considerava inevitabile. Adesso McCone svelava che il giorno prima aveva visto Rusk e McNamara per informarli che la «situazione in evoluzione» a Cuba sembrava «più allarmante». Le foto mostravano che i sovietici stavano per scaricare a Cuba attrezzatura elettronica e grosse casse che potevano contenere pezzi di caccia militari, o componenti missilistiche. Molte navi «venivano scaricate con grande circospezione, di notte, in zone inaccessibili ai cubani». Migliaia di militari e civili sovietici erano sbarcati da navi passeggeri in punti isolati. «Un'atmosfera di segretezza circondava l'operazione.»

McCone era convinto che i sovietici stessero già costruendo basi missilistiche, ma JFK lo fermò: «Aspettiamo e vediamo». Il giorno dopo, per «vederci» meglio, ordinò di far decollare gli U-2 e di organizzare, nel caso in cui davvero i missili sovietici fossero installati a Cuba, piani d'emergenza che contemplassero anche «un blocco navale, l'invasione o altre azioni.» Kennedy chiese anche uno studio sui missili americani vicini alla frontiera sovietica, in Turchia. Non erano obsoleti? Forse già meditava l'offerta possibile nello scenario peggiore: sacrificarli in cambio della rimozione dei missili sovietici da Cuba.

Dopo l'omicidio Fechter, Kennedy aveva detto a Rusk che preferiva aspettare che la tempesta si calmasse, ma rimase incuriosito dall'episodio. Il 24 agosto, a nome di McGeorge Bundy che era in vacanza, George Ball mandò un rapporto al presidente. Descriveva nei dettagli le sassaiole sui sovietici ma sulla mancata assistenza al povero Fechter non spendeva più di qualche decina di parole. «Il comandante americano è stato informato della sparatoria circa 23 minuti dopo la sua conclusione. Mentre ancora stava decidendo che genere di iniziativa autorizzata poteva prendere, il cadavere del fuggiasco è stato rimosso.» Fine della storia.[29]

Nel frattempo i proiettili fecero un'altra vittima presso il Muro, Hans Dieter Wesa, diciannovenne guardia di frontiera della DDR. Era assegnato alla "stazione fantasma" (quelle che la S-Bahn attraversava senza più fermarsi) vicino al confine, sotto un ponte. Non sopportava che lo avessero trasferito alla polizia di frontiera, perché era contrario all'idea di sparare a qualcuno. Aveva anche una sorella nell'Ovest. La sera del 23 agosto disse al suo compagno di turno, con cui aveva stretto amicizia, che scendeva a spegnere certe luci sui binari. Non tornò mai più.

Il suo compagno di guardia andò a cercarlo e lo vide meno di un metro al di là di una staccionata che segnava il confine con l'Ovest: sembrava l'avesse scavalcata. Wesa cominciò a scappare, il suo commilitone sparò sei volte e dopo averlo atterrato lo colpì a distanza ravvicinata in faccia e al corpo, lasciando il cadavere appena la di là del confine, nel settore francese. Nel timore di ulteriori rivolte, quella sera il sindaco Brandt andò a visitare il Muro e si disse indignato, mentre chiedeva alla popolazione di stare calma. Forse sfiancati dalle proteste del primo anniversario e dalla vicenda di Fechter, i dimostranti rimasero a casa.[30]

Tra coloro che erano rimasti turbati dalla morte di Peter Fechter c'era una delle guardie della DDR che gli avevano sparato. Il soldato Erich Schreiber, che aveva vent'anni, scrisse una lettera alla sua fidanzata. La indirizzò alla «mia cara Erika».

> Mi scrivi per sapere il motivo della mia promozione. È una questione più seria, che non capita tutti i giorni. Ho sparato, uccidendolo, a un fuggiasco che voleva attraversare il confine dall'Est all'Ovest. Se ciò ti sconvolge e non vuoi avere niente a che fare con un «assassino», per favore non parlarne con nessuno.[31]

La lettera fu intercettata dalla censura militare e mai recapitata.

Dieci giorni dopo il suo assassinio, finalmente fu concesso a Fechter di riposare nella pace che i suoi familiari non trovavano più. Gli agenti della Stasi li tormentavano da una settimana. Margarete, madre di Peter, spedì un telegramma alla cara sorella Liselotte, nell'Ovest, per informarla che il «fratello sarà sepolto lunedì alle 12». Liselotte disse alla stampa: «Non potrò presenziare al funerale. Sono scappata da Berlino Est sei anni fa, e se ci tornassi mi arresterebbero».

Alla vigilia della funzione, il fanatico commentatore radiofonico dell'Est Karl-Eduard von Schnitzler si lamentò del «gran chiasso inutile che nasce quando gli elementi criminali feriti sul confine non vengono soccorsi immediatamente». Elogiò «i nostri coraggiosi ragazzi in divisa» e aggiunse sarcastico: «Chi gioca col fuoco si scotta».

La polizia cercò di mantenere il funerale segreto ordinando alla famiglia di non darne alcuna notizia pubblica, ma ormai la voce era girata. Al cimitero, vicino a casa Fechter, si ritrovarono trecento cittadini che in qualche modo ne erano venuti a conoscenza. Qualcuno era collega della vittima, la maggior parte sconosciuti. La famiglia Fechter aveva chiesto una cerimonia religiosa, ma le autorità di stato l'avevano negata, mandando invece a presenziare un rappresentante della Commissione funeraria municipale, il quale disse ai presenti che Fechter aveva preso una decisione «avventata» e «sciocca»: sì, è legittimo che ciascuno cerchi la propria strada, ma è lo stato, nella sua saggezza, a indicare quelle giuste e a seguire chi le percorre. I cittadini della Germania Est devono tenerne conto; «Peter, invece, non ha voluto». La ragazza e la madre di Fechter piansero senza dire una parola. La madre aveva speso tutti i suoi risparmi per una bara di mogano e per le corone di fiori, così dovette chiedere un prestito per la lapide, con la scritta «Nessuno ti ha dimenticato». Quando la folla lasciò il cimitero, gli agenti della Stasi rimossero tutti i fiori depositati sulla tomba.[32]

Cinque giornalisti occidentali (tre americani e due britannici) intenzionati a raccontare la cerimonia furono fermati sulle loro auto mentre se ne andavano e portati dalle autorità al commissariato centrale di Alexanderplatz. Erano inviati o fotografi di "Life", del "Daily Mail" di Londra e della BBC, oltre al capo della redazione berlinese della Associated Press. La polizia sequestrò i rullini a due fotografi. Un agente ne rimproverò un altro: «Con le sue attività, la stampa occidentale potrà disturbare i pacifici cittadini di Berlino Ovest, ma non quelli di Berlino Est». In un cablogramma a Washington, la Missione americana descriveva la vicenda così: «I giornalisti presenti al funerale sono stati accusati di atti ostili contro la DDR». Gli inviati stranieri furono rilasciati dopo tre ore, ma un fotografo tedesco dell'Ovest rimase in prigione, accusato del grave crimine di "trasmissione di informazioni".[33]

In America, con il titolo *Il ragazzo che morì sotto il Muro*, "Life" pubblicò un servizio di sette pagine sull'omicidio di Fechter.[34] La rivista gemella "Time" fece anche di meglio, con una notevole copertina illustrata intitolata semplicemente *Il Muro*: si vede un braccio che insinuandosi sotto il filo spinato si protende oltre il muro, su cui è appesa una corona di fiori per l'ultima vittima. L'articolo all'interno, intitolato *Il Muro della vergogna*, descriveva i berlinesi dell'Ovest come tipi sicuri di sé che «si facevano beffe del pericolo»; tuttavia, non passava notte «senza che dall'altro lato non giungessero scariche di mitra e suoni di morte».[35] Ma dopo l'ultima sparatoria, avvenuta sotto gli occhi di tutti, i berlinesi erano stati travolti da «un'ondata di emozioni [...] Di colpo, tutte le frustrazioni trattenute sono esplose» in «un eccesso di rivolte» contro i tedeschi e gli americani. Per la prima volta si era sentito gridare «americani, tornate a casa». «La voce delle folle è riecheggiata in ogni grande capitale del mondo, costringendo la Russia e l'Occidente all'ennesimo terrificante faccia a faccia berlinese», continuava l'articolo. «Ha sottolineato ancora una volta che, fintanto che la presenza del Muro sarà tollerata, dal cuore dell'Europa si leverà un'eterna minaccia alla pace nel mondo.»

Secondo "Time" pochi berlinesi si aspettavano di veder cadere il Muro prima di morire, e la riunificazione rimaneva «una prospettiva lontanissima». Un funzionario della Germania Ovest, nonostante l'amicizia con gli Stati Uniti, lamentava che «la minaccia di una guerra nucleare ha paralizzato l'Ovest». Ma l'articolo concludeva che a un certo punto – entro un decennio, o una generazione – il Muro «dovrà cadere», e «se non sarà la ragione ad abbatterlo, prima o poi saranno gli uomini a demolirlo con la forza».

Il presidente Kennedy sembrava deciso a consolidare l'approccio che poco tempo prima aveva scosso gli americani a Berlino: concentrarsi completamente sull'Ovest e al tempo stesso considerare Berlino, come disse il soldato americano il giorno della morte di Fechter, «non un problema nostro». Mike Mansfield, capo della maggioranza al senato degli Stati Uniti, aveva appena inviato a JFK un promemoria in cui auspicava più intraprendenza nelle azioni americane. Kennedy rispose: «Penso che in verità Berlino Est non sia questione di guerra o pace per noi, e che pertanto non dovremmo adottare nessuna delle alternative più drastiche proposte dal suo memorandum. Il momento di lottare per un ruolo più efficiente dell'Occidente a Berlino Est è passato da anni, ammesso che ci sia stato [...] Il punto cruciale rimane Berlino Ovest».[36]

Il 29 agosto, oltre ad annunciare la candidatura di Arthur Goldberg alla Corte suprema degli Stati Uniti, Kennedy vide Rusk, Bundy e altri per parlare di Berlino, per la prima volta in tre settimane. Convennero che gli Stati Uniti dovevano continuare a impedire l'ingresso dei sovietici a Berlino Ovest, anche se ciò costava agli americani l'accesso all'Est. Bundy disse chiaro e tondo: «A Berlino Est non è rimasto più niente che ci possa interessare».[37]

Nel corso della discussione, Kennedy affermò: «Be', che non ci importa di Berlino Est lo sappiamo. Ma ai diritti [di accesso], a quelli siamo interessati».

E com'era il clima nel settore caro alla presidenza, Berlino Ovest? Che «settimana strana e spaventosa», aveva dichiarato Sydney Gruson, inviato da Berlino del "New York Times", in un perspicace editoriale. Aveva snervato i berlinesi dell'Ovest e «acuito le loro ansie, e i loro tormenti». L'uccisione di Fechter aveva «fatto scattare qualcosa nei berlinesi dell'Ovest [...] Come un pezzo di corda teso troppo a lungo» e portato a scene quasi incredibili in cui i cittadini dell'Ovest sfidavano la loro stessa polizia e dicevano agli americani di tornarsene a casa. Gruson, amico intimo di Daniel Schorr (e marito dell'inviata Flora Lewis) sentiva che l'emozione aveva scavalcato la razionalità e che, tuttavia, dal trauma era scaturita una certa lucidità. Osservava:

> Più di qualunque altro evento successivo alla costruzione del Muro, la morte brutale e solitaria di Peter Fechter ha fatto sentire i berlinesi dell'Ovest inermi davanti alle striscianti violazioni compiute in maniera così sottile dai comunisti. La città si sente sola e isolata, non tanto dai 150 e più chilometri di territorio comunista che la separano dalla Germania Ovest quanto dall'inerzia a cui è costretto chi vuole fare qualcosa, qualsiasi cosa, per rispondere con efficacia alle iniziative comuniste.[38]

Nonostante i più anziani ammonissero che la situazione poteva peggiorare di molto se i comunisti fossero stati puniti, i più giovani, secondo Gruson, erano «pronti ad agire». Dopo la morte di Fechter, e dopo le sommosse, «c'è meno speranza che mai che i berlinesi dell'Ovest sappiano convivere con il Muro. Finché c'è, qualcuno proverà a scappare. E finché qualcuno scappa, è probabile che le guardie dell'Est lo uccidano, e finché ci saranno morti nell'Est, pianteranno i semi della distruzione nell'Ovest».

Nei giorni in cui usciva l'articolo, tre dei giovani berlinesi dell'Ovest che erano stati "pronti ad agire" aspettavano di andare a processo a Berlino Est, certi di essere destinati a condanne e pene pesanti.

12

Uscita anticipata
1-13 settembre 1962

Il processo-farsa ai tre corrieri del Gruppo Girrmann catturati il 7 agosto doveva durare due giorni, nel corso dei quali si sarebbero alternati i testimoni, dopodiché un comitato di giudici della Corte suprema di Berlino Est avrebbe ufficializzato il destino, già scritto, dei prigionieri.[1] Gli imputati – Wolf-Dieter Sternheimer, Hartmut Stachowitz e Dieter Gengelbach – avevano subito un'infinità di interrogatori e confessato almeno in parte i loro presunti crimini. Gli avvocati difensori avevano l'incarico di assicurarsi che i prigionieri avessero imparato a memoria le battute. Dovevano confessare di essere affiliati al *Terrorgruppen* di Girrmann, e di aver persuaso diversi cittadini della Germania Est ad abbandonare illegalmente la loro nazione. Inoltre dovevano confermare che il Gruppo Girrmann era finanziato e diretto dal governo della Germania Ovest, dal senato di Berlino Ovest e dai servizi segreti tedeschi e americani, coordinati e spalleggiati da un certo Mertens. I capi dell'organizzazione avevano progettato uno «scontro armato» che prevedeva anche di uccidere a sangue freddo guardie tedesche dell'Est e infliggere, in accordo con l'accusa, «sofferenze inaudite al popolo europeo, e soprattutto al popolo tedesco».

I cittadini autorizzati a seguire il processo in tribunale erano tutti ferventi comunisti, un gruppo eterogeneo di lavoratori che avrebbero trasmesso i risultati e il messaggio del processo ai colleghi. Grossomodo per lo stesso motivo era presente anche un gran numero di giornalisti tedeschi dell'Est e del blocco comunista. Presiedeva il dottor Heinrich Toeplitz, numero uno della Corte suprema della DDR. Tra i reperti c'erano una pistola e dei proiettili, collegati, così sembrava, all'operazione dello scavo, e una foto del foro rettangolare aperto nel pavimento del soggiorno di casa Sendler.

Era facile distinguere i tre corrieri sul banco degli imputati. Sternheimer era biondo e magro, Gengelbach scuro e panciuto, lo stempiato Stachowitz dimostrava più dei suoi ventisei anni. Tra le persone costrette a testimoniare c'era un camionista di quelli che erano stati avvicinati durante i preparativi del piano. Una berlinese dell'Est disse che i corrieri erano andati più volte a trovarla per spingerla a fuggire insieme ai suoi due figli. Che la donna potesse essere stata davvero interessata a scappare non venne minimamente preso in considerazione, anzi: lei stessa testimoniò di aver rifiutato, indignata. Quando un corriere aveva chiesto al figlio quindicenne di lei se volesse scappare, la donna «era rimasta così scioccata» che «aveva buttato l'intruso fuori casa». Manfred Meier, che attendeva il suo processo in separata sede, ripeté la confessione resa per la tv, rifiutandosi di confermare che i suoi compagni *Fluchthelfer* avessero progettato di sparare alle eroiche guardie della DDR di Kiefholzstrasse.

Edith Sendler disse alla corte che il giorno della fuga era stata spaventata e sorpresa dal rumore sotto le assi del pavimento. In quel frangente, spiegò dichiarando il falso, suo marito era in casa, e si arrabbiò a tal punto che gli venne un attacco d'asma (i dossier della Stasi, tuttavia, continuavano a indicare i Sendler come «trafficanti conclamati», cioè nel loro gergo persone in cerca di fuga). Sternheimer ebbe l'impressione che Frau Sendler fosse stanchissima, sfiancata, e immaginò che come tanti altri fosse stata spremuta durante gli interrogatori. Aveva accettato di correggere la sua testimonianza in cambio di un po' di clemenza per lei e suo marito? Forse alla Stasi stava più a cuore stabilire che il tunnel era stato un'invasione indesiderata, piuttosto che favorita, perché gli imputati sembrassero più cattivi: "rapitori" e "sequestratori" in gergo DDR.[2]

Il secondo giorno del processo, Stachowitz rievocò le riunioni alla Casa del futuro. «Una donna del gruppo mi ha detto che hanno rapporti stretti con i servizi segreti americani», spiegò, secondo il copione imparato a memoria. Svelò che la polizia di Berlino Ovest aveva promesso "fuoco di copertura" se agli scavatori o ai corrieri fosse andato storto qualcosa. Gengelbach raccontò di avere chiesto al famigerato agente Mertens dell'LfV armi e soldi, ma non era chiaro se ne avesse ricevuti. Anche il nome del famoso *Fluchthelfer* Harry Seidel fu collegato a Mertens. Gengelbach affermò che il "Bild Zeitung" gli aveva dato 1000 marchi e una non meglio precisata emittente americana (la CBS, senza dubbio) ne aveva dati 800 per raccontare la sua partecipazione alla fuga. Il pubblico ministero dichiarò che a partire dal luglio 1962 Gengelbach era andato nell'Est diverse volte «per contattare, tramite intermediari, il proprietario della bottega di falegnameria dove avrebbe dovuto sbucare il tunnel. I suoi sforzi non sono andati a buon fine».

Dopo tre giorni, ecco il verdetto dei giudici: tutti gli imputati erano colpevoli di tutti i crimini contestati. Il "Neues Deutschland" riportò la dichiarazione della giuria, secondo la quale «una giusta sentenza» era stata «emessa in nome del popolo» e «servirà come monito a chiunque pensa di poter intaccare la sicurezza e la sovranità della DDR». Diedero dodici anni di galera a Gengelbach e otto a Sternheimer. Stachowitz, che ancora non sapeva dove fossero sua moglie e suo figlio, si aspettava di peggio dei sei anni che ricevette. Alla sua uscita di prigione, il figlio avrebbe avuto dieci anni. Almeno per questo valeva la pena di resistere.

Concluso il processo-farsa, Edith e Friedrich Sendler furono finalmente rilasciati. Sincera o no, la testimonianza di Edith non era stata certo la chiave della condanna ai corrieri del tunnel di Kiefholzstrasse. Forse Herr Sendler aveva offerto a certi ufficiali un po' dei beni di lusso che sapeva bene come ottenere al mercato nero, e/o di lavorare come informatore per la Stasi, dal momento che la sua posizione di artigiano gli garantiva molti eterogenei contatti in tutta la società della DDR.

La sera del rilascio, i Sendler furono accompagnati a casa da un tenente della Stasi che restituì loro alcuni degli oggetti rubati dai soldati e dagli agenti dell'MFS. Furono di certo stupiti di notare che mancavano parecchie cose, anche gioielli preziosi, ma cominciarono a riacclimatarsi. Poi gli eventi presero una piega inattesa. Poco dopo le sei di sera, da Ovest qualcuno sparò verso l'entrata della casa. L'agente della Stasi contò, nella prima raffica, undici colpi. Ogni volta che andava a sbirciare dalle tende ne partiva uno. Alla fine non ci furono danni, difficile perciò stabilire se fossero colpi di avvertimento o facessero sul serio, ma si capiva che la casa era sotto osservazione, in attesa di quel momento. Da quanto tempo? La fuga era fallita quasi un mese prima. Qualcuno all'Ovest aveva avuto la soffiata sull'esatto giorno e orario di rientro dei Sendler?[3]

Il rapporto della Stasi sull'episodio segnala che «in questo periodo una persona di sesso maschile si muoveva dietro le installazioni sul confine [dell'Ovest]. Non se ne sono identificati i dettagli perché si è nascosto dietro una palizzata ed è scesa l'oscurità». La coppia pretese di potersene andare da casa e ne uscì poco dopo le sette, scortata da un funzionario della Stasi fino alla vicina casa della madre di Friedrich Sendler. «Dopo la loro uscita», spiega il rapporto, «non si sono sentiti altri spari.» Alle otto del mattino seguente, un ufficiale riaccompagnò i Sendler a casa e li lasciò là, a cavarsela da soli.

Il futuro si annunciava fosco per Gerda Stachowitz, che non sapeva nulla di suo marito né poteva immaginare dove vivesse suo figlio Jörg. Tuttavia, la donna cercò di non perdersi d'animo e di tenere su di morale amici e familiari. Mentre si preparava al suo processo cercò di spedire piccoli messaggi clandestini fuori dalla prigione; le autorità, naturalmente, li intercettarono.

Il primo rivelava che era ancora in prigione: «Fate ogni cosa vi è possibile per noi, andate dal procuratore distrettuale. Attenti! I muri hanno orecchie. Gerda». Il secondo: «Dov'è Jörg? Situazione serissima. Stai in salute. Sei la mia speranza. Pulisci tutto. Gerda». Un altro: «Per favore chiama il numero XXXXX – chiedi della signora [*omissis*]. Leggigli lettera 2x. Tante tante grazie. Scriverò alla mamma o risponderò alla lettera!». La Stasi controllò il numero di telefono e scoprì che era nella zona di Friedrichshagen. Alla fine Gerda riuscì a spedire un biglietto più lungo, ma anche quello finì nelle mani della Stasi. E spezzava il cuore:

Miei amati!

Oggi è il compleanno di [*omissis*]. Non disperate. Può volerci parecchio tempo prima che tutto torni a posto. Siamo in guai seri. Non pensateci ma rimettetevi in sesto, così che possiamo rivederci con certezza in salute.

Non prendetevela con noi. Specialmente la mia amata mammina.

Non è detto che la sentenza [di incarcerazione] equivalga alla vera durata della pena. A questo punto non potete fare più molto. Prima del processo andate dal procuratore generale che lo presiede: buona reputazione/disposizione potrebbero aiutare. Forse così più in là potremmo riprendere il nostro vecchio lavoro.

Spero tanto di poter essere di nuovo felice con Hambi [il marito], un giorno. Non lavoravamo per nessuno, avevamo soltanto qualche conoscenza, quindi può darsi che me la cavi. Cercate un bravo avvocato difensore che conosca questo tipo di problemi.

Cerchiamo di rafforzarci il coraggio e lo spirito a vicenda. L'importante è che siamo ancora tutti qui. I miei pensieri sono sempre con voi [tutti] e il mio amato marito.

Con affetto, per sempre vostra
Gerda.[4]

Nel frattempo, chi stava interrogando Manfred Meier era sempre più infuriato con lui. Le sedute si protraevano per ore, in vista del processo. Cominciavano sempre con l'ufficiale della Stasi che apriva una finestra, per far entrare aria fresca e il piacevole canto degli uccellini. «Meier», diceva cordiale, «sei un tipo a posto, un ragazzo intelligente, non complicarti la vita: è inutile. Dicci quello che sai e basta.» L'MfS voleva soltanto far ammettere a Meier che i suoi compagni *Fluchthelfer*, armati fino ai denti, avevano organizzato un attentato sanguinoso contro l'Est. Lui negava, e a un certo punto la finestra si chiudeva di colpo. L'uomo della Stasi guardava Meier a muso duro, sputacchiando e sbattendo il pugno sul tavolo, e urlava: «Credi davvero che siamo tutti stupidi qui? Diavolo, dicci la verità sulle armi!».

Dopo ulteriori minacce e soprusi la finestra si riapriva, e il ciclo ricominciava da capo, per ore.[5]

Alle 14.55 del 4 settembre i verbali della Brigata berlinese dell'esercito americano riportano: «A Bergstrasse, angolo Bernauer Strasse, 5 metri all'interno del cimitero, cittadino E colpito da arma da fuoco, forse a morte. Trasportato in barella da VoPos». La vittima era Ernst Mundt, ex muratore quarantenne, pensionato perché invalido. Si era sempre lamentato del Muro, che sin dal primo giorno lo separava dai suoi parenti dell'Ovest. E a un certo punto aveva deciso di reagire.

Quel pomeriggio era andato in bicicletta da casa, a Prenzlauer Berg, fino al cimitero di Sophien, un'area ad accesso vietatissimo nei pressi del Muro di Bernauer Strasse. Con un cappello scuro in testa si era arrampicato sul muro del cimitero perpendicolare alla barriera, coronato da vetri aguzzi per scoraggiare imprese come la sua. Poi era corso verso la frontiera, snobbando le suppliche dei passanti. «Col cavolo che scendo», aveva gridato. Poco prima di raggiungere il muro, che avrebbe potuto scavalcare con un bel salto, si accorsero di lui due agenti della polizia ferroviaria dell'Est che si trovavano a circa un centinaio di metri. Uno di loro sparò un colpo di avvertimento, poi mirò al fuggiasco. Il proiettile gli trapassò la testa e lo fece crollare a terra a pochi metri dalla libertà. Il suo cappello volò oltre il muro. I berlinesi dell'Ovest lo trovarono, perforato dal proiettile. Presto soprannominarono Mundt "l'uomo col cappello".

Il giorno seguente, il poliziotto che aveva sparato a Mundt ricevette un premio in denaro e una medaglia per servizio esemplare al confine. Aveva «maneggiato la sua arma in modo superbo utilizzandola magistralmente». Anche il capo delle truppe della zona fu elogiato per aver rimosso il criminale assassinato prima che arrivassero la polizia di Berlino Ovest, la stampa e le troupe televisive. Aveva applicato le ordinanze che, entrate in vigore dopo la vicenda Fechter, imponevano di portare immediatamente via i cadaveri per scongiurare le proteste e la circolazione delle notizie nell'Ovest. Tuttavia, quella sera, dall'altra parte del Muro centinaia di berlinesi arrabbiati diedero voce alla propria furia erigendo una croce decorata con dei fiori nei pressi del punto in cui era atterrato il cappello di Mundt.[6]

Un paio di isolati più in là, sotto la fabbrica di bastoncini da cocktail di Bernauer Strasse, gli scavi proseguivano come al solito. Il traguardo era vicino e il morale alto. Ciò che più temevano gli scavatori, forse perché era già capitato, era un'altra infiltrazione d'acqua. Perciò, quando si accorsero di una pozzanghera sul fondo del tunnel vicino al punto in cui erano arrivati e di un po' di umidità sul soffitto, la tennero d'occhio. Poteva non essere nulla, magari un po' d'acqua piovana si era addensata in una depressione del terreno, magari stavano passando sotto un palazzo con le tubature difettose, e il fastidio sarebbe passato come se nulla fosse, senza spiegazione.

Poi il gocciolio si trasformò in una vera e propria perdita.

La notizia positiva era che l'acqua percolata non bastava certo a imporre una sosta ai lavori. D'altro canto, ormai avevano superato il confine del Muro e non potevano certo chiedere una mano a funzionari compiacenti dell'ente idrico dell'Ovest. Nell'Est non c'era nessuno che potesse riparare uno scarico rotto, e la distanza dall'Ovest rendeva difficile organizzare un'operazione di asciugatura con le pompe. Potevano soltanto continuare a scavare e pregare che l'infiltrazione si fermasse o almeno non peggiorasse, ma dubitavano di raggiungere il traguardo, la cantina del bulgaro di Rheinsberger Strasse, prima di tre settimane. Un po' troppo per non rischiare di andare incontro al disastro.

Così i primi promotori del tunnel, insieme ai loro strettissimi collaboratori, decisero di valutare la possibilità di uscire allo scoperto in anticipo, in un'altra cantina di Berlino Est... Dio solo sa dove.[7]

In poco tempo, il dubbio che i sovietici stessero davvero scaricando missili a Cuba divenne per Kennedy una questione cruciale, che il presidente legava strettamente a quella di Berlino. Ma all'inizio di settembre un'altra crisi richiamò la sua attenzione e lo costrinse a interrompere una vacanza a Newport. Un aereo spia americano aveva invaso, sebbene per poco tempo, lo spazio aereo sovietico sulla punta dell'isola di Sakhalin, violando il divieto di sorvolo decretato dalla Casa Bianca dopo il famigerato abbattimento dell'U-2 che nel 1960 aveva portato alla cattura del pilota Francis Gary Powers. Stavolta i sovietici non spararono contro il jet che volava ad alta quota, ma lo videro sui radar e protestarono vivamente. Un altro U-2 stava scattando foto aeree di Cuba, e la Casa Bianca non voleva far scoppiare una nuova crisi per colpa degli aerei spia.

Dean Rusk inaugurò la riunione sull'U-2 errante, cominciata in tarda mattinata, dicendo: «È chiarissimo che i russi ci tengono in pugno». L'aereo aveva perso la rotta per soli nove minuti, di notte. Tuttavia, gli Stati Uniti non volevano fare innervosire Chruščëv, per evitare che commettesse un gesto impulsivo a Berlino. Così Rusk lesse una dichiarazione, falsa, che definiva l'U-2 un «velivolo di esplorazione meteorologica e analisi dell'atmosfera», che era stato preso «involontariamente» di mira da Madre Natura.

«Un po' di atmosfera l'ha *analizzata*, in fondo, no?», chiese Rusk, speranzoso. «Non lo fanno tutti i nostri aerei?» Gli altri furono molto espliciti: è impossibile.

«Be', non so…», rispose Kennedy. «Non siamo costretti a dire [a Chruščëv] tutta la verità.» Secondo il presidente, specificare che era stato «di notte» significava che non era stata scattata alcuna foto. «Mi sembra… che dia meno rilievo all'azione dell'U-2.»

«Ma è pur sempre un U-2», gli ricordò Bundy. Kennedy decise però che poteva bastare chiamarlo «velivolo di esplorazione meteorologica», senza il dettaglio dell'«analisi» (anche dopo l'abbattimento di Powers gli Stati Uniti avevano difeso la stessa versione per settimane, finché i sovietici non avevano tirato fuori il pilota).[8]

A quel punto la riunione continuò alla presenza dei soli JFK, Bundy, Robert Kennedy, McNamara e Rusk, che discussero di Cuba. Il presidente doveva rispondere alle insinuazioni della stampa e dei repubblicani che consideravano i missili nucleari *già* arrivati sull'isola. Invocò cautela, ma due membri della sua amministrazione vollero discutere cosa fare se e quando la CIA avesse confermato la presenza, a Cuba, di missili terra-terra.

«Secondo me dovremmo agire», dichiarò Rusk. «Per esempio, suppongo che se si vuole affrontare un bagno di sangue a Cuba, sarebbe meglio anticiparli con un blocco navale sistematico, per indebolire Cuba prima di farci davvero sbarcare qualcuno.»

«Vedi, mi chiedo perché... se lo facessimo», rispose McNamara, «perché non farlo *oggi*? È un'azione di quelle che possiamo considerare oggi, a dire il vero. Che i sovietici stiano spedendo armi a Cuba è fuor di dubbio, è chiaro. L'hanno detto loro. Ora possiamo...»

Lo interruppe la persona più fredda nella stanza. Per fortuna, era il comandante in capo. «Il motivo per cui non lo facciamo è che... è perché immaginiamo che a quel punto potrebbero mettere in piedi un blocco a Berlino», osservò Kennedy. Sarebbe scoppiata una crisi orribile per gli Stati Uniti, al contrario del blocco che "per un bel po'" non avrebbe inferto molti danni a Cuba. Per il momento la questione si chiuse qui.[9]

Quello stesso giorno, Kennedy riferì ai leader del Congresso. Riassunse le informazioni riguardo al potenziamento sovietico ma aggiunse che «pur sapendo che in tanti vorrebbero invadere Cuba, oggi mi opporrei». E richiamò in causa, di nuovo, Berlino. Dopo una qualsiasi iniziativa americana a Cuba, «è ovvio che scatterebbe anche il blocco a Berlino». Fu un'affermazione tempestiva: «Sentite, secondo me quest'autunno Berlino raggiungerà l'apice della tensione, in un modo o nell'altro... Dobbiamo valutare rischi e pericoli. Secondo me il rischio maggiore, adesso, lo corriamo a Berlino».

La riunione finì con Kennedy che chiedeva il potere di richiamare in servizio altri 150 000 riservisti. Il suo portavoce Pierre Salinger diffuse una dichiarazione ufficiale di JFK su Cuba, con l'avvertimento che se i sovietici vi avessero installato missili offensivi, si sarebbe aperta «la più grave delle controversie». La Casa Bianca non sapeva che il primo carico sovietico di missili R-12 a medio raggio, in grado di trasportare testate termonucleari, stava per giungere a Cuba via mare. Un altro era atteso per metà settembre.

In previsione di ulteriori minacce da parte della Casa Bianca, tra le forze sovietiche era scattato il livello d'allarme più alto di sempre.

Chruščёv, certo di averla vinta con la mossa cubana, tornò più che mai aggressivo riguardo a Berlino. Senza preavviso convocò la più alta autorità americana a disposizione – il sorpresissimo segretario dell'Interno Stewart Udall – nel luogo di villeggiatura sul Mar Nero dove si trovava in vacanza, per informarlo che dopo aver sostenuto Kennedy nelle imminenti elezioni di metà mandato, lo avrebbe costretto a una scelta: «andare in guerra o firmare un trattato di pace» che mettesse fine all'occupazione americana di Berlino. «È passato tanto tempo da quando potevate sculacciarci come bambini: adesso possiamo darvele noi, le pacche sul sedere», millantò Chruščёv, attraverso Udall. Di sicuro alludeva ai missili cubani. «Siamo forti quanto voi», disse. Ricordandogli che Berlino era nel cuore della Germania Est, aggiunse: «Abbiamo il vantaggio. Se volete fare qualcosa, dovrete dichiarare guerra».

Il leader sovietico vide poi un altro e ben diverso ospite: Robert Frost, il più famoso poeta americano. Gli disse che ormai gli americani erano «troppo moderati per combattere» e citò (con i suoi soliti modi schietti) il commento di Tolstoj a Gorkij riguardo alla vecchiaia e al sesso: «Il desiderio è immutato: a cambiare è la prestazione». In una dichiarazione pubblica i sovietici affermarono, inequivocabilmente, di non avere consegnato e di non voler consegnare a Cuba missili nucleari. Il presidente Kennedy continuò a dire ai suoi consiglieri che la crisi più temuta, per lui, riguardava Berlino.[10]

L'acqua continuava a creare pozzanghere sul fondo della galleria, e gli organizzatori del tunnel di Bernauer Strasse capirono di dover prendere quasi immediatamente la decisione di accorciare il percorso; prima, però, dovevano capire con esattezza a che punto di Berlino Est erano arrivati, impresa non facile. Non effettuavano rilevazioni da un po', e per questo Joachim Rudolph convocò due compagni di scavo, gli ingegneri Uli Pfeifer e Joachim Neumann. Montando il teodolite su un piccolo treppiedi misurarono gli angoli e riportarono il percorso sulla cartina del quartiere dell'Est dove stavano approdando. Per miracolo, dopo tutto quel tempo, dopo i giri attorno ai massi e altre deviazioni, continuavano a puntare dritto verso la cantina di Rheinsberger Strasse, che però distava ancora una trentina di metri.[11]

Stabilita la distanza percorsa, gli scavatori scoprirono di trovarsi – se le misurazioni erano giuste – sotto un condominio di Schönholzer Strasse, a un isolato di distanza rispetto all'obiettivo originale. Secondo la loro cartina l'edificio stava al civico 7 e aveva una cantina. Era perfetto, se non si teneva in considerazione il fatto che nessuno aveva mai visto il palazzo e tantomeno la cantina, che nessun loro conoscente viveva lì o nell'isolato, e che non avessero le chiavi né del palazzo né della porta che conduceva nel sotterraneo.

Joachim Neumann aveva un'altra personalissima preoccupazione. A lui il tunnel serviva per salvare la sua ragazza, Christa. Da mesi si scrivevano con grande attenzione per non dare indizi alla Stasi, o si scambiavano messaggi in codice tramite parenti (per esempio, Neumann scriveva: «Ho avuto il messaggio da tua zia, sono molto contento e vedrò cosa posso fare»). Christa si era organizzata per la fuga prevista a fine settembre e sarebbe stata in vacanza per quasi tutto il mese: in caso di sfondamento anticipato, non ce l'avrebbe fatta. «Dobbiamo correre il rischio e continuare a scavare!», tentò di obiettare Neumann, prima di ammettere con dolore che l'unica scelta, Christa o non Christa, era quella di completare l'operazione al più presto.[12]

Un corriere riuscì ad attraversare il confine, ispezionare la via e sbirciare nell'atrio del civico 7. Tornò con un nuovo problema: il lato opposto della strada era pattugliatissimo dalla polizia. I palazzi della prima via oltre il confine erano stati abbattuti o sgomberati per impedire fughe, e per questo sul lato vicino di Schönholzer Strasse si trovavano le abitazioni più vicine alla "striscia della morte". Al centro della via correva il filo spinato. I residenti e i loro ospiti entravano mostrando i documenti ai checkpoint, sia dell'uno sia dell'altro capo, che erano dotati di cancelli. In corrispondenza del palazzo al numero 7, leggermente più lontano dal Muro, i residenti e gli ospiti potevano passare liberamente, ma sotto gli occhi delle guardie e della polizia. Non c'erano molti dubbi che i fuggiaschi che non abitavano in zona, magari con passeggini o carrozzine, in preda alla tensione e in cerca di cartelli stradali o numeri civici, avrebbero attirato l'attenzione dei VoPos.

Anticipare l'uscita in questo isolato era particolarmente rischioso, forse una pazzia, ma la scelta nasceva dalla disperazione e dall'urgenza. E con l'infiltrazione d'acqua era sempre più grossa, non c'era tempo da perdere.

Il problema della sicurezza era più pressante che mai, e il manipolo di scavatori che sapeva della correzione alla tabella di marcia non diffuse la notizia, piuttosto critica, ai colleghi. Era necessario che i compagni scavassero gli ultimi metri fino al nuovo obiettivo; poi, quando l'uscita in superficie fosse stata imminente, avrebbero saputo anche loro la verità. Questo riduceva il tempo a disposizione per contattare le persone che volevano far scappare, ma a quel punto la sicurezza veniva prima di tutto.

La NBC, però, fu allertata. Piers Anderton mandò subito un messaggio in codice a Reuven Frank, dicendogli che se voleva essere presente al grande evento gli conveniva prepararsi al più presto a volare da New York a Berlino. Gary Stindt, capo di Anderton in Germania, prese la decisione cruciale di aggiungere alla troupe un'altra macchina da presa, che scelse di piazzare in un appartamento a un piano alto, affittato *ad hoc* in un palazzo tra Bernauer Strasse e Wolgaster Strasse, davanti alla fabbrica di bastoncini da cocktail. Da lì, la cinepresa manovrata dal veterano della NBC Harry Thoess avrebbe tenuto sott'occhio posti di blocco e guardie, file di palazzi con porte e finestre sbarrate, i berlinesi dell'Est che passeggiavano e chiacchieravano in strada al di là del Muro. Ma soprattutto, dopo che la DDR aveva distrutto gli edifici più vicini alla frontiera, da là sopra sì godeva una vista impeccabile dell'isolato, in quel momento importantissimo, di Schönholzer Strasse. E il civico 7, con la porta d'ingresso affiancata dalle finestrelle della cantina, stava in bella mostra.[13]

Intanto, in fabbrica, sotto le assi di legno il fondo di argilla della galleria si stava lentamente trasformando in fango. Gli ingegneri erano piuttosto fiduciosi di trovarsi a pochi metri dal nuovo traguardo, ma l'incertezza regnava: di cos'era fatto il muro della cantina e quant'era spesso? Sarebbero occorsi minuti o ore per sfondarlo? Che planimetria aveva la cantina? Dove arrivava la scala che portava nell'atrio, e la porta era chiusa? Gli inquilini, quanto spesso utilizzavano la cantina? C'era qualche possibilità che qualcuno li scoprisse mentre aprivano la breccia o aspettavano l'arrivo dei fuggiaschi?

Per il momento, rimanevano misteri irrisolvibili. Occorreva concentrarsi prima di tutto su una sfida che fino a poco prima avevano immaginato ben lontana nel tempo: radunare con così poco preavviso i corrieri da mandare oltreconfine a informare i fuggiaschi, il giorno stesso dell'evasione o quello prima, che era fissato per il 14 settembre. Di questo si incaricarono Hasso Herschel e Uli Pfeifer. Una veloce ricerca tra i giovani berlinesi dell'Ovest che in precedenza si erano detti interessati a fare i corrieri diede risultati scoraggianti, perché molti erano ormai fuori dai giochi (irrintracciabili), malati (davvero o per finta) o troppo occupati (idem). Per fortuna, era entrata in scena una nuova candidata ad atti di eroismo.[14]

Era Ellen Schau, la fidanzata di Mimmo Sesta. Per pura coincidenza il 10 settembre era arrivata a Berlino da Düsseldorf, dove faceva la segretaria in uno studio legale specializzato in brevetti, per festeggiare in vacanza la settimana del suo ventiduesimo compleanno, che cadeva... proprio il 14 settembre. Mimmo e Gigi andarono a prenderla in aeroporto e a cena le svelarono la loro idea di usarla come corriere.

Ellen non aveva affatto l'aria della tipica *Fluchthelfer*. Con i suoi gioielli raffinati e i capelli rossicci raccolti in uno chignon a conchiglia aveva un'aria elegante, chic. Fino a quel momento non aveva saputo nulla delle imprese che da sei mesi tenevano occupato il suo ragazzo, e tantomeno che il culmine del progetto era vicino. Sì, da marzo in poi Mimmo aveva avuto un comportamento strano, ed era sempre incredibilmente impegnato, spesso difficile da rintracciare. Al telefono non le voleva parlare dei suoi studi. Aveva posticipato viaggi a Düsseldorf. E adesso la informava che sarebbe stata perfetta nel ruolo di corriere. Aveva un passaporto dell'Ovest. Raramente gli agenti della Stasi e i poliziotti sospettavano delle donne giovani e belle, e qualora l'avessero fermata avrebbe potuto dimostrare che era una straniera qualsiasi. D'altro canto, Ellen non era mai stata a Berlino Est, non ne conosceva per nulla le vie e i cartelli stradali, e aveva la fobia di prendere la U-Bahn e la S-Bahn.

Aveva paura e non si sentiva pronta alla missione, ma accettò.[15]

Quella notte dormì ad Ansbacher Strasse, ospite della ragazza di uno scavatore. L'indomani, in un dormitorio dell'Università Tecnica, le presentarono altre persone coinvolte nell'operazione. Lì seppe quale strada doveva seguire, e i nomi e indirizzi dei bar e dei caffè dove, all'ora concordata, avrebbe trasmesso ai fuggiaschi i segnali in codice. Gli organizzatori le avrebbero dato una mazzetta di contanti, nel caso avesse ritenuto che tornare subito nell'Ovest fosse troppo rischioso.

Intanto Stindt e Anderton avevano accettato di concedere agli scavatori l'utilizzo dell'appartamento affittato dalla NBC come quartier generale distaccato nel giorno della fuga. Ciò contravveniva all'ordine di Reuven Frank di non dare alcun aiuto agli scavatori (a parte i finanziamenti, ovviamente). Da lassù qualcuno, forse Mimmo, avrebbe comunicato con chi stava in cantina, avvertendolo di qualsiasi pericolo visibile dal binocolo – anch'esso fornito dalla NBC – al di là del Muro. Dalla finestra dell'appartamento con vista su Schönholzer Strasse, qualcuno avrebbe calato un lenzuolo: bianco se c'era via libera, nero se Ellen Schau e gli altri corrieri dovevano avvertire i fuggiaschi di tornare a casa.[16]

Mercoledì 12 settembre (due giorni allo sfondamento). Ellen e Mimmo fecero colazione al Cafe Bristol, ripassando ancora una volta il percorso tra i caffè e le birrerie di Berlino Est dove Ellen avrebbe inviato i segnali ai fuggiaschi. Tra una visita e l'altra, il suo rifugio dell'Est era la storica Zionskirche, dove il pastore luterano Dietrich Bonhoeffer aveva predicato all'inizio degli anni trenta, prima di cominciare a organizzare la resistenza ai nazisti (per questo, nel 1945, fu giustiziato). Per evitare che il giorno della fuga la Stasi le trovasse una cartina, Ellen tornò nella sua stanza di Ansbacher Strasse e cominciò a imparare a memoria percorsi e segnali.[17]

Intanto Mimmo varcò il confine per comunicare a Peter Schmidt, nella periferica Wilhelmsagen, la nuova e sorprendente data della fuga. Dall'appartamento della NBC nell'Ovest, Harry Thoess filmò Mimmo mentre, con il suo capello di feltro preferito in testa, attraversava il checkpoint e la frontiera.[18] Come se lo scampato arresto di un mese prima non contasse nulla, gli Schmidt furono lieti di sapere che c'era un'altra occasione per scappare.

Anita Moeller non parlava con suo fratello Hasso Herschel dal giorno della retata di Kiefholzstrasse. Conoscendolo, era certa che stesse lavorando a un altro progetto di fuga, e lei era ancora disperatamente desiderosa di uscire, con o senza il marito che non era più tanto sicuro di volersene andare. Erano di nuovo separati. Lei e la figlia Astrid stavano dai nonni materni a Dresda, mentre Hans-Georg faceva l'ingegnere civile a Senftenberg, a cinquanta minuti di auto più a nord. Le disse che ogni volta che uno sconosciuto entrava nel suo ufficio, lui pensava: "Ecco, sanno di Kiefholzstrasse e mi arresteranno come gli altri".[19]

Anita sapeva che, costretta a decidere se salvare il rapporto con il marito o lasciarlo nell'Est, avrebbe fatto la prima scelta, per il bene suo e di sua figlia. Così, quanto per la seconda volta ricevette il telegramma in codice che le raccomandava di andare immediatamente a Berlino, prese un paio di cose per la bambina e un oggetto lussuoso a lei carissimo: il suo abito nuziale, nero, di Dior. Salutando la sorella, Anita disse: «Non so come andrà a finire». Sua sorella le diede un consiglio pratico: se i VoPos l'avessero intercettata, «digli che *mai e poi mai* scenderesti in un tunnel, perché sei claustrofobica». Mentre salutava anche loro, sulla porta, Anita non spiegò ai genitori dove stava andando.

Venuto a sapere della nuova occasione, suo marito decise di accompagnarla a Berlino in auto. Avrebbero passato la notte da un amico. Poteva decidere il mattino della fuga, se andarsene o restare.

Giovedì 13 settembre (un giorno allo sfondamento). Dopo colazione, Mimmo e Ellen andarono in tram a Bernauer Strasse. Mimmo le indicò la finestra da dove lui o un compagno (o forse persino Harry Thoess) avrebbe calato il lenzuolo bianco o rosso. Poi salirono nell'appartamento della NBC per dare un'occhiata al di là del muro, e al malconcio condominio del 7 di Schönholzer Strasse. Ellen tornò in camera sua, a studiare un altro po''.[20]

Intanto Hasso Herschel guidava una squadra di scavatori verso gli ultimi preparativi prima dello sfondamento. Con la vanga e una piccozza, avevano il difficile compito di scavare verso l'alto, a 45 gradi, per oltre un metro, finché non avessero trovato qualcosa di solido. E così fecero, producendo un potente rumore metallico. Provarono un forte sollievo. Ormai mancava soltanto la spinta finale, il giorno dopo. Il primo timore fu che non erano certi di essere davvero sotto il 7 di Schönholzer Strasse. Inoltre, per quel che ne sapevano, la Stasi poteva essere stata informata (se non da Claus Stürmer, da qualcun altro) e gli agenti armati li stavano già aspettando al di là del pavimento di quella cantina.

Nel frattempo gli organizzatori del tunnel si incontrarono per ripassare il da farsi. Gli scavatori, che ancora non sapevano nulla dello sfondamento, dovevano ritrovarsi in fabbrica nel tardo pomeriggio per una "riunione speciale". Dovevano disporsi all'interno della galleria, distanziati di qualche metro, per accompagnare l'uscita dei fuggiaschi. Alcuni si sarebbero occupati delle "zone di sosta" dove i profughi (alcuni erano bambini piccoli) sull'orlo del panico o attanagliati dall'indecisione potevano fermarsi senza ostacolare la circolazione sulle assi centrali. Alcuni dei capi del progetto sarebbero rimasti nell'Ovest, nel sotterraneo, ad accogliere i profughi e a farli salire sul furgone che li avrebbe portati a una nuova vita.

Ma chi avrebbe corso l'assurdo rischio di aprire la breccia, per poi aspettare, magari per ore, l'arrivo dei fuggiaschi nella cantina del 7 di Schönholzer Strasse? Durante una riunione dei pezzi grossi, Joachim Rudolph provò grande indecisione, con il ricordo ancora fresco del rischio mortale corso a casa Sendler. Fu sollevato, e tutt'altro che sorpreso, quando Hasso Herschel si offrì ancora una volta di guidare una squadra verso l'Est. Ciò gli dava il potere di scegliersi i compagni. E naturalmente, lui volle di nuovo al suo fianco Rudolph e il vecchio amico Uli Pfeifer. Hasso sapeva di poter contare su di loro: a Kiefholzstrasse non avevano ceduto al panico, superando a pieni voti un duro test pratico.

Rudolph, nonostante le paure, accettò, mentre Pfeifer non ne volle sapere. Sua madre, scoperto com'era andata a Kiefholzstrasse, aveva fatto promettere ad Hasso di non far più correre quel rischio al ragazzo! Così Hasso scelse un altro veterano, Joachim Neumann. In qualità di ideatore del progetto, Gigi Spina fece valere il suo diritto ad accompagnarli (Mimmo si sarebbe occupato dell'uscita nell'Ovest; quanto a Wolf Schroedter, i suoi recenti problemi di salute lo costringevano a un ruolo da non protagonista).[21]

Restava ancora una persona che andava avvertita dell'operazione. Qualcuno si pentiva di avere fatto quella promessa durante l'estate, ma ormai non si poteva fare a meno di coinvolgere nell'avventura, fosse anche per poco, Christian Bahner, il figlio dell'uomo che aveva donato così tanta legna al progetto. Che fosse ben intenzionato era fuori discussione, ma l'ultima volta che era stato a trovarli, sventolando la pistola e mostrando i candelotti di dinamite, con la sua ingenuità e il suo atteggiamento sfrontato, li aveva allarmati, neanche fosse pronto a condurre da solo un'insurrezione nell'Est. Gigi Spina lo considerava "un fanatico" e gli aveva detto: «Ehi, ma tu sei matto!». Tuttavia, la legna aveva fatto risparmiare agli scavatori migliaia di marchi, e una promessa è una promessa. Dovevano permettergli di entrare per qualche momento nella cantina dell'Est, prima di ricacciarlo nell'Ovest.[22]

Quando Anita, la sorella di Hasso, arrivò a casa dell'amico seguita da marito e figlia, giurò di non fare troppa baldoria, com'era capitato la sera prima della fuga di Kiefholzstrasse. Peraltro, visto che in quei giorni suo marito e lei quasi non si parlavano, Anita non era dell'umore giusto. Quella sera, Gigi andò a trovare Mimmo ed Ellen ad Ansbacher Strasse. Svelò alle ragazze che quella notte avrebbero vietato a Claus Stürmer di uscire dalla fabbrica di bastoncini per tenerlo d'occhio. Dopo circa ventiquattr'ore, se avessero compiuto il miracolo, gli avrebbero concesso di mandare un corriere da sua moglie, nell'Est.

A New York, Reuven Frank aveva ricevuto la tanto attesa chiamata di Piers Anderton: era il momento di andare a Berlino, e alla svelta.[23] Ciò poteva significare una cosa soltanto, e Frank non sapeva quanto tempo sarebbe occorso. I ritardi, considerato cos'era successo fin lì, rischiavano di posticipare il culmine del progetto di giorni o settimane. Almeno sarebbe stato sul posto a dare consigli, e magari a cercare di tenere lontani dai guai i suoi sottoposti. Ordinò a uno dei suoi migliori operatori, Gerald Polikoff, di cancellare ogni impegno e seguirlo oltreoceano. Così Polikoff divenne il quinto, nel quartier generale della NBC, a sapere del progetto.

Atterrati all'aeroporto di Tegel, a Berlino Ovest, dopo un viaggio di dodici ore, furono accolti da Anderton, Stindt e dal cameraman Harry Thoess. Frank ebbe la notizia: «Escono domani sera: il tunnel è finito». Poi lo fecero passare in auto davanti alla fabbrica di Bernauer Strasse, mostrandogli per la prima volta dove nasceva la galleria. Frank si rese conto che il giorno dell'apparizione del Muro era stato a un solo isolato da lì insieme a David Brinkley.

Quel pomeriggio, nell'ufficio della NBC sul prestigioso Kurfürstendamm, i tre membri della redazione tedesca cominciarono a mostrare a Frank un po' delle venti ore di girato. In totale erano oltre 3600 metri di pellicola, sviluppata in gran segreto in un laboratorio di Berlino. Frank fu colpito dal materiale raccolto da Anderton durante le vecchie visite ad altri luoghi di fuga, fogne e tunnel. Ma rimase senza parole di fronte alle prime immagini della galleria di Bernauer Strasse, che risalivano alle prime settimane. Anderton gli indicò i personaggi chiave: "gli italiani", un certo "Hasso" e "Wolf". Poi c'erano le "riprese casalinghe" girate da Sesta quand'era stato dagli Schmidt.

Frank rimase sconvolto. I risultati andavano ben oltre ciò che si sarebbe aspettato da un documentario su un anno di fughe da Berlino Est. Erano infinitamente più straordinari. La maggior parte dei servizi televisivi erano semplici "notizie" riportate minuti se non giorni dopo i fatti, e a volte ci voleva un po' di fortuna per sentirle. Questa, invece, era la storia ripresa nel suo farsi, *cinema verité*, il pericolo dietro ogni angolo, giorno dopo giorno, sotto l'occhio della telecamera: quasi una novità per la tv, un *reality show* ante litteram girato sul fronte della guerra fredda. Frank conosceva giornalisti che in una vita intera non erano mai giunti a risultati del genere, e adesso gli sembrava che la NBC ci avesse praticamente inciampato.

13

Schönholzer Strasse
14 settembre 1962

Il mattino cominciò con un sole tiepido e luminoso che lasciava presagire una splendida giornata di fine estate. Gli scavatori potevano prenderlo come un segno positivo, e qualcuno lo fece. Lungo la strada per il tunnel, i corrieri e i fuggiaschi, magari con passeggini al seguito, non avrebbero dovuto schivare le gocce di pioggia e portarsi l'ombrello.

Joachim Rudolph aveva comprato qualche nuovo attrezzo per aiutare a scavare il buco nello scantinato di (quello che sperava essere) il 7 di Schönholzer Strasse.[1] Lo sfondamento era fissato per il tardo pomeriggio. Gli scavatori "semplici", invitati a quella che credevano fosse semplicemente un'altra riunione, non sarebbero arrivati prima delle 17. Mimmo Sesta e Hasso Herschel tennero un'ultima riunione di coordinamento con i corrieri, soprattutto con Ellen Schau e la ragazza svedese di uno degli scavatori. Ellen, che doveva incontrare i gruppi di fuggiaschi in tre birrerie, decise di coprirsi con una sciarpa i vistosi capelli rossi per dare meno nell'occhio. Da quando era arrivata a Berlino, quella settimana, per festeggiare il suo compleanno e cenare in qualche bel ristorante, non aveva ancora tirato fuori dalla valigia vestiti da giorno, e così alcuni amici le avevano prestato un soprabito leggero. Mimmo le porse la mazzetta di marchi promessi nel caso l'avessero bloccata.

Nell'Est, gli Schmidt aspettavano conferma che quello fosse davvero il giorno della fuga. La madre di Peter, che faceva le pulizie nell'ufficio di un comandante sovietico, era riuscita ad avere un giorno libero. Anita Moeller non sapeva ancora se il marito l'avrebbe accompagnata a Ovest. Ricordando l'ultima evasione,

Anita aveva deciso di sfidare la sorte e non dare il sonnifero alla figlia Astrid. Hans-Georg la accompagnò al tram e per tutto il tragitto cercò di persuaderla a restare a Berlino Est. Quando arrivarono alla fermata e lei rimase in piedi, risoluta, lui disse: «Okay, vengo con te».

Nell'ufficio della NBC, Reuven Frank continuava a guardare le ore di filmati ripresi all'interno e attorno al tunnel, sempre più emozionato e nervoso per la fuga di quella sera. Verso mezzogiorno chiamò a New York il suo capo, Bill McAndrew, e gli disse: «Penso che per questo programma ci serviranno novanta minuti, ma ne saprò di più domani».[2] Il suo operatore Peter Dehmel era per strada a filmare Ellen Schau in occhiali scuri, con i capelli sempre raccolti in uno chignon ma avvolti da una sciarpa, diretta verso la stazione della S-Bahn di Zoologischer Garten.[3] Ellen riusciva a tenere a bada la fobia di salire su un treno sopraelevato soltanto perché aveva ben altro a cui pensare. Dehmel la riprese sul vagone del treno semivuoto finché non arrivò all'ultima fermata prima del confine. Poi scese e seguì il treno con la cinepresa per alcuni minuti mentre si dirigeva a Berlino Est. Per tenere traccia dell'ora, filmò l'orologio della stazione: erano quasi le 14.

Un altro corriere si diresse verso la casa degli Schmidt, in periferia, per dare loro le ultime istruzioni. Un mese prima, non sapendo che la fuga da Kiefholzstrasse era in preparazione, Eveline Schmidt era uscita a fare commissioni e il corriere non l'aveva trovata. Stavolta, grazie alla visita di Mimmo di due giorni prima, lei e il marito erano rimasti a casa tutto il giorno.

Dopo che il corriere se ne fu andato, Peter Schmidt corse ad aggiornare la madre.[4] Tornato a casa indossò vari strati di biancheria, pensando che se lo avessero arrestato almeno sarebbe stato pronto per settimane o mesi in una cella fredda e lurida. Eveline si mise un vestito nuovo e preparò una borsa a tracolla con due pannolini in più per la figlia Astrid. Poi lasciarono la loro piccola casa, sperando che fosse per sempre, e si diressero alla S-Bahn in Alexanderplatz. Gli Schmidt erano già molto tesi, ma lo sarebbero stati ancora di più se avessero saputo che in quei giorni la madre di Peter, prevedendo la fuga, aveva venduto alcuni mobili, gesto che di solito le autorità consideravano un indizio che l'inquilino si preparava ad andarsene. E *lei* lavorava in un quartier generale sovietico.

Intanto Ellen Schau era arrivata alla birreria a pochi isolati dal 7 di Schönholzer Strasse dove sperava di trovare i primi rifugiati.[5] Si rese conto di essere parecchio in anticipo, quindi camminò fino alla Zionskirche lì vicino, si sedette, aspettò e pregò. Aveva memorizzato la maggior parte degli itinerari, ma per sicurezza si era portata qualche appunto in codice. Distrusse tutto quanto. Visto che aveva altro tempo, la curiosità ebbe la meglio e decise di camminare oltre il 7 di Schönholzer Strasse, seguendo un impulso sciocco ma irresistibile. Nessuna delle guardie la fermò – una giovane donna a passeggio in un soleggiato pomeriggio estivo non destava sospetti – e mentre passava riuscì a dare un'occhiata allo stretto atrio del condominio. Poi tornò alla chiesa e pregò ancora un po'.

Dall'appartamento della NBC che si affacciava su Bernauer Strasse, Harry Thoess cominciò a filmare al di là del confine, verso Schönholzer Strasse, e riprese alcuni bambini che giocavano, residenti che chiacchieravano e VoPos che pattugliavano il marciapiede davanti al numero 7. Due lenzuoli, uno bianco e uno rosso, erano a portata di mano per dare le indicazioni ai corrieri. Secondo il piano, quando Peter e Klaus Dehmel avessero sentito che i primi fuggiaschi stavano per arrivare, sarebbero andati all'imbocco del tunnel nel sotterraneo della fabbrica, avrebbero allestito le luci e si sarebbero preparati a filmare i fuggiaschi che si arrampicavano sulla scala di legno verso la libertà. Su nell'appartamento, Thoess avrebbe filmato ogni azione in strada se qualcosa fosse andato storto e la polizia o la Stasi avessero fatto irruzione nel condominio. Ma mancavano ancora un paio d'ore.

A fine pomeriggio, la squadra di sfondamento (Hasso, i due Joachim, Gigi) si radunò nel sotterraneo della fabbrica.[6] Per evitare di fare rumore alla fine del tunnel spensero l'impianto di ricambio dell'aria. Rudolph aveva con sé una tuta blu da operaio da indossare, successivamente, come travestimento. Gli scavatori sapevano che a Est, per ordine dello stato, tutte le porte d'ingresso degli edifici in prossimità del confine andavano chiuse ogni sera. Gli inquilini potevano aprirle con una chiave, ma i fuggiaschi arrivati dopo quell'ora non sarebbero stati in grado di entrare nell'atrio del condominio senza bussare, il che, per gli scavatori, andava evitato a ogni costo. Rudolph, che si intendeva un po' di serrature, aveva progettato di uscire dallo scantinato e aprire la porta forzandola dall'interno per tenerla aperta dopo le 20. Ogni volta che un inquilino fosse arrivato e avesse richiuso la porta, lui avrebbe dovuto ripetere l'azione.

E se qualcuno avesse deciso di scendere nel seminterrato a controllare qualcosa, scoprendo i visitatori? L'intruso, volente o nolente, sarebbe stato costretto a strisciare nel tunnel fino a Ovest, sotto la minaccia di un'arma da fuoco. Sarebbe stata una disgrazia, ma gli scavatori erano concentrati sulle decine di altri fuggiaschi ansiosi di fuggire quella sera.

L'ultimo ad arrivare fu Christian Bahner, il figlio focoso del donatore di legna. Il giovane Bahner fece un ingresso molto singolare: vestito come un pistolero del Far West, con tanto di cappello e camicia da cowboy, stivali, cinturone e due fondine con pistole annesse. Mancava solo la parlata strascicata alla John Wayne. Gli organizzatori confabularono e decisero che era fuori discussione che quel giorno il ragazzo andasse a Berlino Est, anche se si fosse tolto il cinturone: non importava cosa avevano promesso a suo padre. Poteva rimanere ad attendere nel sotterraneo, e soltanto se avesse consegnato tutto l'armamentario.[7]

Intanto erano arrivati Peter e Klaus Dehmel, ma dopo aver preparato le luci non potevano fare altro che aspettare.

Immaginate lo shock e l'allarme degli scavatori, inconsapevoli che quella fosse la notte della fuga – e ancora all'oscuro dell'accordo con la NBC – quando al loro arrivo, verso le 17, si imbatterono nelle luci e nella cinepresa.[8] Nemmeno Uli Pfeifer e Joachim Neumann, scavatori principali e ideatori del progetto sin dall'inizio, immaginavano che la NBC avesse filmato l'interno del tunnel per quasi tre mesi. Come gli altri che prima di loro erano venuti a sapere degli accordi con l'emittente americana, sulle prime si infuriarono, poi ne furono profondamente turbati, per timore che chiunque avesse saputo della fuga rappresentasse un rischio ulteriore, anche in extremis. E se in televisione avessero mostrato le facce degli scavatori e dei fuggiaschi, consentendo alla Stasi di identificarli, i loro amici e conoscenti rimasti a Est avrebbero potuto avere problemi. Neumann, che aveva quasi tutta la famiglia ancora al di là del Muro, era particolarmente scosso.

Alcuni scavatori affrontarono direttamente i due della NBC e chiesero che se ne andassero. Altri pretesero spiegazioni da Spina e Sesta, i quali risposero che i controlli sulla sicurezza erano stati rigorosi e aggiunsero che il risultato finale sarebbe stata un'incredibile testimonianza filmata del loro impegno e sacrificio. Le discussioni proseguirono per svariati minuti, e ritardarono l'apertura della breccia mentre i fuggiaschi erano già in viaggio. Alla fine gli italiani supplicarono gli altri di lasciare lamentele e paure da parte, almeno per le ore successive. Tutti avevano un compito da svolgere. Volente o nolente, ogni scavatore accettò il proprio incarico, il che nella maggior parte dei casi significava aspettare dentro il tunnel per assistere (o tranquillizzare) i fuggiaschi arrivati fin lì strisciando e tra i quali potevano esserci almeno una donna anziana e due o più bambini piccoli.

Uno degli organizzatori chiese a Uli Pfeifer se fosse un problema portare con sé una piccola cinepresa all'altro lato del tunnel, a Berlino Est – e filmare per qualche minuto il sito dello sfondamento, per la NBC. Pfeifer era indignato. «Sono deciso a correre il rischio di andare a Est», rispose, «ma non per una trasmissione televisiva.»[9]

I quattro scavatori di Bernauer Strasse si fecero strada verso Est, inzaccherandosi nelle pozzanghere fino alle caviglie, e capirono che era il momento decisivo. Raggiunsero l'estremità opposta e rimasero in ascolto, nel caso ci fossero attività nel seminterrato. Non sentirono niente. Hasso si arrampicò sulle spalle di qualcuno per picchiettare contro il soffitto. Per controllare la superficie, dapprima vi infilò un cacciavite. Il pavimento non era di cemento, ma solo d'argilla pressata, quindi fu facile. Quando rimosse il cacciavite, dal minuscolo buco fuoriuscì dell'acqua.[10]

Aveva colpito un'altra tubatura? O peggio, tutto lo scantinato era sommerso? Gli scavatori avevano sentito dire che la Stasi allagava i piani interrati vicini al confine per scoraggiare le evasioni da Ovest. C'era un solo modo per scoprirlo: Hasso prese a scrostare la terra attorno al piccolo foro. Se lo scantinato era davvero allagato, il tunnel e gli scavatori sarebbero stati ben presto sommersi dall'acqua.

Allargando il buco, scoprì che il colpevole era solo un piccolo tubo con una perdita costante ma che non metteva a repentaglio l'operazione. Infilando uno specchietto nel foro, Hasso confermò che lo scantinato era libero. Continuare era sicuro, o almeno, sicuro quanto lo era sembrata casa Sendler. Neumann pensò: "Be', almeno sappiamo di non essere in un cortile o sotto un marciapiede". Con l'adrenalina alle stelle, i quattro fecero a turno per ingrandire il foro. Un'occhiata alla finestra dall'altra parte dello scantinato li informò che fuori c'era ancora il sole. Quando gli altri pensavano di aver finito, Gigi protestò: dovevano allargare il foro ancora di qualche centimetro, se volevano che passasse anche lui che aveva un po' di pancia in più degli altri.

Sempre in assenza di rumori da sopra, Herschel si arrampicò fino al varco e dentro lo scantinato. Rudolph gli passò la sacca da viaggio con gli arnesi e le armi – due pistole e il mitragliatore MG 42 – poi lo raggiunse, seguito da Neumann e Spina. Hasso aprì una porta con una spallata. In un attimo trovarono gli scalini della porta che presumibilmente conduceva all'atrio.

Rimaneva ancora una domanda essenziale: si trovavano *davvero* dentro il 7 di Schönholzer Strasse o in un condominio adiacente? Sapevano cos'era necessario fare: salire gli scalini, oltrepassare la porta e avventurarsi nell'atrio per capire se l'indirizzo era indicato lì, sperando che nessuno degli inquilini stesse controllando la posta o uscendo in quel momento. Se fossero sbucati sotto il 6 o l'8 di Schönholzer Strasse, che cosa avrebbero fatto? Era troppo tardi per avvertire direttamente i corrieri, quindi uno degli scavatori avrebbe dovuto girovagare per ore dentro o fuori il civico 7, sperando di incontrare i fuggiaschi o – cosa ugualmente rischiosa – andare in una delle birrerie in cui si riunivano.

Hasso, con la sua insolita e ormai folta barba nera, sarebbe risultato sospetto, quindi Rudolph si offrì volontario e indossò la tuta blu che aveva con sé. Se qualcuno lo avesse notato avrebbe dichiarato di essere un elettricista che lavorava nel palazzo (il che non era del tutto una falsità).[11] Entrando nella parte posteriore dell'atrio, Rudolph vide che dall'entrata del palazzo, la porta dello scantinato rimaneva nascosta dietro il muro di sinistra, ed era un vantaggio: si poteva restare lì davanti senza essere notati dall'ingresso. A pochi metri dalla prima notò un'altra porta, che conduceva al cortile posteriore. L'atrio era il solito rettangolo con una coppia di scale che dai lati conducevano di sopra. Nelle due ore seguenti, da un momento all'altro un inquilino sarebbe potuto scendere improvvisamente o arrivare dal cortile.

Rudolph attraversò rapidamente l'atrio e scorse un elenco di nomi, ma niente che indicasse l'indirizzo. Non aveva altra scelta che aprire la porta d'ingresso e uscire, esattamente sul lato opposto della strada rispetto alle guardie del checkpoint e perfettamente visibile dai poliziotti di pattuglia. Schizzando fuori lungo il marciapiede e guardandosi alle spalle lo vide: un grosso 7 nero su smalto bianco sopra le alte porte d'ingresso in legno. (Il numero 7 non gli era mai sembrato così fortunato come in quel momento.) L'edificio sembrava piuttosto fatiscente. La facciata di pietra era piena di crepe e buchi, probabilmente lasciati dalle pallottole alla fine della seconda guerra mondiale. A sinistra della porta le finestre al primo piano erano sprangate con assi o murate.

Al centro della strada, a meno di cinque metri da lì, correva il filo spinato legato ai pali. Dopo una rapida occhiata all'isolato per valutare cosa aspettava i fuggiaschi, Rudolph ritornò allo scantinato. Poi Neumann comunicò la bella notizia per telefono a Ovest. Qualcuno doveva informare il "quartier generale" (nell'appartamento della NBC) che non c'era bisogno di mettersi in contatto con i corrieri per informarli che l'indirizzo era sbagliato. Dall'altra parte del Muro, adesso, a una finestra era appeso il lenzuolo bianco.

Ormai erano le 18 e l'atrio del 7 di Schönholzer Strasse si riempì. Era cominciato il trambusto di fine giornata. Gli scavatori sentivano gli inquilini rientrare dal lavoro e chiacchierare con gli amici. Uno di loro rise e fischiò. Altri uscirono a mangiare qualcosa o a comprare la cena. Un altro gruppo, allegro, approfittando della serata calda, aprì le porte affacciate sul cortile posteriore. Rudolph, immaginando cosa sarebbe successo se i fuggiaschi fossero arrivati nell'atrio nel bel mezzo di quel viavai si sentì come sui carboni ardenti. Gli scavatori impugnarono le armi.

Nel frattempo gli Schmidt e i Moeller avevano raggiunto separatamente la birreria che si trovava a un paio di isolati dal 7 di Schönholzer Strasse.[12] Nessuno conosceva la zona, quindi furono necessarie un po' di ricerche. Gli Schmidt, con la madre di Peter, avevano preso due S-Bahn per Alexanderplatz per poi proseguire a piedi per un chilometro e mezzo, prima facendo camminare la bimba con loro, poi tenendola in braccio. Anita e il marito avevano preso un tram, poi avevano spinto il passeggino per gli ultimi isolati. A tutti era stato detto di aspettare una donna che sarebbe entrata nella birreria con una copia del "Bild Zeitung" sottobraccio e che avrebbe comprato una scatola di fiammiferi. Gli Schmidt avevano avuto ordine di uscire dalla birreria subito dopo di lei, i Moeller quindici minuti dopo.

Gli operai cominciarono a entrare alla spicciolata nel locale per una birra dopo il turno del venerdì. In un angolo, seduti a un tavolo un po' in disparte, alcuni clienti inconsueti, gli Schmidt e i Moeller, sentivano di attirare l'attenzione: due uomini giovani con l'aria da studenti o liberi professionisti e due donne bellissime e ben vestite che badavano a due bambine piccole. Una di loro indossava un elegante vestito di Dior e i tacchi alti. C'era anche una donna più anziana, con i capelli grigi. Erano seduti là da un bel po' a sorseggiare caffè, come se aspettassero qualcuno – cominciavano a chiedersi se l'indirizzo fosse giusto.

Anita lanciò un'occhiata agli Schmidt e sussurrò al marito: «Quelli devono essere gli altri fuggiaschi», ma non si fece avanti per chiacchierare. Invece si alzò per portare fuori la figlia a fare due passi nel giardinetto in fondo all'isolato. Dall'altra parte di un terreno libero scorse la "striscia della morte", le torrette delle guardie, il Muro. Passare davanti al filo spinato e alle guardiole non fece che ingigantire i suoi timori. Nella birreria, i fuggiaschi erano un po' confusi. Un uomo, seduto da solo, continuava a mostrare ad altri clienti una rivista di corse ippiche. Era un segnale di cui ai fuggiaschi non era stato detto niente?

Le bambine, nessuna di loro aveva più di un anno e mezzo, erano bravissime nonostante i pannolini sporchi. Annett aveva fatto la pipì sul vestito della madre, ma Eveline temeva che cambiandole il pannolino avrebbe attirato ulteriormente l'attenzione. Passò un'ora. Di tanto in tanto le due madri si scambiavano uno sguardo d'intesa mentre davano alle figlie un altro bicchiere d'acqua o di succo di mela. Si avvicinavano le 19, e Anita portò Astrid a fare un altro giro. Eveline temeva che ormai nella birreria qualcuno avesse fatto una soffiata alla Stasi: si sentiva come un topo in trappola.

Poi dalla porta entrò una ragazza snella con i capelli avvolti in una sciarpa.[13] Sotto il braccio portava un giornale con le grandi "B" e "Z" del "Bild Zeitung" ben visibili. Ellen Schau si sentiva tremendamente impacciata. Oltre a non avere mai fatto niente del genere era una donna sola che entrava in una birreria di Berlino Est, ed era certa di attirare l'attenzione. Tuttavia andò spedita al bancone e ordinò a gran voce una scatola di fiammiferi. Si guardò attorno e riconobbe facilmente i fuggiaschi: erano gli unici con l'espressione impassibile e non si perdevano una sua mossa.

Cercando di comportarsi con disinvoltura, gli Schmidt presero i pochi averi e la figlia e lentamente passarono davanti a Hans-Georg Moeller mentre si dirigevano alla porta. Fuori, sul marciapiede, in direzione del 7 di Schönholzer Strasse si divisero: Peter e la madre presero una direzione, Eveline e la bambina un'altra. Il sole di fine pomeriggio proiettava ombre lunghe. Sperando di avere ricevuto istruzioni corrette, Eveline si concentrò sulle insegne stradali per svoltare in Schönholzer Strasse. Per chi veniva dalla periferia, quella zona disorientava, con le sue file infinite di condomini. "Stai calma", continuava a ripetersi. Ellen Schau, che era uscita dalla birreria e cercava di calmarsi i nervi al giardinetto, la guardò allontanarsi e, tra sé, le augurò di salvarsi.

Lungo la strada Eveline passò davanti ad Anita e Astrid che stavano tornando alla birreria dopo l'ultima passeggiata. Eveline sussurrò ad Anita *Auf Wiedersehen*. Arrivederci.

Per puro caso, i due gruppi Schmidt arrivarono al 7 di Schönholzer Strasse nello stesso momento.[14] Aprirono la porta ed entrarono nell'atrio vuoto. "Finora tutto bene", pensò Eveline. "E adesso?" Scorsero una porta all'estremità dell'atrio ed Eveline la aprì, ma vide soltanto un cortile. "Qui non c'è niente. Palazzo sbagliato?" Voltandosi notò una seconda porta che dalla strada non si vedeva.

Dietro, sui gradini che portavano allo scantinato, i quattro scavatori sentirono dei rumori provenire dall'atrio. Attesero, con il battito che accelerava. Dimenticandosi di dire la parola d'ordine, "Corazzata Potëmkin", Eveline aprì la porta… e vide un paio di giovani uomini armati. Quello con la barba nera puntava una pistola contro di lei. Poi Gigi Spina si fece avanti per abbracciare il suo amico Peter Schmidt.

Non c'era tempo per altri saluti o convenevoli. Eveline, che teneva la bambina in braccio, fu guidata lungo gli scalini verso l'angolo dello scantinato, con il marito e la suocera dietro. Gli scavatori avevano montato dentro il buco una lampada che illuminava il percorso. Quasi come in trance, e non avendo altra scelta che fidarsi del primo sconosciuto, Eveline passò la bambina a un paio di mani nel tunnel e poi, con il vestito e i collant nuovi, scese anche lei. Dopo un po' che strisciava perse le scarpe ma continuò a muoversi e superò i *Fluchthelfer* e le luci che dall'alto illuminavano il percorso.

Dalla porta che si affacciava sull'atrio, Joachim Rudolph rifletté: dopo mesi di scavi, calli, scosse elettriche, perdite d'acqua, lo spavento per Stürmer, la costante minaccia di cedimenti e la tragedia sfiorata di Kiefholzstrasse, anche se nessun altro si fosse presentato, *ne era comunque valsa la pena.*

All'uscita del tunnel nell'Ovest non ci furono segni eclatanti tipici di un grande evento storico, nonostante le luci forti della televisione già allestite sulla scena. Gli scavatori che dovevano accogliere i fuggiaschi si erano allontanati dal buco nel cemento, in attesa della conferma che l'operazione era in corso. Quando gli Schmidt entrarono nel tunnel a Est, la notizia, gridata nel cunicolo dai membri della squadra di accompagnamento, a malapena arrivò dall'altra parte. Peter Dehmel se ne accorse per un pelo e andò in fretta a orientare la cinepresa della NBC in modo da filmare direttamente il buco, dove la scala di legno era inclinata verso destra a formare un angolo di sessanta gradi dal tunnel al sotterraneo.

Il primo segno di vita che gli si presentò fu la borsetta di una donna appoggiata su un ripiano a sinistra della scala. Poi una corona di capelli arruffati, che ben presto si rivelarono appartenere a una bella ragazza vestita di scuro. Dopo aver strisciato carponi attraverso pozzanghere e sporcizia per minuti, la donna si sforzò di salire i quindici pioli della scala. Quando arrivò in cima si voltò verso le luci della troupe e il suo sguardo allarmato incrociò la cinepresa. Nessuno degli scavatori era presente, perciò Klaus Dehmel corse ad aiutarla a salire gli ultimi pioli, nonostante Reuven Frank avesse ordinato alla troupe di limitarsi a osservare passivamente. Il vestito della donna era intriso di acqua e fango, i piedi erano scalzi. Il tecnico luci della NBC la guidò, a un passo dallo svenimento, a sedersi su una panchina lungo il muro.[15]

Sopraffatta dall'emozione, Eveline sentì una specie di suono acuto, e per un attimo ebbe un mancamento. Quando si riprese guardò allarmata verso il buco. Dalla scala spuntava un'altra figura. Era Mimmo con in braccio sua figlia, imperturbabile. Quando toccò il pavimento, Mimmo passò la bambina a Klaus Dehmel e si piegò ad abbracciare Eveline. Poi, quando Eveline se la strinse al petto, baciò le mani di Annett.

Mezzo minuto dopo, sbucò dalla scala una donna anziana con i capelli grigi e spettinati. Quando anche suo figlio, Peter Schmidt, fu nel sotterraneo, quasi sollevò Mimmo in un abbraccio. I quattro membri della famiglia Schmidt erano giunti a Ovest, finalmente.

A Est, Anita Moeller cercava un lenzuolo appeso a una finestra affacciata direttamente sul Muro.[16] Quando lo vide si sentì rincuorata; e ancora di più quando vide che era bianco. A differenza del mese precedente, non c'erano cambiamenti di programma. Poteva essere una notizia buona o cattiva, a seconda di cosa sarebbe successo dopo.

Ormai aveva i nervi a pezzi, a maggior ragione per i fiumi di caffè bevuti, mentre superava i pedoni in Schönholzer Strasse. Astrid continuava a stare tranquilla nel passeggino, nonostante il pannolino bagnato. I Moeller trovarono il 7 ed entrarono nell'atrio. Hasso, sapendo che la sorella sarebbe stata la prima ad arrivare, la aspettava davanti alla porta dello scantinato. Sulle prime Anita non lo riconobbe a causa della barba; quando capì che era lui, quasi non si scambiarono una parola e si abbracciarono solo per un attimo. Trovarlo a Est era sconvolgente, perché se lo avessero arrestato, il rischio di una lunga condanna o persino della morte era altissimo. Hasso disse: «Vai, vai», e praticamente spinse lei e il marito verso il tunnel. Lasciarono il passeggino nell'atrio.

All'imbocco del tunnel, Neumann diede istruzioni ad Anita perché alzasse le braccia e si infilasse dentro. Hans-Georg passò Astrid a un paio di mani sconosciute. Mentre strisciava dentro grosse pozzanghere e sopra la rotaia di acciaio tagliente, ancora vestita bene e con i tacchi alti, Anita accusò una delle guide: «Siete pazzi, avete lasciato che Hasso venisse a Est! Dovevate far venire qualcun altro!». Almeno la tanto temuta claustrofobia non si faceva sentire. Si rese conto che il vestito del matrimonio e i collant si stavano strappando.

Quando emerse dall'altra parte, con le ginocchia sbucciate e sanguinanti, Anita fu sorpresa dalle luci intense.[17] A Dresda aveva lavorato per la televisione e sapeva che il rumore in sottofondo era il ronzio di una cinepresa, e pensò: "Che succede qui? È come a Est, tutti ti guardano". E poi si rese conto: "Stanno girando un film". Non poteva essere vero. Nemmeno suo fratello l'aveva avvisata. Poi si accorse di qualcos'altro: banconote fradicie della Germania Est appese ad asciugare con una molletta.

Uno scavatore le passò la figlia; lei vide Eveline con la sua bambina, seduta contro il muro, e le si avvicinò per salutarla. Anita, a differenza di Eveline, era riuscita a tenere le scarpe bianche, ma le due donne condividevano qualcosa: il desiderio – no, il bisogno impellente – di infilarsi nell'altra stanza e cambiare il pannolino alle figlie (seguite dai Dehmel con i riflettori e le cineprese). Eveline aveva un pannolino in più in borsa, Anita dovette prendere in prestito un cardigan da uno scavatore per avvolgere Astrid dalla testa ai piedi. Se la bambina piagnucolò, nessuno la sentì. Poi le due donne fecero a turno per lavarsi le gambe e i resti dei collant con l'acqua di una bacinella. Eveline prese Annett tra le braccia e si sentì abbastanza calma da sorridere alla cinepresa.

Alcuni minuti dopo, Wolf Schroedter accompagnò il primo gruppo di fuggiaschi al piano di sopra e poi fuori, sul furgone che li doveva portare negli alloggi provvisori. A Berlino. A Berlino Ovest.

Le 19 erano passate da un pezzo. Era quasi il crepuscolo. Ellen Schau stava completando nervosamente il giro, con una sigaretta sempre in mano. La terza e ultima fermata era un'altra birreria nei pressi di Schönholzer Strasse. Il colore del lenzuolo appeso alla finestra dell'appartamento della NBC continuava a essere bianco. C'era soltanto un problema: in quella birreria il segnale doveva essere una giovane donna che entrava con passo spedito, sedeva a un tavolo e ordinava un caffè. Ma quella sera non servivano caffè, scoprì Ellen. I fornitori non lo avevano consegnato. Maledisse le immancabili carenze della DDR e si chiese cosa fare.[18]

Sulle prime cercò di alzare la voce in modo che i fuggiaschi presenti capissero che stava cercando di mandare un segnale. «Un caffè! Non avete il caffè? Come è possibile che non abbiate il caffè?!». Il cameriere sembrò perplesso. Non era sicura che stesse funzionando, per cui, sapendo di sembrare pazza, Ellen ordinò ad alta voce un'altra cosa che cominciava per "C" e che lì dovevano pur avere: del cognac. Il cameriere tornò poco dopo per riempirle un piccolo bicchiere. Ellen pensò che avrebbe fatto meglio a buttarlo giù per non destare sospetti, anche se non aveva mai toccato un goccio di alcol in vita sua. Si può dire che nel giro di poche ore si era trasformata in una vera professionista. Quando notò alcuni clienti che si alzavano, come in procinto di uscire, pensò che il piano stesse funzionando.

Quando uscì vide che il lenzuolo bianco era ancora appeso alla finestra del quarto piano affacciata su Berlino Est, dall'altra parte del Muro. Si chiese se il suo fidanzato, Mimmo, fosse laggiù, in salvo, o se invece fosse ancora in pericolo, nel tunnel.

Dopo aver fatto il suo dovere, Ellen fermò un taxi per farsi portare al movimentato checkpoint di Friedrichstrasse.[19] Temeva di essere perquisita e sapeva che il denaro che aveva con sé poteva apparire sospetto, perciò lasciò al tassista una mancia generosa. Infatti, al checkpoint un'agente di polizia la prese da parte e la perquisì. Forse la Stasi sapeva del piano di fuga? A ogni modo, l'aver memorizzato gli itinerari e gli indirizzi ed essersi disfatta di tutto quanto le fu molto utile: la lasciarono andare subito. Ellen era riuscita a fuggire con successo. Raggiunta la stazione dello Zoologischer Garten a Ovest, si sentì improvvisamente debole e quasi perse i sensi. Si era resa finalmente conto di quello che aveva fatto, e di essere sopravvissuta.

Qualche giorno prima, quella stessa settimana, Inge Stürmer aveva deciso di non voler più aspettare che qualcuno bussasse alla sua porta per portarla a Ovest. Klaus Brunner, un elegante amico di suo marito, di recente era andato a trovarla per dirle che un tentativo di fuga era probabile nell'arco di quel mese, ma non prima di qualche settimana. Così, il 14 settembre decise di rilassarsi e per cena cucinò una bistecca.[20] Invitò i suoi zii e Doris Gerlach, una ragazza che aveva conosciuto nella prigione di Moisdorf. Come lei, anche Doris all'epoca era incinta e aveva partorito dietro le sbarre. Erano subito diventate amiche. Anche lei aveva già un altro figlio.

Quel giorno, mentre Inge serviva il caffè dopo cena, un uomo e una donna in moto si fermarono di fronte alla sua casa. Inge fu sulla porta prima che la donna suonasse il campanello. La fuga era programmata per quella sera, disse con accento svedese, e le comunicò dove sarebbe dovuta andare. Lungo il percorso, Inge doveva mettersi in contatto con un'altra fuggiasca di nome Karin.

Ma come poteva essere sicura che non fosse una trappola? La donna le mostrò una foto di sua figlia su cui Claus Stürmer le aveva scritto di tenere duro. Inge si precipitò a mandare via gli zii, senza dare spiegazioni.

«Oh no, un'altra volta no», commentò la zia, ricordando il precedente tentativo di fuga che aveva spedito Inge in prigione. «Dacci tutte le tue lettere», disse lo zio, sapendo che sarebbe stato meglio bruciarle subito.

Inge raccontò a Doris cosa stava succedendo; l'amica le disse che anche lei voleva fuggire. «Cos'ho da perdere?», chiese, poi andò a casa a fare una borsa e a svegliare i due figli. Inge promise di andarle incontro entro un'ora.

In pochi minuti preparò i due figli, indossò un semplice soprabito a scacchi e si diresse a casa dell'amica, vicino al confine.[21] Ma per sua sfortuna il tram locale era fuori servizio, quindi non ebbe altra scelta che camminare lungo quello stesso percorso, per quindici fermate, spingendo il passeggino. Già in ritardo, lasciò i bambini con Doris e andò a cercare Karin. Quando la trovò presero un taxi per l'appartamento di Doris. Inge tirò fuori un mazzo di fiori da un vaso e lo avvolse nella carta di giornale per dare l'impressione che stessero andando a una festa o a una riunione di famiglia in Schönholzer Strasse, in caso venissero fermate dalle guardie. Poi uscirono di casa: tre giovani donne, due delle quali con un passeggino. Era buio, le nove passate. Chissà se il tunnel era ancora aperto e gli scavatori ancora disponibili.

Hasso Herschel, ansioso di tornare a Ovest per salutare meglio la sorella, rimase al suo posto dietro la porta che portava allo scantinato del 7 di Schönholzer Strasse. Aveva una lista di fuggiaschi e l'ordine in cui sarebbero arrivati già pianificato con i corrieri. Fino a quel momento la lista era stata rispettata. Le prossime dovevano essere due donne, una sulla trentina, l'altra sui cinquant'anni.[22]

Quando Hasso sentì bussare e pronunciare la parola d'ordine, aprì la porta, ma con sua sorpresa non si trovò davanti due donne, bensì una donna e un uomo, che indossava un giaccone di pelle e un cappello – la tipica divisa della Stasi – e teneva entrambe le mani in tasca. Herschel, che aveva già la pistola nella mano destra, la puntò contro l'uomo ed esclamò: «Mani in alto!». Quando l'altro apparve più allarmato che remissivo, Hasso cercò di sparare un colpo, ma le sue dita mancarono il grilletto. Prima di poter rimediare all'errore, notò che l'uomo, impaurito, si era spostato: dietro di lui c'era la seconda donna. L'uomo era forse un marito o un fratello che non figurava sulla lista ufficiale dei fuggiaschi?

Hasso spinse prontamente i tre tedeschi dell'Est attraverso la porta e verso il tunnel, ormai convinto che fossero innocui. Quasi tremava dal sollievo. L'inesperienza con le armi da fuoco gli aveva impedito di trasformarsi in un assassino, senza contare che l'esplosione del colpo avrebbe certamente attirato l'attenzione di inquilini e guardie. In quel caso, lui e gli altri sarebbero stati costretti a rivivere l'esperienza di Kiefholzstrasse, fuggendo freneticamente nel tunnel e negando a chiunque altro di fuggire, quella notte.

Pochi minuti dopo, giunta a destinazione appena la metà dei venticinque fuggiaschi previsti, Herschel e Spina partirono per l'Ovest con la promessa di mandare dei sostituti. Al 7 di Schönholzer Strasse il viavai degli inquilini era praticamente cessato. La portinaia del palazzo entrò nell'atrio come ogni sera alle 20 in punto per chiudere a chiave l'ingresso. Rudolph doveva infilarsi nell'atrio per riaprirlo. Fu costretto a chiedersi se la tuta blu da operaio lo avrebbe salvato nel caso in cui un inquilino lo avesse visto e avesse preteso di sapere che diamine ci faceva lì, tanto più con in mano degli arnesi da scasso.

Passò un'ora. I due Joachim – l'esile Rudolph dai capelli castano chiaro e il tarchiato e bruno Neumann – stavano ancora aspettando rinforzi o sostituti. Nessuno li aveva raggiunti da Ovest e non potevano avvertire nessuno con il telefono militare. Probabilmente Hasso era fuori a festeggiare con la sorella, e i due italiani insieme a Peter Schmidt. E loro rimanevano lì, sui gradini dello scantinato, soli, armati ma ancora in grave pericolo. Avrebbero voluto avere la sicurezza che un altro collega poteva aiutarli, ma decisero di non farsi prendere dal panico – e da Ovest non potevano arrivare indicazioni (Santo Cielo, non il "cowboy").[23]

Di tanto in tanto un inquilino che tornava dal lavoro o da una cena apriva e richiudeva la porta d'ingresso. Rudolph doveva rinunciare alla relativa sicurezza dello scantinato, correre nell'atrio con gli arnesi (e la pistola in tasca) sperando che nessuno scendesse le scale, per forzare rapidamente la serratura. Neumann, con l'MG 42 al petto, lo "copriva" fino alla porta, come in un vecchio film di James Cagney, con l'orecchio teso a captare eventuali pericoli.

Per un po' i fuggiaschi continuarono ad arrivare a due o tre per volta; in silenzio trovavano la porta dello scantinato e sussurravano la parola d'ordine. Come aveva fatto per tutta la sera, Neumann li accompagnava all'imbocco del tunnel e poi dentro, senza una parola, limitandosi a indicare lo stretto necessario. Nonostante l'alto livello di ansia, i fuggiaschi reagivano passivamente, quasi per riflesso automatico. Se lui diceva «sedetevi», si sedevano; «alzate le braccia», e lo facevano; «adesso infilatevi dentro», e sparivano. Da ingegnere, Neumann li trovava simili a giocattoli meccanici: silenziosi, senza concedersi pause né lamentarsi, nemmeno quando si rendevano conto di quanto buio e umido fosse il tunnel. Per quel che ne sapevano, li avrebbe potuti portare come pecore al macello, o tra le braccia della Stasi.

In realtà stavano andando ordinatamente in salvo nell'Ovest. Uli Pfeifer, che li vedeva passare grossomodo a metà strada, si meravigliava della loro compostezza. Continuavano a inzaccherarsi, ma andavano avanti. Dall'altra parte salivano la scala sotto lo sguardo della cinepresa della NBC, e poi montavano sul vecchio, affidabile furgone Volkswagen diretti verso qualche sistemazione temporanea, in un dormitorio, all'appartamento di un amico o al centro rifugiati di Marienfelde.

Finalmente tutti i fuggiaschi sulla lista principale erano arrivati e spariti nel tunnel.[24] Tardavano soltanto quelli collegati a Claus Stürmer. Da Ovest non era arrivato nessun messaggero a comunicare ai due Joachim che l'operazione era conclusa; non potevano fare altro che aspettare. Nel frattempo, l'acqua nel tunnel aumentava. Se i ritardatari fossero arrivati in quel momento, forse sarebbero stati gli ultimi a riuscire a fuggire attraverso il passaggio. Neumann aveva sperato di portare uno o più dei suoi amici il giorno seguente. Adesso le possibilità di una seconda fuga sembravano diminuite.

A un certo punto alla porta arrivarono tre giovani donne con quattro bambini al seguito – una vera e propria folla – e furono accompagnate lungo il percorso come i venti prima di loro. Claus Stürmer, nel sotterraneo dall'altra parte della grotta, aveva appena abbandonato la speranza che quella notte la sua famiglia ce la facesse. Dalla radio gracchiò una voce: Rudolph e Neumann stavano mandando altre donne e dei bambini! Stürmer scomparve giù per la scala, quasi troppo in ansia per sperare.

Dall'altra parte della galleria, sua moglie sussurrava «non avere paura, stiamo per vedere papà» alla figlia Kerstin, che quando erano entrati nel buco male illuminato a Est si era messa a piangere. Inge strisciava come una pazza attraverso il tunnel nel suo soprabito a scacchi, sbucciandosi e ferendosi le ginocchia sull'acciaio della rotaia. Quando arrivò dall'altra parte non riconobbe Claus, la cui faccia barbuta era imbrattata, anche dopo che si furono abbracciati in cima alla scala. Inge, ignara, gli chiese: «Potrebbe prendere il mio bambino?».[25]

Claus si sporse per prendere tra le braccia il figlioletto in lacrime che non aveva mai conosciuto. Da sopra, Peter Dehmel filmò ogni drammatico istante. Inge finalmente riconobbe il marito. Un minuto dopo, altri scavatori riempirono Claus di pacche sulle spalle e lo abbracciarono. A Inge sembrava che il marito avesse appena segnato il gol della vittoria in una partita di calcio. Dopo un mese, il folle progetto di portare a Ovest i suoi cari era finito bene. Tutti, inclusi gli scavatori, erano arrivati fin lì sani e salvi. Questa volta non c'erano stati tradimenti, niente Stasi, niente arresti.

Senza aspettare la notizia ufficiale della fine della missione, i due Joachim si prepararono ad abbandonare la postazione nell'Est, sapendo che se non fossero partiti subito sarebbero stati costretti a nuotare per tornare nell'Ovest, nel loro tunnel ancora solido ma sempre più allagato. Prima di andarsene stabilirono che i passeggini abbandonati nell'atrio potevano suggerire agli inquilini del palazzo che era stato organizzato qualcosa di illegale sotto il loro naso, perciò corsero fuori e li spinsero nello scantinato, nel caso l'operazione fosse continuata un altro giorno.[26]

Poi Mimmo Sesta e Manfred Krebst strisciarono nella direzione opposta, per controllare lo stato del tunnel lungo tutto il percorso e lanciare un rapido sguardo, vittorioso, a quelli che ben presto sarebbero diventati il famoso atrio e lo scantinato del 7 di Schönholzer Strasse.

Nell'ufficio della NBC, Reuven Frank era sempre più agitato. Per tutto il giorno lui e il suo tecnico del montaggio avevano osservato le straordinarie riprese girate settimane e mesi prima dai fratelli Dehmel. Non avrebbe potuto essere più emozionato o nervoso. Piers Anderton, che lo assistette per quasi tutto il giorno, gli aveva detto che la missione di fuga programmata per il tardo pomeriggio sarebbe probabilmente finita entro le 20. Da quel momento c'era stato solo silenzio. Frank si aspettava che i Dehmel arrivassero in ufficio entro le 21, ma ancora non si vedevano. Ordinò del cibo a un costoso take-away cinese, ma era troppo su di giri per mangiare. E se la fuga fosse stata compromessa, come a Kiefholzstrasse? Alla fine decise di uscire e dare un'occhiata in giro.

Non voleva attirare l'attenzione, quindi chiese che uno degli assistenti di Gary Stindt lo portasse con un'anonima auto oltre la fabbrica di bastoncini senza rallentare. Non notò azioni sospette della polizia a Ovest, né, sbirciando oltre il Muro, a Est. Se ci fosse stata una grossa retata, in qualche modo avrebbe percepito attività frenetiche o avrebbe intravisto fari accesi, pensò per calmarsi mentre tornava in ufficio per aspettare un altro po'.

Alle due di notte arrivarono i Dehmel. Si erano rifiutati di lasciare lo scantinato prima che si concludesse la missione, il che li aveva costretti ad aspettare, come tutti gli altri, il gruppo di Stürmer. Poi avevano trascinato le preziose bobine in un laboratorio sicuro. Reuven Frank avrebbe dovuto aspettare fino al pomeriggio del giorno dopo per esaminare quello che avevano filmato, ma il resoconto della testimonianza oculare dei Dehmel lo faceva sembrare un successo strepitoso ed eroico oltre che, per inciso, splendidamente televisivo.[27]

14

Riprese clandestine
15-30 settembre 1962

Non c'è pace per chi è già stanco. Il mattino dopo la fuga di massa, gli scavatori cercarono di capire se era possibile far evadere qualcun altro da Berlino Est prima che la galleria fosse completamente allagata. Per qualcuno, in particolare per Hasso Herschel e i due italiani, la missione era compiuta. Contro quasi tutti i pronostici avevano portato via dall'Est amici e cari senza un solo arresto né uno sparo. Hasso aveva aperto la breccia rischiando l'ergastolo. Quasi tutti gli scavatori avrebbero voluto aiutare altri fuggiaschi, nei giorni successivi, ma ormai il tunnel era pieno d'acqua, e il rischio di un crollo era molto aumentato (per non parlare della possibilità che un inquilino o un agente della Stasi lo potessero scoprire). Così la considerarono già una vittoria e si ritirarono.[1]

Altri, dopo una breve ispezione del tunnel, cercarono di sfruttarlo per almeno un altro giorno. Ne parlarono durante la riunione delle undici. Joachim Neumann aveva amici che, ne era certo, sarebbero scappati in un baleno. Tanti scavatori trovavano ingiusto non tentare, almeno, di aiutare connazionali impazienti di fuggire. Certo, lungo alcuni tratti di galleria c'erano fino a quindici centimetri d'acqua, ma, con tutti i puntelli di legno che avevano segato e inserito, il risultato era una struttura decisamente solida. Era troppo affidabile per abbandonarla subito. Tanti giovani uomini e donne disperati e frustrati dal dominio comunista avrebbero sopportato anche trenta centimetri d'acqua, a costo di sguazzare a rana. Tutto pur di approdare nell'Ovest.

Presero una decisione: proviamo a farlo funzionare ancora per un giorno. La coraggiosa donna svedese era disposta a tornare nell'Est a fare da corriere. Secondo il piano, doveva avvertire cinque persone, i cui nomi erano scritti su una lista compilata dagli scavatori. Quelle cinque ne avrebbero avvertite altre cinque, e così via. In quel modo non sarebbe stato difficile radunare una ventina di nuovi fuggiaschi. Joachim Neumann e il compagno scavatore Rainer Haack si offrirono di presidiare la cantina del 7 di Schönholzer Strasse, quella sera, e accompagnare la gente nel tunnel. Uli Pfeifer voleva aiutare, in qualche modo. Claus Stürmer si disse disposto a recuperare l'attrezzatura da sommozzatore, pur di far passare i profughi. E non era detto che non sarebbe servita.

Intanto, in un appartamento di Bonn, Birgitta Anderton rispose al telefono: era suo marito.

«Li abbiamo fatti uscire tutti», le annunciò.

«Ma cosa dici?», chiese lei.

«Ah», rispose lui gioviale, «avevo dimenticato di dirtelo: a Berlino stiamo girando un documentario su un gruppo di tedeschi dell'Est che voleva scappare nell'Ovest attraverso un tunnel. E li abbiamo fatti uscire tutti.» Un plurale che la diceva lunga.[2]

Mentre Anderton e la maggior parte degli scavatori cercavano di rilassarsi, Reuven Frank raccoglieva le energie per la sua missione, che in sostanza era appena cominciata. Verso mezzogiorno, nella sede berlinese della NBC, le mute immagini in bianco e nero filmate dai Dehmel la notte precedente erano tornate dal laboratorio e stavano per essere proiettate sull'unico "schermo" a portata di mano: un grosso foglio di cartone bianco pieno di macchie. Frank si domandò se fossero all'altezza del riassunto fatto loro dai Dehmel dieci ore prima.

Non dovette aspettare molto per scoprirlo. Dopo appena qualche minuto, sullo schermo apparvero Eveline Schmidt che saliva la scala, e Klaus Dehmel, nientemeno, che correva ad aiutarla. Nonostante l'illuminazione debole, la qualità delle immagini era tecnicamente adeguata, la tensione palpabile, l'emozione senza pari. Non c'era bisogno di aggiungere parole a queste scene. E ne seguivano altre: mostravano lo stoico arrivo dei fuggiaschi e le loro reazioni. Una ritraeva Wolf Schroedter che accompagnava fuori dalle viscere della cantina i primi arrivi, oltre il laboratorio dove si tagliava la legna, fino al furgone Volkswagen. Poi la cinepresa tornava sul buco nel pavimento per riprendere altri fuggiaschi, compreso l'uomo alto, con la giacca di pelle al quale per poco Hasso Herschel non aveva sparato. Infine arrivavano Inge Stürmer e sua figlia, e il tutto finiva con un primo piano spezzacuore di Claus che, sulla scala, stringeva per la prima volta tra le braccia il suo figlioletto.

Frank andò al tappeto. Chiamò il suo capo Bill McAndrew, a New York, per dirgli di scordarsi il piano di uno speciale di sessanta minuti su un'ampia serie di tentativi di fuga a Berlino: ne occorrevano novanta per raccontare soltanto la storia di questo tunnel. Non aveva ancora idea di come assemblare, insieme al montatore Polikoff, qualcosa di potente e coerente a partire dai 3600 metri di riprese, effettuate nel corso di tante settimane a brevi spezzoni, senza audio e con un cast di personaggi sconosciuti al pubblico americano. Il risultato finale, comunque, non era più in dubbio. Frank doveva soltanto cominciare a montare.[3]

Non poteva immaginare che, per la NBC, la parte facile era appena finita.

E i neo-cittadini di Berlino Ovest? I ventisette che avevano appena attraversato la galleria fangosa sotto Bernauer Strasse sapevano che nei giorni successivi avrebbero dovuto presentarsi a Marienfelde per denunciare formalmente la propria presenza e incontrare gli agenti dei servizi tedeschi (e probabilmente anche di quelli americani, francesi e britannici). Ma non ci pensavano di certo, quel sabato. Alcuni, esausti ma pieni di adrenalina, avevano passato la notte svegli a parlare con i vecchi amici o i familiari. Altri avevano dormito fino a tardi. Inge Stürmer tenne per mano l'irrequieta figlia per tutta la notte, prima di appisolarsi con lei al sorgere del sole. Eveline Schmidt e la figlia erano andate dalla ragazza di Gigi Spina mentre suo marito e la madre avevano trovato alloggio altrove.

Lasciando le dimore temporanee per qualche ora, questi espatriati cercarono di abituarsi all'idea di essere a Berlino *Ovest*. La maggior parte ci era già stata, prima del Muro, ma per altri era una novità. Cosa fece Anita Moeller quando, il primo giorno, uscì dalla casa della madre di Uli Pfeifer? Insieme a tre dei suoi salvatori andò nei famosi grandi magazzini KaDeWe a comprare pannolini e vestiti per la figlia, che dalla sera prima non indossava altro che un cardigan preso in prestito. Inge Stürmer, intanto, andava dal dottore a farsi vedere i brutti tagli e i lividi sulle ginocchia. Il medico non disse nulla, ma secondo lei capì al volo cos'era successo.[4]

Altrove, a Berlino, un'altra giovane cittadina della Germania Est si stava godendo il suo primo giorno nell'Ovest. Angelika Ligma, una ventenne bella e sfacciata, che disprezzava da tempo il Muro. L'azienda di cosmetici per cui lavorava l'aveva iscritta a un corso di alta specializzazione all'Università Humboldt, ma lei desiderava una vita adulta nell'Ovest. Quell'estate, al Museo di storia tedesca, aveva conosciuto alcuni studenti dell'Ovest che avevano contatti nel Gruppo Girrmann e le dissero che forse potevano aiutarla. Un mattino, Angelika fece la valigia e disse alla madre che stava andando in università, senza rivelarle la sua vera destinazione.

Cercò di fuggire nascondendosi sotto il sedile posteriore di una vecchia Opel guidata da un italiano. E ci riuscì: la Opel attraversò il checkpoint di Zimmerstrasse nel cuore della notte senza intoppi (e senza che lei soffocasse). Il caso volle che ciò accadesse poche ore dopo l'uscita dell'ultimo fuggiasco dal tunnel di Bernauer Strasse. Ligma fu accompagnata nella zona chic del Kurfürstendamm, a prendere un caffè con Detlef Girrmann in persona. Le raccomandò di starsene per qualche giorno nella Casa del futuro senza uscire quasi mai, perché l'edificio era sorvegliatissimo dagli agenti della Stasi e lui non voleva che alcun servizio segreto, dell'Est o dell'Ovest, né alcun giornalista, venisse a sapere dei sempre più frequenti passaggi di frontiera in auto finché non avessero trovato un alibi credibile ai nuovi arrivi.[5]

Il piano di far evadere altri fuggiaschi attraverso il tunnel fradicio non stava andando bene come sperato. Era domenica, c'era ancora il sole, e la svedese che faceva da corriere riuscì a trovare in casa soltanto due dei cinque berlinesi dell'Est sulla sua lista. Gli altri, probabilmente, erano fuori a godersi il giorno libero dal lavoro o dagli studi. I due, a loro volta, non riuscirono a trovare nessuno che fosse impaziente di scappare. La tentazione di fermare gente a caso per strada e offrire l'occasione di una vita era forte, ma chiunque poteva avere un legame con la Stasi.

All'oscuro di tutto questo, Neumann e Haack aspettarono per tre ore nella cantina del civico 7. In qualsiasi momento un inquilino poteva scendere a controllare le sue cose. Nessuno lo fece. Arrivarono soltanto due profughi, uno dei quali era amico di Neumann. Il corriere aveva fatto del proprio meglio ma, ahimè, nessun altro sarebbe arrivato dall'Est. Neumann e Haack cercarono di nascondere il buco nella cantina con una borsa e un passeggino, poi ci si infilarono per l'ultima volta. Si stava davvero riempiendo d'acqua, ormai. Claus Stürmer era pronto con la sua attrezzatura subacquea ma non c'era nessun fuggiasco disposto a farsela a nuoto. A meno che qualcuno avesse sentito che il tunnel sbucava al civico 7 e avesse scoperto dove si trovava, o che un inquilino si fosse imbattuto nel buco per poi decidere di scappare lesto verso la libertà (anziché avvertire la polizia), il numero totale definitivo dei fuggiaschi era di ventinove. O almeno, così pensavano i promotori del tunnel.[6]

Due giorni dopo la fuga, oltre una dozzina di scavatori indisse una riunione alla fabbrica di bastoncini da cocktail per lamentarsi che le rivelazioni sui filmati della NBC e sui soldi ricevuti dall'emittente erano state fatte solo pochi minuti prima dell'operazione. Si trattava perlopiù di studenti che avevano fatto i turni nel tunnel ma non vi erano coinvolti dall'inizio, né portavano lo stesso fardello del gruppetto iniziale. L'idea che qualcuno facesse soldi con un progetto di fuga nato con degli ideali era scioccante per quasi tutti loro, ignari che altrove anche il *Dicke* e i suoi compagni ne avevano chiesti ai fuggiaschi o ricevuti dai media.

Alla riunione presenziò anche Joachim Rudolph, che sapeva delle riprese della NBC e aveva ricevuto una piccola somma dopo avere accettato di apparire davanti alla cinepresa. Uli Pfeifer no.

Era ancora arrabbiato perché non lo avevano avvertito prima, né dei soldi né delle riprese, ma soprattutto in quanto vecchio amico di Hasso Herschel riteneva di dover essere chiamato in causa (Hasso spiegò poi a Uli che l'avrebbe anche voluto informare riguardo alla NBC, ma «meno persone lo sanno meglio è»).[7]

Seduto per terra quasi al centro della stanza c'era un uomo che da tempo nutriva opinioni e sensazioni ambivalenti riguardo all'accordo con la NBC. Wolf Schroedter ascoltava mentre gli altri davano sfogo alle proteste riguardo alla segretezza, ai soldi della televisione (dov'erano finiti, esattamente?) e alla possibilità che i filmati mostrassero le loro facce o quelle dei fuggiaschi, un pericolo, questo, per eventuali ritorsioni verso i loro parenti o amici rimasti nell'Est. Schroedter era d'accordo con alcune obiezioni, ma si ritrovava anche legato a doppio filo al patto con la NBC. L'emittente aveva anticipato agli ideatori del tunnel 7500 dollari, con la promessa di versarne altri 5000 al completamento del documentario. Schroedter aveva già deciso di usare la sua quota di compenso per finanziare un altro tunnel insieme ai suoi amici del Gruppo Girrmann ma non più con i due italiani, che accusava di aver creato dissenso per l'eccessiva segretezza.

Dopo la riunione, Joachim Rudolph tornò nel tunnel a prendere qualche attrezzo. Recuperò anche due scarpine perse da una bimba durante la fuga. Le prese perché venissero restituite a quelli che credeva i genitori della piccola, Peter e Eveline Schmidt.[8]

E Christian Bahner, il giovane "cowboy" che il giorno della fuga aveva mancato l'occasione di irrompere nell'Est con gli altri? Disse al fratello minore Thomas che l'ascia che aveva aperto il buco nella cantina di Schönholzer Strasse l'aveva usata lui! E che, passati tutti i fuggiaschi, nell'Est era rimasto soltanto lui; erano arrivati i VoPos, lo avevano inseguito nel tunnel ma lui era scappato nell'Ovest salvandosi per un pelo.

La notizia dell'ultima drammatica fuga fu di dominio pubblico soltanto il 18 settembre, quattro giorni dopo l'evento. Il titolo del "New York Post" rivelava: *Ventinove persone scappano da Berlino Est grazie al tunnel più lungo mai scavato*. Il "New York Times" annunciava: *Ventinove berlinesi dell'est fuggono attraverso un tunnel di 120 metri* e lo descriveva come il gruppo più numeroso mai salvato da una singola operazione da quando era stato eretto il Muro. La stampa era stata informata da tempo, ma prima di pubblicare la notizia aveva atteso che il tunnel, allagato, fosse dichiarato definitivamente fuori servizio. A questo punto, anzi, le autorità spingevano perché fosse resa nota l'ubicazione dell'ingresso della galleria a Schönholzer Strasse. Perché? «Le autorità», spiega il "Times", «hanno sottolineato che i dettagli del tragitto sono stati svelati affinché i tedeschi dell'Est desiderosi di sfruttarlo evitassero di rimanere intrappolati dall'acqua che lo invade.»

Secondo l'inviata del "Washington Post" Flora Lewis si trattava della sesta fuga di massa dell'anno. I precedenti tentativi erano stati organizzati dagli aspiranti profughi, ma in quel caso a occuparsene erano i volontari dell'Ovest delusi dall'assenza di aiuti ufficiali. Avevano organizzato una sorta di "ferrovia sotterranea" come quella che negli Stati Uniti del XIX secolo aveva aiutato gli schiavi neri a fuggire negli stati liberi. Heinrich Albertz, capo del dipartimento cittadino per gli affari interni, dichiarò che le autorità sapevano da tempo dell'esistenza del tunnel, e commentò: «Non consideriamo un atto illegale scavare un passaggio sotto il Muro comunista». Espresse senza mezzi termini «grande rispetto» per gli scavatori. Secondo Lewis si trattava di una presa di posizione importante, alla luce della «controversia silenziosa ma aspra» scatenata dai tunnel a Berlino Ovest. Molti cittadini avevano rifiutato le proposte di sfruttare le loro case o di fornire altri tipi di aiuto a questo genere di fuga, nel timore di «spiacevoli» ripercussioni, irritando gli studenti *Fluchthelfer*. Albertz, il cui dipartimento aveva finanziato i primi tentativi di fuga, cercava di «ristabilire nei berlinesi dell'Ovest il clima di solidarietà che è indispensabile alla loro esistenza.»[9]

Quanti tedeschi dell'Est avevano davvero attraversato il tunnel? Gli organizzatori ne contavano ventinove, ma secondo fonti confidenziali citate dal "New York Times" «altri trenta profughi sono usciti dal tunnel». Possibile che fossero scappati nella notte di venerdì, dopo che gli scavatori erano andati a casa, oppure addirittura domenica, nonostante l'acqua che invadeva il passaggio? Se sì, chi erano? Anche il primo rapporto sul tunnel inviato al segretario di stato Rusk dalla Missione di Berlino citava il totale più alto di fuggiaschi («ventinove nel primo gruppo e, alla fine, quasi sessanta»).[10] La Missione aveva anche scoperto che a costruire la galleria era stato un gruppo di studenti, sotto la "supervisione", come nel caso di Kiefholzstrasse, dalla LfV tedesca.

Ora la Stasi, che nonostante le dritte ottenute un mese prima dall'agente "Hardy" e da altri non era riuscita a scoprire e bloccare la fuga a Bernauer Strasse, doveva ricomporre i pezzi. Un rapporto spiegava, con una certa indignazione, che «a quanto pare, la fuga dalla DDR di ventinove persone attraverso un tunnel è avvenuta davvero». Per fortuna, «ora la galleria è inutilizzabile perché invasa dall'acqua».

Tuttavia le informazioni della Stasi sull'ubicazione dell'impresa rimanevano scarse, perché il rapporto individuava il tunnel nell'estremo nord di Berlino, «presumibilmente nel distretto di Reinickendorf» a diversi chilometri dalla sua vera posizione. I criminali, quelli che nel linguaggio della Stasi si chiamavano *Republikflucht*, «sono stati accolti dagli americani e stanno andando, uno alla volta, a Marienfelde». Il piano di fuga era stato «escogitato» al quartier generale americano del "P9" e al momento tutti i profughi dovevano fare rapporto là, benché «avessero l'obbligo di silenzio assoluto, per non vanificare altri tentativi di fuga» (in realtà gli americani avevano già trasferito la madre di Peter Schmidt a Francoforte, per un interrogatorio approfondito sui suoi anni di lavoro nel quartier generale sovietico).

Siegfried Uhse non era riuscito a smascherare il tunnel di Bernauer Strasse, ma dopo aver ricevuto la medaglia e i soldi per la retata di Kiefholzstrasse non era stato certo a riposare sugli allori. Il Gruppo Girrmann aveva stabilito che non era più possibile usarlo come corriere nell'Est, ma si fidava più che mai di lui e gli affidò un ruolo cruciale nell'organizzazione delle fughe in automobile:

doveva nominarne e gestirne i corrieri. I fuggiaschi dovevano pagare una quota di appena 500 marchi. Bodo Köhler rivelò a Uhse persino il nuovo messaggio segreto che i corrieri dovevano usare con i fuggitivi: «Cari saluti da Anuschka e Manfred, hanno portato il carbone per l'inverno».[11]

A volte Uhse ospitava i colleghi del Gruppo a casa sua, e almeno una volta cucinò persino per Köhler: quest'ultimo trovò l'appartamento tranquillo, sicuro e comodo, ma suggerì a Uhse di ricavarci almeno un angolo cottura. Parlò di casa sua, disse che ci si sentiva al sicuro perché era vicino a sedi della polizia e dell'esercito, ma era preoccupato per Detlef Girrmann, che abitava altrove e con molta meno protezione. Uhse informò il suo gestore all'MFS che per un agente della Stasi sarebbe stato facile «colpire Girrmann alla testa».[12]

Una tedesca dell'Est, approdata di recente nell'Ovest nascosta dentro una Opel, non era ancora uscita dalla Casa del futuro. Per Angelika Ligma, però, era ormai giunto il momento di presentarsi a Marienfelde. Girrmann e Köhler sapevano che là gli agenti segreti dell'Ovest l'avrebbero messa sotto torchio. Per evitare domande indesiderate sull'attraversamento clandestino in auto, decisero di inventare una versione alternativa dei fatti. Le fecero persino firmare un documento in cui prometteva di non rivelare a nessuno la verità sulla sua fuga.

Doveva raccontare di essere arrivata nell'Ovest attraverso il tunnel di Bernauer Strasse. Tuttavia le fecero imparare la versione che avrebbe raccontato parola per parola, perché i servizi segreti avevano già parlato con profughi usciti davvero dalla galleria della NBC. Tra i giovani attivisti che aveva conosciuto c'era un ragazzo con la barba, un certo Hasso. Un altro veterano del tunnel di Bernauer Strasse, non identificato, le spiegò cosa raccontare durante gli interrogatori: il giorno dopo la fuga del 14 settembre aveva incontrato una donna in un bar di Berlino Est, la quale le aveva detto che il tunnel era ancora aperto e che la sera successiva era possibile usarlo per la fuga. Insieme ad altre ventinove persone aveva strisciato lungo la galleria, attorno alle otto di sera, ma non ricordava più precisamente l'indirizzo dei punti di ingresso e uscita. Poi, insieme ad altri nuovi arrivati, era salita su un autobus, diretta verso la sua nuova vita nell'Ovest.

Ligma rimase fedele alla versione, e a Marienfelde la confermò a tutti e quattro i servizi segreti occidentali. Gli agenti americani furono particolarmente minuziosi e le fecero le stesse domande per decine di volte in forma diversa. Che cosa sapeva, per esempio, dei soldati della Germania Est? Be', niente (gli americani le chiesero di scrivere a una sua amica della DDR, per ottenere ulteriori informazioni). A quel punto il Gruppo Girrmann, o gli americani, oppure entrambi, avevano informato i media che quel fine settimana cinquantanove persone, non ventinove, erano fuggite attraverso il tunnel di Bernauer Strasse; le trenta in più se l'erano cavata da soli, all'insaputa degli scavatori. Questo divenne in breve tempo il conteggio ufficiale per la stampa.

A Marienfelde, Ligma fu avvicinata da un addetto stampa dell'imminente film in uscita della MGM, *Tunnel 28*. Gli americani o i tedeschi dovevano aver parlato di lei alla produzione. Ligma ripeté la falsa storia della sua fuga sotterranea. L'uomo della MGM, colpito, le disse che sfruttando le sue conoscenze poteva forse far volare la giovane e bella ragazza negli Stati Uniti, il mese successivo, per pubblicizzare il film.[13]

Quando fece il suo primo viaggio a Bonn dopo il giorno della fuga, Piers Anderton portò con sé uno strano oggetto da mostrare alla moglie: la bambola di una bambina, sporca di fango. Gliel'aveva data uno scavatore, dicendo che doveva averla persa una delle piccole che avevano attraversato la galleria.[14]

Anziché tornare subito negli Stati Uniti, Reuven Frank aveva deciso di fermarsi un paio di settimane a Berlino per montare il film.[15] Tra le diverse notizie affiorate riguardo al tunnel non c'era una parola ufficiale sul ruolo della NBC e sulle riprese, e a Frank andava bene così. Ma soprattutto, rintanato a Berlino, Frank poteva lavorare fianco a fianco con Anderton e i fratelli Dehmel, anziché chiedere loro aiuto a migliaia di chilometri di distanza. Gary Stindt noleggiò i macchinari per Frank e Gerry Polikoff, che si misero al lavoro in una stanza appartata della redazione.

Poiché le riprese erano mute – a parte quelle in cui i Dehmel avevano registrato il rumore dei tram e dei passi, per mostrare quanto fossero vicini alla superficie – montarle era piuttosto facile, rispetto al solito. Bisognava però tenere in considerazione diversi tipi di materiale. C'era la cronaca di Anderton delle prime fughe, che scartarono quasi subito sapendo che non ne avevano più bisogno. C'erano i "filmini" girati da Mimmo Sesta quand'era stato dagli Schmidt nell'Est, e le ricostruzioni estive delle fasi precedenti all'arrivo di Anderton. La pila più grossa di bobine conteneva le immagini immortalate dai Dehmel durante le loro molte visite al tunnel, e la spettacolare notte della fuga. Tutto quello che Frank desiderava c'era eccome, ma bisognava trovare il ritmo e il tono giusti, l'inizio e la fine, e il modo migliore di presentare i "personaggi". Senza interviste e pressoché senza audio, doveva produrre qualcosa di inaudito per la televisione: novanta minuti (senza pubblicità) di pure immagini e narrazione.

Strano ma vero, Frank non era convinto di voler chiudere il film con la notte della fuga. Era l'innegabile culmine dell'operazione, ma ci voleva anche una sorta di epilogo che seguisse gli scavatori e i profughi nei giorni successivi. Ormai erano sparpagliati per la città e il tempo stringeva; per questo Frank ordinò ai redattori di organizzare a spese della NBC una festa in un ristorante del posto, e di invitare gli scavatori e qualcuno di quelli che avevano portato nell'Ovest. Per filmare il tutto, ovviamente.

Molti dei "protagonisti" principali parteciparono alla festa al Würzburger Hofbräu, vestiti di tutto punto: c'erano Hasso Herschel e sua sorella Anita; Mimmo Sesta e la sua ragazza/corriere Ellen Schau; Gigi Spina e gli Schmidt; Joachim Rudolph, Claus Stürmer, e tanti altri.[16] Hasso non si era ancora tagliato la barba che aveva giurato di radere dopo aver fatto scappare la sorella. Piers Anderton si unì alle bevute. In sottofondo la musica di una banda. Ma l'atmosfera di festa se ne andò di lì a poco. Alcuni scavatori non avevano smesso di lamentarsi riguardo alle riprese segrete e ai soldi, o di brontolare perché prima di abbandonare il tunnel si sarebbe potuto almeno provare a pompare fuori un po' d'acqua. Ciò mise in imbarazzo chi già conosceva l'accordo segreto con la NBC e aveva fatto evadere dall'Est amici o familiari. Anita Moeller se la prese con il fratello, scherzando ma non troppo: «Quant'è stato avvilente strisciare nel tunnel e scoprire che c'erano gli americani che giravano un film!». Hasso mormorò imbarazzato una risposta. «Sembravano spie», continuò lei. «Magari anche stasera hanno messo i microfoni nei candelabri.»

Alcuni scavatori erano ancora esausti, sfiniti, o impazienti di tornare alla propria vita. Altri, per protesta, avevano snobbato il ricevimento. Quanto ai fuggiaschi, l'iniziale momento di sollievo era passato. Adesso dovevano fare i conti con un futuro assai incerto, senza lavoro e con pochissimi parenti stretti, o addirittura nessuno, al di qua del Muro. I matrimoni in difficoltà avevano già cominciato a traballare più di prima. Nonostante i difetti, il sistema comunista aveva fornito una sanità pubblica di base e badato gratuitamente ai bambini. Nell'Est il cibo scarseggiava, ma costava poco. Idem le case. E adesso, sotto il capitalismo? Chi poteva dirlo. Si erano già accorti di quanto fossero cari i beni più comuni.

Uno dei presenti entrò in pieno nello spirito della festa: dopo parecchi bicchieri, Peter Schmidt prese la chitarra e improvvisò una balbettante *Torna a Surriento* per i suoi salvatori italiani. Per una volta, la NBC accese il microfono. Poi Piers Anderton uscì dal locale per chiudere il racconto della vicenda, davanti alla telecamera con il ristorante alle spalle. Confermò che dopo la prima notte trenta anonimi tedeschi dell'Est erano usciti dalla galleria e aggiunse che l'ultimo gruppo aveva dovuto nuotare «con l'acqua che gli arrivava quasi fin sopra la testa». Dopo questo successo, e con l'odiato Muro che ancora incombeva, sarebbero venuti «altri ragazzi» e «altri tunnel» come questi.

Fine delle riprese.[17]

Qualche giorno dopo, i veterani del tunnel si concessero un'altra festa, con meno tensioni scoperte e nessuna telecamera della NBC.[18] Bevvero molto e, stavolta, qualcuno persino ballò. Appena due settimane prima, Joachim Rudolph guidava Eveline Schmidt attraverso l'ingresso del tunnel nella cantina del 7 di Schönholzer Strasse. Adesso le chiedeva di ballare. Le disse di non vergognarsi se non sapeva fare passi sciolti: tutti potevano imparare il nuovo ballo che imperversava, il twist. «Provaci», la spronò, e lei lo fece, per parecchi minuti. Si capiva che i due stavano bene insieme.

Peter Schmidt, che li guardava da lontano, si fece sempre più malinconico, fino a deprimersi. L'entusiasmo dei primi giorni nell'Ovest era già scemato, e le tensioni di coppia e i problemi di lavoro erano tornati in primo piano. Pensò agli uccelli migratori che partono insieme, all'unisono, con un nobile intento, per una missione difficile e pericolosa, e raggiunta la destinazione vanno ognuno per la sua strada. Se ne andò dalla festa, uscì quasi in lacrime. Mimmo e Gigi andarono a cercarlo per provare a consolarlo. Non aveva molti elementi su cui basarsi, soltanto qualche minuto di ballo tra due persone, ma sentiva che stava già per perdere sua moglie, incantata da uno dei coraggiosi che avevano contribuito a portarla nell'Ovest. Aveva ragione.[19]

Altri fuggiaschi dall'Est stavano ricevendo aiuti da un nuovo, inatteso fronte. I conigli che si aggiravano sulla "striscia della morte" inciampavano nei sensori degli allarmi e li facevano scattare, producendo fiammate o piccole detonazioni che servivano ad attirare le guardie. Una notte, i conigli del Tiergarten provocarono cinque falsi allarmi. Secondo la polizia di Berlino Ovest, in certi casi i fuggiaschi sfruttavano la confusione e la distrazione per attraversare la frontiera. I ragazzini del quartiere li ribattezzarono «i nostri fuochi d'artificio gratis».[20]

A parte il tunnel di Bernauer Strasse, nel mese di settembre non ci furono altre fughe di massa, ma il numero di piccoli successi, insieme a quello di orribili fallimenti singoli continuò a salire. Se ne ha notizia nei verbali della polizia di Berlino Ovest e della Brigata berlinese dell'esercito americano:

17 settembre: Tre ragazzi scappano dalla finestra di una cantina al 42 di Bernauer Strasse.

20 settembre: Diversi altri fuggiaschi attraversano i canali a nuoto. Nel settore francese due VoPos disertano e portano con sé nell'Ovest il loro cane poliziotto. Altra esplosione vicino alla Porta di Brandeburgo, nell'Est.

23 settembre: Quasi a imitare la vicenda Fechter, un ragazzo scavalca il Muro di Bernauer Strasse e trova la libertà mentre il suo amico, sotto il fuoco, cade, ma in questo caso non si ferisce. Due fratelli, di dieci e dodici anni, scappano da un orfanotrofio e tagliano il filo spinato alla frontiera. Due giovani berlinesi dell'Est scappano arrampicandosi sul Muro.

26 settembre: Altri due berlinesi dell'Est, uno dei quali è una guardia, scappano da un checkpoint, in moto. Le guardie di frontiera sparano a un ragazzo vicino alla stazione Nord; per una volta l'ambulanza dell'Est arriva in fretta e lo porta via.

30 settembre: «A Gleim Str. arrestata donna venticinque anni», registra la Brigata di Berlino, «da guardie di frontiera non lontano dal muro. La donna salutava con la mano qualcuno a Berlino Ovest».[21]

Dopo che due civili dell'Est travestiti da militari americani attraversarono la frontiera presso il Checkpoint Charlie, dalla Missione Charles Hulick scrisse a Dean Rusk: «Gli addetti stampa americani sono stati informati, così che si possa tenere la stampa lontana dalla vicenda, se dovesse scoprirla».[22] Quello stesso mese, con una mossa che con tutta probabilità avrebbe avuto forti ripercussioni, per la prima volta la Germania Ovest pagò un riscatto per la liberazione di venti prigionieri e venti bambini detenuti nell'Est. Pagò in vagoni di fertilizzante. Al centro di questa iniziativa che prometteva di dare i suoi frutti c'era l'avvocato dell'Est Wolfgang Vogel, celebre per lo scambio di spie Francis Gary Powers – Rudolf Abel.

Prima di partire per un viaggio europeo di una settimana, McGeorge Bundy scrisse al presidente un promemoria riguardo alle sue intenzioni politiche. A Bonn era deciso a «dimostrare con l'esempio pratico che le teste d'uovo della Casa Bianca sono molto più dure di quelle tedesche». A Berlino gli obiettivi erano tre: «Rispettare il solito rituale berlinese. Provare a vedere cosa si può fare riguardo alle cronache dalla città. Spiegare al generale Watson, nel modo più delicato possibile, che auspichiamo non ci sia più un altro caso Fechter».[23]

Prima di fare le valigie, Bundy scrisse a Henry Kissinger, a Harvard, per comunicargli che il presidente voleva troncare i rapporti ufficiali con lui come consigliere. A detta sua, Kissinger aveva cercato di «procedere con cautela» sottolineando che nelle sue dichiarazioni pubbliche non parlava a nome del presidente. Ma la Casa Bianca era ancora assillata da reporter che lo mettevano in dubbio. Era venuto il momento di «lasciarsi in amicizia». Naturalmente, Kennedy voleva ancora poter consultare Kissinger a livello informale.[24]

Al municipio di Berlino, Bundy tenne una conferenza stampa insieme al sindaco Brandt, in procinto di partire per l'America. Il presidente Kennedy era alle prese con una crisi interna – le violenze che si annunciavano all'Università del Mississippi dopo che lo stato aveva impedito a James Meredith di iscriversi, come studente, alla scuola segregata – ma Bundy garantì al sindaco che a JFK avrebbe fatto piacere vederlo, verso la fine del viaggio. In privato, certi diplomatici americani erano critici verso Brandt. Dalla Missione, Hulick sparò un paio di lunghi cablogrammi a Dean Rusk, riguardo al «complicato numero di equilibrismo» del sindaco, che era a favore delle proteste contro il Muro ma anche deciso a ridimensionare le aspettative che nell'immediato futuro si potessero davvero prendere iniziative contro la barriera.

Il 28 settembre la CIA fece circolare un rapporto riservato sul «Morale a Berlino Ovest». A quanto sembrava, placate le sommosse del post-Fechter, le emozioni si erano «calmate» ma «gli animi in generale rimangono infiammabili [...] e nuovi sensazionali episodi di fuga o ulteriori successi comunisti potrebbero innescare nuove eruzioni. Una fonte primaria di instabilità è il rifiuto dei berlinesi dell'Ovest di considerare definitiva la divisione della città».[25]

A fine mese, dopo quasi due settimane di montaggio e messa a punto della sceneggiatura insieme a Piers Anderton, Reuven Frank era pronto a tornare nel suo ufficio al Rockefeller Center di New York. Occorreva qualche altra settimana prima che il programma fosse pronto per andare in onda, ma Frank era molto soddisfatto della «prima versione». Era soltanto questione di calibrare meglio il ritmo e aggiungere un po' di musica. La narrazione di Anderton doveva essere sobria, perché a raccontare la storia fossero i fatti. La retorica anticomunista andava limitata al minimo.

Frank, sostenitore delle immagini a scapito delle parole, era stato felice di raccogliere la sfida.[26] Appassionato di musica classica, mirava a produrre una sorta di sinfonia di immagini che seguisse il progetto del tunnel dai primi giorni all'avvincente conclusione, con una sceneggiatura perfetta e una colonna sonora indimenticabile. In termini musicali, ciò significava cominciare con un tema e un'esposizione, per passare poi allo sviluppo, al climax, alla coda. Uno dei suoi modelli era il classico documentario del 1938 *The River* di Pare Lorentz, finanziato dalla Farm Security Administration in pieno New Deal, che seguiva il corso inesorabile del maestoso Mississippi dalla sorgente al Golfo del Messico, attraverso terreni e ostacoli di ogni genere, con una colonna sonora firmata dal celebre compositore Virgil Thomson. Frank si considerava prima di tutto un narratore, non un "cronista" che lavorava nel limitatissimo spazio del piccolo schermo. La sua storia doveva essere scattante o, perlomeno, un po' movimentata.

Una volta Frank spiegò ai suoi redattori che «il potere più grande del giornalismo televisivo non sta nel trasmettere informazioni, ma nel trasmettere l'esperienza [...] Ogni reportage, senza sacrificare l'integrità e il senso di responsabilità, dovrebbe avere i tratti di un'opera narrativa, di una rappresentazione. Deve avere una struttura e un conflitto, un problema e un epilogo, ascesa e declino, un inizio, una metà e una fine. Non sono soltanto gli elementi essenziali della messa in scena, questi; sono le parti essenziali di una narrazione. Poiché ci occupiamo di comunicare, ci occupiamo di narrare». Per il film sul tunnel, Frank aveva preso una decisione non ortodossa: non fare mai calare la tensione ma, di tanto in tanto, lasciare alle riprese del lavoro sporco sottoterra – scavare, segare la legna, pompare fuori l'acqua e via dicendo – tanto spazio, a costo di esasperare lo spettatore. Rischiava di essere ripetitivo, di annoiare (non soltanto il pubblico ma anche i suoi capi), ma oltre a mostrarlo Frank voleva far *sentire* agli americani l'ambiente angusto, umido, pericoloso, forse anche la stanchezza mentale rispecchiata dallo sfinimento fisico degli scavatori sullo schermo. Per un programma di prima serata era una scommessa.

A quasi due settimane dall'apparizione dei primi articoli sulla fuga sotterranea, le riprese NBC erano ancora segrete. Anche le autorità americane sembravano all'oscuro, il che rasserenava Frank, considerata la velocità con cui in agosto il Dipartimento di stato aveva smascherato il piano di Daniel Schorr di filmare la fuga a Kiefholzstrasse. Frank doveva chiedersi come avrebbe reagito il dipartimento quando avesse scoperto il materiale, alla luce del divieto, chiaro e tondo, imposto a McAndrew della NBC durante la riunione d'agosto.

Per il momento, l'ultima versione del documentario e le pellicole originali erano sotto chiave a Berlino. Per non rischiare di perdere il prezioso carico volando a New York, Frank e Polikoff lo portarono con sé a bordo, nel bagaglio a mano, mentre Piers Anderton li salutava dalla pista. Frank sistemò le bobine dietro al suo sedile, nell'ultima fila della prima classe, contro il divisorio. Poi un ufficiale della Germania Ovest che sedeva nei primi posti andò a chiedere ai due della NBC, per cortesia, di scambiarsi. Sul volo c'era anche il sindaco Brandt: poteva sedersi lui, con i suoi assistenti, in ultima fila? Frank e Polikoff accettarono. Durante la traversata atlantica, il film sul tunnel fu custodito da Brandt e dal suo partito.[27]

Subito dopo l'atterraggio a New York, Frank riprese il materiale. Non vedeva l'ora di tornare a casa dopo quel lungo soggiorno all'estero. All'aeroporto, tuttavia, trovò un messaggio, con la richiesta di chiamare il suo capo Bill McAndrew. Riusciva a volare a Pittsburgh, di lì a un paio di giorni, per incontrare quelli della

Gulf Oil, che sponsorizzavano tanti documentari di prima serata della NBC? Frank non poté non chiedersi se il contenuto di questo speciale non rischiava di stizzire gli inserzionisti tanto quanto il Dipartimento di stato, e di metterne a repentaglio, il mese successivo, la trasmissione.

15

Minacce
1-18 ottobre 1962

Quindici minuti dopo l'inizio della riunione a Pittsburgh, i dirigenti della Gulf Oil accettarono di sponsorizzare fino all'ultimo dollaro l'ora e mezzo di documentario sul tunnel di Berlino. Per Reuven Frank fu un sollievo immenso.[1] Su un altro fronte, tuttavia, le nubi si addensavano: un reporter di "Time" aveva saputo, da fonti imprecisate, del progetto. La rivista diede la notizia nel suo primo numero di ottobre, con Papa Giovanni XXIII in copertina. Un articolo senza firma, intitolato *Tunnels Inc.* (Impresa commerciale Tunnel), raccontava il fenomeno dei *Fluchthelfer* berlinesi che chiedevano una specie di biglietto in cambio della loro collaborazione, concentrandosi sul «muscoloso ex macellaio soprannominato *der Dicke*». Il "Time" rivelava che il "ciccione" non aveva niente a che fare con il tunnel del 14 settembre; al contrario, era stata la NBC a sovvenzionarlo in cambio del diritto di effettuare riprese. Si diceva che «il finanziamento è stato organizzato grazie a tre intermediari, due italiani e un tedesco, che hanno speso quanto occorreva a comprare attrezzi e scorte, e si sono intascati il resto». Secondo il "Time", «certi intrallazzi gettano qualche macchia sul lavoro difficile e pericoloso di chi scavava per un ideale».[2]

Altri articoli rivelarono che il programma della NBC sarebbe andato in onda il 31 ottobre e lo avrebbe narrato Piers Anderton, tornato nel frattempo a New York. Il titolo di lavorazione era *Il tunnel*. La NBC non confermò niente di tutto questo. A quanto sembrava, il segreto dell'emittente era stato svelato da giornalisti che, in visita alla fabbrica di bastoncini da cocktail, avevano visto alcune scatole vuote di pellicola DuPont in bianco e nero. Sapendo che le altre reti americane avevano cambiato marca, un inviato aveva gridato: «La NBC è stata qui!».

Venuta a galla la notizia, Anderton scrisse a sua moglie che questo era «l'unico fatto spiacevole sul cammino del nostro programma», lamentandosi che «avrebbe dovuto essere ancora segreto». Era stata organizzata una conferenza stampa per presentarlo, ma il "New York Times" e altri «avevano scoperto tutto prima del tempo». Anderton racconta anche: «Ho scritto la sceneggiatura, molto semplice, non c'era bisogno di poesia, ma stiamo ancora montando il filmato, e c'è ancora una sequenza sonora in cui devo apparire».[3] La Gulf Oil, sponsor esclusivo della trasmissione, aveva promesso 265 000 dollari.

La NBC aveva preoccupazioni più pressanti, in vista del passaggio di consegne, quella settimana, tra Jack Paar e il giovane Johnny Carson come conduttore del *Tonight*: ci si chiedeva come avrebbe reagito il pubblico. Altrove, invece, la reazione allo scoop di "Time" fu immediata. Blair Clark, il capo dei notiziari CBS (amico di JFK) che aveva cancellato il film di Daniel Schorr, portò l'articolo di "Time" all'attenzione del Dipartimento di stato. Così facendo ispirò, il 5 ottobre, un eccezionale cablogramma del sottosegretario George Ball all'ambasciata di Bonn e alla Missione di Berlino. Ball spiegava che Clark «ha legittimamente chiesto se la sua eccellente cooperazione nel sopprimere [termine assai rivelatore] la copertura CBS di un precedente progetto di galleria non abbia, a conti fatti, messo la CBS fuori combattimento». Alla luce della «precedente collaborazione» di Clark, «il Dipartimento si sente in dovere di dargli tutte le informazioni possibili» riguardo al film della NBC.

Ball chiedeva poi all'ambasciata di scoprire se le riprese di Anderton erano state «effettuate con la consapevolezza e il benestare degli USA? Gli è stato chiesto di desistere o non sapevamo nulla dell'iniziativa?».[4] Una copia del telegramma fu inoltrata a Mac Bundy e Pierre Salinger, per coinvolgere anche la Casa Bianca nella reazione contro la NBC. Salinger era amico di Anderton dai tempi del "San Francisco Chronicle"; ancora in maggio i due erano usciti a bere insieme, a Bonn. Ma Salinger, non meno del presidente Kennedy, era convinto che i giornalisti dovessero mantenere un certo «riserbo» nelle questioni di sicurezza nazionale, e non la considerava affatto una censura. Ma avrebbe chiuso un occhio su Piers, se il Dipartimento di stato avesse chiesto sostegno alla Casa Bianca per bloccare il film sul tunnel?

Il giorno seguente, dalla Missione di Berlino Charles Hulick spedì un cablogramma al segretario Rusk, con la Casa Bianca in copia. «L'iniziativa di Anderton è stata intrapresa senza che noi sapessimo o approvassimo», dichiarava. «Non sapendo niente della fuga sotterranea [...] non eravamo nella posizione di chiedere ad Anderton di desistere.» Hulick affermava che era prassi della Missione non collaborare alle attività degli scavatori, perché «esserne al corrente potrebbe implicare il supporto della Missione a preparativi di fuga probabilmente pericolosi in termini di vite umane». Seguivano questi paragrafi:

Dobbiamo riportare che rappresentanti di stampa, tv e radio USA qui non assecondano la nostra logica e continuano a evidenziare interesse attivo verso la produzione di documentari ed editoriali sulla fuga profughi. Per esempio, Don Cook, corrispondente [New York] "Herald Tribune", scrive articolo su "Saturday Evening Post" su fuga del 18 sett. [*sic*] Gli abbiamo chiesto di usare giudizio e discrezione per non esporre o mettere in pericolo individui e non scrivere niente che potrebbe essere legittimamente usato dai tedeschi per sostenere che inviati USA agiscono irresponsabilmente e mettono a rischio future fughe.

Se e quando verremo a sapere in anticipo di attività in cui potrebbero essere coinvolti media USA, denunceremo e faremo il possibile per impedire un coinvolgimento pericoloso, come nel caso Schorr in agosto. In ultima analisi il contatto più efficiente con media USA è quello di Dip. [di stato] con rispettive sedi centrali USA. Va riconosciuto che ogni volta che interveniamo con inviati qui per convincerli a disinteressarsi di imprese dei fuggiaschi ce li inimichiamo e rischiamo di perderne la collaborazione con noi.[5]

A questo punto, gli elementi di spicco dell'amministrazione Kennedy erano al corrente delle riprese NBC. Era l'esempio perfetto di situazione che, come dicevano gli addetti stampa del Dipartimento di stato, rischiava di «scoppiare in faccia» al presidente,[6] e in quel caso il segretario Rusk e quei consiglieri andavano sempre a consultarsi con Bundy, Salinger o lo stesso Kennedy. Il tempo correva e *The Tunnel* era in programma per la fine del mese. Cosa intendevano fare al riguardo Rusk e Kennedy?

Da quando aveva abbandonato l'operazione di Kiefholzstrasse, prima del suo esito disastroso, Harry Seidel aveva fatto di tutto tranne che riposarsi. Oltre a disputare un paio di gare ciclistiche, e portare la moglie a cena fuori e a ballare, era tornato a scavare tunnel. Insieme a Fritz Wagner tornò sul luogo della fuga riuscita nel giorno della Pentecoste, e aprì una nuova breccia sotto Heidelberger Strasse, ancora nella cantina della birreria Krug, puntando però in un'altra direzione. Perché darsi la pena di trovare un sotterraneo nuovo e scavare quei difficili primi metri, se ce n'era già uno pronto? La terra sabbiosa del primo tunnel era ancora custodita in cantina, e il proprietario del bar fu di nuovo ben disposto ad accoglierli, grazie ad altri 3000 marchi di Fritz Wagner.[7]

Stavolta, però, la Stasi era più attenta.[8] Quasi certo che il tunnel di Pentecoste fosse partito da quell'isolato, l'MfS tenne sotto controllo il bar con dei microfoni e incaricò un informatore, nome in codice "Rouche", di tenerlo d'occhio, assistito in caso di necessità dalla spia-superstar Siegfried Uhse.

Il nuovo tunnel sotto Heidelberger Strasse, a pochi isolati dalla maledetta casa dei Sendler, non era molto lungo e si trovava a soli due metri e mezzo circa sotto la superficie. Per ragioni di sicurezza, la maggior parte degli scavatori aveva accettato di trattenersi nella cantina sotto il pub per tre settimane senza uscire. Fritz Wagner, intanto, aveva arruolato non più di una dozzina di fuggiaschi, nonostante i soliti incentivi economici. Mertens, l'agente dell'LfV, venne a saperlo, e nonostante l'esito del suo coinvolgimento nel progetto di Kiefholzstrasse chiese ancora una volta aiuto al Gruppo Girrmann.

Il punto di sfondamento nell'Est era la cantina di un sarto di nome Castillon, che voleva scappare insieme alla moglie. Quando Seidel ne raggiunse il muro, il Gruppo Girrmann seppe che era il momento di radunare i fuggiaschi. E chi fu invitato alla riunione cruciale tra *Fluchthelfer*, presso la Casa del futuro, la sera di venerdì 5 ottobre? Sempre nel posto giusto al momento giusto: Siegfried Uhse, che fino a quel momento non aveva saputo niente del tunnel.

Circa quaranta persone erano pronte alla fuga. Qualcuno era in lista dai tempi di Kiefholzstrasse. Diversi membri del nuovo gruppo erano soldati decisi a disertare. Seidel aveva invitato un paio di colleghi ciclisti. Sulla lista c'era anche un professore di medicina di Lipsia. Si annunciava un discreto guadagno per il *Dicke* (e forse, a margine, anche per Seidel). Quella sera, gli organizzatori del Gruppo Girrmann descrissero l'andamento dell'operazione nelle ore successive, compresi i segnali da usare con i profughi, che sarebbero arrivati all'ingresso del tunnel a scaglioni, in piccoli gruppi.

Chiesero a Uhse di partecipare, ma questi disse che non aveva corrieri pronti e che l'indomani sarebbe partito per le vacanze (per una volta fu sincero). Ma a mezzanotte, finita la riunione, non era così impegnato da non poter correre al checkpoint di Friedrichstrasse a chiamare il suo responsabile alla Stasi, Herr Lehmann, che senza dubbio svegliò. Entro un'ora si videro alla stazione e Uhse gli diede tutti i dettagli sulla fuga, compreso l'utilizzo di un lenzuolo appeso alla finestra a mo' di segnale ai fuggiaschi: rosso, fermi tutti, bianco, via libera, come a Bernauer Strasse.

Allo scoccare del giorno, prima che la Stasi riuscisse a mobilitarsi, Harry Seidel sfondò il muro della cantina e irruppe nell'Est.[9] Il sarto e la moglie erano ancora a letto. In tutta fretta entrarono nel tunnel, con il sarto ancora in camicia da notte. Harry andò a recuperare qualche oggetto dei due, convinto di avere tante ore a disposizione per far passare gli altri. Poi si fermò nella cantina della birreria a riposarsi e festeggiare, e spedì oltreconfine Ergard Willich, scavatore di lungo corso di Wagner, e Dieter Reinhold, vecchio compagno di bicicletta di Seidel. Erano armati di mitra e pistola ma – tra *Fluchthelfer* non era la prima volta – nessuno dei due aveva mai usato un'arma. Presero posizione sulla porta della cantina e aspettarono il campanello che doveva dare il segnale di aprire ai fuggitivi.

Convinto di avere udito il segnale giusto, Willich aprì appena la porta... e vide quattro uomini della Stasi armati di mitragliatore. Corse verso il tunnel, troppo tardi. I proiettili bucarono la porta e lo colpirono al braccio, alla gamba e alla coscia. Reinhold lasciò il compagno e tornò strisciando nell'Ovest. Rudi Thurow, l'ex guardia della Germania Est, cercò di tornare in tutta fretta a salvare Willich, ma Seidel gli gridò: «Sta' qui! Sei matto?». Willich, sanguinante, fu catturato e portato in ospedale. Quattro fuggitivi che arrivavano sul posto vennero arrestati, ma altri, uditi i colpi d'arma da fuoco, riuscirono a scappare.

Tornato a casa dopo aver sfiorato l'arresto, o anche peggio, Harry Seidel affrontò le accuse della moglie arrabbiata: «Jercha è morto! A Willich hanno sparato! Quando ti deciderai a smetterla?».

Harry, la solita testa dura, rispose: «Non prima di fare uscire mia madre».[10]

Nel timore di nuove sommosse, con un cablogramma Charles Hulick diede la notizia a Dean Rusk. Concludeva dicendo: «USA e britannici consigliano la polizia di prendere ogni precauzione necessaria per prevenire dimostrazioni contro autobus diretto al monumento ai caduti sovietici [...] e lungo Muro nel settore americano luogo dell'incidente».[11] Siegfried Uhse partì per la vacanza in Svizzera con in tasca un premio di 200 marchi, consegnatogli nel cuore della notte da Herr Lehmann.

Di fronte alle accuse di aver pagato gli organizzatori del tunnel di Bernauer Strasse in cambio dei diritti televisivi, per diversi giorni la NBC tacque. Neanche il Dipartimento di stato rilasciò dichiarazioni pubbliche. Poi la NBC annunciò una conferenza stampa a conferma dei suoi piani riguardo al programma.

Il 10 ottobre Robert Manning, capo delle pubbliche relazioni del Dipartimento di stato, chiamò Bill McAndrew dei notiziari NBC per dirsi dispiaciuto che la sua emittente avesse corso un rischio assurdo pur di filmare il progetto e ora, addirittura, volesse andare avanti trasmettendo lo speciale in prima serata. Il Dipartimento non aveva intenzione di criticare apertamente la NBC, ma avrebbe rivelato che in agosto la CBS aveva rinunciato ai piani di filmare una fuga mentre la NBC, nonostante gli avvertimenti, era andata per la sua strada. Il messaggio era chiaro: Dean Rusk non voleva essere accusato di repressione o censura, ma il Dipartimento avrebbe reso così difficile la vita alla NBC da costringerla a cancellare il documentario.[12]

Durante la conferenza stampa della NBC, a New York, Reuven Frank confermò i dettagli sul programma e il ruolo di Anderton e dei Dehmel nell'operazione; ammise anche che l'emittente aveva pagato i tre organizzatori. Tuttavia, insistette che «non siamo andati in giro a reclutare costruttori di tunnel» e chiarì che il progetto sarebbe stato completato anche senza i soldi della NBC. Si rifiutò di dire quanto aveva pagato l'emittente. «Non molto, in termini televisivi» tagliò corto. La NBC diffuse poi un comunicato stampa in cui Frank descriveva il tunnel «non più spazioso di una bara.» Harry Thoess, rivelava il comunicato, aveva filmato tanto materiale in superficie, circa 1800 metri, quanto i Dehmel sottoterra.[13]

Richard S. Salant, presidente della CBS News, diffuse un comunicato nel quale confermava che sì, in agosto la sua emittente aveva progettato di filmare la fuga da un tunnel. Scrisse, piccato: «Dopo avere ricevuto dal Dipartimento di stato informazioni confidenziali che legavano la costruzione di tunnel sotto il Muro di Berlino a questioni di interesse nazionale, la CBS News ha interrotto la produzione dei suoi reportage e non l'ha più ripresa».

Manning informò prontamente Rusk che la NBC aveva organizzato la conferenza stampa nonostante l'avvertimento ricevuto il giorno prima. Allegò al suo promemoria la dichiarazione di Salant, aggiungendo che la CBS lo aveva contattato per sottolineare che «sebbene siano dispiaciuti di ritrovarsi in una situazione di concorrenza con la NBC, oggi come in passato giudicano corretta l'interferenza del Dipartimento nelle loro attività legate ai tunnel, così come la loro decisione di ritirare il progetto».[14]

Il giorno seguente, un titolo del "New York Times" definiva l'intervento della NBC indispensabile e tutt'altro che secondario nel progetto di Bernauer Strasse: "La NBC annuncia il documentario sul tunnel berlinese che lei stessa ha contribuito a costruire". Era il preannuncio di guai, nei giorni a venire, per l'emittente. Max Frankel, una delle firme più prestigiose del quotidiano a Washington, interveniva con un'analisi intitolata "Confusione nella guerra fredda: Washington si chiede chi comanda mentre i tentativi di prendere di mira i rossi si moltiplicano". Tra le tante controversie, citava la CBS che si sentiva «professionalmente rovinata» dalla NBC, la quale era andata avanti con il suo tunnel. Frankel osservava: «Le autorità si domandano quale nuova bizzarra impresa produrrà questa concorrenza».[15]

Tutto questo portò Piers Anderton, ancora a New York, a scrivere a sua moglie Birgitta, a Bonn:

> È scoppiato un trambusto più grande di quanto mi aspettassi. La CBS sta tentando di convincere il Dipartimento di stato a cancellare [il programma], e c'è ancora una possibilità che Kintner [il presidente della NBC] si arrenda. Io ho avuto troppo da fare per lasciarmi coinvolgere più di tanto dalle varie assurdità di contorno, ma devo andare a pubblicizzare il programma alla radio e in televisione, quindi prima o poi mi dovrò immischiare in tutta questa stupidità.[16]

Un'agenzia di stampa statale di Mosca fece il primo commento ufficiale sovietico. Diceva che la NBC aveva «assunto» scavatori sin dall'inizio e che il ruolo dei fuggiaschi lo recitavano «vari delinquenti che hanno ricevuto un cachet di 2500 dollari ciascuno». Nonostante il suo sostegno all'operazione fosse stato smascherato, la NBC aveva deciso di andare avanti con il falso film, il quale non faceva altro che «rafforzare la politica di provocazioni a Berlino». Per una volta, certe autorità tedesche di Bonn, così come alcuni loro colleghi americani a Washington, sembravano d'accordo con la stampa comunista.

Siegfried Uhse stava per ricevere un altro premio per il suo ruolo nel fallimento dell'ultimo tunnel, il secondo consecutivo per quanto riguardava i progetti di Harry Seidel. Come a Kiefholzstrasse, Uhse aveva agito in fretta rendendosi conto di essere finito di colpo al centro dell'operazione. Insieme agli elogi ricevette 500 marchi in contanti. La lode ufficiale sottolineava che grazie «alla sua lesta e coraggiosa azione, un'irruzione oltreconfine violenta e su larga scala, attuata da un gruppo terrorista di Berlino Ovest» era stata sventata. Il giovane Uhse «ha mostrato altissima devozione e affidabilità, pronta reattività e coraggio personale nell'esecuzione degli ordini per conto dell'MFS».[17]

Nel frattempo, il quartier generale della Stasi aggiornò l'elenco manoscritto delle sospette operazioni di scavo. I progetti riusciti o abbandonati venivano aggiunti a mano a mano che si trovavano gli indizi concreti, o quando gli informatori o gli arrestati ne parlavano. Qualcuno era ancora da confermare. Ogni colonna dell'elenco segnalava la posizione del tunnel, la data di scoperta, quella di chiusura (se c'era). Secondo il registro, per esempio, il tunnel di Bernauer Strasse/NBC era stato scoperto il 25 settembre, undici giorni dopo la fuga; tra i suoi organizzatori compariva, a torto, «Girrmann». Altrove i nomi più frequenti erano quelli dei fratelli Franzke, di Wagner e di Seidel.[18]

Numero complessivo delle operazioni di scavo sospette nel mese di ottobre: 137.

Dalla lontana California, un redattore della stazione radiofonica KZSU, dell'università di Stanford, fece un'intervista telefonica a Joan Glenn, la collaboratrice di Girrmann a Berlino. Glenn rivelò che, dal giorno del suo arresto all'inizio dell'anno, il suo compagno di studi a Stanford, Robert Mann, non aveva dato agli interrogatori della Stasi alcuna informazione sulle operazioni di fuga. Glenn la definì «una vera impresa». Descrisse nei dettagli i passaggi clandestini, ma non parlò delle gallerie (né del fatto che, come si diceva, dormisse con la pistola). Cosa pensava Glenn del periodo iniziale in cui trafficavano in passaporti? «Chiudevamo un po' troppo gli occhi davanti al pericolo», ammise. «Volevamo aiutare. So che sembra ingenuo, ma quando un tedesco dell'Est ti chiede aiuto, è impossibile rispondere di no.» Quanto al suo amico, l'ex corriere Mann, «Bob potrebbe uscire per Natale, perché il valore propagandistico della sua cattura ormai è nullo.»[19]

Con la data di trasmissione sempre più vicina, la produzione di *The Tunnel* stava andando bene. Era stata commissionata la colonna sonora. Frank e Anderton avevano completato la sceneggiatura. Cercarono, non sempre riuscendoci, di eliminare la retorica anticomunista e i riferimenti al "mondo libero", e furono contenti di avere aggiunto quella che, secondo loro, era la battuta chiave del film. Era successo quando Frank aveva mostrato a un altro produttore un montaggio provvisorio. Dopo diversi minuti di profughi che salivano la scala e uscivano nella cantina della fabbrica di bastoncini, sciupati e sporchi di terra, con i vestiti rovinati e i capelli spettinati, il produttore commentò: «Da che posto tremendo se ne andavano, per correre un simile rischio?». Frank aggiunse la battuta, parola per parola, alla narrazione.[20]

Mentre gli uffici stampa dell'emittente cominciavano a scaldarsi, si profilò un'altra minaccia. Il 14 ottobre un titolo in prima pagina del "New York Times" annunciava: *Gli scavatori si oppongono alla trasmissione su Berlino / Negano che la* NBC *abbia i diritti sul film della fuga*. Diciassette uomini, che dichiaravano di avere lavorato al progetto, si erano uniti nel tentativo di impedire alla NBC di trasmettere il film o, perlomeno, di non farli comparire nelle riprese. Il loro portavoce era Eberhard Weyrauch, studente di ingegneria all'Università Tecnica e scavatore part time. Il gruppo aveva chiesto al senato di Berlino e all'ambasciata tedesca dell'Ovest a Washington di fare pressioni sulla NBC. L'emittente non aveva il diritto di trasmettere il film perché le riprese erano state effettuate «senza la nostra approvazione», lamentava Weyrauch. I contestatori si dichiaravano «disgustati» che qualcuno avesse speculato su di loro, che volevano soltanto aiutare il prossimo. Inoltre, trasmettere il film rischiava di mettere a repentaglio la vita degli scavatori o delle loro famiglie nell'Est, così come le future operazioni di scavo.

La NBC prese sul serio la protesta quanto bastava a meditare di oscurare i volti dei contestatori nel film. Per fortuna, pochi di loro vi apparivano, e per pochi secondi. Molto più seria era la pretesa di Hasso Herschel, che non era incluso nel contratto originale con la NBC ma che un ruolo centrale nel racconto lo aveva. Herschel, che in precedenza aveva ricevuto soltanto 1000 marchi, adesso chiedeva un compenso pari a quello degli organizzatori, oltre allo stesso diritto di vendere foto e riprese in Europa. Altrimenti, dichiarò, nessuna immagine sua, di sua sorella e della sua famiglia sarebbe potuta apparire nel film. L'emittente accettò subito di aggiungere al contratto il nome di Herschel.[21] La NBC promise anche di dare una piccola somma a Rudolph e Casola, agli Schmidt e ai Moeller, tenendoli comunque al di fuori dal gruppo di chi, con tutta probabilità, avrebbe intascato i consistenti guadagni della vendita all'estero. Grazie a un'agenzia, Gigi Spina e Mimmo Sesta stavano già cedendo i diritti delle foto ai giornali.

Peter Schmidt convinse la NBC a risarcire sua madre dei 3000 marchi da lei investiti nel progetto quella primavera, ma litigò con il vecchio amico Gigi riguardo ai diritti sulle opere derivate.[22] A sua moglie Eveline, invece, non importava nulla dei soldi. Era presa da altre preoccupazioni. Cominciava ad avere incubi sulla notte della fuga. Dopo il fiasco di Kiefholzstrasse era riuscita a rimuovere il ricordo dei momenti terribili in cui lei e Peter avevano capito che la Stasi li osservava mentre andavano verso casa Sendler. Adesso la paura che aveva superato la notte della fuga al 7 di Schönholzer Strasse tornava a tutta forza. Una sera, seduta a tavola da amici insieme a Mimmo e altri ospiti, crollò di colpo e cominciò a strillare. Per quindici minuti non riuscì a smettere.[23]

Il giorno della trasmissione era sempre più vicino, ma la NBC continuava a rispondere «no comment» alle proteste degli ex-scavatori. Così non fecero le autorità americane in Germania. Da Berlino, il 15 ottobre Allen Lightner scrisse un cablogramma a Dean Rusk, per dirgli che il gruppo di contestatori era disposto ad autorizzare il film della NBC purché l'emittente tagliasse certi nomi o volti. Questa soluzione possibile sembrava non piacere a Lightner, perché non intaccava la possibilità che la NBC mandasse in onda il documentario. Chiese con urgenza al Dipartimento di stato di contattare l'ambasciata tedesca «per coordinare un possibile nuovo approccio alla NBC» che andasse oltre gli scrupoli personali che rischiavano di risolversi in fretta, e toccasse i nodi della sicurezza nazionale, molto più difficili da sciogliere.[24] L'indomani informò Rusk che persino l'influente ministro tedesco Heinrich Albertz si era opposto al progetto della NBC. Il senato di Berlino Ovest era d'accordo e stava per contattare l'ambasciata tedesca a Washington.

Il 16 ottobre, l'agenzia UPI citò un portavoce del Dipartimento di stato, il quale dichiarava che il film avrebbe «complicato la situazione a Berlino» e che la NBC lo aveva realizzato «dopo che le era stato chiesto di non farlo». Adesso *The Tunnel* era davvero minacciato: tanto che i dirigenti della NBC decisero di prendere l'iniziativa più drastica. Incaricarono Lester Bernstein, il vicepresidente agli affari interni dell'azienda, di prendere il primo aereo per la Germania e parlare con tutti gli alti funzionari che poteva, per ridimensionare le paure e spiegare la posizione dell'emittente.[25] Il quarantaduenne Bernstein era l'esperto diplomatico che nel 1960 aveva elaborato i dettagli logistici dei rivoluzionari dibattiti televisivi tra Kennedy e Nixon, trasmessi dalla NBC. Prima era stato critico cinematografico del "New York Times" e corrispondente da Londra di "Time".

Mentre succedeva questo, Egon Bahr, il collaboratore di Willy Brandt forse più vicino ai *Fluchthelfer*, fece un appello personale. Chiamò un dormitorio della TU e chiese di Hasso Herschel, che aveva conosciuto la primavera precedente quando gli scavatori andavano in cerca di fondi. Herschel, chiamato al telefono mentre beveva una birra, rimase scioccato. «Fammi un favore», disse Bahr, «e di' alla NBC di non trasmettere il film! Stiamo cercando di non provocare i sovietici e di mantenere la situazione calma. Ricorda, siamo una città divisa in quattro settori e voi causate solo guai!»

«No», rispose Herschel, senza esitazione, e forse un po' brillo. «Siamo pieni d'odio per i nostri nemici... è impossibile fermarlo.» In effetti, Hasso stava già progettando un altro tunnel, da finanziare con il bottino della NBC.[26]

Persino un giornale filo-occidentale di Vienna stroncò il «superficiale capitalismo affarista» della NBC che aveva incoraggiato i tedeschi dell'Est «a rischiare la vita perché le famiglie americane, al sicuro delle proprie case, si emozionassero davanti alla fuga in tv [...] Disgustosa è la tirannia che spinge le persone a fuggire, ma disgustoso è anche chi paga le evasioni, e le riprende».[27]

Per dare più sostanza alla crisi, il 17 ottobre Rusk chiese a Robert Manning di spronare la NBC a «meditare seriamente» sulla «posizione espressa» dalle autorità di Berlino Ovest. Manning contattò Bill McAndrew e gli riferì timidamente la richiesta del senato berlinese «che la NBC abbandoni il piano di trasmettere il filmato». Secondo il senato, il documentario «offrirebbe alla propaganda comunista materiale da utilizzare contro Berlino Ovest». L'ambasciata tedesca era d'accordo, «e preme perché rinunciate al progetto di trasmettere il film». Poi, in modo assurdo, chiudeva ripetendo che nonostante le «forti riserve» del Dipartimento di stato sul coinvolgimento di qualunque emittente con i tunnel, «sentiamo di dover lasciare a voi la decisione se trasmetterlo o no».[28] Sembrava che a suggerirgli le parole fosse il rabbioso discorso di Kennedy dell'aprile 1961 contro gli editori dei quotidiani, quando il presidente aveva esortato i giornalisti a praticare l'autodisciplina per «impedire [volontariamente] rivelazioni non autorizzate al nemico».

Per puro caso McAndrew era a Washington: passò quindi nello studio di Manning, mentre il tiepido pomeriggio di ottobre raggiungeva i 26 gradi, a chiarire la posizione della NBC. La conversazione fu civile, persino piacevole, l'esatto contrario dell'incontro di agosto tra McAndrew e James Greenfield, il vice di Manning.[29] McAndrew garantì a Manning che durante gli scavi la NBC aveva preso tutte le precauzioni necessarie a ridurre i rischi. L'emittente non aveva «finanziato» il tunnel ma semplicemente dato qualche soldo in cambio del diritto di filmare i manovali in azione: niente di diverso rispetto agli altri casi in cui i media pagavano interviste e fotografie (non menzionò che gli scavatori avevano avuto un bisogno disperato dei soldi della NBC per comprare attrezzature e scorte). McAndrew dichiarò inoltre che i dipendenti della NBC non avevano prestato alcun aiuto attivo agli scavatori.

Quanto al film in lavorazione, McAndrew garantì che avrebbero impedito l'identificazione di chi non voleva essere filmato, tagliandolo dalle riprese o oscurandone il volto. Ma confermò di non volere affatto cancellare la trasmissione, che definì uno dei documenti «umani» più avvincenti mai prodotti per la tv, una celebrazione dell'indomabile aspirazione umana alla libertà.

Il conflitto tornò a intensificarsi quello stesso giorno alle cinque del pomeriggio, quando McAndrew, Frank e Elie Abel, inviato della NBC presso il Dipartimento di stato, furono accolti dal segretario Rusk nel suo elegante studio al settimo piano (sull'agenda, la segretaria di Rusk aveva scritto «Mr Rubin» al posto del nome di Reuven Frank). Il rapporto di Abel con Kennedy, che considerava un amico, era una faccenda delicata.[30] Dopo la vittoria alle elezioni del 1960, JFK gli aveva offerto un posto da addetto stampa per Robert McNamara, che Abel aveva rifiutato nonostante il ricco stipendio. Poi lo aveva avvicinato per candidarlo a capo delle relazioni pubbliche per Dean Rusk. E di nuovo Abel aveva rifiutato, raccomandando Robert Manning. Poi Abel era entrato alla NBC.

E ora eccolo davanti al numero uno del Dipartimento di stato, testimone di una riunione che lui stesso aveva contribuito a organizzare. Quando Rusk insinuò che forse il film sul tunnel andava contro l'interesse nazionale, al giornalista quasi saltarono i nervi. «Questo programma parla di libertà umana!», esclamò Abel. «Al Dipartimento non risulta essere "di interesse nazionale", questo?» Il resto della riunione continuò lungo questa falsariga, grosso modo:

Rusk: Sarebbe stato imbarazzante, o peggio, se la polizia della Germania Est avesse smascherato il tunnel e scoperto una troupe televisiva americana.

NBC: Non è andata così, però, e l'operazione è stata un successo.

Rusk: Mandando in onda il programma direte ai tedeschi dell'Est chi è scappato.

NBC: Sarebbe la prima volta in assoluto in cui sfrutterebbero il nostro aiuto per saperlo. Sta dicendo che dovremmo cancellare il programma?

Rusk: Sarebbe inopportuno che a suggerirlo fosse il Dipartimento. Spetta alla NBC.

NBC: Ma tutti i messaggi dal Dipartimento e gli articoli sui giornali non fanno altro che aumentare la pressione in quel senso.

Rusk: Non ci pensiamo nemmeno per scherzo.

L'interpretazione di Frank fu un'altra: "Rusk non vuole schifosi giornalisti tra i piedi".[31]

Da oltre un mese i politici repubblicani di spicco, e qualche commentatore politico, sostenevano – basandosi su pochi indizi chiari – che a Cuba i sovietici stessero installando missili nucleari. Il direttore della CIA McCone, repubblicano, aveva espresso questo timore in privato al presidente, che rimase scettico ma al contempo ampliò la sorveglianza degli U-2 sull'isola. JFK non era l'unico a ipotizzare che quello dei suoi avversari politici fosse un pretesto elettorale, che si sarebbe dissolto dopo il voto di novembre. Il suo chiodo fisso rimaneva Berlino. A Ted Sorensen aveva detto: «Se risolviamo il problema di Berlino senza guerra, Cuba ci sembrerà roba da poco. E se scoppia una guerra, sai cosa ci può interessare di Cuba».[32]

Con il passare delle settimane, tuttavia, il potenziamento militare sovietico a Cuba non si fermò, e Kennedy ordinò ricerche più attente, compreso un volo di U-2 nei cieli dell'isola, il 14 ottobre. Il giorno successivo, gli analisti della CIA a Washington studiarono le foto. Sembrava che a Cuba fossero giunti missili nuovi, più lunghi dei terra-aria difensivi. Non potevano essere che SS-4, a medio raggio e idonei a trasportare testate nucleari, o un modello simile. Il presidente era a New York per la campagna elettorale, e Mc-George Bundy attese il mattino dopo per informarlo.

All'alba del 16 ottobre, tornato a Washington, Kennedy reagì alla notizia sconvolgente di Bundy convocando per la tarda mattinata la prima riunione sulla confermata minaccia nucleare.[33] I missili non erano ancora operativi ma presto lo sarebbero stati: da Cuba potevano colpire come minimo la metà meridionale del territorio americano. JFK aveva già delineato quattro opzioni: colpire soltanto le basi missilistiche; colpire quelle e altri insediamenti militari; aggiungere a tutto questo un blocco navale; aggiungere anche l'invasione dell'isola. Sul suo bloc-notes scarabocchiò parole qua e là: «Prepararsi. Berlino. Preparatorio. Cuba. Preparazione. Insurrezione cubana. Preparare. Nucleare».[34] Il vicepresidente Lyndon Johnson, più aggressivo di chiunque altro, propose di far partire attacchi aerei massicci senza nemmeno informare il congresso o gli alleati dell'America. La riunione terminò con l'ordine che il Pentagono studiasse la fattibilità di attacchi aerei e di un'invasione.

Robert Kennedy passò i suoi appunti sulla riunione alla segretaria del presidente. C'era scritto, tra l'altro: «So come si sentiva Tojo mentre organizzava Pearl Harbor».[35]

L'indomani, durante una riunione mattutina, il sottosegretario di stato George Ball si oppose all'azione militare, sostenendo che i leader sovietici non avevano colto davvero la gravità della loro mossa a Cuba. L'ambasciatore Llewellyn Thompson, tornato da Mosca, non era d'accordo: secondo lui l'obiettivo dei sovietici era costringere gli americani a una resa dei conti a Berlino; il generale Maxwell Taylor e John McCone erano d'accordo con lui. Kennedy abbandonò la riunione per presenziare all'incontro, in programma da tempo, con il ministro degli esteri tedesco dell'Ovest Gerhard Schröder. Il presidente non gli parlò di Cuba, ma non poté non chiedersi: "Sono pronti i tedeschi a un attacco di ritorsione russo o a un altro blocco di Berlino?".

Mentre JFK era impegnato nell'ennesima trasferta elettorale, i suoi assistenti e i capi militari avevano discusso le opzioni, prima tra tutte quella degli attacchi aerei, con o senza un avvertimento a Chruščëv, con o senza invasione dell'isola (i militari prevedevano 18500 vittime americane in caso di invasione normale, ma se fossero state usate le armi nucleari, commentò imperturbabile il generale Taylor «non abbiamo precedenti utili a calcolare l'entità delle vittime»). George Ball aveva risposto con un promemoria fortemente critico nel quale sosteneva che un attacco aereo avrebbe ricordato troppo Pearl Harbor – in questo fece eco a Bobby Kennedy – e messo buona parte del «mondo civilizzato» contro gli Stati Uniti. Qualcuno, però, pensava che un'azione decisa a Cuba avrebbe rafforzato la credibilità americana nelle future trattative con i sovietici, anziché metterne a repentaglio la posizione a Berlino.

Il presidente, intanto, era tornato, e durante l'incontro mattutino ribadì che secondo lui si rischiava che, in reazione a un attacco militare a Cuba, i sovietici si «prendessero Berlino». Avrebbero volentieri sacrificato qualche missile a Cuba in cambio del controllo totale della città. E a quel punto «faremmo la figura di quelli che hanno *perso* Berlino, per colpa dei missili». Bundy azzardò una battuta: «Se potessimo barattare Berlino, e *non* far sembrare che è colpa nostra...».[36]

Ci fu uno scambio duro quando JFK ribadì il rischio che i sovietici, aggrediti a Cuba, varcassero la frontiera berlinese con le truppe di terra.

McNamara: Là ci sono i nostri soldati. Come reagiscono?
Gen. Taylor: Combattono.
McNamara: Combattono. Mi pare che non ci siano dubbi.
J. Kennedy: E cadono.
R. Kennedy: Quindi, cosa facciamo?
Gen. Taylor: Scateniamo una guerra, se è nel nostro interesse.
J. Kennedy: Intendi uno scontro nucleare. (*Breve pausa*)
Gen. Taylor: Temo che tu non abbia altra scelta.

Il presidente, perciò, insistette perché si valutasse «l'azione che più riduce le possibilità di un conflitto nucleare, che ovviamente è il fallimento definitivo». Alla buon'ora, l'apocalisse si mostrava per ciò che era. Da quel punto la discussione – condotta da Rusk, McNamara e Robert Kennedy – prese una piega più pacifica, orientata verso la possibilità di un blocco navale. Lo stato maggiore, che ancora prediligeva un attacco preventivo, si oppose, ma in pochi minuti prevalse l'opinione dei consiglieri non militari. Un blocco era la scelta migliore, insieme alla possibilità di sbarazzarsi dei vetusti missili nucleari americani in Turchia. Tempo dopo McNamara quasi confessò: «Credo proprio che dobbiamo pensare a questi problemi più di quanto abbiamo fatto».[37]

In un momento cruciale, un protagonista improbabile aveva contribuito al cambio di toni della riunione chiedendo a Kennedy di insistere con il blocco navale: «Essenzialmente, signor Presidente, si tratta di scegliere tra l'azione limitata e l'azione illimitata: e la maggior parte di noi pensa sia meglio cominciare dall'azione limitata». A parlare era stato Roswell Gilpatric, numero due del Pentagono, additato soltanto due mesi prima da JFK come fonte della fuga di notizie nel caso Hanson Baldwin. Gilpatric, in apparenza perdonato – e nonostante avesse, in teoria, divulgato segreti a un giornalista – aveva partecipato a riunioni cruciali sulla crisi dei missili e a discussioni supersegrete (nel frattempo, l'indagine dell'FBI su Baldwin e Gilpatric continuava).

Terminata la riunione, JFK incontrò il ministro degli esteri sovietico Andrej Gromiko, che gli mentì spudoratamente negando la presenza di missili offensivi a Cuba mentre il presidente picchiettava con le dita sulla scrivania, mantenendo un autocontrollo assoluto, sapendo di avere le foto che dimostravano il contrario proprio lì, nel cassetto.

Verso mezzanotte, quando nello Studio Ovale non c'era più nessuno, Kennedy accese i registratori per fissare le sue impressioni sulla giornata. La crisi era imperniata su Cuba, ma fece molte riflessioni legate a Berlino. Sottolineò che Bundy metteva in guardia da «una rappresaglia russa contro Berlino» in caso di azione militare americana. Secondo altri, rinunciare a un'iniziativa forte contro Cuba avrebbe sminuito le promesse americane ai tedeschi dell'Ovest, «diviso i nostri alleati e il nostro paese». JFK concludeva: «La decisione finale è quella di optare per un blocco navale, a partire da domenica sera». Se i sovietici avessero davvero invaso

Berlino, ecco, gli Stati Uniti si aspettavano comunque una "stretta" laggiù, nel giro di pochi mesi. E il rischio di una reazione sovietica era più basso di fronte a un blocco, piuttosto che a un assalto militare a Cuba.

Poi Kennedy si congedò: voleva provare a dormirci sopra, sempre se riusciva a chiudere occhio.

16

Tunnel sepolto
19-31 ottobre 1962

Due giorni dopo l'incontro con Dean Rusk a Washington, Reuven Frank cercò riparo nello studio newyorkese in cui si registrava la colonna sonora del film, che univa la concisa narrazione di Piers Anderton a una partitura eclettica composta da Eddie Safranski, un celebre contrabbassista jazz.[1] La tonalità della musica, eseguita da un piccolo ensemble, passava dalla noia alla tensione insieme alle immagini, con qualche tocco di ironia qua e là. Di colpo la porta si aprì e qualcuno passò a Frank un dispaccio dell'UPI. Un portavoce del Dipartimento di stato aveva appena dichiarato che la trasmissione del documentario andava «contro gli interessi nazionali». Tanta sicurezza era incomprensibile, dato che al dipartimento nessuno aveva chiesto di vedere il film. Mentre leggeva l'articolo, Frank si domandò se la NBC, che per tanto tempo aveva rischiato parecchio per sostenere il progetto, sarebbe riuscita a reggere la pressione mentre *The Tunnel* cominciava a generare clamore in tutto il mondo.

Il portavoce del dipartimento era Lincoln White, che ci lavorava dal 1940. Aveva ricevuto dai superiori due pagine di "indicazioni" riguardo alla conferenza stampa di quel giorno. Se gli avessero chiesto del tunnel della CBS doveva dichiarare che la cancellazione del reportage da parte dell'emittente, in agosto, era stata «accolta con grande favore dal governo». Riguardo al tunnel della NBC, doveva confermare che il Dipartimento di stato aveva espresso le medesime preoccupazioni inoltrate alla CBS: che il programma «potesse benissimo complicare il problema Berlino».[2]

La Casa Bianca aveva autorizzato questa versione nella persona di Pierre Salinger, che esercitava il controllo diretto, prendendosene la responsabilità, sulle dichiarazioni degli addetti stampa di tutti i maggiori dipartimenti governativi, dalle Poste al Pentagono. Gli piaceva definirla "una comunità di agenti dell'informazione".[3] Spesso le riunioni con i principali portavoce si tenevano il martedì. Per migliorare la comunicazione con l'Interno e la Difesa, Salinger aveva fatto installare un sistema telefonico che gli permetteva di parlare con entrambi i dipartimenti in contemporanea. Più di una volta aveva riportato le dichiarazioni importanti dell'uno o dell'altro al presidente, in diretta, per averne l'approvazione.

Naturalmente, la prima domanda sul documentario della NBC arrivò poco dopo l'inizio della conferenza stampa, alle 12.35.[4] Come da istruzioni, Link White elogiò la risposta della CBS. Poi andò leggermente fuori tema e definì il film della NBC «avventato, irresponsabile, indesiderato e contro l'interesse degli Stati Uniti». La NBC aveva deciso di «continuare il suo tunnel» nonostante le obiezioni delle autorità di Berlino Ovest e della Germania Ovest. «Credo che la nostra posizione al riguardo sia piuttosto chiara», dichiarò.

Un giornalista fece la domanda più ovvia: «Link, non credo di capire in che senso "la posizione del dipartimento è piuttosto chiara". Sottintende un parere riguardo all'opportunità di trasmettere il film?». White citò non meglio precisati rischi. Il reporter insistette: «In altre parole, il dipartimento è contro la trasmissione del film?».

«Non voglio aggiungere altro a ciò che ho detto oggi», rispose White.

Un altro giornalista chiese quali fossero i «rischi» adesso che l'operazione del tunnel era finita e, per giunta, riuscita. White citò possibili «ritorsioni» contro gli scavatori che apparivano nei filmati, o contro le loro famiglie rimaste nell'Est. Il reporter continuò: e allora questo non vuol dire che voi preferireste cancellare la trasmissione?

«Mi sono già dilungato abbastanza», disse il portavoce del Dipartimento di stato, sempre più scontroso. «Credo di essere stato chiaro.»

Non per tutti. Un altro giornalista domandò in che senso, e a che titolo, la NBC era «coinvolta», secondo lui, nel tunnel. Come un moderno Will Rogers, White dichiarò di sapere soltanto ciò che aveva letto sui giornali.

Poi un reporter malizioso, citando il celebre tunnel delle spie costruito tra l'Est e l'Ovest dalla CIA negli anni cinquanta, aggiunse: «Da quando il governo degli Stati Uniti è contrario allo scavo dei tunnel?».

Quando grazie al cielo la conferenza stampa terminò, White fu strigliato dai suoi superiori (probabilmente anche da Salinger) per avere esagerato con le contestazioni alla NBC. White diffuse un comunicato per prevenire «incomprensioni».[5] Il Dipartimento di stato non sottintendeva che la trasmissione del film avrebbe «messo a repentaglio la vita» di chi aveva partecipato all'impresa, ma soltanto che il coinvolgimento della NBC era stato rischioso durante lo svolgersi dell'operazione. «Inoltre, non è intenzione del dipartimento chiedere alla NBC di astenersi dal mostrare il film [...] la decisione spetta alla NBC.»

Il chiarimento non fece che confondere le acque. Reuven Frank si sentiva confuso e frustrato. Frank era convinto che tutti i funzionari del governo, specialmente chi aveva a che fare con la politica estera, avrebbero preferito che la stampa non li intralciasse mentre facevano il loro mestiere. Questo atteggiamento andava contrastato sempre e comunque. Adesso temeva che il suo capo, il presidente della NBC Robert Kintner, cominciasse a tentennare, e ciò lo preoccupava. Certo, Kintner era un giornalista di lungo corso, capo dell'emittente dal 1958 e grande sostenitore dei documentari. D'altro canto, era anche vicino al vicepresidente Johnson. Aveva assunto e inserito (prima dello scandalo degli imbrogli) il campione di quiz Charles Van Doren nei programmi di attualità di Frank. Frank considerava Kintner un alcolizzato e un bullo – testardo, intollerante, impulsivo – ma anche, in parte, un genio. Era difficile che Kintner interferisse con i programmi giornalistici, il che rendeva il suo recente intervento, la spedizione di Lester Bernstein a Berlino, ancora più minaccioso. Cominciava a sembrare che la NBC fosse pronta a posticipare, se non addirittura a cancellare, *The Tunnel*.[6]

Ancora a New York, Piers Anderton scriveva alla moglie, a Bonn: «Questa visita a New York non è certo stata di piacere. Ogni giorno una crisi nuova, e oggi sembra che il programma possa non andare in onda, o che lo trasmetteranno fatto a pezzi. Se così sarà, né io né Reuven vogliamo averci nulla a che fare. I governi degli USA e di Berlino Ovest stanno facendo enormi pressioni perché la NBC non trasmetta il film, e Kintner vacilla».[7]

Jack Gould, l'influente critico televisivo del "New York Times", non facilitò le cose quando commentò che qualunque motivazione avesse spinto la NBC, «uno degli effetti è stata l'iniezione di uno spiacevole atteggiamento affarista, e di possibili pericoli, in uno dei più delicati teatri della guerra fredda».[8] Gould ammetteva che, stando ai puri e semplici princìpi del giornalismo, non si poteva criticare aspramente la NBC. Bastava pensare agli astronauti americani che vendevano i propri resoconti personali a "Life". E se un giornalista della carta stampata avesse «comprato» la storia del tunnel per scriverne, era molto improbabile che ne sarebbe nata una controversia. La tv, invece, con la sua nuova «influenza e impatto», poteva scatenare una reazione seria. Per quanto i giornalisti potessero difendere il progetto della NBC, agli occhi del pubblico il «marchio dell'affarismo» avrebbe contaminato il tunnel e dato ai comunisti una scusa per dire che dietro qualsiasi attività di fuga in Germania Ovest si celava «il simbolo del dollaro». Gould concludeva:

Per molti versi la guerra fredda richiede un esercizio di autocontrollo maggiore rispetto alla guerra calda. Se la pace è appesa a un filo, non è il caso che il fronte della tensione mondiale accetti la presenza di avventurosi profani. Nessuno sa quale provocazione, anche piccola, si potrebbe prendere come scusa per premere il proverbiale pulsante [...] La guerra fredda è abbastanza complicata anche senza introdurvi l'economia concorrenziale del video.

Mentre il «marchio dell'affarismo» che circondava l'autentico tunnel di Bernauer Strasse offendeva, tra gli altri, certe autorità tedesche dell'Ovest, la sua versione hollywoodiana le entusiasmava. Un comunicato stampa della MGM svelava che al completamento di *Tunnel 28* il governo di Bonn aveva «convocato il produttore Wood chiedendogli una proiezione in anteprima della versione grezza del film. Il successo era stato tale che i tedeschi hanno subito chiesto al produttore di organizzare una prima in Germania».[9]

Un altro tunnel fittizio si era guadagnato, su scala più ridotta, il sostegno ufficiale di Bonn. In pochissimi giorni – anziché nei soliti due anni – Ernest Lemmer, ministro degli affari interni tedeschi, aveva ottenuto un visto per Angelika Ligma, la ragazza che aveva falsamente dichiarato di essere fuggita dall'Ovest, in settembre, attraverso la galleria di Bernauer Strasse. Serviva alla MGM, che voleva sfruttarla per pubblicizzare il suo film. Allen Lightner informò Dean Rusk che il consolato americano a Berlino Ovest aveva emesso il visto per Ligma. La ragazza era stata suggerita alla MGM da Lemmer e dal capo della polizia di Berlino Ovest, «che intendeva assistere» il piano della produzione di usarla in America «per reclamizzare» il film. Il cablogramma di Lightner si concludeva con un monito: «Il Dip. potrebbe voler contattare la MGM o consigliare di farlo all'ambasciata tedesca, per confermare che l'utilizzo di Ligma non è controproducente per causa berlinese».[10]

Oltreconfine, la Stasi sapeva già che Angelika Ligma era a Berlino Ovest, da dove aveva scritto a sua madre: ed era stata proprio sua madre a informare l'MfS.[11]

Al calar della notte del 18 ottobre, il presidente Kennedy era convinto che il suo comitato esecutivo avesse trovato un accordo sul blocco contro Cuba senza colpi di coda, ma il giorno dopo le sue certezze vacillarono. Una riunione di mattina presto insieme allo stato maggiore, che continuava a sostenere con forza un attacco preventivo, mise a dura prova le sue convinzioni. Nel corso della notte McGeorge Bundy era passato al fronte interventista, e sembrava che le emozioni di tutti fossero pericolosamente volubili.

Il presidente continuò a giocare la carta di Berlino. Qualsiasi tipo di attacco a Cuba, spiegò, avrebbe dato ai sovietici «via libera a Berlino [...] rischiamo di passare per gli americani avventati che hanno perso Berlino». Gli alleati europei sarebbero andati su tutte le furie: tenevano con passione a Berlino e alla propria sicurezza, ma «non gli fregava nulla» di Cuba. E se i sovietici avessero occupato Berlino, a lui sarebbe rimasta «una sola alternativa, cioè usare le armi nucleari – che è un'alternativa pazzesca – e far scoppiare una guerra atomica [...] Nel momento in cui riconosciamo l'importanza di Berlino per l'Europa, e dei nostri alleati per noi, ecco che la faccenda si trasforma in un dilemma lungo tre giorni». Ricordate, aggiunse, «che la logica di un blocco navale [a Cuba] è figlia del fatto che è meglio evitare, se possiamo, una guerra atomica».[12]

Raramente due parole – *se possiamo* – hanno avuto altrettanta importanza.

Il generale Curtis LeMay, il militarista più irrequieto dello stato maggiore – un suo soprannome era "il bombardiere pazzo" – criticava il blocco perché avrebbe «portato subito alla guerra». La considerava una mossa «debole» e la paragonò al «compromesso di Monaco». Voleva bombardare, il più presto possibile. Disse a Kennedy: «Si trova davvero in un bel pasticcio, al momento».

Kennedy, arrabbiato, gli chiese di ripetere. Poi rispose, ridendo: «E lei con me!».

Dopo la riunione, Kennedy, sempre scettico riguardo ai consigli dei militari, disse a un assistente, riferendosi a LeMay e a quelli come lui: «Questi ufficiali hanno un grande vantaggio. Se li ascoltiamo, e facciamo quello che vogliono loro, nessuno sopravviverà abbastanza per dirgli che avevano torto».[13]

La stampa e il pubblico continuavano a non sospettare nulla. Un portavoce del Pentagono rispose, a domanda precisa: «Il Pentagono non ha informazioni riguardo alla presenza di armi offensive a Cuba». A Washington si cominciò comunque a vagliare la meccanica di un possibile – probabile, per qualcuno – blocco sovietico a Berlino Ovest, a mo' di ritorsione. David Klein, assistente del Consiglio di sicurezza nazionale, passò al suo capo Mac Bundy un promemoria top secret, intitolato *Difesa di Berlino se comincia il blocco a Cuba*.[14] Klein, senza mezzi termini, suggeriva che un blocco sovietico avrebbe convinto «gli europei, inevitabilmente, che la crisi è in una certa misura colpa degli americani». C'erano grandi probabilità che Chruščëv «fosse pronto a barattare Berlino con Cuba», e in quel caso gli Stati Uniti avrebbero chiuso la crisi «in netto passivo». In caso di blocco prolungato era probabile che il morale dei berlinesi crollasse, e che nessuno volesse combattere una guerra nucleare «per una città morente». Pertanto, secondo Klein gli Stati Uniti dovevano «accorciare i tempi di reazione» del piano "Coperta del barboncino" e «prepararsi ad affrontare Chruščëv facendo una scelta dichiaratamente nucleare già nelle primissime fasi».

La tensione per l'indecisione stava sfiancando Dean Rusk. A un certo punto, mentre dal parcheggio sotterraneo del Dipartimento di stato saliva in ascensore al settimo piano insieme a George Ball e all'ex segretario di stato Dean Acheson, Rusk indicò le sue guardie del corpo e disse: «Sapete che l'unico consiglio decente che ho avuto nell'ultima settimana me l'hanno dato questi due?». Uno di loro, ex giocatore professionista di football, rispose, con una certa serietà: «Il motivo, signor segretario, è che lei si è circondato di teste di cazzo». Rusk rise, Ball e Acheson arrossirono.[15]

Lester Bernstein non tornava in Germania da che vi era stato come soldato, alla fine della seconda guerra mondiale. Per lui, figlio di emigrati ebrei che ancora parlavano Yiddish, l'atterraggio a Berlino dovette essere complicato, sul piano emotivo. La sua missione come negoziatore della NBC, perlomeno, era chiara: salvare il film del tunnel. Ma il viaggio cominciò subito con il piede sbagliato, quando Bernstein non riuscì a organizzare un incontro con Willy Brandt. Parlò tuttavia con Egon Bahr, assistente di Brandt, e con i leader del senato, ai quali spiegò il valore propagandistico del film e le iniziative che l'emittente era (suo malgrado) disposta a prendere per nascondere l'identità di certi scavatori e fuggiaschi. Tuttavia, i tedeschi rimasero scettici. Aggiunsero addirittura una nuova obiezione: in risposta alla trasmissione, la Germania Est poteva allungare le condanne inflitte ai profughi e ai corrieri coinvolti in *altre* fughe.

Se Bernstein era partito con l'idea di passare un paio di giorni appena a Berlino, doveva ripensarci. Il 19 ottobre scrisse a sua madre scusandosi di non averle parlato della «missione speciale» che di colpo lo aveva portato in Europa, e che «sembra durare un po' più del previsto». Dopo una breve descrizione del film sul tunnel, rivelava che «il problema, adesso, è che il governo di Berlino Ovest ha chiesto alla NBC di non trasmettere il programma»; lui, perciò, stava cercando di «convincerlo a ritirare l'obiezione [...] Spero di riuscirci».[16]

Quello stesso giorno, Bernstein inviò a Egon Bahr un promemoria in cui garantiva che la NBC avrebbe valutato ogni «rischio chiaro e specifico» legato alla trasmissione del documentario. Con astuzia, aggiunse:

> Francamente, alla dirigenza della NBC risulta difficile prendere più di tanto sul serio i timori del governo che si parli troppo dei tunnel proprio mentre il governo sta generosamente collaborando all'allestimento di una serata di gala per la prima del film *Tunnel 28* quasi ai piedi del Muro di Berlino. Inoltre, troviamo scorretto che il governo punti il dito contro, e voglia scoraggiare, il progetto della NBC – che è una presentazione responsabile e autentica della realtà – dopo avere fatto di tutto per rendere possibile la produzione di una versione fittizia e romanzata della stessa storia.[17]

E lui non sapeva nemmeno che i tedeschi dell'Ovest stavano aiutando una profuga che non era fuggita sottoterra a volare in America per pubblicizzare il film della MGM.

Bernstein concludeva: «La NBC ribadisce la propria convinzione che trasmettere il programma sia perfettamente in linea con gli interessi di Berlino Ovest e di chiunque altro si oppone al comunismo». Davanti alle accuse di usare due pesi e due misure con la MGM e la NBC, l'opposizione tedesca si dissolse. In privato, e senza motivare la propria scelta, le autorità dissero a Bernstein che non avrebbero più cercato di opporsi al film. In un comunicato ufficiale, i leader del senato dichiararono che la NBC aveva garantito che «il film non mette a repentaglio la sicurezza dei protagonisti». Inoltre rispettavano il fatto che «la NBC è guidata dal desiderio di mostrare al pubblico degli Stati Uniti una testimonianza autentica, nell'interesse di Berlino».

Il 22 ottobre, quando Lemmer, ministro degli affari interni tedeschi – lo stesso che aveva personalmente organizzato la prima di *Tunnel 28* – disse che avrebbe salutato con favore il film della NBC «se gli eventi di Berlino saranno descritti al pubblico mondiale con la maggior precisione e profondità possibile», Bernstein mandò un telegramma alla sua redazione, e verificò subito che fosse arrivato. Poco dopo, la UPI dichiarò che le obiezioni tedesche «si concludevano lì».

Era abbastanza per influenzare il Dipartimento di stato americano? Non importava più, almeno nel breve periodo. Kintner della NBC aveva rimandato per sempre la trasmissione di *The Tunnel*. Reuven Frank temeva anche di peggio, ossia la cancellazione del programma. Dopo una chiacchierata con Bill McAndrew, sospettava che qualcuno con più potere dello stesso Kintner avesse consigliato al presidente di non mettere a repentaglio i tanti ricchi contratti stipulati con l'esercito americano dalla RCA, società madre della NBC. Frank era così depresso che si domandò se fosse il caso di restare nell'emittente in cui aveva contribuito a creare la divisione giornalistica.[18]

Sulle riviste americane comparvero due grandi articoli su Berlino dopo il Muro. Sul "New Yorker", un lungo pezzo di John Bainbridge tracciava una storia esaustiva della città, dal giorno della comparsa della barriera ai tentativi di fuga.[19] Era il resoconto più lungo mai apparso in America, raccontava di visite a vari luoghi d'interesse lungo il Muro e al centro profughi di Marienfelde. Bainbridge raccontava che circa un fuggiasco su dodici, nell'anno trascorso, era un ex guardia di confine o soldato della Germania Est. «Quasi senza eccezioni» i disertori spiegavano che il motivo principale della loro fuga era stato «l'ordine di sparare ai fuggia-schi». Per questo la DDR aveva riassegnato quasi tutte le guardie originarie di Berlino, rimpiazzandole con soldati di fuori.

Nello stesso momento, la nota corrispondente estera Flora Lewis pubblicava sul "New York Times Sunday Magazine" un articolo corredato di brevi profili di tedeschi che si dicevano così innamorati di Berlino Ovest, nonostante l'isolamento e il pericolo, da non volersene andare mai.[20] «Non è tanto che la gente sia cambiata sotto pressioni più grandi», spiegava. «Piuttosto, è stata messa a nudo, e le cose – le paure, gli ideali, le gelosie, il cuore – si vedono meglio.» Una descrizione azzeccata degli scavatori e dei *Fluchthelfer*, gli artisti della fuga.

Tra gli intervistati da Lewis c'era James O'Donnell, il giornalista ed ex assistente del generale Clay che aveva fatto conoscere a Daniel Schorr il tragico tunnel di Kiefholzstrasse. Perché O'Donnell tornava di continuo in città? «Perché sono americano e ci credo», rispose, «e se non facciamo ciò in cui crediamo, coleremo a picco.»

Un altro profilo era quello di "Horst P.", un ventunenne ex studente di teologia divenuto «scavatore» della nuova «ferrovia sotterranea» gestita dalle "Primule Rosse" dell'era moderna. Era scappato dalla Germania Est da solo, a quattordici anni. La sera in cui lo intervistò, in una birreria affollata, Lewis lo trovò nel pieno dell'indignazione. La sua squadra di scavatori aveva organizzato il salvataggio di un gruppo di persone che nell'Est stavano per essere arrestate, e aveva dato per scontato che il proprietario di una casa vicina al confine li avrebbe lasciati usare la sua cantina, specie a fronte di un'offerta in denaro. «Invece pensava soltanto ad affitti e contratti» si lamentò Horst. «Ha trovato un milione di scuse. Disturbavamo gli inquilini. I comunisti rischiavano di spararci da oltre il muro. Non l'ha mai detto, ma secondo me ha paura che se un giorno arrivano i russi non vuole che sul suo curriculum rimangano tracce di resistenza. Come al tempo dei nazi: questi bravi cittadini ci tenevano a dire "io non c'entro", se arrivava la Gestapo [...] non sono traditori, questi padroni di casa, ma sono codardi, e non è molto diverso.

«Secondo me, chi non è pronto ad aiutare uno a cui tolgono la libertà non merita di essere libero. Nel senso che non basta parlarne, bisogna fare qualcosa».

Quell'autunno non c'era angolo della cultura americana in cui non trapelasse la paura della bomba. L'ultimo numero della rivista "Esquire" aveva in copertina l'illustrazione di una moderna Arca di Noè: un rifugio antiatomico sotterraneo. Dentro lo spazio di cemento armato erano rintanati un uomo e una donna ben vestiti, e poi due leoni, due polli e due lama.[21] Un giovane cantante folk, un certo Bob Dylan, cominciava a eseguire dal vivo una canzone scritta qualche mese prima e ispirata dal rischio di una guerra nucleare. Si intitolava: *A Hard Rain's A-Gonna Fall*.

Nel suo libro *Run, Dig or Stay* Dean Brelis si occupava della mania per i rifugi che contagiava il paese – soprattutto sui giornali e in tv, perché la loro costruzione, in realtà, andava a rilento – e concludeva che le nobili speranze e gli ideali dell'America «non starebbero bene, sottoterra». Seymour Melman, professore alla Columbia University, curò *No Place to Hide*, una celebre raccolta di articoli che esprimevano dubbi riguardo alla difesa del territorio. Nel frattempo il Pentagono diffondeva cifre, forse gonfiate, a confermare l'esistenza di "potenziali" rifugi antiatomici in circa 112 000 strutture nazionali, pronti a ospitare più di sessanta milioni di americani. Durante un incontro con la stampa, Robert McNamara spiegò in che modo le difese militari interne potevano proteggere dagli attacchi missilistici. «I reporter gli hanno chiassosamente riso in faccia», commentava il "New York Times".[22]

Forse la paura della bomba atomica generava più fatalismo che attivismo, ma un nuovo romanzo sembrava pronto a galvanizzare entrambi. *Fail-Safe*, scritto da Eugene Burdick e Harvey Wheeler, descriveva un attacco nucleare accidentale (ma inevitabile) scatenato da alcuni bombardieri americani che avevano ricevuto per errore il segnale di sganciare sull'Unione Sovietica. La maggior parte degli americani non sapeva che molti bombardieri dello Strategic Air Command armati di testate nucleari erano in volo costante, pronti e decisi a devastare i russi dopo pochi minuti di preavviso. *Fail-Safe* fu un successo immediato, che ispirò reportage ed editoriali serissimi (il libro ricordava un romanzo del 1958 dalla trama molto simile, intitolato *Red Alert* e scritto da Peter George, che ne stava curando un adattamento cinematografico insieme al regista Stanley Kubrick). *Fail-Safe* finisce con gli Stati Uniti ancora in piedi e il leader sovietico che sceglie di non rispondere al primo attacco accidentale degli americani. Perché? Soltanto perché il presidente americano, per dimostrarsi pentito e in buona fede, ordina al suo esercito di sganciare una bomba nucleare su Manhattan, dove sua moglie è in visita.

Lecito, quindi, che le autorità e i leader militari americani temessero che il libro aumentasse la paranoia del pubblico e, di conseguenza, le richieste di tagli all'arsenale nucleare o la fine dello stato di allerta permanente. Un recensore del "Chicago Daily News" sembrava pensare proprio a questo mentre dichiarava che il libro «può viziare la nostra forza di volontà e distorcere il nostro giudizio. Non glielo si deve permettere». L'aeronautica ordinò uno studio sulla veridicità delle informazioni alla base del romanzo e una stima del danno che avrebbe fatto se, come ci si aspettava, Hollywood ne avesse tratto un grande film.[23]

Anonimi "funzionari dell'amministrazione" cercarono di smontare la prospettiva illustrata in *Fail-Safe*. Gli autori avevano "distorto" il quadro e fatto sembrare i sistemi d'allarme molto più sensibili che nella realtà.[24] Gli stessi funzionari, tuttavia, rivelarono che l'esercito stava spendendo grandi somme di denaro per prendere ulteriori precauzioni contro una guerra accidentale. Il Pentagono, concludeva un articolo del "New York Times", era tutt'altro che «indifferente» alla minaccia perché – e qui stava l'inghippo – considerava le precauzioni in vigore tutt'altro che «infallibili».

Esaurita la missione aziendale-diplomatica, il 22 ottobre Lester Bernstein della NBC partecipò a uno degli eventi berlinesi dell'anno, la prima di *Tunnel 28* della MGM nella nuova e lussuosa Kongresshalle, al Tiergarten.[25] Secondo "Variety" si trattava della terza prima mondiale di un film americano a Berlino negli ultimi dodici mesi, dopo *Uno, due, tre!* di Billy Wilder e *Vincitori e vinti* di Stanley Kramer. Nel film di Wilder, che pure aveva fatto fiasco al botteghino, c'era una sequenza profetica in cui un agente russo offre a James Cagney un sigaro cubano. «Abbiamo un accordo con Cuba», spiega il russo, «loro ci danno i sigari, noi diamo loro i razzi.»

E che raduno, alla Kongresshalle! Nel pubblico, oltre ai dirigenti della MGM, agli ideatori, alle star di *Tunnel 28* e alle autorità statali, c'era Rainer Hildebrandt, che aveva appena aperto la prima mostra di memorabilia del Muro a Berlino. Suo ospite era nientemeno che uno dei massimi esperti mondiali di fughe sotterranee: Harry Seidel. Heinrich Albertz, ministro per gli affari interni, si rifiutò di partecipare, in segno di protesta contro la speculazione commerciale del film americano. Lo rimproverò il collega ministro Ernst Lemmer, che abbracciò il produttore Walter Wood e disse: «La ringrazio, a nome del popolo tedesco, per questa presa di posizione contro la disumanità».

In seguito l'Hilton di Berlino ospitò una serata di gala con tanto di musiche e danze. Mentre Bernstein chiacchierava con l'operatore della NBC Harry Thoess, ecco avvicinarsi a quest'ultimo Daniel Schorr, che immediatamente cominciò a lanciare frecciate contro il «giornalismo fatto con il libretto degli assegni» e a citare le critiche al film della NBC espresse quella settimana dal Dipartimento di stato, confrontandole alla decisione della sua emittente di non passare il segno.

Naturalmente Schorr non era in una botte di ferro. Si era *opposto* aspramente, quando la CBS aveva assecondato Dean Rusk, e lui per primo aveva pagato gli organizzatori di un tunnel in cambio del diritto a filmare l'operazione. Il piccolo Thoess non ci stava. Negò le insinuazioni del Dipartimento di stato riguardo alla galleria di Bernauer Strasse e disse a Schorr che lui sapeva tutto del suo piano di filmare i fuggiaschi a Kiefholzstrasse. Preso in contropiede, Schorr negò ogni coinvolgimento, ma Thoess ribatté che la NBC aveva le prove, nelle riprese girate il 7 agosto da Piers Anderton: mostravano a suo dire, un operatore della CBS che cercava di riprendere qualcosa oltre la recinzione, al confine, presumibilmente l'uomo che Anderton aveva visto strisciare in mezzo ai cespugli. Cos'avrebbero detto la CBS e il Dipartimento di stato se la NBC avesse trasmesso *quelle* riprese? A quel punto, Bernstein si presentò e disse di essere l'intermediario legale della rete, giunto da New York. Forse gli uomini della NBC avevano soltanto bluffato, ma Schorr girò i tacchi e sparì in un momento.

Mentre la festa finiva, a 6500 chilometri da Berlino il presidente Kennedy si apprestava a tenere un discorso in diretta televisiva nazionale. Nei due giorni precedenti, durante le discussioni e i dibattiti con i suoi collaboratori più stretti e i consulenti militari, Kennedy era rimasto fedele alla decisione di dare ai sovietici un ultimatum relativo alla rimozione immediata di tutti i loro missili a Cuba, e allestire un blocco navale, prima di prendere l'iniziativa militare. Usò la saggia accortezza di definire il blocco «quarantena», per distinguerlo dall'unico blocco familiare alla maggior parte degli americani – quello di Berlino, nel 1948, imposto dai sovietici – e specificò che avrebbe riguardato soltanto le armi offensive: non il carburante, né il cibo né le medicine. Quaranta navi americane erano già in posizione per attuarlo. In ogni caso, se i sovietici lo avessero ignorato o avessero bellamente rifiutato di rimuovere i missili, gli attacchi aerei americani sarebbero stati veloci e potenti.

Erano passati pochi giorni da quando il "Washington Post" aveva saputo dei missili nucleari a Cuba, ma il presidente aveva chiesto ai redattori di non rivelare la notizia prima del suo discorso televisivo; il "Post" aveva obbedito. Altri media alimentarono le paure generate dalle indiscrezioni. Sapendolo ancora a Berlino, che di sicuro si apprestava a diventare una delle città più a rischio nel mondo, la famiglia di Lester Bernstein visse momenti di particolare preoccupazione.[26] E non sapeva che il capo della Missione berlinese Lightner e almeno un altro suo funzionario avevano già fatto partire mogli e bambini per l'America.

Nel pomeriggio, l'ambasciatore all'ONU Adlai Stevenson mandò un cablogramma a Dean Rusk: «Credo opportuno prendere decisioni entro stasera su come reagire se nei prossimi giorni l'URSS prova a interferire con il nostro accesso a Berlino. Occorre prendere decisioni riguardo alla nostra reazione concreta nell'area e cosa fare all'ONU».[27] Kennedy era preoccupato anche dalla catena di comando, nel caso gli Stati Uniti avessero la tentazione di reagire a un attacco sovietico lanciando missili nucleari. Aveva dato per scontato che i missili più vicini alla Russia, di stanza in Turchia e in Italia, si potessero far partire soltanto dopo un suo specifico ordine. Non era così: le norme autorizzavano a farlo anche i comandanti delle forze locali. Oltretutto, quando quel pomeriggio JFK disse a un membro dello stato maggiore che non voleva che *nessun* missile fosse lanciato senza la sua specifica approvazione, il generale gli parve tentennare.[28] Qualche minuto dopo, quando il presidente ne parlò con Paul Nitze, assistente al segretario della difesa, trovò ulteriore resistenza.

Nel corso della giornata fu chiaro che Kennedy e le più alte cariche del suo governo non erano del tutto aggiornati riguardo all'arsenale atomico americano e al suo possibile utilizzo. Dean Rusk, per esempio, chiese a Nitze: «I missili in Turchia non sono operativi, vero?».

«Sì che lo sono», rispose Nitze.

«Ah, lo sono», commentò secco Rusk.

«Quindici sono in stato d'allerta in questo momento», aggiunse Roswell Gilpatric.

Qualche secondo dopo, Nitze precisò che le regole della NATO imponevano il lancio automatico di quei missili in caso di attacco sovietico, «in base al PDE».

«Che cos'è il PDE?»

«Il Piano di difesa europeo», rispose Nitze, «cioè la guerra atomica.»

Kennedy rispose senza scomporsi che poteva andare bene così soltanto in caso di attacco sovietico su larga scala, non certo un attacco «mirato». E ribadì: *«Dite a tutti i comandanti che mi devono obbedire»*. Stavolta Nitze rispose di sì.

Durante una riunione organizzata per informare i leader del congresso riguardo al suo imminente discorso, JFK ascoltò Richard

Russell, numero uno dei democratici nella Commissione forze armate del senato, affermare che gli USA dovevano attaccare Cuba, che la nazione doveva «scommetterci» anche a rischio di una guerra atomica. J. William Fulbright, il più influente senatore democratico in fatto di politica estera, stroncò l'idea del blocco e pretese «un'invasione, senza fare sconti». Alle 19 il presidente pronunciò in diretta il suo storico sulla "quarantena" così come l'aveva scritto, quasi tutto, Ted Sorensen. Citò Berlino soltanto di sfuggita, ma con enfasi: «Qualunque manovra [sovietica] minacci, in qualunque parte del mondo, la sicurezza e la libertà dei popoli a cui siamo legati – in particolare la coraggiosa gente di Berlino Ovest – sarà contrastata con tutte le azioni necessarie». E poi, insieme al resto del mondo, restò in attesa.

Il giorno dopo, quando si svegliò nella sua stanza illuminata dal sole, Dean Rusk pensò: "Ah, ci sono ancora". Per il momento la Nazione era sopravvissuta.[29]

La NBC sfruttò l'occasione della crisi di Cuba per ufficializzare una decisione già presa dalla dirigenza. «Alla luce della situazione critica sviluppatasi sul piano internazionale nelle ultime ventiquattr'ore», annunciava la NBC, si era concluso che «non è il momento opportuno per trasmettere il documentario che parla della costruzione di un tunnel sotto il muro di Berlino e della fuga di profughi della Germania est». *The Tunnel* fu posticipato, se non cancellato.

Quando ricevette la notizia, da Robert Kintner in persona, Reuven Frank rimase a lungo in silenzio.[30] Si sarebbe potuto obiettare che non c'era momento migliore per trasmettere un documentario come il suo. Ora che ci si avvicinava, sempre che non lo si fosse già deciso, al possibile baratto tra Cuba e Berlino, il futuro di una grande città (o mezza, almeno) era di chi lo voleva. Indignato, Frank accusò Kintner di aver usato la crisi di Cuba come pretesto, e disse che secondo lui la NBC aveva stabilito di cancellare il programma, non soltanto di posticiparlo, da quand'era diventato politicamente controverso. Frank chiese almeno di poter lavorare al documentario di novanta minuti che doveva occupare il "buco" rimasto vuoto: uno speciale sulla crisi dei missili. Kintner accettò. Difficile che stavolta la Casa Bianca o il Dipartimento di stato facessero pressioni per annullarlo.

A Berlino Ovest, gli editoriali e la reazione ufficiale al discorso di Kennedy furono positive. Idem i berlinesi, in molti casi incoraggiati dal fatto che gli Stati Uniti avessero «preso finalmente un'iniziativa vigorosa e sicura contro i comunisti», come dichiarava un articolo. Un importante agente dell'Office of National Estimates della CIA mandò al proprio capo un dossier in cui si sosteneva che Berlino Ovest sarebbe potuta resistere, dal punto di vista fisico ed economico, per parecchio tempo. Aveva accumulato cibo e medicine per almeno sei mesi, e carburante per un anno.

Il 27 ottobre un sottomarino sovietico a Cuba, tagliato fuori dalle comunicazioni con Mosca, per poco non sparò un siluro nucleare perché aveva scambiato le bombe di profondità provenienti da una nave americana che voleva costringere il sommergibile a tornare in superficie per l'inizio di un attacco americano. Due ufficiali approvarono il lancio del siluro. Un terzo no, e dopo un animato litigio questo la spuntò, evitando forse un olocausto nucleare e la terza guerra mondiale.[31]

Quel giorno, dopo quasi due settimane di tensione e angoscia, avvertimenti e minacce, un accordo per mettere fine alla crisi dei missili sembrava in vista. I termini erano piuttosto chiari sin dall'inizio. Il presidente Kennedy accettava di rimuovere gli obsoleti missili americani dalla Turchia a patto che i sovietici smantellassero tutti i loro missili cubani, e soltanto se il compromesso a cui era scesa Washington non fosse annunciato pubblicamente: i media dovevano raccontare di una netta vittoria americana. JFK giurò ai sovietici che la ritirata dei missili dalla Turchia sarebbe avvenuta in silenzio, entro qualche mese. Gli Stati Uniti promettevano inoltre di non invadere Cuba e di non aiutare gli esiliati decisi a riprovarci.

Il giorno dopo, attorno alle 9 del mattino di Washington, Nikita Chruščëv trasmise un messaggio da Radio Mosca. Disse che il suo governo aveva emesso l'ordine di cominciare a smantellare i missili. Non contento, il generale Curtis LeMay disse al presidente Kennedy che lo avevano «imbrogliato» e definì l'accordo «la più grande sconfitta della nostra storia», continuando peraltro a spingere perché gli USA invadessero Cuba.[32]

Presto, e molti ne furono sorpresi, gli aerei-spia americani scoprirono che i sovietici stavano davvero smantellando. La crisi era finita. Berlino Ovest, dopo tutte quelle paure e aspettative, non era stata scambiata né conquistata. Ma il Muro era ancora lì, come le promesse di Chruščëv di inasprire il contrasto. Il 30 ottobre, tuttavia, il "New York Times" scrisse che, secondo importanti autorità occidentali, un Chruščëv decisamente umiliato dal passo falso dei missili a Cuba era deciso a «procedere con cautela» a Berlino. Perché se gli alleati occidentali si erano mostrati così «uniti» e gli Stati Uniti tanto «decisi» nell'affrontare la minaccia, lo sarebbero stati anche nel caso di una crisi berlinese.

Kennedy scrisse all'editore del "New York Times" Orvil Dryfoos, ancora scottato dalla vicenda Hanson Baldwin, per ringraziarlo di aver ordinato ai suoi redattori di non parlare dei missili sovietici a Cuba prima del suo discorso del 22 ottobre. «Gli eventi successivi», dichiarava il presidente, «hanno rafforzato in me la convinzione che la vostra disponibilità a trattenere informazioni a voi disponibili abbia reso un importante servizio agli interessi nazionali.»[33]

A differenza del film della NBC, *Tunnel 28* era giunto sugli schermi secondo i tempi, almeno a Berlino, ma le prime recensioni furono brutali. "Der Spiegel" lo paragonava ai cinegiornali che precedevano la proiezione.[34] Pur riconoscendone il «valore artistico», "Die Zeit" criticava il fatto che come documento politico fosse «uno scandalo».[35] A parte una giovane madre che voleva dare al figlio una vita con più opportunità, «tra i fuggiaschi non ce n'è uno che abbia un motivo serio per scappare». Citava un personaggio femminile, che sogna un taglio di capelli alla moda e altro: «Voglio andare dove posso fare un bagno caldo» e «avvolgermi in spessi asciugamani di spugna». L'autore della recensione commentava che così, finalmente, le madri americane sapevano perché i loro figli rischiavano di combattere e morire a Berlino, «per un bagno caldo e un taglio di capelli».

Il regista Robert Siodmak difese l'approccio superficiale del film alla storia e alla politica, spiegando al "Die Zeit" che era fatto per incolti che non sapevano neanche cosa fosse il Muro. Il quotidiano commentò sarcastico: «Adesso lo sanno eccome!».

La trama era una versione molto romanzata della storia dei Becker: nei mesi successivi all'apparizione del Muro, i berlinesi dell'Est vogliono disperatamente fuggire nell'Ovest; tra loro non c'è Kurt (Don Murray), che lavora come autista per un certo maggiore Eckhardt e ha una storia con la moglie del militare. Poi Günther, amico di Kurt, muore cercando di sfondare il Muro a bordo di un camion. Erika (Christine Kauffman), sorella di Günther, è convinta che lui sia scappato nell'Ovest e cerca di raggiungerlo strisciando sotto il filo spinato. Kurt la salva dai proiettili delle guardie e la fa nascondere in casa sua, vicino alla frontiera. Kurt non ha intenzione di andarsene ma si offre di scavare un tunnel, sotto il loro palazzo, per aiutare gli altri a scappare. Nel frattempo Kurt si innamora di Erika e alla fine le dice che Günther è morto. Naturalmente, a quel punto vuole scappare con lei. Il padre comunista di Erika scopre i piani della ragazza e parla del tunnel al maggiore Eckhardt. Kurt spinge i fuggiaschi, sempre più numerosi, ad andarsene subito! La polizia e i VoPos arrivano un po' troppo tardi ma riescono a sparare a Kurt, l'ultimo a entrare nel tunnel. Lui riesce a strisciare verso la libertà, dove la sua ricompensa potrebbe essere un futuro felice con Erika.

Il film doveva debuttare negli Stati Uniti il 31 ottobre, con un titolo diverso: *Escape from East Berlin* (Fuga da Berlino Est). Nei comunicati stampa diffusi dalla MGM a Hollywood la pellicola non era più associata alla fuga dei Becker (che aveva imbastardito) ma al più recente tunnel di Bernauer Strasse. «Poco dopo il completamento di *Escape from East Berlin*», dichiarava fiero un dispaccio, «i giornali di tutto il mondo hanno annunciato il successo di un'altra fuga sotto il Muro di Berlino, compiuta da un gruppo di 29 berlinesi dell'Est.»[36] La MGM aggiornò con il nuovo titolo i poster color rosso vivo del film e vi aggiunse titoli reali pubblicati dai quotidiani dopo la fuga di settembre, come *In 29 sono scappati dai rossi sottoterra*. A lettere più grandi: *Sta succedendo proprio adesso*. La campagna pubblicitaria diede un nuovo valore al trito slogan del film "tratto da una storia vera".

All'indomani della crisi di Cuba, tuttavia, la MGM decise di distribuire il film soltanto in Michigan (almeno all'inizio). Forse lo studio, dopo aver assistito alle vicende dei documentari CBS e NBC, temeva le pressioni del Dipartimento di stato. Il produttore Walter Wood, da parte sua, disse a un giornale che non credeva nei «film verità». Altrimenti, nel suo film su Berlino avrebbe mostrato ventotto morti, «anziché ventotto fuggitivi».[37]

17

Sabotaggio
novembre 1962

Era trascorso più di un anno da quando Harry Seidel aveva annunciato ad amici e parenti che avrebbe salvato sua madre dall'Est, a costo di morire provandoci. Fino ad allora, dopo che per un motivo o per l'altro tanti dei suoi scavi erano falliti, e sua madre era finita spesso dietro le sbarre, il tentativo si era risolto in nulla. Un giorno scoprì che sua madre era stata finalmente scarcerata. Fritz Wagner non riusciva a mettere in piedi un'altra operazione, e quando Harry venne a sapere di un tunnel già aperto nel lontano comune di Kleinmachnow, all'estremo ovest nel settore americano, si offrì volontario per finirlo.[1]

I fratelli Boris e Eduard Franzke, organizzatori della nuova galleria, scavavano tunnel sul confine, insieme o separati, da oltre un anno.[2] Volevano portare via dall'Est la madre e la sorella; la ragazza di Boris; la moglie e i due figli di Eduard. Nell'autunno 1961 Eduard aveva cercato, e subito abbandonato (dopo aver attirato l'attenzione della Stasi) quello che forse fu il primo progetto di tunnel berlinese dopo l'erezione del Muro. Poi Boris lo aveva aiutato a scappare nell'Ovest attraverso una finestra della stazione della S-Bahn. Non erano ancora riusciti a utilizzare nessuno dei tanti tunnel che avevano iniziato e a volte finito, ma ciò non li scoraggiava.

Nell'ottobre 1962 vennero a sapere che oltre confine la famiglia Schaller voleva scappare ed era disposta a concedere la propria casa, nella periferia verde di Berlino, come punto d'arrivo del tunnel. Come al solito, i due fratelli presero l'occasione al volo. L'uomo che li informò, Bodo Posorski gestiva un'agenzia di noleggio di auto vicino a casa Franzke e si offrì di aiutarli, così come aveva fatto con i loro altri tentativi di fuga.

Nella zona di Kleinmachnow il muro non era imponente: soltanto una serie di recinzioni e filo spinato, con relativamente poche pattuglie e poca sorveglianza. Gli Schaller (padre, madre, due figlie) abitavano a Wolfswerder, il primo isolato oltreconfine. Davanti alle recinzioni, sul lato occidentale, il cantiere di un condominio brulicava di attività. Con un po' di fortuna ciò sarebbe bastato a distrarre le guardie di frontiera dell'Est. Non trovando nell'Ovest nessuna struttura di cui sfruttare il sotterraneo, i Franzke ebbero un'idea brillante: affittare un paio di baracche per gli attrezzi di discrete dimensioni, e piazzarle alla fine del cantiere, a pochi metri dal confine. Una l'avrebbero usata come magazzino, l'altra per dormirci. Infine, avrebbero affisso un cartello con scritto: «Sempreverde, servizi di giardinaggio».

In quel modo avrebbero giustificato il viavai di persone (scavatori) e la presenza di attrezzi come vanghe, carriole e asce. A ogni modo, i Franzke chiesero a due colleghi, Bibi Zobel e Klaus Gehrman, di accamparsi con loro in una baracca, dormendo su materassi gonfiabili, per le tre settimane necessarie a scavare fino a casa Schaller. Bodo Posorski li riforniva periodicamente di legna e acqua. Non era facile parlare sempre sottovoce, usare le torce come unica illuminazione e sopportare il puzzo dei loro corpi sporchi per l'impossibilità di lavarsi in uno spazio ristretto, ma il lavoro procedeva bene. Grazie a un piccolo anticipo di denaro ricevuto dal "Bild Zeitung" in cambio dei diritti sulla loro storia (e di cosa, se no?) riuscirono persino a installare nel tunnel una linea telefonica. Nella baracca magazzino c'erano anche i sacchi di terra scavata.

Alla fine di ottobre, tuttavia, la mancanza d'aria in galleria rallentò i progressi. Gli scavatori, appesantiti dal mal di testa, erano costretti sempre più spesso a fermarsi. Il tunnel andava finito in fretta. Ne erano già al corrente in troppi: gli Schaller avevano invitato alcuni amici a unirsi alla fuga e i corrieri gestiti da Posorski avevano sparso la voce tra circa una trentina di persone (alcune delle quali si offrirono di pagare). I Franzke decisero che per accelerare avevano bisogno di uno scavatore esperto.

Un suggerimento di Posorski li portò all'intrepido e impareggiabile Harry Seidel.

Se Fritz Wagner, per il quale era solito lavorare Seidel, considerava i Franzke un gruppo operaio rivale, Harry era ecumenico. Inoltre, adesso sua madre era libera di scappare. Il pomeriggio del 5 novembre, quando arrivò all'imbocco del tunnel e diede un'occhiata non fece commenti, a parte dirsi soddisfatto che fossero già così avanti.[3] Si mise subito all'opera, sfoggiando la sua solita abilità in condizioni di scarso ossigeno. Quando finì un turno, i Franzke gli proposero di tornare a casa da sua moglie, ma Harry, immaginando che si trattasse di un progetto lungo una settimana, scelse di stare negli alloggi improvvisati insieme agli altri. Quando Harry gli spiegò cosa stava facendo, *Dicke* rispose che non era una novità per lui, e che in troppi ne erano già al corrente. Consigliò a Harry di mollare prima che fosse troppo tardi. Harry disse: «Ci penserò su», che nel vocabolario di Seidel significava *No*. Aveva promesso a suo figlio che entro Natale avrebbe rivisto la nonna.[4]

Secondo le stime dei Franzke, per raggiungere casa Schaller il tunnel doveva essere lungo poco più di 75 metri; quando raggiunsero i 70, perciò, supposero di trovarsi davanti alle mura dell'abitazione. Così fecero un buco all'aria aperta e diedero un'occhiata svelta in giro. Purtroppo, Bodo Posorski aveva già detto ai corrieri che la fuga sarebbe avvenuta l'11 novembre, e che il giorno dopo sarebbero arrivati altri gruppi. I Franzke decisero di scavare per un metro o poco più e, nel giro di un paio di giorni, sbucare al buio, ai piedi della casa. Uno di loro sarebbe uscito dal buco, avrebbe cercato il segnale concordato di via libera alla finestra, bussato sulla porta di servizio e invitato i fuggiaschi in attesa a seguirlo sulla strada per la libertà. Rischioso ma forse abbastanza sicuro, in quella zona tranquilla e appartata.[5]

Non sapevano che la Stasi aveva avuto una soffiata riguardo al tunnel e ai piani di fuga. Gli agenti avevano già arrestato gli Schaller e le loro figlie, oltre ai primi nove profughi arrivati l'11 novembre. Adesso tenevano sotto controllo il percorso del tunnel con dispositivi d'ascolto, pronti a farlo saltare in aria (magari insieme a qualche scavatore) nel momento opportuno. Sulla scena c'era un esperto di esplosivi della Stasi.[6] Dopo mesi di frustrazione, finalmente avevano alla propria mercé il famigerato Harry Seidel e i molesti Franzke.

Sperando in qualche arresto in più, la Stasi aveva installato a casa Schaller, a Wolfswerder, un vero e proprio accampamento militare. Sotto pressione, gli Schaller avevano rivelato alla Stasi i segnali di "via libera" che dovevano mandare ai Franzke: pulire le finestre con uno straccio ogni mattina alle dieci e tagliare la legna fuori alle quattro del pomeriggio. La Stasi continuò la messinscena. Un agente si travestì persino da donna, per pulire le finestre.[7]

L'esperto in esplosivi Richard Schmeing, cinquantatreenne veterano dell'mfs, si occupò dei preparativi più letali. Far esplodere il tunnel di Wolfswerder, specialmente se sul posto c'era Harry Seidel, era una priorità così alta che il direttore della Stasi Erich Mielke aveva approvato il piano personalmente. Anche se l'mfs non avesse sterminato Seidel e i Franzke, avrebbe distrutto la galleria e dichiarato che a innescare l'esplosione erano stati gli scavatori «terroristi», in un barbaro tentativo di distruggere vite e case dell'Est.

Il giorno dopo i primi arresti, la squadra di Schmeing scavò un buco tra due case di fronte agli Schaller, proprio sul confine e sopra quello che supponevano fosse il percorso del tunnel. Vi inserirono due cariche di esplosivo – 2,5 chili di TNT e la stessa quantità di RDX – e le coprirono di foglie. Gli esplosivi erano abbastanza potenti da distruggere parecchi metri di terreno; non c'era bisogno, quindi, che la posizione fosse precisa. La notte del 12 novembre non ci furono azioni di fuga, e Schmeing rimosse le cariche. L'indomani la scena si ripeté. Una dei corrieri, nervosa per l'operazione e preoccupata che Bodo Posorski le avesse mentito, chiese a sua madre di andare a trovare gli Schaller. La donna suonò alla porta e le rispose una sconosciuta, che le disse che gli Schaller erano fuori casa (non aggiunse che si trovavano in prigione).[8] La donna se ne andò e disse subito alla figlia che forse la Stasi aveva già assaltato la casa. A quanto pare, la voce giunse fino a Posorski, che forse la snobbò prendendola per falsa (se era vera, perché la Stasi non aveva arrestato la donna?) o forse la ignorò per qualche altro motivo.

Il 14 novembre, l'esperto di esplosivi Schmeing stabilì, grazie ai dispositivi di ascolto, che gli scavatori stavano spostando attrezzatura verso lo sbocco del tunnel: lo sfondamento doveva essere vicino. Corresse la posizione delle cariche esplosive e fece arrivare un filo di rame lungo sessanta metri nella cantina di casa Schaller, collegandolo a una batteria a secco da 12 volt fissata al detonatore che quella notte lui, con tutta probabilità, avrebbe finalmente fatto scattare per distruggere il tunnel e chi ci si trovava dentro.

Alle otto di sera il buio era calato. La temperatura era poco al di sopra dello zero. Qualche altro ignaro fuggiasco era appena stato catturato e portato via, oppure tenuto sotto sorveglianza a casa Schaller (per fortuna, la madre di Harry e la fidanzata di Boris Franzke non erano ancora arrivate). Gli agenti della Stasi stazionavano intorno all'edificio. Il tenente Schmeing guardava e aspettava alla finestra della cantina rivolta ad ovest, mentre i suoi compagni della Stasi lampeggiavano agli scavatori uno dei segnali di via libera.

Dentro il tunnel, a pochi metri da lì, gli scavatori discutevano a chi sarebbe toccato sbucare in giardino dal buco. I Franzke litigavano, e a Seidel sembrava che nessuno dei due morisse dalla voglia di prendersi la responsabilità. Come suo solito, fu Harry a occuparsene. Aveva promesso agli amici e alla moglie che non sarebbe mai più uscito per primo da un tunnel, ma dichiarò: «Vado io». Avvolse la pistola nella plastica per proteggerla dal suolo sabbioso, saltò in spalla al grosso e forte "Bibi" Zobel e uscì dal buco.[9]

Dopo di lui fu Boris Franzke a salire in spalla a Bibi e a mettere la testa appena oltre la soglia per fare la guardia, con la vecchia pistola della Wermacht sfoderata nel caso Harry attirasse il fuoco. Vide Seidel avvicinarsi alla casa e sparire. Nascosto in quel modo, Harry salì i gradini di una porta e bussò con la sua arma. Qualcuno aprì, ma al posto di un fuggiasco nervoso c'era una squadra di agenti della Stasi in borghese e soldati in uniforme armati fino ai denti. Quando, davanti ai mitra, Harry lasciò la pistola, gli agenti lo atterrarono e lo riempirono di calci e pugni. Poi lo presero per le braccia e per le gambe e lo portarono fuori, con le armi puntate verso il buco irregolare nel terreno.

I Franzke, sulla soglia del tunnel, sentirono una voce familiare esclamare: «Venite, dobbiamo aiutare uno che sta male!». Boris stava per uscire, ma suo fratello lo trattenne. La squadra degli scavatori aveva comunicato a sussurri per tutta la notte. Adesso Harry parlava stranamente a voce alta, cosa del tutto fuori luogo con le guardie dell'Est di pattuglia lì vicino. Lo sentirono ripetere la richiesta, di nuovo in quel modo sospetto. Possibile che cercasse di avvertirli?

Seidel si accorse dei movimenti dentro il tunnel e di colpo gridò: «Andate via! Ci hanno traditi, i soldati vi sparano in testa!». I Franzke capirono e scapparono come pazzi verso l'Ovest. Harry fu colpito alla testa da una pistola e trascinato senza troppe cerimonie in casa, dove subì un altro pestaggio.

Dentro la lavanderia della cantina era il momento di far esplodere il tunnel. Il comandante della Stasi sul posto, il tenente colonnello Siegfried Leibholz, ordinò al tenente Schmeing «*Sprengen!*», cioè «Fuoco!».[10] C'era soltanto un problema: a una decina scarsa di metri dal punto in cui erano stati piazzati i potenti esplosivi c'erano due ragazzi del quartiere che parlavano, e forse si baciavano, al buio. Erano tornati dal cinema e sembravano ignari del chiasso dall'altra parte della strada. Non sembrava affatto avessero fretta di tornare a casa.

«Aspetti! Ci sono due ragazzi!», protestò Schmeing.

Leibholz insistette: «Fuoco!».

Schmeing, che dava le spalle a Leibholz, tentennò. L'esperto di esplosivi era sopravvissuto a due campi di concentramento nazisti e, sul finire della guerra, era stato scelto per un esperimento letale sul tifo, nel campo di Buchenwald. Forse aveva più scrupoli morali di quanto si potesse immaginare. Alla fine azionò il detonatore.

Non accadde nulla. Ci riprovò: senza risultati.

Vicino all'uscita del tunnel, Bibi sentì urlare «Fuoco!» e un momento dopo, dalla stessa direzione: «I porci stanno scappando». Al che si affrettò a unirsi alla frenetica fuga verso l'Ovest.

Qualche minuto dopo, davanti alle due baracche di Berlino Ovest, mentre accendevano le torce, gli sconvolti Franzke raccontarono ai colleghi cos'era successo. Ancora non c'era traccia di Harry Seidel. Arrivò Bodo Posorski e chiese ai Franzke di dargli un'arma, per sparare contro i VoPos alla frontiera. I residenti della zona si accorsero dell'insolito trambusto e chiamarono la polizia dell'Ovest. Come al solito, gli agenti interrogarono i presenti ma non arrestarono nessuno né lo incriminarono per porto illegale d'armi. Sequestrarono giusto i sacchi di terra accumulati nella baracca: da usare per il tiro al bersaglio.

Harry Seidel, arrestato oltre il confine, si domandò se Bodo Posorski avesse organizzato il tunnel e insistito per avere proprio lui insieme ai Franzke, su indicazione della Stasi.[11] In effetti, un giovane di nome Werner Kiontke, che a volte, in sua assenza, gestiva le faccende di Posorski, era da poco diventato informatore della Stasi. A inizio settembre Kiontke, che possedeva un passaporto della Germania Ovest, era stato arrestato nell'Est per contravvenzione al codice della strada. La Stasi lo aveva indotto a rivelare tutto ciò che sapeva riguardo alle attività "criminali" che giravano intorno all'agenzia di noleggio auto, e a tenerla poi d'occhio come informatore segreto, nome in codice "Roge". Era, chiaramente, nella posizione ideale per spiare o manipolare Posorski, o magari persino garantirsi la sua collaborazione.

Intanto, nell'Est, sfidando gli ordini di Leibholz, Schmeing uscì a controllare perché le sue cariche esplosive avessero fatto cilecca.[12] Raccolse il filo di rame da terra e lo seguì sul prato, fino al punto in cui, come risultò poi dal suo rapporto, era stato rozzamente tagliato, forse con un coltello o un pezzo di vetro. A quanto sembrava, uno degli uomini della Stasi aveva compiuto un atto di sabotaggio umanitario, caso forse unico, fino a quel momento. Si annunciava una strigliata epocale, dal momento che a vegliare sull'operazione era stato nientemeno che il direttore dell'MFS Mielke.

Quando lo vide tornare, un compagno di Schmeing gli disse di non preoccuparsi troppo. Sì, rischiava grosso per via del fiasco, ma d'altro canto poteva anche darsi che si fosse salvato da una lunga condanna. Non tutti, nell'Est, sarebbero stati contenti quanto Mielke di far fuori due ragazzi innocenti, come danno collaterale.

Nel frattempo Seidel fu portato alla svelta nella prigione della Stasi di Hohenschönhausen, dove lo interrogarono per tutta la notte. L'MFS abbozzò in tutta fretta cinque pagine di memorandum con la descrizione di tutte le attività di scavo note dell'ultimo anno.[13] Il mattino dopo, uno scavatore corse a casa di Harry per spiegare l'accaduto alla moglie. In seguito la polizia di Berlino Ovest le portò un fagotto: i vestiti di Harry rimasti nella baracca. Due giorni dopo, Werner Kiontke diede a un agente della Stasi la chiave dell'agenzia di Posorski, per farne una copia e tornare, in seguito, a installare una cimice.

Sul piano politico, il presidente Kennedy si sentiva saldo come non gli capitava da tempo. Si era guadagnato grandi elogi per come aveva gestito i missili sovietici a Cuba, e ciò sembrava avere aiutato diversi candidati democratici alle elezioni di metà mandato. Come capita spesso in quel tipo di consultazioni, il partito che stava alla Casa Bianca perse qualche seggio alla camera, ma i democratici vi mantennero la maggioranza, ampliando, peraltro, quella al senato. Un altro fratello del presidente, Ted, era stato eletto nella vecchia circoscrizione di JFK, il Massachusetts.

Nel consolidare il suo trionfo cubano, tuttavia, il presidente si era attirato le critiche accese dei media. In tanti sospettavano che la Casa Bianca avesse manipolato e persino mentito alla stampa nel corso della crisi (e ancora non sapevano dell'accordo segreto per ritirare i missili americani dalla Turchia). Qualcuno criticava le ripetute richieste di autocensura di Pierre Salinger durante la crisi, e la sua lista in dodici punti, le "linee guida" per non diffondere le notizie. Sembrava logico che adesso, a crisi conclusa, la presidenza ammettesse di essere andata troppo in là, o almeno lasciasse cadere le richieste di segretezza nate nella crisi.

Invece, il portavoce del Pentagono Arthur Sylvester fece scoppiare un putiferio, quando, incalzato da un reporter, ammise che la presidenza esercitava un controllo dell'informazione addirittura più stretto che durante la seconda guerra mondiale, e lo difese, per via «del mondo in cui viviamo». Era importante che la nazione parlasse «all'avversario con una voce sola». Usò un nuovo aggettivo tendenzioso esprimendosi a favore della «gestione» governativa dell'informazione.[14] I giornalisti di tutte le tendenze politiche gridarono allo scandalo e dichiararono che da loro ci si aspettava di essere più che semplici propagandisti del governo.[15]

In un editoriale, il "New York Times" dichiarò che la «gestione» o il «controllo» delle notizie «è un sinonimo più dolce di "censura"». Il leggendario Arthur Crock del "Times", pur ammettendo che tutti i presidenti cercavano di gestire le notizie, obiettò che l'amministrazione in carica aveva «preso iniziative dirette e deliberate con più cinismo e sfrontatezza [...] che qualsiasi altra presidenza americana, escluso in tempo di guerra». Il "Washington Star" dichiarò che Sylvester «si era lasciato sfuggire un pessimo segreto» e definì i suoi commenti «autenticamente sinistri». George Sokolsky, editorialista conservatore, confrontò il controllo della presidenza americana sulla stampa a quello di Hitler, Stalin e Castro. "Newsweek" fu più generoso e stabilì che la Casa Bianca aveva, in effetti, «ingannato il pubblico [ma anche] raggiunto il suo traguardo tattico: permettere agli strateghi americani di lavorare in segreto [...] Faceva parte dell'ambiziosa strategia per cui gli Stati Uniti hanno rischiato la guerra nucleare, e vinto senza combatterla».

La Casa Bianca condivideva quasi tutte le opinioni di Sylvester.[16] Lo stesso Kennedy aveva usato l'espressione «gestione delle notizie», e Salinger era convinto che la disinformazione e persino le bugie fossero misure giustificabili in un conflitto contro un nemico che aveva il vantaggio di operare in segreto. Con una dichiarazione chiarificatrice, Sylvester sottolineò che per proteggere la sicurezza nazionale e l'incolumità delle truppe americane un esame minuzioso della carta stampata era necessario. Purtroppo per Sylvester, il "New York Times" decise di intitolare la puntualizzazione *Funzionario governativo giustifica le bugie alla nazione*.[17]

In privato, JFK ammise all'amico Ben Bradlee, direttore di "Newsweek", che sì, gli Stati Uniti avevano «mentito» alla stampa durante la crisi dei missili a Cuba.[15] E le direttive sul controllo tanto dei reporter quanto delle fonti governative suggerite dal presidente all'indomani della vicenda Hanson Baldwin erano state attuare, almeno in parte, al Pentagono e al Dipartimento di stato. McGeorge Bundy scrisse all'editorialista Joseph Alsop: «Nel nostro mirino ci sono i reportage pericolosi favoriti da funzionari irresponsabili o negligenti [...] Questo tipo di inchieste esiste, come esiste questo tipo di funzionari».[18]

A parte un breve articolo su "Variety", che lo considerava «probabilmente» destinato alla messa in onda, nessuno aveva più parlato del destino di *The Tunnel*. Lo stesso articolo riconosceva a Lester Bernstein della NBC di aver contribuito, nella sua recente trasferta, ad addolcire le autorità tedesche ostili al film. Non diceva nulla, però, dell'attuale clima tra i concorrenti in America. La trasmissione della CBS *Armstrong Circle Theater* giocò d'anticipo e precedette la NBC allestendo un film-documentario di un'ora intitolato *Tunnel to Freedom*, "Il tunnel verso la libertà". Era una versione romanzata del cosiddetto "tunnel dei pensionati" di maggio, quando degli anziani berlinesi avevano scavato una galleria verso l'Ovest insolitamente spaziosa per potervi camminare eretti con tanto di valigie. "Variety" giudicò la rievocazione piuttosto accurata, se non addirittura «entusiasmante». Il protagonista era Conrad Nagel.[19]

Reuven Frank aveva aspettato abbastanza. Dopo tante elucubrazioni e consultazioni con sua moglie, decise di scrivere e presentare le dimissioni.[20] Era certo che la NBC avesse resistito più delle concorrenti alla presidenza Kennedy, ma anche arrabbiato per la proroga, che considerava a tempo indeterminato, di *The Tunnel*. Si domandò persino se avesse senso rimanere in un settore dove la pressione «politica» (come lui la definì) poteva uccidere un'iniziativa così degna. Bill McAndrew gli domandò almeno di rimandare la partenza alla fine dell'anno, per completare due programmi in corso di produzione.

Piers Anderton, altrettanto infuriato per come l'emittente aveva fatto crollare *The Tunnel*, partì infine con la moglie per il viaggio di nozze in Grecia e in Italia che i due rimandavano da giugno.

Il 20 novembre, il presidente della NBC Robert Kintner spedì al segretario di stato Rusk (con Pierre Salinger in copia) una lettera senza precedenti, di cinque pagine, interlinea singola, e un promemoria di otto pagine, per «aggiornarvi in dettagli sui fatti» riguardanti il film sulla fuga che era stato «oggetto di molta confusione, disinformazione e fraintendimenti». Kintner difese il programma fornendo anche informazioni false, come «non c'è stato alcun legame tra i pagamenti da noi effettuati e il completamento del tunnel». Gary Stindt, a detta sua, aveva visitato la galleria soltanto due volte, e «a questo si è limitata la presenza di personale della NBC durante l'operazione» (non fece parola del ruolo cruciale per l'invio di segnali a fuggiaschi e corrieri, la notte della fuga, dell'appartamento affittato dagli americani). Sottolineò che il Dipartimento di stato non aveva mai chiesto esplicitamente alla NBC di interrompere il progetto, ed era vero, ma soltanto perché il Dipartimento non ne sapeva nulla.

Kintner avvertì che la NBC sperava ancora di mettere in palinsesto il programma: «A nostro parere, evitati con successo tutti i rischi impliciti nell'operazione, sarebbe una vera follia negare alla causa della libertà – come vorrebbero i comunisti – gli evidenti vantaggi legati alla trasmissione del film». *The Tunnel* avrebbe reso «milioni di americani consapevoli di qual è la loro posta in gioco a Berlino, e offerto loro uno sguardo approfondito sulla natura della lotta tra comunismo e libertà». Citò il discorso dello stesso Rusk durante la sua visita di giugno, quando aveva detto del Muro: «È un affronto alla dignità umana».

Incapace di non smascherare un rivale, il promemoria informava poi Rusk che al contrario di quanto affermato in pubblico, la CBS non si era astenuta dal filmare a Kiefholzstrasse, come da richiesta del Dipartimento. Secondo certe «informazioni affidabili» della NBC, il giorno della fuga la concorrenza aveva «piazzato un operatore all'imbocco del tunnel a Berlino Ovest».[21]

Lester Bernstein e Elie Abel consegnarono personalmente la lettera e il promemoria di Kintner a Rusk. Dopo aver ricevuto la sua copia alla Casa Bianca, Pierre Salinger scrisse a Kintner: «Immagino che il segretario le risponderà direttamente, ma volevo dirle che le sono grato del suo parere».[22] C'era questa piega importante: Kintner disse a Robert Manning del Dipartimento di stato che sperava, con una risposta favorevole di Rusk, di «addolcire certi membri del consiglio d'amministrazione» della NBC. Ciò significava che, alla fine, l'opposizione più forte al programma si trovava all'interno dell'emittente, a un livello superiore e più potente dello stesso Kintner.[23]

La lettera di Rusk, abbozzata da Manning, superava di pochissimo la pagina di lunghezza. Il segretario si diceva «particolarmente grato per le sue garanzie che [...] il film com'è montato oggi [...] non costituisce un rischio di sicurezza» e sicuro che fosse «un commovente documento umano». Come da tempo sosteneva (nel suo modo passivo-aggressivo) il Dipartimento, stava alla NBC decidere se trasmetterlo o no, ma Rusk ci teneva che l'emittente ricordasse questo:

> Lei è consapevole, ne sono certo, che la più grande preoccupazione mia e del dipartimento è stata, sin dall'inizio, la questione del rischio, personale e politico, legato al coinvolgimento segreto della televisione americana o di altri dipendenti non ufficiali in affari delicati ed esplosivi come il problema delle fughe oltre il muro di Berlino.
>
> Sono certo che lei capisca perché esistono certe preoccupazioni, e perché le si debba trasmettere a chi è, o potrebbe essere, impegnato in certe imprese a Berlino, o in altre serie situazioni internazionali in cui l'oggetto di un giornalismo avventuroso potrebbe essere legato a doppio filo con altre considerazioni, che

coinvolgono gli interessi nazionali e diverse vite umane. Sarebbe preoccupante, inoltre, se altre iniziative traessero dal fortunato successo dell'operazione della NBC l'ispirazione di compiere imprese simili, se non a Berlino in altre zone altrettanto dense di complicazioni.[24]

Insomma, Rusk ammorbidì le critiche, ma diffidò (ancora una volta) l'emittente dal coinvolgimento con altre imprese di fuga, presenti e future. Assai rivelatore è l'utilizzo della parola «problema» a definire «le fughe oltre il muro». Forse la reazione ambigua della presidenza Kennedy a *quelle*, e non allo speciale della NBC, era il vero «problema».

Inaspettatamente, l'inviato della NBC Sander Vanocur chiamò Reuven Frank e gli disse che aveva incrociato il procuratore generale Kennedy, il quale non aveva perso tempo a menzionare la polemica legata al tunnel. «Che cosa terribile avete fatto», disse Bobby Kennedy, «comprando quel tunnel».[25]

Forse Siegfried Uhse fu il primo a sorprendersi di non avere avuto alcun ruolo nell'operazione che aveva portato a smascherare il tunnel e ad arrestare Harry Seidel. Uhse era comunque ben inserito nel giro dei *Fluchthelfer*, continuava a dirigere i corrieri per conto del Gruppo Girrmann e al contempo a informare il suo gestore, Herr Lehmann, riguardo ai vaghi piani di «sfondamento della frontiera», come inevitabilmente li definivano i rapporti della Stasi. Dopo il secondo premio ricevuto grazie ad atti sovversivi, Uhse aveva visto schizzare alle stelle il suo stipendio. Fino ad agosto aveva ricevuto, in media, 250 marchi al mese. Grazie alla retata di Kiefholzstrasse ne intascò 530. In ottobre, dopo la retata del tunnel di Heidelberger Strasse, ricevette 1800 marchi tedeschi, una somma notevole, pari al prezzo di un'automobile, se avesse voluto comprarla.[26] Uhse continuava a lavorare fianco a fianco con Bodo Köhler e Joan Glenn. I suoi capi dell'MfS gli dissero di «rafforzare il rapporto fiduciario» con Glenn «per meglio studiare le attività terroristiche del Gruppo Girrmann».[27] Uhse era riuscito a inserire nella comunità del Girrmann un amico e collega informatore, un certo "Günter H".

Tutto ciò lo mise in condizione di scoprire, e magari denunciare, il nuovo tunnel che Hasso Herschel stava scavando sotto Bernauer Strasse. Non era un progetto del Girrmann, ma a quel punto tra molti degli studenti impegnati nei tentativi più disparati i rapporti erano più stretti.

Lo scavo di Herschel si apriva di nuovo sotto la fabbrica di bastoncini, ma in un altro e più lontano tratto dello scantinato e verso un'altra destinazione, sempre a Est: Brunnenstrasse. Hasso aveva radunato un gruppo di veterani del gruppo di Bernauer Strasse e fatto loro un breve e conciso discorso: «Be', ragazzi, ho aperto un nuovo tunnel, mi date una mano?». Quando uno scettico gli chiese se a finanziarlo era la NBC, Hasso rispose: «No, adesso basta. Quel tunnel mi ha fatto intascare un po' di soldi, questo posso finanziarlo io. Abbiamo un punto di partenza e stavolta lo faremo molto più a regola d'arte dell'ultima!». Portò subito in fabbrica i primi volontari. Tra loro c'erano anche alcuni fuggiaschi del primo tunnel di Bernauer Strasse, compreso Hans-Georg Moeller, che si sentiva in obbligo, adesso, di salvare altre persone. Hasso cercò di arruolare Claus Stürmer, ma Inge Stürmer obiettò e ricordò al marito che doveva trovarsi uno stipendio regolare e passare più tempo con i loro due figli.[28]

La nuova squadra di Hasso dovette cominciare svuotando lo scantinato dalla terra già scavata, per fare spazio. Tuttavia, era probabile che il secondo tunnel nascesse un po' più in fretta del primo. L'attrezzatura si poteva riciclare, e siccome ora Hasso sapeva che in quella zona il terreno era tutto argilla fino all'est, aveva deciso di rinunciare ai sostegni di legno.

Intanto Wolf Schroedter, che si sentiva ancora in colpa per aver accettato i soldi della NBC, cominciò a occuparsi di un altro tunnel aperto dal Gruppo Girrmann. Insieme alla sua squadra aprì un varco sotto il civico 87 di Bernauer Strasse, a poca distanza dalla fabbrica di bastoncini. Come Hasso, attinse anche lui ai fondi della NBC: una vera gallina dalle uova d'oro, a Berlino.[29]

L'ultima settimana di novembre, sul "Saturday Evening Post", apparve il primo articolo approfondito sul tunnel di Bernauer Strasse e sugli eventi a esso collegati. Lo firmava il veterano Don Cook. Il "Post" pubblicizzò il reportage in piccoli poster per le edicole che titolavano *I tunnel della libertà a Berlino*; uguale era la copertina della rivista. Nonostante si dicesse che a fuggire dalla galleria di Bernauer Strasse fossero stati in cinquantanove, l'articolo raccontava che «nel folklore sempre più ricco delle storie di fuga berlinesi» era stato soprannominato "Tunnel 29".

Il lungo pezzo di Cook si intitolava *Scavare una strada per la libertà*, e il sottotitolo aggiungeva: *Una televisione americana ha filmato il progetto – con sgomento del Dipartimento di stato – ma ha rimandato la trasmissione delle riprese.*[30] Cook scombinava – non si sa se di proposito – certi fatti della vicenda e usò pseudonimi per tutti i personaggi principali. Peter e Eveline Schmidt, descritti con la loro bambina sul selciato di una via dell'Ovest, erano i "Lohmann". La cantina da cui erano fuggiti non era al 7 di Schönholzer Strasse ma al 63 di Wernerstrasse. Tra gli altri profili c'era il corriere "Krista" (che somiglia a Ellen Schau, ma venuta da un'altra città e con i capelli di un colore diverso). Diversi altri *Fluchthelfer* erano citati senza il loro vero nome, o senza nome. Uno proclamava: «I giovani berlinesi sono disgustati dagli alleati [...] Diamo speranza alle persone e le salviamo».

Gunter Lohmann (alias Peter Schmidt) ricordava di aver preso a pugni un muro e pianto di frustrazione, prima di scappare con la sua famiglia. Il passaggio attraverso il tunnel, in settembre, era descritto con questi toni: «L'acqua colava, il bambino piangeva, e poi scoppiò una risata, mentre correvano verso la salvezza». Cook sfiorava anche il tema della "controversia" legata al finanziamento del tunnel. Le autorità di Berlino Ovest avevano cominciato a osservare più da vicino certe transazioni e «in città non sarà più facile farla franca per chi cerca il guadagno personale trafficando in vite umane».

Inoltre, in Nord America stava arrivando *Escape from East Berlin* della MGM. Proiettato per la critica in ottobre e poi distribuito soltanto in Michigan e Canada, debuttò nel resto degli Stati Uniti e fu salutato da reazioni decisamente contrastanti. Si parlava bene, in generale, della regia di Siodmark, e tutt'altro che bene della sceneggiatura. In linea con certe recensioni berlinesi, il "Los Angeles Examiner" lamentava che nel film «buona parte delle motivazioni che spingono i fuggiaschi a partire dipendono da cose futili, piuttosto che dai princìpi e dalla ricerca della vera libertà». Un altro critico non riuscì a non definire il dramma «piatto». Se non altro, nessuno lo stroncò perché «inferiore alle aspettative».[31]

Ci fu, tuttavia, l'attrazione supplementare in carne e ossa di Angelika Ligma, la studentessa di Berlino Est che, scappata nell'Ovest sotto il sedile di un'automobile, sosteneva di avere attraversato il tunnel di Bernauer Strasse. Arrivata in America come ospite d'onore, infiocchettava la sua storia, già falsa, con dettagli mozzafiato, per fare più scena. "Box Office" titolò un breve articolo *Tedesca in giro promozionale per nuovo film*. Rivelava che "la ragazza", da poco scappata in Occidente attraverso un tunnel berlinese, non parlava inglese e nelle interviste si faceva aiutare da un interprete. La chiamava soltanto "Fraulein Angelika", per proteggere la sua famiglia che era «ancora nella Germania rossa».[32]

Il 30 novembre, Lester Bernstein della NBC inoltrò a Robert Manning, presso il Dipartimento di stato, una copia del comunicato stampa approntato dall'emittente per annunciare che *The Tunnel* era tornato in palinsesto. «Spero di vederla presto a Washington senza che si tratti necessariamente di una missione o di una scadenza urgente», aggiunse Bernstein.[33]

Il film sarebbe andato in onda tra le 20.30 e le 22 di lunedì 10 dicembre, sei settimane dopo la data di trasmissione originaria. Lo sponsorizzava ancora la Gulf Oil, che nonostante le polemiche non aveva abbandonato il programma. Segnalato il posticipo, il comunicato stampa dichiarava, in tono piuttosto difensivo, che «sulla base di valutazioni interne, la NBC ha stabilito che è il momento giusto per rimettere in palinsesto il programma, che, oltre a offrire un ricco approfondimento su uno dei più attuali e gravi problemi del mondo, rende uno straordinario omaggio all'audacia e alla volontà di essere liberi degli uomini». Citava poi la presunta autorizzazione delle autorità berlinesi a trasmettere il documentario.[34]

Oltreoceano, Reuven Frank era in trasferta a Berlino per motivi non legati alla polemica sui tunnel. Ad aspettarlo, nella sua stanza del Kempinski Hotel, trovò tre oggetti. Dai fratelli Dehmel ricevette un piccone e una vanga, a testimonianza di ciò che avevano fatto insieme. Dalla sua redazione un telegramma, con la notizia che *The Tunnel* stava infine per venire alla luce.

A questo punto, sorpreso dagli eventi, poteva lui cambiare idea riguardo alle dimissioni dalla rete? E in quanti avrebbero guardato il programma? *The Tunnel* andava in onda in contemporanea con tre dei programmi televisivi più amati, tutti tra i primi otto della classifica Nielsen: sulla CBS, le serie comiche con Lucille Ball, Danny Thomas e Andy Griffith. Sulla ABC, *The Rifleman* e *Stoney Burke*. Comunque fosse, Robert Kintner mandò a Lester Bernstein, che stava per lasciare l'emittente e coprire un incarico di punta a "Newsweek", una nota in cui lo ringraziava per aver fatto proseliti per *The Tunnel* in Germania. «Ti ci sei districato con l'ingegno di un Reston, lo splendore di un Alsop, e un'abilità di negoziazione da primo ministro britannico», scriveva Kintner. «A prescindere dalle eventuali critiche – e sono sicuro che ne arriveranno – il tuo sforzo ha enormemente contribuito alla semplificazione del problema.»[35] Kintner scrisse anche a Dean Rusk, ringraziandolo per aver «capito la nostra posizione» e proponendogli una proiezione privata di *The Tunnel* se il giorno e l'ora della trasmissione «fossero problematici per lei».

18

Tornare a respirare
dicembre 1962

Scontati i primi tre mesi della sua condanna a sei anni, a Hartmut Stachowitz fu assegnato quello che per lui, veterinario, era uno dei peggiori incarichi possibili: lavorare nel porcile della prigione, non per badare alla salute degli animali, ma per prepararli al macello.[1] A sua moglie Gerda, che si trovava in un altro carcere, fu concesso di vedere la madre; durante la visita seppe che suo figlio era sano e salvo e viveva con i nonni.[2] A Manfred Meier, che al processo era stato condannato a sette anni, un po' di consolazione giunse con la verità, o se non altro con una bugia in meno. Fino all'ultimo interrogatorio negò che i suoi collaboratori avessero progettato un'aggressione armata a Kiefholzstrasse.[3] Ciò costrinse la Stasi ad ammettere la sconfitta in una nota al pubblico ministero e al giudice. «Si consiglia di ignorare questa contraddizione», segnalava l'appunto.

Anche Harry Seidel, in prigione, aspettava il processo-farsa fissato appena dopo Natale. Ancora non sapeva chi avesse tradito il suo tunnel (Fritz Wagner aveva sentito dire che era un negoziante di Berlino Ovest, ma non sapeva chi né perché).[4] Harry riuscì a spedire a sua madre una breve lettera per chiederle di non presentarsi al processo: «Non voglio vederti soffrire per niente». Lo stato era deciso a dare grande risonanza all'evento e invitò numerosi corrispondenti stranieri a seguirlo, presso la Corte Suprema della DDR. La stampa della Germania Est era già passata all'attacco; secondo un articolo, Harry aveva ordinato a un compagno di uccidere i Vo-Pos tracciando una croce con i proiettili sparati dal suo mitra.

Oltre che del progetto di Wolfswerder Strasse, Seidel doveva rispondere di tutti i suoi tentativi di fuga noti, dentro e fuori dai tunnel, armato e disarmato, dell'anno precedente. All'accusa ne risultavano sette, quattro dei quali portati a termine, per un totale di almeno sessanta persone fuggite dalla Germania Est. In qualità di «criminale violento» che aveva «distrutto strutture di confine» (tagliando il filo spinato, per esempio) e «messo a repentaglio vite umane», Seidel era destinato come minimo all'ergastolo. La famigerata ministra della giustizia Hilde Benjamin, "la rossa", aveva chiesto la pena di morte.

Un agente della Stasi aveva minacciato Harry durante un interrogatorio: «*Es geht um Kopf und Kragen*» (grossomodo "adesso sei davvero nei guai").[5] Harry rispose: «So quanti anni avete dato a Gengelbach. Quindici non saranno abbastanza, per me. Quindi restano altre due possibilità: l'ergastolo o l'esecuzione. Se posso scegliere, vorrei la seconda. Perché di questi tempi la gente ha bisogno di martiri».

Al contrario di quanto avvenuto con altri arresti eclatanti, l'MFS non assegnò medaglie per la retata di Wolfswerder Strasse. Nonostante le oltre venti persone arrestate, compreso Seidel, il colpo non fu celebrato per via dello spettacolare atto di sabotaggio compiuto al culmine dell'operazione. La Stasi aveva analizzato l'esplosivo disinnescato senza risolvere il mistero.[6] Gli investigatori avevano interrogato o preteso rapporti scritti da tutti gli agenti della Stasi presenti sulla scena. Nessuno confessò di avere sabotato né puntò il dito contro possibili sospetti o fornì indizi nuovi. Gli esperti avevano stabilito che il filo degli esplosivi era stato tagliato con un coltello spuntato o un pezzo di vetro, e poi strappato con violenza, nella zona del giardino. Doveva essere un gesto volontario, ma non si capiva chi potesse essere stato da quelle parti tra il momento in cui era stato piazzato il filo e quello in cui, qualche ora dopo, doveva avvenire la detonazione. Tra i sospetti c'era anche Richard Schmeing, il sopravvissuto ai campi di sterminio nazisti che aveva fissato il filo e, non vedendolo funzionare, aveva ispezionato (da solo) un angolo buio dei terreni, ma gli investigatori non trovarono niente contro di lui.

Intanto l'MFS aveva aperto un'inchiesta di genere ben diverso, sul saccheggio dei beni trovati in casa Sendler. I Sendler minacciavano di sporgere denuncia a un'alta corte della DDR. Si trattava di un furto su scala così grande che persino i cuori di pietra dell'MFS, che pure sospettavano ancora la coppia di aver tramato con gli scavatori, si sentirono in dovere di indagare.[7]

Lunedì 10 dicembre, tra le 20.30 e le 22, sulla CBS lo sceriffo Andy Taylor aiutò il suo vice Barney Fife a scappare da una capanna dove tre carcerate lo tenevano in ostaggio. Quelle due matte di Lucy e Viv rimasero appiccicate a una parete mentre applicavano della colla. Lo zio Tonoose rovinò una festa in onore di Rusty, figlio di Danny Williams. E un paio di canali più in là, infine, andava in onda un programma diversissimo, che raccontava storie tutt'altro che comiche.

Erano passati oltre sei mesi da quando Piers Anderton aveva fatto la sua prima visita alla fabbrica di bastoncini; tre dal giorno della fuga riuscita; quarantuno giorni da quando il programma avrebbe dovuto andare in onda. E ora eccolo, *The Tunnel*, grossomodo identico a come l'aveva voluto Reuven Frank (a parte le fascette nere che coprivano le facce degli scavatori e dei fuggiaschi che non avevano acconsentito ad apparirvi) e ancora sponsorizzato dalla Gulf. Senza le interruzioni pubblicitarie, la versione finale durava settantotto minuti.

The Tunnel si apre con una lunga ripresa del Muro dall'appartamento della NBC dal quale il lenzuolo bianco (di cui non si parlava) segnalava il via libera ai fuggiaschi oltreconfine. L'inquadratura si stringe lentamente sull'entrata del 7 di Schönholzer Strasse, con una musica lieve in sottofondo. Sono le prime luci del giorno. I berlinesi dell'Est passano davanti all'entrata. Piers Anderton, nell'appartamento, ricostruisce i fatti e descrive in che modo più di una ventina di profughi arrivarono, circa due mesi prima, in questa strada:

Alcune avevano fatto trecento chilometri. Nessuno conosceva questo posto [...] Scesero in silenzio i gradini di questa cantina e raggiunsero una scala che portava a un buco, e si ritrovarono quattro metri e mezzo sotto la superficie di Schönholzerstrasse. Lì c'era un tunnel, largo meno di un metro, alto un metro. Lo attraversarono strisciando [...] centotrenta metri dopo raggiunsero Berlino Ovest, e un futuro di libertà. Alcuni dei bambini furono portati in braccio. Qui è Piers Anderton, redazione berlinese della NBC. E questa è la storia di quelle persone e di quel tunnel.

Il resto del documentario era una follia, per le convenzioni della prima serata in tv: nessuna intervista a partecipanti o esperti e niente audio, o quasi, esclusa la voce fuori campo, lenta e poco intrusiva. Cominciava con i tre giovani organizzatori alle prese, in una ricostruzione, con la ricerca del punto in cui scavare il tunnel. Progettavano l'«operazione di salvataggio più coraggiosa» della storia di Berlino, commentava un meravigliato Anderton. Poi, qualche immagine evocativa: il Muro, la "striscia della morte", le torri di guardia, i VoPos «che sparano per uccidere». I berlinesi dell'Ovest vivono sotto una minaccia costante, ma qualcuno «decide di agire» nonostante tutto. Rischiando la prigione, o persino la morte.

Andiamo quindi a conoscere i nostri eroi. Ci sono due italiani – l'«alto, scuro e bello» Spina e il suo «Sancho Panza» Sesta – e Schroedter, coi capelli biondi a spazzola. Ispezionano i luoghi a bordo di un furgone Volkswagen, disegnano cerchi su una cartina risolvono equazioni ingegneristiche. È aprile, e poco dopo trovano la fabbrica di bastoncini da cocktail. Cominciano a picconare il muro dello scantinato. Scendono quattro metri sottoterra. Queste sono riprese girate dagli organizzatori prima che arrivasse la NBC.

Quando Anderton annuncia che da questo punto tutto è mostrato «così com'è accaduto», sono i Dehmel a gestire la cinepresa. Otto ragazzi faticano «senza sosta in quella cantina umida». Le immagini in bianco e nero, rozzamente illuminate, sono grezze ma abbastanza definite per il piccolo schermo. L'atmosfera di sporcizia e claustrofobia è palpabile. Infine, grazie al cielo, rieccoci al sole di Bernauer Strasse. Vediamo un'inquadratura ravvicinata della fabbrica di bastoncini, confusa quanto basta a non identificarla (buona idea, perché Hasso e i suoi amici erano tornati proprio lì a scavare). I berlinesi dell'Ovest affollano i marciapiedi sorridenti mentre i loro concittadini dell'Est, sconsolati, fanno la fila davanti ai negozi: «Una vita senza grazia [...] una vita come pura e semplice funzione».

Poi si torna sottoterra e alle cinque tonnellate di binari, alle assi di legno, posate sul fondo del tunnel. Conosciamo Joachim Rudolph, definito soltanto *der Kleiner* – è «muscoloso» ma «con la faccia da bambino» – e vediamo di sfuggita la barba di Hasso Herschel. Anderton spiega quant'è stato difficile filmare e illuminare la galleria e perché non c'è audio, a parte qualche secondo di passi o un tram che passa, di sopra.

Incontriamo Peter ed Eveline Schmidt che, nel loro modesto cottage di periferia, si godono un po' di giochi in giardino insieme alla figlia. Si capisce che *The Tunnel* è stato montato in modo che gli spettatori, a differenza degli scavatori, non rimangano sotterra per più di cinque minuti senza pause. Si torna a Berlino: manca l'aria in fondo al tunnel, bisogna comprare e installare le tubazioni. Poi affrontiamo la saga della goccia che diventa un'infiltrazione e infine un'inondazione. Adesso c'è «fango dappertutto, come in guerra» scandisce Anderton. I vestiti incrostati sono messi ad asciugare. Una squadra di operai ripara i tubi dell'acqua, e «l'inondazione si è fermata».

Sesta torna a trovare gli Schmidt nell'Est. Vediamo i ritagli di giornale con Peter Fechter senza vita appesi nel tunnel dagli scavatori arrabbiati. Di colpo si salta al 13 settembre e all'ultima ispezione prima della fuga. Pare che sia andato tutto secondo i piani: il film ignora l'ultima infiltrazione d'acqua e la decisione cruciale di emergere un isolato prima dello sbocco previsto.

Il giorno della fuga, Ellen Schau, l'unico corriere citato per nome, entra nella stazione della S-Bahn e sale su un treno, che sparisce nell'Est mentre risuona una musica solenne. Poi torniamo alle riprese con il teleobiettivo del 7 di Schönholzer Strasse. Due VoPos passano e danno un'occhiata svelta alla porta. Sanno qualcosa? Il cielo si oscura appena. Sono le sei del pomeriggio, stanno arrivando i fuggiaschi.

Poi non c'è bisogno di voci narranti: Eveline Schmidt sale lentamente la scala dal tunnel ed esce nell'Ovest, sorpresa dalle luci forti mentre Klaus Dehmel (che per ovvi motivi rimane anonimo) corre ad aiutarla. Arriva la figlia, mentre lei quasi sviene. Sale la madre di Peter. Anderton, infine, parla: «In questo film si vedono soltanto i volti di coloro che hanno acconsentito a mostrarli. Gli altri sono stati tagliati o, laddove non era possibile, nascosti». Arrivano la sorella di Hasso e suo figlio. I neonati vengono puliti da madri giovani e attraenti con le calze strappate e il fango sulle gambe. Dopo tre minuti così, di nuovo senza voce narrante, arrivano altri fuggiaschi, e Anderton riprende:

> Scappare attraverso una galleria è rischioso quanto costruirla. Non si sa cosa ci aspetta, in fondo. I corrieri erano sconosciuti. Il rendez-vous poteva essere una trappola. La morte non era il pericolo più grande: i campi di prigionia possono essere anche peggio. Non tutti i fuggitivi arrivarono. Solo questi. Questa è gente normale, non allenata né abituata al rischio.

E poi la battuta chiave suggerita dall'amico di Reuven Frank: «Da che posto tremendo se ne andavano, per correre un simile rischio?». La lunga e commovente sequenza della fuga si chiude con un fermo immagine sensazionale: Claus Stürmer che per la prima volta prende in braccio la figlioletta.

Poi un (forse troppo) veloce salto alla festa organizzata per gli scavatori e i fuggiaschi dalla NBC. Anderton ammette che tra le fila degli scavatori c'era stato del dissenso, ma (ovviamente) non ne attribuisce la ragione alla NBC; si limita a dire che qualcuno voleva svuotare il tunnel per tentare altre fughe. L'obiettivo si allontana dalla festa e trova Anderton, in soprabito, al buio davanti al ristorante. Dice agli spettatori: «Durante quel fine settimana, in totale fuggirono cinquantanove persone, trentuno delle quali di domenica, arrancando nell'acqua che arrivava alla faccia. Alla fine la perdita ha riempito la galleria e il tunnel è stato chiuso [...] Se Berlino Est avesse più cura delle sue infrastrutture, se il tunnel non si fosse colmato d'acqua, altre dozzine, forse centinaia di persone si sarebbero potute salvare. Questo speravano i ragazzi».

«Ventuno di loro avevano dato sei mesi della propria vita per scavare questo tunnel. Ma ci saranno altri ragazzi, e altri tunnel».

Reuven Frank, che in seguito alla decisione della rete di trasmettere, infine, *The Tunnel* aveva scelto di rimanere alla NBC, sapeva che si trattava di un film potente, persino unico, ma era consapevole di avere fatto diverse scelte pericolose, per un programma di prima serata. Le prime recensioni gli confermarono che era valsa la pena di rischiare.

Il "Los Angeles Times" dichiarava che «il giornalismo televisivo ha raggiunto un nuovo ed elevatissimo picco» grazie a «uno dei documenti più profondi e umani nella storia del mezzo». Il "Boston Globe" lo definì «probabilmente senza precedenti nella breve storia della televisione». United Press International: «Un devastante documento umano [...] un colpo documentaristico di prim'ordine». Associated Press: «La televisione al suo meglio». Il "San Francisco Chronicle" lo definì «sinceramente lo spettacolo televisivo più appassionante della stagione». "Detroit News": «Di rado, nella sua storia, la televisione ha presentato programmi di maggiore impatto drammatico». "Pittsburgh Press": «Mai è stata scandita una definizione più netta della differenza tra la vita nel mondo libero e sotto il comunismo». Il film non era ancora stato trasmesso in Germania, ma un giornalista dell'importante "Frankfurter Allgemeine Zeitung" lo recensì entusiasta dall'America: «Il sinistro blocco sul settore Est suscita, nello schermo tv, un'impressione immensa, e molto più commovente di quanto si sia mai visto nei racconti o nelle immagini circolate negli Stati Uniti [...] ne risulta un documento entusiasmante contro la disumanità del muro».[8]

Casa Bianca e Dipartimento di stato mantennero uno stizzito silenzio. Tuttavia, davanti a *The Tunnel*, il giovane direttore del Peace Corps Bill Moyers si sentì toccato nel profondo, più che da qualsiasi altro film sull'argomento. Il film gli era sembrato un grande romanzo, pieno di conflitti, suspense, momenti drammatici, di pericolo, lotta e speranza. Ma era una storia vera, che si dipanava in bianco e nero nel piccolo schermo del suo soggiorno. Alla fine del film, si accorse di aver stretto i pugni per la tensione a tal punto da lasciarsi i segni delle unghie sul palmo.[9] Ad alcuni rifugiati e scavatori giunse persino la voce incontrollata che lo stesso presidente Kennedy aveva pianto, guardando il programma.

A rappresentare una netta minoranza fu Jack Gould, critico televisivo di lungo corso del "New York Times", che ribadì la disapprovazione per il progetto già espressa in ottobre. Ammise che il documentario era «interessante e coinvolgente», ma ne derise «la narrazione lentissima»: avrebbero dovuto ridurlo a mezz'ora, un'ora al massimo! Sì, la notte della fuga era interessante ma «purtroppo la maggior parte dei novanta minuti di presentazione riguardavano la meccanica della costruzione del tunnel», cosa che «tende ad annacquare l'efficacia complessiva del programma». Non resistette alla tentazione di chiudere così: «Dopo aver visto il programma, nasce spontaneo qualche dubbio sull'opportunità, da parte della NBC, di assistere finanziariamente gli scavatori».

Un'altra celebre giornalista, Harriet Van Horne, prese in giro il programma per il suo tono artificioso e prese come pretesto i titoli di coda in cui compariva la scritta «Trucco a cura di Birgitta». Era uno scherzo di Reuven Frank e della sua troupe. Appena prima di filmare l'ultima scena del programma fuori dal ristorante, Birgitta Anderton, per timore che le macchie di bianco nella barba di suo marito "sparassero" davanti all'obiettivo, le eliminò in tutta fretta con una matita da trucco. Ecco perché Birgitta figura nei titoli come truccatrice.[10]

A ogni modo, Frank fu gratificato da una risposta così nettamente positiva. Ma quanti spettatori si erano sintonizzati? Dopo diversi giorni, arrivarono altri sospiri di sollievo: lo avevano fatto in quasi 18 milioni, un risultato oltre ogni aspettativa e addirittura, per la prima volta in quell'anno, alla pari con quello delle popolarissime sit-com della CBS.[11] Quindi, oltre a essersi arresa nella corsa allo speciale sul tunnel, la CBS fu anche danneggiata dalla concorrenza del film rivale, quando andò in onda, nonostante gli sforzi per fermarlo. *The Tunnel* fu né più né meno un trionfo.

Reuven Frank festeggiò ma riconobbe il ruolo giocato dalla buona sorte: trovare il tunnel, sopravvivere all'inondazione, evitare una fatale breccia nella sicurezza, completare le riprese senza che nessun membro della troupe o scavatore o fuggiasco fosse arrestato, ferito o ucciso. Concluse poi che, alla fine, le proteste della Casa Bianca e del Dipartimento di stato avevano contribuito al successo del programma tra gli spettatori;[12] tuttavia, ancora non capiva in dettaglio perché la presidenza Kennedy lo avesse contrastato con tanta veemenza. Frank si rese conto, non per la prima volta ma con una profondità inedita, della vulnerabilità dei media americani quando si trattava di approfondire argomenti delicati. Come disse una volta, «qualunque scimunito può renderlo impossibile», o quasi.

Il film della NBC era ormai entrato nella storia, ma certi suoi protagonisti continuavano a darsi da fare. Il nuovo progetto sotterraneo di Wolf Schroedter, ad appena un isolato dalla fabbrica di bastoncini, avanzò senza intoppi sotto la "striscia della morte" finché gli scavatori non si accorsero di strani rumori di scavo poco lontano. Si rassegnarono all'idea che la Stasi stesse scavando una sua galleria *parallela* a Bernauer Strasse e al Muro, per tagliare la strada a chi puntava verso Est in quella zona. Schroedter non poteva bissare il successo di settembre.[13]

La battuta d'arresto non dissuase Hasso Herschel e i suoi, che puntavano le vanghe verso un'altra cantina appena oltre il confine. Andava ancora tutto bene, e non si sentiva alcun rumore di uomini della Stasi in lontananza. Stavolta avevano evitato il sistema di rotaie elettrico e trasportavano la terra fino all'imbocco del tunnel dentro grossi tini di latta da macellaio. Per ridurre al minimo le infiltrazioni, la galleria era molto più in profondità rispetto al primo tunnel di Hasso: oltre sette metri e mezzo sottoterra. Si lavorava senza sosta, ancora più intensamente rispetto al tunnel della NBC; Hasso aveva chiesto agli scavatori di stabilirsi, per settimane, nella fabbrica. Joachim Rudolph, pericolosamente indietro con gli studi universitari, aveva il permesso di andare e venire, di scavare soltanto di notte e nel fine settimana, ma arrivava sempre con giornali e riviste per i colleghi a corto di notizie.[14]

Herschel, che continuava a vivere allo scoperto, si procurava cibo, bevande e altre scorte, e le portava sul luogo dello scavo. Poi magari si univa per un paio d'ore agli scavatori. A partire dall'inizio di dicembre, lasciando i due Joachim (Rudolph e Neumann) a sostituirlo, fece qualche breve viaggio insieme a Mimmo Sesta e Gigi Spina, per vendere foto o riprese della NBC a giornali e tv di Parigi, Zurigo, Roma e Vienna, paesi dove gli scavatori detenevano i diritti d'autore.

Il Muro fu colpito di nuovo da una serie di esplosioni, ma i poliziotti di Berlino Ovest intensificarono le iniziative per intrattenere rapporti amichevoli con i colleghi dell'Est, in modo da incoraggiare le diserzioni o la circolazione di segreti. Fecero arrivare dall'altra parte delle barriere piccoli regali, cibo, sigarette e cioccolato. Le guardie della DDR, di solito molto riservate (com'era logico), accettarono volentieri i doni. Un poliziotto dell'Ovest fece passare una scatola di pollo fritto e stette a guardare mentre quattro guardie lo divoravano sul posto. Le guardie della DDR ringraziarono e specificarono che potevano chiacchierare soltanto quand'erano certe che nessun compagno potesse denunciarle. A giudicare dagli scambi che seguirono, il morale dell'Est stava precipitando; la maggior parte dei sorveglianti era disillusa riguardo al governo, stanca delle privazioni e, come disse uno di loro, «sprovvista di tutto». Qualcuno diceva di voler disertare, ma sapeva che in tal caso avrebbero punito la sua famiglia.[15]

Anche dentro la fabbrica di bastoncini il morale era in discesa, nonostante lo sfondamento fosse vicino. Alcuni scavatori avevano passato più di sei settimane senza un raggio di sole e senza i propri cari, senza vestiti puliti e un letto comodo. Avevano l'aspetto e l'odore di ciò che erano: topi di galleria. Per dare un'occhiata fuori salivano a un piano superiore della fabbrica, spostavano una tenda e guardavano il cielo notturno, o la pioggia, e si riempivano di tristezza o preoccupazione chiedendosi che cosa stessero facendo in quel momento amici e cari, o per cosa loro stessi stavano sacrificando un lavoro e gli studi. Tuttavia, la loro dedizione non crollava. Uno scavatore seppe che sua moglie aveva un altro e che voleva divorziare. Uscì dal cantiere per indagare, scoprì che era vero... e tornò nel tunnel. Un altro scavatore patì un tremendo mal di denti, uscì a farselo curare e tornò due giorni dopo, pronto a riprendere la vanga.[16]

Il Natale era vicino ma agli scavatori fu chiesto di non uscire dalla fabbrica nemmeno per le vacanze, per questioni di sicurezza. Per alleggerire il malessere, il giorno della vigilia Herschel decise di organizzare una festa nello scantinato. Joachim Rudolph rinunciò a stare con la madre e la sorella, pur di partecipare alla "festa in ufficio" di Hasso. Herschel si procurò rami di pino e li mise in un vaso a mo' di albero, e poi un sacco di birra, vino rosso, carne e *stollen*, un dolce tipico natalizio. E una radio per ascoltare i canti di Natale.[17]

Alle sei del pomeriggio Hasso e i suoi prepararono la tavolata. Siccome non c'erano sedie per tutti, gli scavatori portarono materassi e sacchi a pelo giù dal dormitorio improvvisato, per formare un cerchio intorno all'albero e alle vettovaglie. La musica si diffondeva in sottofondo. Fu un meritato momento di tregua, ma l'umore, nonostante l'abbondanza di vino e birra, era tutt'altro che lieto. Alcuni ragazzi, stanchi morti, chiacchieravano con i colleghi; altri, sapendo che fuori qualcuno aveva nostalgia di loro, parlavano poco. Passò qualche ora. Arrivarono le undici. Era ancora la vigilia di Natale. I celebranti sapevano cosa dovevano, e volevano, fare. Misero via cibo e bottiglie, riportarono i materassi nel dormitorio, spensero la radio. Poi, Joachim Rudolph e diversi altri lavoratori del turno di notte scesero nel tunnel, presero vanghe e secchi e ricominciarono con la routine quotidiana: *scava, scarica, ricomincia*, puntando dritto verso l'Est.

Epilogo

Harry Seidel andò a processo a Berlino Est due giorni dopo Natale, mentre le tensioni al di qua e al di là del Muro raggiungevano di nuovo il culmine. La terza esplosione di dicembre aprì nella barriera uno squarcio di sei metri e sbriciolò almeno seicento finestre nel settore americano. Un'altra guardia dell'Est scappò oltre il filo spinato. Un autobus blindato che trasportava due famiglie di Berlino Est sfondò il Muro sotto una pioggia di proiettili, e portò in salvo nell'Ovest otto adulti e bambini.[1]

Settantadue ore dopo l'inizio del suo processo, Seidel fu condannato all'ergastolo con molteplici capi di imputazione, riuscendo per un pelo a evitare la sentenza di morte chiesta per lui dal più alto magistrato della DDR. «L'ampiezza e la pericolosità straordinarie dei suoi crimini», sentenziarono i giudici, «impongono l'isolamento permanente». Paragonarono i suoi crimini a quelli compiuti dai nazisti processati a Norimberga. Il sindaco di Berlino Ovest Willy Brandt, al contrario, disse che non c'erano parole abbastanza forti per condannare la moderna «inquisizione» allestita contro Seidel.[2]

Tre settimane dopo, messo sotto torchio dalla Stasi che voleva i nomi di chi aveva completato il tunnel di Kiefholzstrasse (due dei quali erano suoi ex compagni di classe), Seidel disse che ne ricordava soltanto i nomi di battesimo, e che persino quelli «mi sono scappati». Aggiunse, inutilmente, «ricordo solo che avevano i capelli corti». Dalla prigione scrisse alla moglie di non aspettare che tornasse e di cominciare una vita nuova, se voleva. Aggiunse: «La mancanza di libertà e la costrizione cominciano a pesarmi». Anziché abbandonarlo, la donna contribuì a organizzare, a Berlino, grandi proteste che attirarono numerosi partecipanti e l'attenzione del mondo intero.[3]

La Stasi non scoprì mai chi, la notte dell'arresto di Harry Seidel, avesse sabotato l'esplosione del tunnel di Wolfswerder Strasse. Nel suo libro *Wege durch die Mauer*, l'ex *Fluchthelfer* Burkhart Veigel indica come responsabile Richard Schmeing, l'esperto di esplosivi. Analizzando l'inchiesta ufficiale della Stasi, Veigel conclude che Schmeing manomise il detonatore per impedire l'esplosione, poi uscì e tagliò il filo per depistare le indagini.

Due mesi dopo aver passato il Natale nella fabbrica di bastoncini, la banda di Hasso Herschel completò il tunnel verso Brunnenstrasse. Il giorno della fuga, a causa dell'incontro casuale tra un'amica di Anita, sorella di Hasso, e un informatore della Stasi, il piano fu scoperto. In molti, compresa Christa, la ragazza di Joachim Neumann, vennero arrestati. Hasso, ancora una volta, si salvò per un pelo.[4]

Dopo il fallimento del suo tunnel, nell'autunno, Wolf Schroedter continuò a collaborare con il Gruppo Girrmann. Quando chiese ai capi dove si facevano tagliare i capelli, lo mandarono da Siegfried Uhse, nel quartiere di Kreuzberg. Uhse era stato «un bravo corriere», gli dissero. A quel punto Schroedter, ancora turbato dall'aspetto commerciale della costruzione dei tunnel, aveva ceduto tutti i futuri proventi delle vendite delle riprese NBC.[5]

Uhse spiò la sede del Girrmann e altre operazioni di fuga per circa un anno ancora. Quando dalla prigione Wolf-Dieter Sternheimer riuscì ad avvertire i capi del Gruppo che sospettava di Uhse, quelli gli risposero che sembrava «innocuo».[6] Di lì a poco il Gruppo Girrmann si sciolse, perlopiù a causa dei troppi informatori che ormai lo infestavano. Uhse continuò la sua carriera nella Stasi per qualche anno ancora, altrove.[7]

Si unì a lui nientemeno che Angelika Ligma, la donna che aveva inaugurato la sua carriera fingendo di essere fuggita attraverso un tunnel, versione che difese durante tutta la tournée promozionale per *Escape from East Berlin*. Nel 1963, dopo un anno nell'Ovest, abbandonò la nuova vita e tornò in Germania Est. La Stasi minacciò di incarcerarla, se non avesse accettato di lavorare come informatrice. Una giovane donna capace «di farsi bella» poteva accattivarsi la simpatia e le confidenze di «uomini interessati». Ligma accettò e ricevette il nome in codice "Gerda". Lavorò per la Stasi fino al 1971.[8]

Piers Anderton, che ancora ribolliva di rabbia per i tentativi della presidenza Kennedy di annullare *The Tunnel*, raggiunse il punto di rottura nel gennaio 1963. Il contesto fu quello del congegno annuale della NBC presso il National Press Club. Insieme ad altri inviati all'estero era stato invitato a Washington per parlare della regione di cui si occupava. Dal giorno della trasmissione di *The Tunnel* era passato meno di un mese. Durante il pranzo ufficiale, Anderton si ritrovò accanto a Robert Manning, il capo delle pubbliche relazioni del Dipartimento di stato. E gli tornarono in mente i conflitti dell'ultimo anno con lui e i suoi capi.

Quando toccò a lui intervenire, Anderton accusò il Dipartimento di stato e le autorità militari a Berlino di censurare regolarmente, nonché di intimidire, i giornalisti, impedendo così al pubblico americano di farsi un'idea veritiera della Germania. Dichiarò che quelle stesse imprecisate autorità lo avevano quasi fatto licenziare passando a "Variety" un resoconto falsificato del suo discorso al club femminile. Il Dipartimento di stato aveva persino fatto circolare un cablogramma in cui lo si accusava di essere «filocomunista». Un gesto che puzzava di maccartismo e rosso-fobia. Tuttavia, Anderton giurò che sarebbe tornato a Berlino «a combattere fino in fondo. Andarmene adesso sarebbe come rinunciare».[9]

In seguito Edward R. Murrow, ex giornalista della CBS, avvicinò Anderton e gli disse: «Sei il mio tipo».[10] I dirigenti della NBC che lo avevano ascoltato, invece, furono palesemente irritati dal suo intervento in quella sede. Manning confermò l'esistenza di un cablogramma critico verso Anderton ma dichiarò che non lo bollava come «filocomunista». Un lungo articolo sulla rivista "Broadcasting" intitolato *Censura americana oltreoceano?* insinuava che i commenti di Anderton rischiavano di costringerlo a un trasferimento contro la sua volontà.

Dopo un altro convegno della NBC in un'altra città, Anderton scrisse a sua moglie che era «stanco di questa crociata» contro le censure del Dipartimento di stato. I suoi commenti di Washington avevano «fatto scalpore». «Mi hanno convocato al Dipartimento di stato per un richiamo ufficiale, ma a quel punto ero così arrabbiato che ho reagito e peggiorato le cose», confessò. «Bill McAndrew mi ha difeso (per il momento) [...] Davvero odio litigare, ma quello che odio di più è il non prendere posizione riguardo a una situazione che so essere sbagliata.»[11]

Qualche giorno dopo, Anderton seppe che stavano per trasferirlo in India. Per via della distanza dagli Stati Uniti e della frequente scarsità di operatori, gli inviati da laggiù riuscivano con difficoltà a mandare in onda qualcosa.[12]

Poche settimane dopo il tentativo del Dipartimento di stato e della Casa Bianca di cancellare *The Tunnel*, l'USIA, diretto da Edward Murrow, ne ordinò la proiezione in tutto il mondo, in oltre cento copie.[13] Nel maggio 1963 *The Tunnel* portò a casa tre Emmy, come miglior documentario, miglior reportage internazionale (a Piers Anderton) e programma dell'anno (primo documentario a fregiarsi del più prestigioso tra i premi). Conscio di potersi rivolgere a un nutrito pubblico, Reuven Frank aveva preparato con cura il suo discorso di accettazione. Vi criticava il Dipartimento di stato, sottolineando che nonostante tutte le sue «interferenze» del mese di ottobre, l'USIA stava «proiettando il film in tutto il mondo».[14] Anderton, volato a New York dall'India, disse a sua moglie che siccome a «fare secco il Dipartimento di stato» aveva già pensato Frank con il suo discorso, lui si sarebbe limitato a ringraziare i Dehmel, «che hanno vinto [il premio] per me».[15] Poi, sorpreso dal premio per il programma dell'anno, Frank elogiò gli scavatori: il lavoro sporco l'avevano fatto loro, la NBC si era limitata a mostrarlo.

Jack Gould del "New York Times" colse l'occasione per criticare ancora una volta la NBC e *The Tunnel*. Scrisse che le vittorie agli Emmy erano totalmente immeritate. Il «finanziamento» dello

scavo da parte della rete non era stato «una condotta responsabile
[...] E non conta che nessuno si sia fatto male». Dare le notizie
era una cosa, «manipolarle» per creare «un dramma», un'altra. La
guerra fredda «non dovrebbe essere un giocattolo dello show busi-
ness». Gould chiudeva lamentandosi che premiare «Piers Morgan
per l'impacciata narrazione di *The Tunnel* anziché l'instancabile
corrispondenza dalla Germania di Daniel Schorr è stato assurdo»,
come se Anderton si fosse limitato a leggere un copione.[16]

Un altro editorialista criticò Frank per i commenti «risentiti»
del suo discorso d'accettazione.

Nell'agosto 1963, quando la NBC trasmise la replica dello speciale in occasione del secondo anniversario del Muro, "Variety"
scrisse che gli spazi pubblicitari all'interno del programma erano
«andati a ruba». *The Tunnel*, tuttavia, non fu mai trasmesso in
versione integrale in Germania Ovest. Per 5000 marchi i quattro
scavatori che avevano firmato il contratto con la NBC vendettero i
diritti a un produttore tedesco che ne realizzò una versione lunga la
metà dell'originale. Quando andò in onda, nel giugno 1963, alcuni
scavatori organizzarono una festicciola per vederlo insieme. Senza
volerlo, invitarono anche un informatore della Stasi.[17]

L'ordine presidenziale alla CIA di raccogliere dati sui giornalisti
americani – contrario allo statuto dell'Agenzia – prese presto forma come "Progetto Mockingbird". Questo portò all'intercetta-
zione, nella primavera 1963, di Robert S. Allen e Paul Scott, due
giornalisti accusati di aver svelato segreti riservati. La fonte della
soffiata non fu mai scoperta. Il programma tenne sotto controllo
altri reporter fino alla sua fine, nel 1965. Nel 2007, quando alcuni documenti desegretati rivelarono l'esistenza del Mockingbird, il
giornalista del "New York Times" commentò: «Il quadro, a questo
punto, è chiaro: molto prima che Nixon creasse la sua squadra di
"idraulici", i veterani della CIA incaricati di intercettare le fughe di
notizie, Kennedy cercò di sfruttare l'agenzia per lo stesso fine». Il
"Times" commentava, in un altro articolo: «Ordinando al direttore
dei servizi segreti di coordinare un programma di sorveglianza in-

terna, Kennedy stabilì un precedente imitato, negli anni, anche da Johnson, Nixon e George W. Bush».[18]

JFK fece visita a Berlino nel giugno 1963 e, insieme a Konrad Adenauer e Willy Brandt, salì su una piattaforma vicino al Checkpoint Charlie a osservare per la prima volta il Muro e la "striscia della morte". Fu visibilmente commosso. Al municipio, davanti a un pubblico estasiato, pronunciò il celebre discorso di «*Ich bin ein Berliner*». Cinque mesi dopo morì assassinato. Il suo ruolo fu occupato da Lyndon Johnson, che dopo la comparsa del Muro aveva preferito non volare a Berlino. I suoi ministri Dean Rusk e Robert McNamara, insieme a McGeorge Bundy, promossero e difesero il massiccio potenziamento americano in Vietnam. Con una serie di articoli sul "New York Times", che lasciò per la pensione nel 1968, Hanson Baldwin si fece promotore di un'escalation militare ancora più grande. L'inchiesta sull'uomo che nel luglio 1962 aveva dato a Baldwin notizie riservate e messo in grave imbarazzo la Casa Bianca, si concluse senza punizioni per il responsabile Roswell Gilpatric, che in seguito fu presidente della Federal Reserve Bank di New York ed ebbe, pare, una storia con la vedova Kennedy.

L'età dell'oro dei documentari televisivi cominciò a tramontare nel 1964. L'urgenza kennedyana di affrontare grandi temi era venuta meno; lo stesso valga per i budget generosi degli speciali di approfondimento. «Sembrava che le emittenti avessero esaurito le riserve di coraggio morale» commentò il giornalista Robert Mc-Neil.[19] Le risorse andavano destinate alle cronache dalla guerra del Vietnam, che a suo tempo produsse altri e diversi reportage "moralmente coraggiosi". A ogni modo, adesso le star erano i reporter aggressivi e gli *anchormen* strapagati, non certo i produttori alla Reuven Frank.

Subito dopo il successo del tunnel di Bernauer Strasse, Ellen Schau sposò Mimmo Sesta. Dopo il 1962, né Sesta né Gigi Spina lavorarono ad altri tunnel. Eveline Schmidt divorziò da Peter Schmidt, che ne fu devastato, e nel 1967 sposò Joachim Rudolph, con cui aveva ballato alla festa poche settimane dopo la fuga nell'Ovest.

(Rudolph, curiosa coincidenza, viaggiò spesso con la NBC, lavorando come fonico per Peter Dehmel). I due hanno ancora le scarpine scalciate dalla figlia Annett la notte della fuga e ritrovate da Rudolph il giorno dopo...

Il principale collegamento dell'LfV con la comunità dei *Fluchthelfer* di Berlino Ovest, l'agente noto a loro e alla Stasi con il nome "Mertens", fu trasferito a metà degli anni sessanta. Secondo certi scavatori che lo conoscevano, era diventato un po' troppo intimo di certi criminali che facevano soldi sul mercato nero smerciando provviste dall'Ovest all'Est.

Friedrich e Edith Sendler fecero causa alla DDR per il furto subito dopo la retata di Kiefholzstrasse e, strano ma vero, ottennero un rimborso di circa 4000 dollari. Abbandonarono la loro vecchia residenza (o ne furono cacciati), dove Herr Sendler aveva il laboratorio di falegnameria, un anno dopo la tentata fuga, e andarono a vivere in un appartamento poco lontano.[20]

Mentre lavorava ancora per il Gruppo Girrmann, Joan Glenn disse a Siegfried Uhse che stava per procurarsi un documento falso, per poter lavorare come corriere, e stava persino imparando il russo. L'articolo di un quotidiano di Berlino Est la accusò di avere legami con i servizi segreti americani e, falsamente, di avere preso parte ad «atti di terrorismo», persino di aver piazzato bombe. Nel suo fascicolo alla Stasi spiccava l'ordine: «Arrestare immediatamente se entra a Berlino Est». Nel 1963 la Missione americana in città la convocò a Clayallee per avvertirla del rischio che correva «esfiltrando» i cittadini della DDR. Lei rispose che ne era «ben conscia».

Nel 1964 Joachim Neumann contribuì a scavare un altro tunnel sotto Bernauer Strasse, stavolta partendo da una ex panetteria, in un'operazione guidata da Wolfgang Fuchs, il nuovo *tunnelmeister* di Berlino. I più grandi media tedeschi finanziarono lo scavo – il più lungo mai tentato, oltre 150 metri – in cambio dei diritti sulle riprese e sulle foto. Per errore la galleria sbucò nel gabinetto di un cortile anziché in una cantina, ma pazienza: nel corso di due notti, all'inizio di ottobre, scapparono in cinquantasette, compresa (finalmente) Christa, la ragazza di Neumann, appena uscita di prigione.[21]

Poi arrivarono le guardie di Berlino Est, e una di loro, Egon Schultz, fu ferita a morte. La DDR gridò all'assassinio. Secondo gli scavatori, Schultz era stato ucciso dal fuoco amico; la Stasi si rifiutò di divulgare i risultati dell'autopsia. Lo scavatore Reinhard Furrer (che in seguito divenne celebre salendo, come astronauta della Germania Ovest, a bordo dello shuttle *Challenger*) era tra i sospettati; a sparare fu invece Christian Zobel, il giovane arrabbiato identificato come "Horst P" nell'articolo pubblicato nel 1962 da Flora Lewis sul "New York Times".

Un cablogramma desegretato del Dipartimento di stato, scritto pochi giorni dopo la morte di Schultz, segnala «dissensi sempre più forti» all'interno dell'organizzazione di Fuchs, «che è rimasto pressoché l'ultimo gruppo attivo su dieci che se ne conoscevano. La sua dissoluzione, e le circostanze di questa fuga, potrebbero mettere fine a questo tipo di esfiltrazione da Berlino Est». In effetti le conseguenze della morte di Schultz convinsero la polizia della Germania Ovest, le agenzie governative e i media a ritirare il sostegno diretto ai gruppi che organizzavano le fughe. Così finì l'epoca dei tunnel. Nei cinque anni successivi se ne scavarono soltanto tre di una certa importanza, nessuno dei quali portò nuovi fuggiaschi nell'Ovest.

A quel punto, Hasso Herschel e altri scavatori erano entrati a pieno titolo nel giro dei passaggi illegali in automobile. Furono forse mille e più i tedeschi dell'Est che arrivarono nell'Ovest nascosti nella grossa Cadillac di Hasso (spesso sotto il cruscotto), dentro altre auto e camion e, in un caso, a bordo di un elicottero rubato da Herschel.[22] Bisognosa di soldi, Anita Moeller si offrì di guidare un'auto per i fuggiaschi, ma suo fratello si oppose.

Le autorità e gli imprenditori della Germania Ovest ampliarono il programma segreto di "acquisto" della libertà dei prigionieri dell'Est, compresi i *Fluchthelfer* Wolf-Dieter Sternheimer nel 1964, Manfred Meier nel 1965 e Harry Seidel nel 1966. In questo modo liberarono migliaia di persone, pagando somme legate al livello di istruzione o di specializzazione. La fidanzata di Manfred Meier Britta Beyer, per esempio, fu "riscattata" per 30 000 marchi.[23] Tuttavia, giunta a Berlino Ovest, soffrì per anni di insonnia e di paranoia. Un giorno, spaventata a morte dal rumore di spari che veniva dal Muro, si gettò a terra, in casa sua. Meier perse un lavoro alla IBM quando l'azienda scoprì che era stato in galera nell'Est: temevano che potesse essere diventato un informatore della Stasi. Ecco fin dove arrivava la paura degli invisibili servizi segreti dell'Est.

La Stasi fece uno dei suoi scherzi più crudeli all'ex corriere Hartmut Stachowitz, due anni dopo il suo arresto (la moglie Gerda era già stata scarcerata).[24] Gli dissero che sarebbe tornato libero se avesse firmato un modulo con cui rinunciava alla cittadinanza della Germania Ovest. Disperato, lui accettò, salvo scoprire in seguito che la sua libertà era già stata comprata dall'Ovest. Avendo firmato il documento, però, a differenza degli altri scarcerati, non poté trasferirsi a Berlino Ovest. Ottenne il permesso di uscire dalla DDR soltanto dieci anni dopo.

Dopo gli sforzi sovrumani di Harry per portarla nell'Ovest, la madre di Seidel escogitò da sé la propria fuga. Sua madre (la nonna di Harry), novantunenne e malata, convinse le autorità della DDR a darle il permesso di fare visita a un'altra figlia, che abitava nell'Ovest. Viste le sue condizioni di salute, lo stato concesse alla madre di Harry di accompagnarla. Scaduto il visto temporaneo, la madre di Harry rimase nell'Ovest, senza dover strisciare a gattoni.[25]

Alla guida dei socialdemocratici, nel 1969 Willy Brandt divenne cancelliere della Germania Ovest. Il suo collaboratore Egon Bahr promosse una nuova *Ostpolitik* con l'obiettivo di ottenere un parziale riavvicinamento alla DDR. Così cadde un certo numero di limitazioni ai viaggi, e fino a 40 000 tedeschi dell'Est all'anno ebbero il permesso di vistare l'Ovest in occasione di matrimoni, funerali e altri eventi importanti (la grande maggioranza delle richieste, tuttavia, veniva respinta).

Il Muro, che quasi ovunque era diventato più alto e spesso di diversi centimetri, rimase pressoché impenetrabile. I tentativi di fuga calarono; le morti ai piedi del Muro diminuirono fino a poche all'anno. Il numero di agenti e informatori della Stasi, invece, crebbe. Troppo lento nell'accogliere i minimi accenni di distensione, Walter Ulbricht fu destituito come leader della Germania Est e rimpiazzato dall'uomo che lui stesso, una dozzina di anni prima, aveva incaricato di costruire il Muro: Erich Honecker.

Reuven Frank diventò, in due occasioni, presidente della NBC. Tra le sue nuove creazioni spiccavano la serie *Weekend*, che si alternava a *Saturday Night Live* nelle sue prime stagioni, e *Overnight* con Linda Ellerbee. Quando andò in pensione, Robert Mullholland, che gli succedeva come presidente della NBC, commentò: «Reuven ha scritto il manuale del giornalismo politico americano».[26] Nella sua biografia *Out of Thin Air*, Frank si disse ancora turbato dall'«assenza di spiegazioni logiche» alla severità del Dipartimento di stato e della Casa Bianca riguardo al suo programma sul tunnel. Nel 1988, avvalendosi del Freedom of Information Act, Frank riuscì a contattare un Dean Rusk ormai pensionato, e a chiedergli quale fosse il vero motivo della sua «vigorosa» opposizione al film.[27]

Rusk rispose: «Perché metteva [...] a rischio l'interesse nazionale americano». Thomas Schoenbaum, autore di una biografia di Rusk, disse di lui in seguito: «Sì, non c'è dubbio che abbia voluto censurare i media. Mi disse che lo fece ai tempi del Vietnam e non c'è dubbio che si comportò così anche riguardo a Berlino. Rusk non aveva tempo da perdere con la stampa».[28]

Poco prima di morire, interpellato per un documentario, Frank difese per l'ultima volta il suo film. Era o non era stato giornalismo finanziato con gli assegni? «La mia tesi è: finì nel migliore dei modi. Sul piano politico, etico, e via dicendo. Rese il mondo un posto migliore. Inoltre, non arricchimmo nessuno. Facemmo in modo di non stipendiare nessuno: comprammo roba» (questo, naturalmente, è falso).[29] Non temeva di aver superato un confine etico e di avere messo la NBC al centro della storia, anziché il Muro? «No. Forse avrebbe dovuto essere un problema, per me. Ma in tal caso, non ci sarebbe stato il programma.»

Piers Anderton, furioso per il trattamento ricevuto dalla NBC dopo *The Tunnel*, confinò l'Emmy nel bagno degli ospiti di casa sua. Nel 1964 anche lui fuggì, alla ABC prima e poi alla KNBC di Los Angeles, per la quale, nel 1968, fece un famoso reportage sull'assassinio di Robert F. Kennedy, arrivando sulla scena pochi minuti dopo la sua morte, per arma da fuoco, nella dispensa di un hotel. Frustrato dal declino della sua carriera, abbandonò il giornalismo nel 1971, a cinquantadue anni. Prima di traslocare in Inghilterra con sua moglie, gettò l'Emmy nella spazzatura.[30]

Nello stesso periodo, il suo ex rivale Daniel Schorr entrò nella "lista dei nemici" del presidente Nixon. Nel 1976 fu costretto ad abbandonare la CBS da Richard Salant, capo della divisione giornalistica (lo stesso che nel 1962 aveva contribuito ad affondare il film sui tunnel di Schorr), dopo avere diffuso i contenuti segreti di un rapporto del Congresso sugli abusi della CIA. Schorr divenne un commentatore di spicco della National Public Radio.

La rabbia per la soppressione del suo programma sui tunnel accompagnò Schorr per tutta la vita. Intervistato dal Newseum di Washington, Schorr la descrisse così: «Avevo un capo che era amico di Kennedy, e questo diede loro [il Dipartimento di stato] la possibilità di andare a dirgli "il presidente ti chiede di fare questa cosa". E questa è la storia di come andò in fumo il tunnel della CBS».[31]

Dopo aver tenuto una conferenza ad Harvard, Schorr si sentì chiedere da un membro del pubblico – il suo vecchio capo Blair Clark – di quando, decenni prima, gli era stato imposto di rinunciare a un certo reportage. Come Schorr, anche Clark era in pensione; lasciata la CBS aveva coordinato la donchisciottesca campagna elettorale del senatore Eugene McCarthy alle presidenziali del 1968 e diretto *The Nation*. Schorr capì al volo a cosa alludeva Clark. Rievocò quel «meraviglioso» scoop su una galleria sotto il Muro di Berlino, e ricordò che gli era sembrata una «sciocchezza» sentirsi ordinare da Clark, con una telefonata notturna dallo studio di Dean Rusk, di lasciarlo perdere. Schorr aggiunse che non capiva perché Clark ne volesse parlare quel giorno, ad Harvard, specialmente dopo che la NBC «andò fino in fondo e lo fece, e vinse pure dei premi». Dall'altro capo della sala conferenze, Clark rispose che non aveva avuto altra scelta.[32]

Nel frattempo, nel 1979, James O'Donnell, l'intermediario berlinese che aveva detto a Schorr del tunnel di Kiefholzstrasse, scrisse per l'edizione tedesca di "Reader's Digest" un improbabile articolo che profetizzava, entro dieci anni, la caduta del Muro e la vendita dei pezzi della barriera come souvenir. David Bowie, che in quegli anni visse a lungo a Berlino, scrisse *Heroes*, una delle sue canzoni più celebri, dopo aver visto due innamorati davanti al Muro.

Nel 1981, per la prima volta dal 1962, gli americani poterono vedere in tv, in prima serata, l'esplorazione di un tunnel berlinese. In questo caso veicolò le immagini un film per la televisione, *Berlin Tunnel 21*, prodotto, ebbene sì, dalla CBS. Raccontava di un ufficiale dell'esercito americano (Richard Thomas di *Una famiglia americana*) la cui ragazza, tedesca, rimaneva intrappolata dall'altra parte del muro. «Nessun uomo ha rischiato di più per la donna che amava!» dichiaravano le pubblicità del film sulla carta stampata. «C'è un muro tra loro, ma lui la porterà via dalle truppe comuniste!»

In due diversi periodi, Lester Bernstein della NBC diresse con successo "Newsweek". James Greenfield, da direttore del "New York Times", ebbe un ruolo chiave nella pubblicazione dei *Pentagon Papers*. Il suo ex capo al Dipartimento di stato, Robert Manning, fu per tanti anni il celebrato direttore di *The Atlantic*.

Nel 1975 Franz Baake, che per primo aveva messo in contatto con la NBC la squadra di scavatori di Bernauer Strasse, fu candidato all'Oscar per il suo documentario *The Battle of Berlin*, sugli ultimi giorni della seconda guerra mondiale.

Uscito di prigione, Harry Seidel tornò a correre in bicicletta, e nel 1973 vinse un titolo nazionale insieme a tre compagni di squadra.[33] Per conto del governo tedesco dell'Ovest fu anche responsabile di programmi di aiuto ai perseguitati dal nazismo. Il suo ex capo Fritz Wagner gestì un ostello della gioventù e poi comprò una locanda in Baviera, con la quale pare che fece una piccola fortuna. L'amico di

Seidel Rainer Hildebrandt ingrandì la sua collezione di memorabilia del muro fino a trasformarla in un museo a più piani, che ancora oggi è un'attrazione turistica presso il Checkpoint Charlie.[34]

Come ingegnere civile, Joachim Neumann lavorò a diverse decine di gallerie in tutto il mondo, compreso il tunnel sotto la Manica tra Francia e Gran Bretagna.

Nel 1971, dopo il fallimento del suo ultimo tunnel, Hasso Herschel uscì dalla sempre più sparuta comunità dei *Fluchthelfer* e fu co-proprietario di locali, discoteche e ristoranti. Quando finì i soldi si ritirò in una cascina, a un'ora a nord di Berlino, ad allevare pecore. Fu uno dei principali consulenti di un importante sceneggiato tedesco sul Tunnel 29 e ricevette ancora qualche assegno per la vendita delle foto e delle riprese NBC. Sua sorella Anita, dopo aver quasi abbandonato il marito Hans-Georg il giorno della fuga dall'Est, rimase con lui fino alla sua morte, decenni dopo.[35]

Dopo aver collaborato al traffico di fuggiaschi in automobile di Hasso, anche Joan Glenn cessò di collaborare alle fughe, ma a quanto sembra non tornò in America. L'ultima cosa che si sa di lei è che tradusse in inglese una guida/libro di storia intitolata *In Brief Berlin* e pubblicata nel 1982 da un'agenzia federale della Germania Ovest.[36]

Secondo la maggior parte dei calcoli – e contro i conteggi della Stasi – soltanto settantacinque tunnel scavati sotto il Muro aprirono davvero un varco nell'Est, e meno di venti riuscirono a trasferire i fuggiaschi nell'Ovest. Dopo gli anni sessanta si verificarono meno fughe in genere, e quelle che riuscirono erano molto più creative. Un uomo scavalcò il Muro con una catapulta; un altro fuggì insieme alla famiglia in mongolfiera (l'avventura divenne un film della Disney). Nel 1983, due uomini dell'Est scoccarono al di là del Muro una freccia con attaccato un sottile filo di nylon. Atterrò su un tetto dell'Ovest, dove un loro complice ci attaccò un cavo d'acciaio che consentì ai due di scappare scivolandovi con le carrucole. Una ragazza di Berlino Est cucì a tre amici tre uniformi dell'esercito sovietico. Passarono il checkpoint tra i saluti delle guardie, con lei nel baule.

Negli anni ottanta il nuovo leader sovietico Michail Gorbačëv promosse le riforme e l'indirizzo politico della *glasnost'*, che introducevano nella sua nazione nuove libertà personali ed economiche e ispirarono cambiamenti simili in altri paesi della Cortina di Ferro. La DDR, ancora governata da Erich Honecker, arrancava. La frustrazione e la rabbia dei giovani dell'Est minacciavano di far esplodere il paese. Come valvola di sfogo, lo stato cominciò ad autorizzare grandi concerti rock di musicisti occidentali a Berlino Est.

Nel 1987, quando Bob Dylan fu invitato da un'organizzazione giovanile del Partito comunista a suonare nel parco di Treptow, la Stasi se ne occupò con un documento di sei pagine intitolato *Robert Zimmerman*, il vero nome del cantante. Vi si parlava perlopiù di logistica e sicurezza (nessuna cimice origliava Bob, sembra). La Stasi non temeva che Dylan scatenasse nel pubblico emozioni «indebite»; era «un vecchio maestro del rock» che non aveva più «grossa eco» tra i giovani dell'epoca.[37] Dylan, più o meno, rispettò le previsioni.

Nel successivo mese di luglio, quando si esibì Bruce Springsteen, la storia fu ben diversa. Suonò per quattro ore davanti al pubblico più vasto che avesse mai avuto, forse 400 000 persone, e in diretta televisiva nazionale per altri milioni di spettatori. In un rozzo tedesco, Springsteen fece un discorso appassionato: «Non sono qui per nessun governo. Sono venuto a suonare del rock per voi, sperando che un giorno tutte le barriere cadano». All'ultimo momento aveva deciso di dire «barriere» al posto di «muri», ma la folla impazzì comunque, e la canzone di Bob Dylan da lui cantata che seguì l'appello, *Chimes of Freedom* chiarì ulteriormente il concetto.[38] Gerd Dietrich, storico tedesco, commentò poi che il concerto e il discorso di Springsteen avevano «senz'altro contribuito, in generale» agli eventi che misero in crisi l'esistenza del Muro. Rese le persone «ancora più impazienti di nuovi cambiamenti».

Ventotto anni dopo la comparsa del Muro, i berlinesi dell'Est continuavano a morire tentando di scavalcarlo.[39] Il ventenne Chris Gueffroy fu colpito al cuore, a morte, una notte di febbraio del 1989. Come faceva sin dall'inizio, la Stasi insabbiò la vera causa del decesso e cercò di impedire il funerale del ragazzo. Quando venne fuori la verità, l'indignazione da entrambe le parti del Muro fu tale da costringere la DDR a vietare, infine, alle guardie di sparare ai fuggiaschi, a meno che i militari non fossero in pericolo di vita. Sei mesi dopo, un ingegnere elettrico di nome Winfried Freudenberg cadde e morì – a Berlino Ovest – dopo aver perso il controllo della mongolfiera che lo aveva portato al di là del Muro.

Furono le ultime due morti ai piedi del Muro.

La marea della storia era ormai inarrestabile. Le nazioni che confinavano con la Germania avevano aperto le frontiere, e decine di migliaia di tedeschi dell'Est defluirono in Ungheria e Cecoslovacchia. Nella DDR, prima a Lipsia e poi a Berlino, si tennero enormi manifestazioni di piazza. Honecker fu destituito dalla sua carica. Fallito il tentativo con i concerti rock, le autorità della DDR decisero di trovare un'altra valvola di sfogo nel facilitare il rilascio dei visti. La sera del 9 novembre 1989 un portavoce del governo, un certo Schabowski, andò in televisione ad annunciare la nuova iniziativa ma pasticciò con il messaggio e senza volerlo spiegò che chiunque era libero di attraversare i checkpoint senza alcuna autorizzazione, e che lo poteva fare «immediatamente».

Incredule, decine di migliaia di tedeschi dell'Est intasarono i checkpoint. A Bornholmer Strasse erano più di 20000. Tra loro, una giovane chimica di nome Angela Merkel, per anni attivista di un'associazione giovanile filogovernativa, ma da poco rivoltatasi contro lo stato. Verso mezzanotte, le guardie non riuscivano più a trattenere la folla. Altri punti d'ingresso a Berlino Ovest abbandonarono ogni formalità. I cittadini, su entrambi i lati del muro, erano in delirio e travolgevano i checkpoint in tutta la città. Qualcuno si arrampicò sul Muro a ballare, qualcun altro lo abbatté con il martello pneumatico.

Quella sera Hasso Herschel sentì le prime notizie mentre preparava la cena in cucina, con il televisore acceso in soggiorno. All'inizio non ci credette: gli sembrava un film americano. Chiamò qualche amico. «E venti di noi, trenta, anche i vecchi scavatori, andammo tutti ai checkpoint a bere champagne e spendere soldi fino alle undici del mattino [...] Non riuscivo a immaginare che il Muro restasse aperto. Pensavo che nel giro di un paio di giorni lo avrebbero chiuso e tenuto chiuso. Quando non successe, sentimmo che forse era finita la guerra fredda, e anche le altre guerre, era la nostra speranza, il nostro sogno.»[40]

Quella stessa sera Burkhart Veigel, che faceva l'ortopedico a Stoccarda, pianse per ore davanti al televisore, tremendamente commosso. Era proprio quello che sognava da decenni. «Volevo la libertà per la gente. E di colpo erano liberi. Fu l'esperienza più importante della mia vita.» Il giorno dopo, quando i figli gli chiesero perché piangeva ancora, raccontò loro per la prima volta «quello che avevo fatto tanto tempo prima».[41]

Un amico dell'Est di Joachim Rudolph aveva un fratello a Berlino Ovest. Il giorno dopo l'apertura del Muro, Rudolph si offrì di portarlo insieme alla moglie nell'Ovest, a trovare il fratello. Al confine tra le due città continuavano a radunarsi migliaia di persone, e passare in auto era difficilissimo. Rudolph disse alla coppia di mostrare i passaporti dell'Est dal finestrino, perché da fuori si vedessero. Quando la gente che festeggiava in strada li notò, cominciò a esultare e bussare sul tetto dell'auto, in segno di approvazione: «Una situazione incredibile», disse poi Rudolph.[42]

Nei giorni e nelle settimane successive, la polizia di entrambi i lati cominciò a rimuovere tratti di muro e costruire nuovi punti d'accesso, alla Porta di Brandeburgo, a Potsdamer Platz e altrove. «Tante volte andai a vedere», racconta Rudolph. «C'erano tante auto con le parabole e i giornalisti, e tanti berlinesi venuti a vedere. Ricordo un clima terribile, ma sono stato là tante ore sotto l'ombrello, e il giorno dopo tornavo a lavorare. Non dimenticherò mai più quel periodo entusiasmante.»

I berlinesi dell'Est assaltarono la sede della Stasi e misero al sicuro le stanze che contenevano centinaia di milioni di pagine di dossier. Negli ultimi giorni di servizio il personale della Stasi aveva distrutto un'infinità di altri fascicoli, tanti da fondere le macchine distruggidocumenti. Negli archivi c'era il vero nome di oltre 170 000 informatori della Stasi – circa 10 000 erano minorenni – ma la stima del vero numero di informatori arrivava a mezzo milione, e anche di più contando i collaboratori occasionali.

Tuttavia, in America i servizi speciali all'indomani della caduta del Muro non fecero grandi numeri in termini di ascolto.[43] «Non funzionò», spiega il portavoce di un'emittente. «Chi toccava questa storia vedeva scendere gli indici di ascolto», racconta un produttore della ABC. Reuven Frank obiettò: «Forse se quattro persone si sedessero a parlarne con Oprah Winfrey, la gente ascolterebbe».

Quando infine fu costretto a dimettersi, Erich Mielke, il dispotico capo dell'MFS dagli anni cinquanta, andò dritto in prigione. Fu incriminato per due assassinii commessi nei lontani anni trenta, e il processo in cui lo si accusava di aver ordinato l'uccisione dei fuggiaschi del Muro terminò quando fu chiaro che era mentalmente inadatto a sostenerlo (che non avesse tutte le rotelle a posto, forse, lo si poteva credere da sempre).

Nel giro di qualche mese buona parte della leggendaria barriera che tagliava in due la città fu abbattuta, come se la cicatrice e il simbolo si dovessero cancellare al più presto. La riunificazione della Germania avvenne il 3 ottobre 1990, meno di un anno dopo l'apertura del Muro. Berlino ridivenne una città sola. Lo storico Fritz Stern definì l'epoca della riunificazione «la seconda occasione della Germania».[44]

Due anni dopo, una rivista tedesca riuscì a mettere a confronto Harry Seidel e il dottor Heinrich Toeplitz, il famigerato giudice della DDR che trent'anni prima aveva diretto il suo processo e contribuito a dargli l'ergastolo. Toeplitz si rifiutò di chiedere scusa. Seidel disse: «Ciononostante, le faccio i miei auguri».[45]

Per motivi sconosciuti, verso la fine degli anni sessanta Siegfried Uhse collaborò con la Stasi con sempre meno entusiasmo e non portò a termine missioni contro l'esercito francese a Baden-Baden e contro la CIA a Berlino. Forse in un impeto di senso di colpa, collaborò come volontario con Amnesty International nel tentativo di far uscire dalle carceri della DDR il suo ex collega di Stasi

"Günter H" e diversi prigionieri politici. L'MFS cessò di lavorare con lui nel 1977.[46]

Caduto il Muro, Hartmut e Gerda Stachowitz scovarono l'indirizzo berlinese di Uhse e cercarono di convincere le autorità a portarlo in tribunale. Si sentirono rispondere che ormai i suoi crimini erano troppo lontani nel tempo.[47] Un ex collaboratore dell'MFS dice di essere stato a passeggio per Kiefholzstrasse insieme a Uhse nel 2004. Uhse, pare, gli disse di aver contribuito alla retata soltanto per aiutare «la pace nel mondo», e che nonostante tutto non riusciva a smettere di pensare alle decine di concittadini che aveva fatto andare in galera. Pare che Uhse sia morto in Thailandia qualche anno dopo.

A differenza di Uhse, dopo l'unificazione molti dei soldati dell'Est che avevano sparato ai fuggiaschi furono arrestati. In quasi tutti i casi – compresi i due presunti assassini di Peter Fechter – per loro scattò l'incriminazione, ma presto vennero rilasciati e condannati alla libertà vigilata. Durante il loro processo, le due guardie che avevano sparato a Fechter si dissero dispiaciuti ma dichiararono di non averlo voluto uccidere volontariamente. Nei decenni successivi alla sua morte Fechter era rimasto il più celebre martire della guerra fredda, protagonista di numerosi libri, drammi e canzoni. «Si può tracciare una linea retta, dal momento di Peter Fechter a quello in cui la parte più piccola, la parte oppressa della Germania, crolla»,[48] osserva Egon Bahr. Nell'Ovest, una croce commemorativa e un giardino davanti al tratto di muro in cui cadde attirarono per anni migliaia di visitatori, prima di venire travolti dal rinnovamento urbano. Oggi, in quel punto, su un marciapiede c'è un piccolo ma notevole monumento in pietra, spesso con dei fiori alla sua base, ma la maggior parte delle persone ci passa davanti senza farci caso.

Christian Zobel, accusato da tanti, sia nell'Est che nell'Ovest, di aver sparato il colpo che nel 1964 ammazzò la guardia della DDR Egon Schultz, ebbe una vita difficile, da alcolista, e morì prima di compiere cinquant'anni. Alla fine, nel 1992, un'inchiesta ufficiale diede ragione ai *Fluchthelfer* e stabilì che a uccidere la guardia era stato il proiettile di un suo collega.[49]

I tedeschi arrestati o convinti di essere stati sorvegliati dall'MFS ebbero accesso esclusivo ai propri dossier della Stasi. Spesso scoprirono che amici, vicini di casa e persino parenti li avevano tenuti d'occhio o diffuso informazioni utili al loro arresto. Ulrich Mühe, ex guardia della DDR, divenne attore di teatro e cinema, nonché grande agitatore delle proteste che nel 1989 portarono alla caduta del Muro. Quando ebbe il suo dossier dalla Stasi, scoprì che sua moglie ne era stata informatrice. Divorziò. Finì per interpretare un indeciso agente della Stasi (che alla fine compie una buona azione) in *Le vite degli altri*, vincitore dell'Oscar per il miglior film straniero nel 2006.[50]

All'inizio del XXI secolo la cosiddetta *Ostalgie*, o nostalgia per gli anni della DDR, cominciò a crescere nel vecchio territorio dell'Est. Nel 2009 un sondaggio di "Der Spiegel" svelò che circa la metà degli ex cittadini dello stato comunista era convinta che le critiche alla Repubblica democratica fossero esagerate e concordava con l'idea che «c'erano più lati positivi che negativi; c'erano problemi ma si viveva bene».[51] Secondo lo storico Stefan Wolle queste opinioni «edulcorate» dimostravano la convinzione diffusa che «fosse in gioco il valore di una storia collettiva». Lo studioso di scienza politica Klaus Schroeder spiega: «Tanti tedeschi dell'est prendono le critiche al sistema per attacchi personali».

Quanto al Muro, nel suo acclamato libro *Stasiland* Anna Funder osserva che la maggior parte degli abitanti dell'ex Germania Est «vuole dimenticarlo. Anzi, sembra che adesso quasi tutti, a Est come a Ovest, vogliano fingere che non c'è mai stato. Il Muro è stato cancellato così in fretta che a malapena se ne vede traccia nelle strade». Nel 2014, per il venticinquesimo anniversario della caduta del Muro, si dovettero installare migliaia di luci per tracciarne il percorso. L'anniversario fu molto seguito dai media di tutto il mondo. La NBC scelse il momento per pubblicare la versione integrale di *The Tunnel* sul suo sito web. Un articolo esplicativo spiegava che in totale, nel 1962, gli scavatori di Bernauer Strasse avevano ricevuto dall'emittente circa 150 000 dollari, al cambio odierno.[52]

Sotto il cancellierato di Angela Merkel, la Germania resta uno degli alleati più stretti degli Stati Uniti, ma secondo i sondaggi i suoi cittadini nutrono opinioni profondamente ambigue riguardo agli americani. Sul piano politico il paese è notevolmente diviso, con un sorprendente livello di opinioni antidemocratiche (e opposizione contro i nuovi immigrati) nell'ex Est e una tendenza decisamente sinistrorsa nel vecchio Ovest. Peter Schneider, noto giornalista e scrittore tedesco – tra i suoi libri c'è *Il saltatore del Muro* – spiega a un giornalista del "New Yorker" che durante la guerra fredda gli americani «crearono un modello di salvatore, e oggi guardandovi scopriamo che non siete affatto perfetti, anzi, siete davvero corrotti, siete uomini d'affari orribili, non avete più ideali».[53]

Nell'ottobre 2012, infine, Harry Seidel ricevette insieme ad altri tredici ex scavatori e corrieri una delle più alte onorificenze tedesche, la Croce al merito federale. Due suoi ex colleghi, Joachim Rudolph e Hasso Herschel, oggi organizzano apprezzati giri turistici sui luoghi dei tunnel per conto di Berlin Unterwelten. Questa famosa agenzia ha anche costruito sottoterra una copia dei primi metri del Tunnel 29, con tanto di rotaia d'acciaio, secchi e carrelli, a pochi isolati da dove si apriva, a Bernauer Strasse.

Diversi isolati della via sono stati trasformati in uno dei luoghi commemorativi più toccanti e ricchi di informazioni del mondo, con un museo, una torre di guardia, sezioni del muro e diverse centinaia di metri, aperti al pubblico, dell'ex "striscia della morte". Nella *Fenster der Gedenkes*, la "finestra della memoria", incorniciate all'aperto in un muro d'acciaio a pochi metri da quello originale di cemento, spiccano le foto di tutti coloro che morirono tentando la fuga, compresi Heinz Jercha, Siegfried Noffke e Peter Fechter.

Mentre il Muro si perde nella storia, altrove continua un infuocato dibattito su barriere controverse come le recinzioni e il muro costruiti dagli Stati Uniti nel loro sudovest (che certi politici, opinionisti e cittadini vorrebbero allungare, a copertura di tutti i 3200 chilometri di confine con il Messico) o i cosiddetti muri della pace che in Irlanda del Nord dividono cattolici e protestanti. La massiccia barriera di cemento costruita da Israele a partire dal 2002 lungo, e dentro, la Cisgiordania, è oggi tre volte più lunga e in certi tratti due più alta del suo antenato berlinese. Con il suo assortimento di checkpoint, recinzioni elettriche, torri di guardia, strade di pattuglia e strisce della morte, ricorda moltissimo il Muro di Berlino al suo culmine. La Corte internazionale di giustizia, Amnesty International, Human Rights Now e il Consiglio ecumenico delle chiese hanno biasimato l'esistenza del muro, il suo tracciato che distrugge le terre coltivate dai palestinesi, o entrambe le cose. «Il muro è il simbolo del fatto che non sappiamo convivere» ha detto un israeliano all'amico David Hare, in visita a Tel Aviv. «È un'ammissione di fallimento.»[54]

Oggi a Berlino le gru dei cantieri spezzano l'orizzonte ovunque lo si guardi, a oriente come a occidente. È un'ulteriore eredità del Muro, che una volta rimosso «ha lasciato vasti spazi vuoti trasformatisi in un tesoro civico, in un modo che i politici e gli urbanisti di venticinque anni fa non seppero prevedere» commenta un reporter del "New York Times".[55] Berlino rimane una delle città più di tendenza del nuovo secolo.

La fabbrica di bastoncini da cocktail di Bernauer Strasse, l'ex rustico dei Sendler a Kiefholzstrasse e buona parte dei punti di imbocco e uscita dei tunnel storici di Berlino sono stati demoliti da tempo. Il vecchio e malconcio condominio al civico 7 di Schönholzer Strasse è ancora in piedi, e dopo una recente ristrutturazione offre alloggi di lusso. L'inserzione relativa a un appartamento elegante sull'altro lato della strada rende una descrizione della zona decisamente diversa rispetto a mezzo secolo prima, sottolineandone la posizione in «uno dei quartieri più moderni di Berlino, recentemente ribattezzato "nuovo distretto delle arti"», con «gallerie all'avanguardia» e «un meraviglioso repertorio di caffè, ristoranti e birrerie per gente giovane e moderna, in vero stile berlinese».

L'unica traccia di storia rimasta nel quartiere è una grossa targa all'ingresso del 7 di Schönholzer Strasse, posta nel 2009 a sinistra dell'ingresso. «Il tunnel», c'è scritto, «fu scavato da uomini coraggiosi che scelsero questa strada pericolosa per poter riabbracciare mogli, figli, parenti e amici» intrappolati «al di là di una frontiera disumana.»

Un giorno di non molti anni fa, di passaggio a Schönholzer Strasse, Joachim Rudolph si imbatté nei lavori di ristrutturazione dello stabile e sospettò che la piastra di ceramica con il "7" nero sopra l'entrata potesse essere rimpiazzata e buttata via. Il "7" non significava nulla per gli operai ma era importantissimo per lui, che tra tutti, il 14 settembre 1962, aveva avuto il compito ingrato di uscire dalla cantina e controllare che la galleria fosse uscita all'indirizzo giusto... e aveva notato quel numero nero, sulla piastra, con gran sollievo. Ora il "7" rischiava di sparire per sempre.[56]

Tornato quella sera con qualche attrezzo, Rudolph (ormai quasi settantenne) si arrampicò con cautela sull'impalcatura e rimosse il suo tesoro. Più tardi, nel lontano e occidentale distretto di Charlottenburg, installò la placca su una porta del suo confortevole appartamento senza ascensore. Oggi questo cittadino tedesco, che una volta scavò una galleria lunga 135 metri sotto il muro di Berlino, e la donna che lo attraversò per prima ammirano ogni giorno il loro "7" portafortuna, sapendo bene cosa significa per loro e cosa rappresenta per il resto del mondo.

Ringraziamenti

Nel 2014, quando ho cominciato questo libro, non avevo idea di quanti scavatori, corrieri e personaggi chiave fossero ancora vivi, se li potessi contattare e se, in tal caso, avrebbero voluto parlare con me. Ho fatto una lista e, incredibile ma vero, sono riuscito a ottenere lunghe interviste con quasi tutti. E quanto calore hanno saputo trasmettermi! Quindi, prima di tutto, grazie a quelli che tanto tempo hanno dedicato a parlare con me e darmi indicazioni: Hasso Herschel, Joachim Neumann, Uli Pfeifer, Wolf Schroedter, Harry Seidel, Claus Stürmer, Boris Franzke, Ellen Sesta, Hartmut e Gerda Stachowitz, Manfred Meier, Eveline (Schmidt) Rudolph, e Anita Moeller.

Ho ottenuto tante preziose informazioni sui redattori della NBC che contribuirono a produrre *The Tunnel* (e tante loro foto) da Birgitta Anderton, vedova di Piers; da Jim e Peter Frank, figli di Reuven; da Paul, figlio di Lester Bernstein, e Nina, sua figlia. Jim Greenfield mi ha dato indicazioni essenziali riguardo al pensiero e alle azioni di Dean Rusk al Dipartimento di stato, e alle sue comunicazioni con la Casa Bianca di Kennedy.

Tre dei più grandi esperti di fughe oltre il Muro mi hanno fornito assistenza indispensabile riguardo ai fatti storici e alle prese di posizione pubbliche: il dott. Burkhart Veigel lo ha fatto spesso e volentieri, oltre a condividere documenti fondamentali. Ringrazio inoltre Dietmar Arnold (anche lui ha fornito diverse foto) e altri della Berliner Unterwelten, e Maria Nooke.

Diversi archivisti mi hanno procurato fonti importanti, ma tra tutti vorrei ringraziare Stacey Chandler della John F. Kennedy Presidential Library, che è tornata e ritornata a setacciare le collezioni e vi ha trovato sorprendenti e importanti telegrammi, promemoria e lettere. Mi avevano detto che, per via delle rigide regole sulla riservatezza, sarei stato fortunato se avessi ricevuto dagli archivi berlinesi della Stasi (BStU) qualcosa di nuovo o prezioso, soprattutto dal momento che avevo bisogno di risposte veloci. Invece, grazie ad Annett Müller, ho avuto accesso a centinaia di pagine di rapporti segreti sui tunnel del 1962 e su tanti loro protagonisti, molti dei quali, sembra, non erano mai venuti alla luce. Nel frattempo, il ricercatore Satu Haase-Webb ha affrontato per me i massicci e spesso sconcertanti archivi del Dipartimento di stato e della CIA presso i National Archives di College Park, in Maryland.

Il mio agente Gary Morris (della David Black Agency) ha accettato la proposta di questo libro nelle sue primissime fasi, prima che ci conoscessimo di persona, e mi ha dato, oltre all'incoraggiamento e all'entusiasmo, consigli cruciali su come rivederne alcune parti fondamentali. Brian Siberell della Creative Artists Agency è riuscito a vendere la proposta per un possibile film, che ne ha aumentato le possibilità di pubblicazione. Sin dall'inizio, visti i precedenti con due miei vecchi progetti, speravo che a rivedere il libro fosse Rachel Klayman della Crown. Il desiderio si è avverato e, come mi aspettavo, nei mesi successivi mi ha dato consigli brillanti (con tatto). La sua collega Meghan Houser ha sottoposto il manoscritto, in diverse fasi, a un editing scrupoloso e davvero eccezionale. Scriverei ancora parecchio di loro due, ma mi hanno fatto promettere di non dilungarmi troppo con i ringraziamenti!

E adesso, cinque persone a cui devo un grazie speciale.

A ispirare questo libro è stato il mio primo viaggio a Berlino, poco dopo che mia figlia, Jeni Mitchell, con suo marito Stephane Henault e mio nipote di quattro anni Jules, ci si sono trasferiti. Destino vuole che abitino a meno di un paio di chilometri da Bernauer Strasse, nella vecchia Berlino Est. Dopo che ho cominciato a scrivere, Jeni, che aveva appena conseguito il suo dottorato di ricerca, mi ha aiutato e spronato, inoltrandomi o riassumendomi articoli di giornale, consigliandomi le fonti, e organizzando le visite agli archivi della Stasi e le prime richieste di dossier.

Dal momento che spiccico a malapena qualche parola di tedesco, ci si può immaginare quali difficoltà linguistiche abbia affrontato. Stephane, che è mezzo tedesco, mi ha reso perciò una serie di favori inestimabili: ha contribuito a organizzare le interviste berlinesi, alle quali mi ha accompagnato, e poi le ha sbobinate; ha tradotto molti documenti della Stasi e citazioni da diversi libri; ha persino condotto alcune interviste-chiave in mia assenza. In tutto ciò è stato straordinario, nonché una acuta spalla.

A mia moglie va il ringraziamento più sentito, non solo per avere condiviso le mie esperienze berlinesi ma anche per avermi incoraggiato a insistere su questo argomento, e per avere letto e migliorato tre diverse versioni del manoscritto. Ha anche steso la prima bozza delle straordinarie sezioni del libro che parlano di Peter Fechter.

Emely von Oest, attrice (ed ex pilota d'aereo), abita a Los Angeles ma è cresciuta a Berlino Est negli anni centrali e finali della storia del Muro. L'ho conosciuta perché era una delle "star" del documentario, da me coprodotto, sulla *Nona Sinfonia* di Beethoven. Come Stephane, ha tradotto un gran numero di documenti della Stasi e pagine di libri, e coordinato persino un paio di interviste telefoniche (occupandosi, nel frattempo, della vana ricerca di Siegfried Uhse). Per un anno intero mi ha dato consigli quasi quotidiani o ha effettuato ricerche a partire dalla sua unica e personale prospettiva. Non so come ringraziarla.

Infine c'è Joachim Rudolph. Non soltanto ha sopportato quasi dieci ore di interviste, ma mi ha anche messo in contatto con quasi tutti gli altri scavatori, e qualcuno dei corrieri e dei fuggiaschi: il valore del suo contributo non si può sottolineare abbastanza. Ha analizzato i documenti della Stasi e ha persino convinto il reticente Harry Seidel a rispondere a decine di domande. Come Emely, quasi tutti i giorni mi ha riempito di consigli e controllato la veridicità delle informazioni, a garantire che nei miei "scavi" non si aprissero infiltrazioni e che non ci fossero crolli narrativi, nemmeno parziali. Joachim, senza di te non avrei mai finito questo libro com'è oggi, neanche lontanamente. Ti chiamavano *der Kleiner*, ma per come hai contribuito al libro sei più *der Gigant*.

Note

Nelle note sono usate le seguenti abbreviazioni:

BStU/Mfs: Dossier dagli archivi della Stasi (*Der Bundesbeauftragte für die Unterlagen des Staatssicherheitsdienstes*), Berlino, Germania.

Int.: Interviste rilasciate all'autore.

JFK-BC: Cablogrammi da e verso Berlino, Bonn e Washington del Dipartimento di stato, John F. Kennedy Presidential Library, Boston, Massachusetts.

JFK-NSF: National Security Files, John F. Kennedy Presidential Library, Boston, Massachusetts.

JFK-PDB: rapporti quotidiani della CIA a Kennedy, pubblicati nel 2015, cfr. http://www.foia.cia/collection.PDBs

JFK-POF: President's Office Files (dossier dello studio presidenziale), John F. Kennedy Presidential Library, Boston, Massachusetts.

JFKL: Racconti orali e altri materiali presso la John F. Kennedy Presidential Library, Boston, Massachusetts.

MPA: Motion Picture Academy, Margaret Herrick Library, Los Angeles, California, fascicoli su *Escape from East Berlin/Tunnel 28*.

NARA-CIA: National Archives and Records Administration, College Park, Maryland (rapporti di intelligence settimanali e periodici della CIA).

NARA-De: National Archives and Records Administration, College Park, Maryland (documenti del Dipartimento di stato e della CIA resi pubblici nel gennaio 2014 dal National Declassification Center).

Newseum: Newseum, Washington, D.C. (interviste video e ascrizioni del dietro le quinte relativo alla mostra sul Muro di Berlino).

NYT: "New York Times".

PR of JFK: T. Naftali, P. Zelikow, E. May, *The Presidential Recordings of John F. Kennedy: The Great Crises*, 3 voll., W.W. Norton, New York 2001.

RFP: Reuven Frank Papers (archivio Reuven Frank), Tufts University, Medford, Massachusetts.

1. IL CICLISTA

1. Su Harry Seidel, cfr. int. H. Seidel; P. Galante, *The Berlin Wall*, Doubleday, Garden City (NY)1963, pp. 1-138; B. Veigel, *Wege durch die Mauer*, Berliner Unverwelten, Berlino 2013, pp. 225-245; D. Arnold, S.F. Kellerhoff, *Die Fluchttunnel von Berlin*, Propyläen, Berlino 2008, pp. 114-123.

2. P. Galante, *op. cit.*, pp. 98-103.

3. F. Taylor, *The Berlin Wall*, Bloomsbury, Londra 2006, pp. 18-185; F. Kempe, *Berlin, 1961*, G.P. Putnam's Sons, New York 2011, pp. 3-362; W.R. Smyser, *Kennedy and the Berlin Wall*, Rowman & Littlefield, Lanham, MD 2010, pp. 1-123; P. Wyden, *Wall*, Simon & Schuster, New York 1989, pp. 1-219.

4. F. Kempe, *op. cit.*, pp. 257-261; W.R. Smyser, *op. cit.*, pp. 71-75.

5. F. Kempe, *op. cit.*, p. 315; W.R. Smyser, *op. cit.*, p. 90.

6. F. Kempe, *op. cit.*, pp. 316-318; W.R. Smyser, *op. cit.*, pp. 89-95.

7. W.R. Smyser, *op. cit.*, p. 105; P. Wyden, *op. cit.*, p. 177.

8. W.R. Smyser, *op. cit.*, p. 108.

9. P. Wyden, *op. cit.*, p. 161; F. Kempe, *op. cit.*, p. 368.

10. F. Taylor, *op. cit.*, pp. 217-218; W.R. Smyser, *op. cit.*, pp. 115-116.

11. F. Taylor, *op. cit.*, p. 220.

12. JFK-PDB.

13. F. Taylor, *op. cit.*, pp. 226-227.

14. Ivi.

15. Sulla prima serie di morti presso il Muro cfr. H.H. Hertle, M. Nooke (a cura di), *The Victims at the Berlin Wall*, Ch Links, Berlino 2011, pp. 36-56; F. Kempe, *op. cit.*, pp. 363-366; P. Ahonen, *Death at the Berlin Wall*, Oxford University Press, New York 2011, pp. 32-37.

16. J. Bainbridge, *Die Mauer: The Early Days of the Berlin Wall*, in "The New Yorker", 27 ottobre 1962.

17. J. Wechsberg, *Letter from Berlin*, in "The New Yorker", 26 maggio 1962.

18. P. Galante, *op. cit.*, pp. 136-138, 168.

19. H.H. Hertle, M. Nooke, *op. cit.*, pp. 62-64.

20. Sulla Stasi cfr. J.H. Koehler, *Stasi. The Untold Story*, Westview Press, Boulder, CO 1999, pp. 10-220.

21. P. Galante, *op. cit.*, pp. 144-150.

22. D.E. Murphy, A. Kondrashev, G. Bailey, *Battleground Berlin*, Yale University Press, New Haven 1997, p. 388.

23. Il mio resoconto della morte di Heinz Jercha si basa su: intervista a H. Seidel; H.H. Hertle e M. Nooke, *op. cit.*, pp. 74-76; B. Veigel, *op. cit.*, pp. 109-124; D. Arnold, S.F. Kellerhoff, *op. cit.*, pp. 114-124; fascicoli su questa operazione, BSTU/MFS, HAI n. 6086.

24. Int. B. Veigel.

25. *Foreign Students Aided escape of 600 East Berliners to West*, in NYT, 28 marzo 1962.

26. P. Galante, *op. cit.*, p. 152.

2. DUE ITALIANI E UN TEDESCO

1. E. Sesta, *Der Tunnel in die Freiheit*, Ullstein, Monaco 2001, pp. 11-49 [trad. it. *Il tunnel della libertà*, Garzanti, Milano 2002]; D. Arnold, S.F. Kellerhoff, *op. cit.*, pp. 214-231; intervista a Ellen Sesta e Wolf Schroedter; *Der Tunnel*, documentario, regia di Marcus Vetter.

2. Int. E. (Schmidt) Rudolph.

3. Su R. Frank, cfr. il suo *Out of Thin Air*, Simon & Schuster, New York 1991, pp. 7-192; NYT, 7 febbraio 2006.

4. Necrologio, NYT, 23 settembre 2004; int. B. Anderton, K. Anderton, M. Anderton.

5. Piers Anderton a Reuven Frank (circa 1988), RFP.

6. "Der Spiegel", marzo 1962 (n. 13).

7. *Foreign Students Aided Escape of 600 East Berliners to West*, in NYT, 28 marzo 1962.

8. BStU/MfS, dossier Uhse, 20 marzo 1962.

9. BStU/MfS, dossier Uhse, 21 agosto 1963; B. Veigel, *op. cit.*, pp. 260-265.

10. BStU/MfS, dossier Uhse, 30 settembre 1961.

11. BStU/MfS, dossier Uhse, 20 marzo 1962.

12. Int. W. Schroedter, E. Sesta; NBC, *The Tunnel*.

13. Int. W. Schroedter.

3. Le reclute

1. Int. J. Frank, P. Frank.
2. A.W. Bluem, *Documentary in American Television*, Hastings House, New York 1965, pp. 89-144; M.A. Watson, *The Expanding Vista*, Oxford University Press, New York 1990, pp. 135-152.
3. D. Schorr, *Staying Tuned*, Washington Square Press, New York 2001, pp. 147-181; P. Wyden, *op. cit.*, p. 161.
4. P. Wyden, *op. cit.*, pp. 220-221; D. Schorr, *op. cit.*, pp. 155-160.
5. P. Wyden, *op. cit.*, p. 260.
6. Int. D. Schorr, Newseum.
7. D. Schorr, *op. cit.*, pp. 161-163.
8. Ivi.
9. "Hollywood Reporter", 27 febbraio 1961; "Variety", 27 marzo e 12 aprile 1962; il titolo italiano del film è *Il muro della paura* [N.d.T.]
10. Int. W. Schroedter.
11. E. Sesta, *op. cit.*, pp. 42-47; int. E. Sesta; int. W. Schroedter; M. Vetter, *Der Tunnel*.
12. Int. W. Schroedter; int. J. Rudolph.
13. Int. J. Rudolph.
14. F. Kempe, *op. cit.*, p. 394.
15. H.H. Hertle, M. Nooke, *op. cit.*, p. 77.
16. *East Berlin Boy, 9, Leaps to Safety*, in NYT, 11 aprile 1962.
17. H.H. Hertle, M. Nooke, *op. cit.*, p. 80.
18. Ivi, p. 86.
19. Missione USA al Dipartimento di stato, 16 giugno 1962; JFK-BC.
20. H.H. Hertle, M. Nooke, *op. cit.*, pp. 23-25.
21. Ivi, p. 83.
22. Dossier CIA, NIE #12.4-62, 9 maggio 1962, NARA-CIA.
23. Mostra permanente presso il *Gedenkstatte Berliner Mauer*, Berlino.
24. Int. J. Neumann.
25. Uhse, BTSU/MfS, dossier Uhse, 20 marzo e 4 aprile 1962.
26. Int. W. Schroeder e J. Rudolph.
27. Int. H. Herschel e U. Pfeifer.
28. Int. H. Herschel, U. Pfeifer, A. Moeller; int. H. Herschel, Newseum.
29. Int. H. Herschel, A. Moeller.

4. Il presidente

1. M.A. Watson, *op. cit.*, pp. 72-74; P. Salinger, *P.S.*, St. Martin's Press, New York 1995, pp. 94-95.

2. Verbale della conferenza stampa di John F. Kennedy, 8 maggio 1962; P. Salinger, *op. cit.*, p. 96.

3. "USA Today", 20 novembre 2013.

4. B.C. Bradlee, *Conversations with Kennedy*, W.W. Norton, New York 1975.

5. A.L. Heyse, K.L. Gibson, *John F. Kennedy: "The President and the Press"*, "VOD Journal", vol. 9, reperibile su http://voicesofdemocracy.umd.edu/wp-content/uploads/2015/11/JFK-Revision_Essay_Final-lph-edits.pdf.

6. *Briefing* del 30 maggio 1962, www.foia.cia/collection.PDBs.

7. Ivi, 21 maggio.

8. J.H. Koehler, *op. cit.*, pp. 1-142.

9. Int. J. Rudolph, W. Schroedter, U. Pfeifer, H. Herschel.

10. Int. J. Neumann.

11. Ivi.

12. C. Hilton, *The Wall*, Sutton, Londra 2001, p. 180.

13. *Eastberliner, 81, Tunnels to West*, in NYT, 18 maggio 1962.

14. F. Taylor, *op. cit.*, pp. 307-309; P. Ahonen, *op. cit.*, pp. 66-83.

15. F. Taylor, *op. cit.*, p. 309.

16. H.H. Hertle, M. Nooke, *op. cit.*, p. 89.

17. Associated Press, 12 maggio 1962.

18. P. Wyden, *op. cit.*, p. 160.

19. Comunicato stampa MGM, 1962 (MPA).

20. "Los Angeles Times", 21 maggio 1962.

21. Comunicato stampa MGM, MPA.

22. Int. F. Baake; int. W. Schroedter; M. Vetter, *Der Tunnel*.

23. Int. F. Meyer; int. Baake; M. Vetter, *Der Tunnel*.

24. Int. F. Meyer; int. A. Ashkenasi; P. Anderton a R. Frank, 24 luglio 1988, RFP.

25. BStU/Mfs, dossier Uhse, 7 maggio 1962.

26. Sulla provenienza di Joan Glenn sono stati utili fonti due articoli su "The Stanford Daily", il quotidiano dell'università di Stanford, datati 4 gennaio 1961 e 11 febbraio 1962.

27. B. Veigel, *op. cit.*, pp. 17-202; F. Taylor, *op. cit.*, pp. 305-306; int. J. Neumann.

28. "The Stanford Daily", 11 febbraio e 16 maggio 1962.

29. StU/Mfs, dossier Uhse, 23 maggio 1962.

30. *Four Blasts in 15 Minutes Rip Reds' Wall in Berlin*, in NYT, 27 maggio 1962.

31. F. Kempe, *op. cit.*, pp. 392-393; *Gedenkstaette Berliner Mauer*, "Testimoni contemporanei", www.berliner-mauer-gedenkstaette.de.

32. Int. B. Veigel.

33. Ivi.

34. *Handelsblatt*, 12 giugno 2007.

35. Int. Baake, Meyer; diario di Anderton, 27-28 maggio 1962, per gentile concessione di B. Anderton.
36. NBC, *The Tunnel.*
37. P. Anderton a R. Frank, 24 luglio 1988, RFP.
38. Archivio personale di W. Schroedter, per gentile concessione di B. Anderton.

5. L'INVIATO

1. Int. B. Anderton.
2. R. Frank, *op. cit.*, pp. 193-194; R. Frank, *Making of The Tunnel*, Television Quarterly, autunno 1963; TQ, pp. 11-12; P. Anderton a R. Frank, 24 luglio 1988, RFP.
3. Int. B. Anderton.
4. R. Frank, *Out of Thin Air*, cit., pp. 193-194; P. Anderton a R. Frank, 24 luglio 1988; intervista a R. Frank, *Emmy tv Legends*, Archive of American Television, http://www.emmytvlegends.org.
5. Int. B. Anderton.
6. Ivi.
7. P. Anderton a R. Frank, 24 luglio 1988, RFP.
8. A. Lightner a D. Rusk, 2 aprile 1962, e D. Rusk ad A. Lightner, 2 aprile 1962, JFK-BC.
9. George Ball al Dipartimento di stato, 6 aprile 1962, ivi.
10. NBC's *Anderton's Incendiary Berlin Talk Shocks Wives of U.S. VIPS*, "Variety", 18 aprile 1962.
11. Int. B. Anderton; "Variety", 29 agosto 1962.
12. P. Galante, *op. cit.*, pp. 159-166; D. Arnold, S.F. Kellerhoff, *op. cit.*, pp. 214-231; int. H. Seidel.
13. B. Veigel, *op. cit.*, pp. 257-269.
14. U. Mann, *Tunnelfluchten*, Transit Buchverlag, Berlino 2005.
15. P. Galante, *op. cit.*, p. 165.
16. *Two Groups Escape from East Berlin*, in NYT, 12 giugno 1962.
17. P. Galante, *op. cit.*, p. 170.
18. *Two Groups Escape from East Berlin*, cit.
19. H.H. Hertle, M. Nooke, *op. cit.*, p. 91.
20. S. Gruson, *Red Guard Killed at Berlin's Wall*, in NYT, 19 giugno 1962.
21. F. Taylor, *op. cit.*, pp. 317-318; P. Ahonen, *op. cit.*, pp. 83-93; C. Hilton, *op. cit.*, pp. 184-185; S. Gruson, *Clashes at Wall Feared as Desperation Grows in East Berlin*, in NYT, 20 giugno 1962.
22. *Current Intelligence Weekly Summary*, 29 giugno 1962, NARA-CIA.
23. Int. F. Baake, F. Meyer.
24. E. Sesta, *op. cit.*, pp. 69-75.

25. Archivio personale di W. Schroedter.

26. Int. W. Shroedter e J. Rudolph.

27. Int. J. Rudolph, U. Pfeifer, J. Neumann, H. Herschel.

28. Int. B. Anderton.

29. E. Sesta, *op. cit.*, pp. 49-75.

30. R. Frank, *Making of The Tunnel*, cit, p. 12.

31. R. Frank, *Out of Thin Air*, cit., pp. 194-195; ivi, pp. 12-13.

32. Diario di Anderton, per gentile concessione di B. Anderton; Anderton a Frank, 25 luglio 1988, RFP; R. Frank, *Out of Thin Air*, cit., p. 198.

33. Le trascrizioni dei tre reportage sono incluse nei Daniel Schorr Papers, Library of Congress, Washington, D.C.

34. Su Dean Rusk cfr. T.J. Schoenbaum, *Waging Peace and War*, Simon and Schuster, New York 1988; W.R. Smyser, *op. cit.*, pp. 26-29.

35. W.R. Smyser, *op. cit.*, p. 86, che è anche la fonte dei dettagli sul viaggio di Rusk a Berlino.

36. BStU/MfS, dossier Uhse, rapporti datati 23, 25, 27, 30 giugno 1962.

37. H.H. Hertle, M. Nooke, *op. cit.*, p. 99; F. Taylor, *op. cit.*, p. 317.

6. CREPE

1. Joachim Rudolph mi ha fornito una copia di questo documento.

2. NBC, *The Tunnel*.

3. Riprese tagliate da *The Tunnel* e fornitemi da Rudolph.

4. Ivi.

5. Le ricevute si trovano nell'archivio personale di W. Schroedter; per gentile concessione di B. Anderton.

6. Int. J. Rudolph, H. Herschel.

7. Int. J. Rudolph, W. Schroedter.

8. Int. W. Schroedter; E. Sesta, *op. cit.*, pp. 77-86; M. Vetter, *Der Tunnel*.

9. Int. W. Schroedter.

10. Int. B. Veigel; int. W. Schroedter.

11. M. Vetter, *Der Tunnel*.

12. Ivi.

13. NBC, *The Tunnel*; int. U. Pfeifer. Mimmo Sesta era convinto che le cose fossero andate in modo molto diverso, e che gli operai di Berlino Ovest avessero in realtà chiuso il tubo dell'acqua che andava verso l'Est (e nel tunnel) limitandosi a fingere di fare lavori, per ingannare le guardie della DDR (E. Sesta, *op. cit.*).

14. NBC, *The Tunnel*.

15. Ivi.

16. W. Schroedter in ivi.

17. D. Schorr, *op. cit.*, pp. 166-167.

18. Int. F. Baake.
19. PR *of* JFK, 1, XVIII-XIX.
20. *Reds Sentence American Youth*, NYT, 16 giugno 1962; *Berlin Reds Tell of Tunnel Fight*, NYT, 7 luglio 1962.
21. *East German Show Trial Sends Five Men to Prison*, NYT, 5 luglio 1962.
22. Int. H. Seidel.
23. Int. W. Schroedter.
24. Int. W. Schroedter, J. Rudolph, H. Seidel.
25. BstU/Mfs, dossier Uhse, 20 luglio 1962.
26. BstU/Mfs, dossier Uhse, 27 luglio 1962.
27. BstU/Mfs, dossier Uhse, 28 luglio 1962.
28. PR *of* JFK, 1, 4.
29. Ivi, 1, 45.
30. Ivi, 1, 80-89.
31. U.S. *Offers Facts to Back Shelters*, NYT, 12 maggio 1962.
32. H. Baldwin, *Soviet Missiles Protected in Hardened Position*, NYT, 26 luglio 1962.
33. R.B. Davies, *Baldwin of the "Times"*, Naval Institute Press, Annapolis, MD 2011, p. 265; PR *of* JFK, 1, 18.
34. Ivi, pp. 264-267.
33. Trascrizione, dossier investigativo H. Baldwin, JFK-NSF.
34. R.B. Davies, *Baldwin of the "Times"*, cit., pp. 267-268.
35. P. Wyden, *op. cit.*, pp. 172-175; F. Kempe, *op. cit.*, pp. 313-315.
36. F. Kempe, *op. cit.*, p. 384.
37. R.A. Brown, *For the Record* (memorandum), 3 agosto 1962, NARA-De.

7. SCHORR E LA SEGRETARIA

1. R.A. Brown, *For the Record* (memorandum), 3 agosto 1962, NARA-De.
2. Ivi.
3. Ivi.
4. Arthur Day a Percival, 3 agosto 1962, NARA-De.
5. Percival a Arthur Day, 3 agosto 1962, NARA-De.
6. Charles Hulick a Hillenbrand, 4 agosto 1962, NARA-De.
7. Ivi.
8. Ivi.
9. Int. J. Rudolph.
10. BstU/Mfs 3733/65 44.
11. PR *of* JFK, 1, 188-201.
12. *Central Intelligence Briefing*, 28 luglio 1962, NARA-CIA.
13. Int. J.L. Greenfield.
14. Ivi.

15. Reuven Frank a Lester Bernstein, 2 febbraio 1988, RFP.

16. Int. W.D. Sternheimer, R. Sternheimer, M. Meier, B. Bayer.

17. Int. M. Meier.

18. BStU/MfS, dossier Uhse, 7 agosto 1962; int. W.D. Sternheimer.

19. Int. A. Moeller.

20. Dean Rusk a Charles Hulick, 7 agosto 1962, NARA-De; agenda degli appuntamenti di Rusk, Dean Rusk Papers, Lyndon B. Johnson Library, Austin, Texas; int. J.L. Greenfield.

21. Necrologio, NYT, 20 marzo 2008; D. Halberstam, *The Powers that Be*, Knopf, New York 1979, p. 384.

22. M.A. Watson, *op. cit.*, pp. 139-144.

23. Int. J.L. Greenfield; D. Shorr, *op. cit.*, p. 165.

24. Libro mastro della U.S. Berlin Brigade, 7 agosto 1962, NARA, College Park, MD.

25. D. Schorr, *op. cit.*, p. 165-166; int. D. Schorr, Newseum.

26. Libro mastro della U.S. Berlin Brigade, 7 agosto 1962.

27. Int. J.L. Greenfield; D. Schorr, *op. cit.*, p. 165.

8. KIEFHOLZSTRASSE

1. BStU/MfS, dossier Uhse, 7 agosto 1962; appunti di Uhse; int. W.D. Sternheimer; cartina; B. Veigel, *op. cit.*, p. 269.

2. BStU/MfS, dossier Uhse, 7 agosto 1962.

3. Ivi.

4. Int. A. Moeller.

5. Int. E. (Schmidt) Rudolph. Eveline è convinta che non ebbero il tempo di contattare la madre di suo marito. Ellen Sesta sostiene invece, nel suo libro, che Mimmo avesse visto la donna presso un punto di raccolta dei camion.

6. Interrogatori a Hartmut Stachowitz e Gerda Stachowitz, BStU/MfS, 3733/65 44.

7. Interrogatorio a H. Stachowitz, BStU/MfS, dossier Uhse, 7 agosto 1962.

8. E. Sesta, *op. cit.*, p. 99-107.

9. Int. M. Meier.

10. Sulla mobilitazione nella zona di casa Sendler, cfr. BStU/MfS, 3733/65; BStU/MfS, HAI 13256; BStU/MfS, BV Berlin abt VII n. 1553.

11. Int. M. Meier.

12. Su questo e altri dettagli, cfr. BStU/MfS, 3733/65; BStU/MfS, HAI 13256; BStU/MfS, BV Berlin abt VII n. 1553.

13. Int. H. Herschel, J. Rudolph, U. Pfeifer, W. Schroedter, J. Neumann.

14. Memorandum, Tenente colonnello Geral Sabatino, 7 agosto 1962, NARA-De.

15. Allen Lightner a Dean Rusk, 7 agosto 1962, NARA-De.
16. Interrogatori a Hartmut e Gerda Stachowitz, BstU/Mfs, 3733/65.
17. Int. A. Moeller, E. (Schmidt) Rudolph.
18. Interrogatorio a D. Gengelbach, BstU/Mfs, 3733/65 44 Mfs, BV Berlin abt VII n. 1553 19.
19. E. Sesta, *op. cit.*, p. 99-107; int. E. Sesta.
20. Int. M. Meier.
21. Int. H. Herschel, J. Rudolph, U. Pfeifer.
22. Riprese NBC, 7 agosto 1962.
23. Int. H. Herschel, U. Pfeifer, J. Rudolph, J. Neumann.
24. Int. U. Pfeifer, H. Herschel, J. Rudolph.
25. Int. W.D. Sternheimer.
26. Interrogatori a Friedrich Sendler e Edith Sendler, BstU/Mfs 3733/65.
27. Int. G. Stachowitz.

9. PRIGIONIERI E CONTESTATORI

1. Allen Lightner a Dean Rusk, 7 agosto 1962, NARA-De.
2. Allen Lightner a Dean Rusk, 8 agosto 1962, NARA-De.
3. *Memorandum for the Record*, 8 agosto 1962, NARA-De.
4. Anonimo a Allen Lightner, 8 agosto 1962, NARA-De.
5. Dean Rusk alla Missione americana a Berlino, 10 agosto 1962, NARA-De.
6. BstU/Mfs, HAI 13256 59, 98 e 100.
7. Int. M. Meier; BstU/Mfs, 3733/65.
8. Int. B. Beyer.
9. BstU/Mfs, 3733/65.
10. BstU/Mfs, BV Berlin abt VII n. 1553 19; BstU/Mfs, dossier Uhse, 9 agosto 1962.
11. BstU/Mfs, dossier Uhse, 9 agosto 1962.
12. BstU/Mfs, dossier Uhse, 9 agosto 1962.
13. Morris a Dean Rusk e Allen Lightner, 10 agosto 1962, NARA-De.
14. Allen Lightner a Dean Rusk, 12 agosto 1962, NARA-De.
15. F. Kempe, *op. cit.*, pp. 299-305, 431-436.
16. Ivi, p. 435.
17. NYT, 22 dicembre 2015.
18. F. Kempe, *op. cit.*, p. 263.
19. Ivi, p. 302-304.
20. PR *of* JFK, 1, 31-330.
21. Su Fechter, cfr. L.B. Keil, S.F. Kellerhoff, *Mord an der Mauer*, Bastei Lübbe, Berlino 2012, pp. 1-28; *Ein Tag im August: Der Fall Peter Fechter*, film diretto da Wolfgang Schoen, 2012; H.H. Hertle, M. Nooke, *op. cit.*, pp. 102-103.

22. Charles Hulick a Dean Rusk, 12 agosto 1962, NARA-De.
23. *Central Intelligence Briefing*, 11 agosto 1962, JFK-PDB.
24. Int. W. Schroedter, J. Rudolph.
25. Berlin Brigade, diario del 13 agosto 1962, NARA.
26. BStU/Mfs, HAI 13256.

10. L'INTRUSO

1. Int. H. Herschel, J. Rudolph, U. Pfeifer, J. Neumann.
2. Int. H. Herschel; E. Sesta, *op. cit.*, pp. 77-97; M. Vetter, *Der Tunnel*; int. H. Herschel, Newseum.
3. Robert Kintner a Dean Rusk, 20 novembre 1962, RFP.
4. Ivi; int. J.L. Greenfield.
5. Int. J.L. Greenfield.
6. Int. J. Rudolph, H. Herschel; int. C. Stürmer.
7. BStU/Mfs, 13337/64.
8. BStU/Mfs, 3733/65.
9. Int. W.D. Sternheimer.
10. Int. M. Meier.
11. BStU/Mfs, 3733/65, 86.
12. BStU/Mfs, HAI 13256, 16, 59 e 71.
13. Il resoconto del caso Fechter si basa su NYT, 18 agosto 1962; H.H. Hertle, M. Nooke, *op. cit.*, pp. 102-105; L.B. Keil, S.F. Kellerhoff, *op. cit.*, pp. 29-50; P. Ahonen, *op. cit.*, pp. 54-63; registro della Berlin Brigade, 17 agosto 1962, NARA; C. Hilton, *op. cit.*, pp. 189-199; W. Schoen, *Ein Tag im August: Der Fall Peter Fechter*.
14. "Bild Zeitung", 22 luglio 2012.
15. P. Wyden, *op. cit.*, p. 273.
16. M. Hosseini, *The Wall*, puntata n. 9, www2.gwu.edu/~nsarchiv/colwar/interviews.
17. L.B. Keil, S.F. Kellerhoff, *op. cit.*, pp. 57-59; C. Heman, *Snapshot and Icon*, febbraio 2005, www.zeithistorische-forschungen.de/2-2005/id%3D4512.
18. L.B. Keil, S.F. Kellerhoff, *op. cit.*, pp. 50-59.
19. P. Wyden, *op. cit.*, p. 274.
20. Il resoconto delle reazioni e delle sommosse si basa sui diari della Berlin Brigade, 19-21 agosto 1962; NYT, 19-21 agosto 1962.
21. L.B. Keil, S.F. Kellerhoff, *op. cit.*, pp. 57-59, 77.

11. Il MARTIRE

1. W. Schoen, *Ein Tag im August: Der Fall Peter Fechter*.
2. P. Ahonen, *op. cit.*, pp. 55-56; L.B. Keil, S.F. Kellerhoff, *op. cit.*, pp. 80-81
3. Int. A. Day.
4. L.B. Keil, S.F. Kellerhoff, *op. cit.*, p. 113.
5. Int. J. Neumann, U. Pfeifer, J. Rudolph.
6. *Neues Deutschland*, 18 agosto 1962; C. Hilton, *op. cit.*, pp. 194-196; *Report of the Commander of 1st Border Brigade*, www.chronik-der-mauer.de.
7. BStU/Mfs, 3733/65, 44; BStU/Mfs, 18284/63, 261; BStU/Mfs 1596/64, 105.
8. Int. G. Stachowitz.
9. Int. G. Stachowitz; int. H. Stachowitz.
10. Int. M. Meier.
11. BStU/Mfs, dossier M. Meier.
12. Int. M. Meier.
13. Memorandum di Arthur Day, 19 agosto 1962, Office of the Historian, vol. 15, "Berlin Crisis", documento 95, Dipartimento di stato, Washington, D.C.
14. Cablogramma e trascrizione di una conversazione, 19 agosto 1962, JFK-NSF.
15. Dean Rusk a Charles Hulick, JFK-BC.
16. Memorandum di Chester V. Clifton, 20 agosto 1962, JFK-NSF.
17. Charles Hulick a Dean Rusk, n.d., JFK-BC.
18. Int. C. Stürmer.
19. Int. W. Schroedter.
20. *Clarify Piers Anderton Speech*, "Variety", 29 agosto 1962.
21. R. Frank, *Out of Thin Air*, cit., p. 194.
22. Ivi, p. 199.
23. John F. Kennedy a Dean Rusk, 21 agosto 1962, JFK-NSF.
24. JKF-POF.
25. PR *of* JFK, 1, 593-603.
26. Ivi, 1, 595-99.
27. R.B. Davies, *op. cit.*, pp. 265-267.
28. PR *of* JFK, 1, 593-603.
29. George Ball a John F. Kennedy, 24 agosto 1962, JFK-NSF.
30. H.H. Hertle, M. Nooke, *op. cit.*, pp. 106-108.
31. L.B. Keil, S.F. Kellerhoff, *op. cit.*, p. 95.
32. AP, 26 agosto 1962; UPI, 27 agosto 1962; Reuters, 27 agosto 1962.
33. Missione di Berlino all'Ambasciata di Bonn, 20 agosto 1962, JFK-BC.
34. *The Boy Who Died on the Wall*, "Life", 31 agosto 1962.
35. *Wall of Shame*, "Time", 31 agosto 1961.
36. John F. Kennedy a Mike Mansfield, 28 agosto 1962, JFK-NSF.

37. PR *of* JFK, 1, 627-640.
38. S. Gruson, S., *City's Mood: Anger and Frustration*, NYT, 26 agosto 1962.

12. USCITA ANTICIPATA

1. *Neues Deutschland*, 30 agosto-5 settembre 1962.
2. Int. W.D. Sternheimer.
3. BStU/Mfs, HAI 13256.
4. BStU/Mfs, 3733/65.
5. Int. M. Meier.
6. H.H. Hertle, M. Nooke, *op. cit.*, pp. 109-111.
7. Int. W. Schroedter, H. Herschel, J. Rudolph; E. Sesta, *op. cit.*, pp. 151-155.
8. PR *pf* JFK, 2, 4-20.
9. Ivi, 2, 19-50.
10. W.R. Smyser, *op. cit.*, p. 189.
11. Int. J. Rudolph, U. Pfeifer, J. Neumann.
12. Int. J. Neumann.
13. R. Frank, *Out of Thin Air*, cit., p. 196; R. Frank, *Making of The Tunnel*, cit., p. 16; Piers Anderton a Reuven Frank, 24 luglio 1988, RFP; Harry Thoess a Reuven Frank, 21 gennaio 1988, RFP; E. Sesta, *op. cit.*, p. 156-159.
14. Int. H. Herschel, U. Pfeifer.
15. Int. E. Sesta; E. Sesta, *op. cit.*, pp. 175-193.
16. Int. J. Rudolph.
17. Int. E. Sesta; E. Sesta, *op. cit.*, pp. 185-197.
18. NBC, *The Tunnel*.
19. Int. A. Moeller.
20. E. Sesta, *op. cit.*, pp. 175-193; int. E. Sesta.
21. Int. H. Herschel, J. Rudolph, U. Pfeifer.
22. Int. W. Schroedter, J. Rudolph, H. Herschel.
23. R. Frank, *Out of Thin Air*, cit., p. 196; R. Frank, *Making of The Tunnel*, cit., pp. 16-17.

13. SCHÖNHOLZER STRASSE

1. Int. J. Rudolph, H. Herschel, E. Sesta, A. Moeller.
2. R. Frank, *Out of Thin Air*, cit., p. 196; R. Frank, *Making of The Tunnel*, cit. pp. 16-17.
3. NBC, *The Tunnel*; E. Sesta, *op. cit.*, p. 195-220.

4. Int. E. (Schmidt) Rudolph; M. Vetter, *Der Tunnel*. Eveline crede che il corriere fosse Ellen Schau, ma non è certa; Schau nega con decisione.

5. Int. E. Sesta; E. Sesta, *op. cit.*, p. 189-240; R. Frank, *Making of The Tunnel*, cit., p. 17.

6. Int. H. Herschel, J. Rudolph; int. U. Pfeifer; secondo Thomas Bahner, suo fratello Christian (oggi defunto) disse di aver contribuito a raccogliere soldi per il tunnel e di avervi collaborato in altri modi molto prima di presentarsi allo sfondamento, ma di questo non ci sono conferme (int. T. Bahner).

7. Int. J. Neumann; int. U. Pfeifer.

9. Int. U. Pfeifer.

10. Il resoconto dello sfondamento e della fuga è tratto dall'intervista a H. Herschel, J. Rudolph, J. Neumann.

11. Int. H. Herschel, J. Rudolph.

12. Int. E. Rudolph, A. Moeller.

13. E. Sesta, *op. cit.*, 202-222; int. E. Sesta, E. Rudolph, A. Moeller.

14. Int. E. Rudolph, H. Herschel, J. Rudolph.

15. NBC, *The Tunnel*; int. E. Rudolph.

16. Int. A. Moeller, H. Herschel, J. Neumann.

17. NBC, *The Tunnel*; int. A. Moeller.

18. Int. E. Sesta

19. E. Sesta, *op. cit.*, p. 231; int. E. Sesta.

20. Int. I. Stürmer; *Bild Zeitung*, 16 gennaio 2001.

21. M. Vetter, *Der Tunnel*; int. I. Stürmer.

22. Int. H. Herschel; M. Vetter, *Der Tunnel*.

23. Int. J. Neumann, J. Rudolph. Rudolph ricorda che Neumann uscì nel retro dell'atrio con una pistola per "coprirlo"; Neumann dice che rimase sulla porta della cantina, pronto ad agire.

24. Int. J. Neumann, J. Rudolph.

25. Int. I. Stürmer; int. C. Stürmer; NBC, *The Tunnel*.

26. Int. J. Neumann, J. Rudolph.

27. R. Frank, *Out of Thin Air*, cit., p. 197; R. Frank, *Making of The Tunnel*, cit., pp. 16-17; Piers Anderton a Reuven Frank, 24 luglio 1988, RFP.

14. RIPRESE CLANDESTINE

1. Int. J. Neumann, U. Pfeifer, C. Stürmer; M. Vetter, *Der Tunnel*.
2. Int. B. Anderton.
3. R. Frank, *Out of Thin Air*, cit., p. 197; R. Frank, *Making of The Tunnel*, cit., p. 17; Piers Anderton a Reuven Frank, 24 luglio 1988, RFP; NBC, *The Tunnel*.
4. Int. A. Moeller, I. Stürmer, E. (Schmidt) Rudolph.

5. BStU/MfS, 7413/72.

6. Int. J. Neumann.

7. Int. W. Schroedter, J. Rudolph, U. Pfeifer.

8. Int. J. Rudolph.

9. *Twenty-Nine East Berliners Flee Through 400-Foot Tunnel*, NYT, 18 settembre 1962; "Washington Post", 19 settembre 1962.

10. Charles Hulick a Dean Rusk, 19 settembre 1962, RFP.

11. BStU/MfS, dossier Uhse, 29 settembre 1962.

12. BStU/MfS, 2743/69, 189.

13. BStU/MfS, 7413/72.

14. Int. B. Anderton.

15. R. Frank, *Out of Thin Air*, cit., p. 197-198; R. Frank, *Making of The Tunnel*, cit., pp. 17-20.

16. NBC, *The Tunnel*; int. A. Moeller, J. Rudolph.

17. NBC, *The Tunnel*.

18. Int. J. Rudolph.

19. M. Vetter, *Der Tunnel*.

20. UPI, 23 luglio 1962.

21. Diario della Berlin Brigade, settembre 1962, NARA.

22. Charles Hulik a Dean Rusk, 22 settembre 1962, JFK-BC.

23. McGeorge Bundy a John F. Kennedy, 20 settembre 1962, JFK-NSF.

24. McGeorge Bundy a Henry Kissinger, 14 settembre 1962, JFK-NSF.

25. *Current Intelligence Weekly Summary*, 28 settembre 1962, NARA-CIA.

26. A.W. Bluem, *op. cit.*, pp. 105-106, 218-219.

27. R. Frank, *Out of Thin Air*, cit., p. 202; R. Frank, *Making of The Tunnel*, cit., p. 21.

15. MINACCE

1. R. Frank, *Out of Thin Air*, cit., pp. 203-205.

2. *Tunnels Inc.*, "Time", 5 ottobre 1962; V. Adams, *Tv Film Records Refugees' Flight*, NYT, 5 ottobre 1962.

3. Piers Anderton a Birgitta Anderton, ottobre 1962, per gentile concessione di B. Anderton.

4. George Ball alla Missione americana a Berlino, 5 ottobre 1962, RFP.

5. Charles Hullick a Dean Rusk, 6 ottobre 1962, JFK-BC.

6. Int. J. Greenfield.

7. P. Galante, *op. cit.*, pp. 190-193; int. H. Seidel; B. Veigel, *op. cit.*, pp. 274-284.

8. B. Veigel, *op. cit.*, pp. 274-283; BStU/MfS, dossier Uhse, 6 ottobre 1962.

9. BStU/MfS, ZKG 7917; B. Veigel, *op. cit.*, pp. 276-280; P. Galante, *op. cit.*, pp. 190-193; BStU/MfS, dossier Uhse, 6 ottobre 1962.

10. P. Galante, *op. cit.*, p. 193.

11. Charles Hulick a Dean Rusk, 6 ottobre 1962, JFK-BC.

12. Robert Kintner a Dean Rusk, 20 novembre 1962, RFP.

13. R. Frank, *Out of Thin Air*, cit., p. 202.

14. Robert Manning a Dean Rusk, 11 ottobre 1962, RFP.

15. M. Frankel, *Cold War Confusion*, NYT, 13 ottobre 1962.

16. Piers a Birgitta Anderton, 14 ottobre 1962, per gentile concessione di B. Anderton.

17. BStU/MfS, dossier Uhse, 13337/64.

18. BStU/MfS, HAI, 4300.

19. "The Stanford Daily", 11 ottobre 1962.

20. R. Frank, *Making of The Tunnel*, cit., p. 20.

21. Int. H. Herschel; int. H. Herschel, Newseum; contratto negli archivi personali di W. Schroedter.

22. Int. J. Rudolph.

23. Int. E. (Schmidt) Rudolph.

24. Allen Lightner a Dean Rusk, 15 ottobre 1962, RFP.

25. Reuven Frank a Lester Bernstein, 2 febbraio 1988, RFP; int. N. Bernstein.

26. Int. H. Herschel.

27. *Arbeiter Zeitung* (Vienna), 13 ottobre 1962.

28. Robert Manning a William McAndrew, 17 ottobre 1962, RFP.

29. Dichiarazione di William McAndrew, n.d., RFP.

30. Racconto orale di Elie Abel, JFKL.

31. R. Frank, *Out of Thin Air*, cit., p. 210; int. R. Frank, Newseum; agenda degli appuntamenti di Rusk, Dean Rusk Papers, Lyndon Baines Johnson Library, Austin, Texas.

32. D.G. Coleman, *The Fourteenth Day*, W.W. Norton, New York 2012, p. 177; T. Sorensen, *Kennedy*, Harper & Row, New York 1965, p. 669.

33. F. Kempe, *op. cit.*, pp. 495-498; PR of JFK, 2, 391-468.

34. Carte personali di JFK, JFKL.

35. "Newsweek", 13 agosto 2000.

36. Ivi, 2, 573.

37. Ivi, 2, 576-77.

16. TUNNEL SEPOLTO

1. R. Frank, *Making of The Tunnel*, cit., p. 21.

2. 12 e 18 ottobre 1962, RFP.

3. Racconto orale di Pierre Salinger, JFKL.

4. Trascrizione, Manning Papers, Yale University, New Haven, Connecticut.

5. Dichiarazione di Lincoln White, 19 ottobre 1962, RFP.

6. R. Frank, *Out of Thin Air*, cit., pp. 202-204.

7. Piers Anderton a Birgitta Anderton, n.d. [ottobre 1962], per gentile concessione di B. Anderton.

8. J. Gould, NBC *and Berlin Wall Tunnel*, NYT, 22 ottobre 1962.

9. Comunicato stampa MGM, n.d., MPA.

10. Allen Lightner a Dean Rusk, 18 ottobre 1962, RFP.

11. BStU/Mfs, 7413/72.

12. PR *of* JFK, 2, 578-99.

13. R.F. Kennedy, *Thirteen Days*, W.W. Norton, New York 1969.

14. David Klein a McGeorge Bundy, memorandum, 19 ottobre 1962, JFK-NSF.

15. D. Rusk, *As I Saw It*, W.W. Norton, New York 1990, p. 243.

16. Ritaglio di "Variety"; Lester Bernstein alla madre, 19 ottobre 1962, lettere di Lester Bernstein, famiglia Bernstein; R. Frank, *Out of Thin Air*, cit., p. 204.

17. Memorandum di Lester Bernstein a Egon Bahr, 19 ottobre 1962, lettere di Lester Bernstein.

18. R. Frank, *Out of Thin Air*, cit., p. 205; R. Frank, *Making of The Tunnel*, cit., p. 22.

19. J. Bainbridge, *Die Mauer: The Early Days of the Berlin Wall*, "New Yorker", 27 ottobre 1962.

20. F. Lewis, NYT, 27 ottobre 1962.

21. "Esquire", novembre 1962.

22. *Pentagon Issues Shelter Report*, NYT, 26 ottobre 1962.

23. Una copia di questo studio è conservata in JFK-POF

24. J. Raymond, *Pentagon Backs "Fail-Safe" Setup*, NYT, 21 ottobre 1962.

25. Harry Thoess a Reuven Frank, 21 gennaio 1988, RFP; R. Frank, *Out of Thin Air*, cit., p. 209.

26. Int. N. Bernstein.

27. Adlai Stevenson a Dean Rusk, 22 ottobre 1962, JFK-NSF.

28. PR *of* JFK, 2, 102-182.

29. Rusk, *As I Saw It*, cit., p. 235.

30. R. Frank, *Out of Thin Air*, cit., pp. 205-206.

31. "Boston Globe", 7 agosto 2012.

32. R. Dallek, JFK *vs the Military*, "The Atlantic", numero speciale su JFK, autunno 2013.

33. John F. Kennedy a Orvil Dryfoos, 25 ottobre 1962, JFK-POF.

34. "Der Spiegel", 31 ottobre 1962.

35. "Die Zeit", 26 ottobre 1962.

36. Comunicato stampa MGM, MPA.

37. "Box Office", 12 novembre 1962.

17. SABOTAGGIO

1. Int. H. Seidel; P. Galante, *op. cit.*, p. 194.
2. Int. B. Franzke; B. Veigel, *op. cit.*, pp. 284-288.
3. Int. B. Franzke.
4. P. Galante, *op. cit.*, p. 196.
5. Molte delle informazioni di questo capitolo, non annotate, vengono dal manoscritto di un capitolo approntato, mentre scriviamo, per l'edizione 2015 di *Wege durch die Mauer* di B. Veigel.
6. Int. H. (Schaller) Stoof.
7. P. Galante, *op. cit.*, p. 198.
8. Int. B. Veigel.
9. Int. H. Seidel, B. Franzke; P. Galante, *op. cit.*, p. 198.
10. Int. B. Franzke.
11. Int. H. Seidel; cfr. anche BstU/Mfs, ZKG 7914, 5.
12. Int. B. Franzke, B. Veigel.
13. P. Salinger, *With Kennedy*, Doubleday, New York 1966, 285-287.
14. Sulle critiche a Sylvester, cfr., D.G. Coleman, *op. cit.*, pp. 155-156.
15. P. Salinger, *P.S.*, cit., pp. 125-126; D.G. Coleman, *op. cit.*, p. 157.
16. U.S. *Aide Defends Lying to Nation*, NYT, 7 dicembre 1962.
17. P. Salinger, *P.S.*, cit., pp. 126-127; P. Salinger, *With Kennedy*, cit., pp. 293-294.
18. B.C. Bradlee, *op. cit.*
19. Recensione di *Tunnel to Freedom*, "Variety", 9 novembre 1962.
20. R. Frank, *Out of Thin Air*, cit., p. 206; R. Frank, *Making of The Tunnel*, cit., pp. 22-23.
21. Robert Kintner a Dean Rusk, 20 novembre 1962, RFP.
22. Pierre Salinger a Robert Kintner, 29 novembre 1962, Central Files, BOX 57, JFKL.
23. Robert Manning a Dean Rusk, 24 novembre 1962, RFP.
24. Dean Rusk a Robert Kintner, 28 novembre 1962.
25. R. Frank, *Out of Thin Air*, cit., pp. 204, 206.
26. BstU/Mfs, dossier Uhse, 13337/64.
27. BstU/Mfs, dossier Uhse, 25 novembre 1962.
28. Int. I. Stürmer.
29. Int. W. Schroedter.
30. D. Cook, *Digging a Way to Freedom*, "Saturday Evening Post", 8 dicembre 1962.
31. NYT, 6 dicembre 1962; "Los Angeles Examiner", 6 dicembre 1962; "Variety", 23 ottobre 1962.
32. *German Girl on P.A. Tour to Promote German Film*, "Box Office", 3 dicembre 1962.
33. Lester Bernstein a Robert Manning, 30 novembre 1962, RFP.

34. Comunicato stampa NBC, 30 novembre 1962, RFP.

35. Robert Kintner a Lester Bernstein, memorandum, n.d.; Lettere di Lester Bernstein, famiglia Bernstein.

18. TORNARE A RESPIRARE

1. Int. H. Stachowitz.
2. Int. G. Stachowitz.
3. Int. M. Meier.
4. P. Galante, *The Berlin Wall*, cit., pp. 200-201.
5. B. Veigel, *Wege durch die Mauer*, testo manoscritto per un nuovo capitolo.
6. *Ibid.*; BStU/MfS, ZKG 7914.
7. BStU/MfSM HAI 13256, 47.
8. "Frankfurter Allgemeine Zeitung", dicembre 1962.
9. Int. B. Moyers.
10. R. Frank, *Out of Thin Air*, cit., p. 206.
11. Ivi.
12. R. Frank, *Making of The Tunnel*, cit., pp. 22-23.
13. Int. W. Schroedter.
14. Int. H. Herschel, J. Rudolph.
15. Alex T. Prengel al Dipartimento di stato, JFK-BC.
16. Int. J. Rudolph.
17. Int. H. Herschel, J. Rudolph.

EPILOGO

1. NYT, 29 dicembre 1962.
2. P. Galante, *op. cit.*, pp. 200-206, 263-269.
3. BStU/MfS2743/69, 240.
4. D. Arnold, S.F. Kellerhoff, *op. cit.*, p. 241-245.
5. Int. W. Schroedter.
6. Int. W. D. Sternheimer.
7. BStU/MfS, 3733/65, 409; BStU/MfS, 13337/64; B. Veigel, *op. cit.*
8. BStU/MfS, 7413/72.
9. Int. B. Anderton; U.S. *Censorship Overseas?*, "Broadcasting", 7 gennaio 1963.
10. Piers Anderton a Birgitta Anderton, 5 gennaio 1963, per gentile concessione di B. Anderton.
11. Ivi.
12. Int. B. Anderton.

13. R. Frank, *Out of Thin Air*, cit., p. 207.

14. Ivi, pp. 206-207.

15. Piers Anderton a Birgitta Anderton, 27 maggio 1963, per gentile concessione di B. Anderton.

16. J. Gould, NYT, 2 giugno 1963.

17. BStU/Mfs, HAI 13256, 47.

18. T Weiner, NYT, 26 giugno 2007.

19. M.A. Watson, *op. cit.*, p. 144.

20. BStU/Mfs, HAI 13256, 47.

21. Int. J. Neumann; D. Arnold, S.F. Kellerhoff, *op. cit.*, pp. 251-270; P. Ahonen, *op. cit.*, p. 106-127.

22. Int. H. Herschel.

23. Int. B. Bayer, M. Meier.

24. Int. H. Stachowitz, G. Stachowitz.

25. Int. H. Seidel.

26. UPI, 2 marzo 1982.

27. R. Frank, *Out of Thin Air*, cit., p. 210-212; Reuven Frank a Dean Rusk, 8 agosto 1988, RFP; Dean Rusk a Reuven Frank, 31 agosto 1988, RFP.

28. T.J. Schoenbaum all'autore, 23 novembre 2015.

29. Int. R. Frank, *Emmy tv Legends*, Archive of American Television, www.emmylegends.com.

30. Int. M. Anderton; int. B. Anderton.

31. Int. D. Schorr, Newseum.

32. Theodore H. White Lecture, Shorenstein Center, Harvard University, dépliant, 1993, pp. 18-19.

33. Int. H. Seidel.

34. Ivi.

35. Int. H. Herschel.

36. Ivi; BStU/Mfs 3733/65, 205; BStU/Mfs, 18284/63, 213; BStU/Mfs, 1596/64, 175.

37. BStU/Mfs, HA XX, n. 16578, Bl. 137.

38. E. Kirschbaum, *Bruce Springsteen*, Berlinica, New York 2013.

39. H.H. Hertle, M. Nooke, *op. cit.*, pp. 423-431.

40. Int. H. Herschel; int. H. Herschel, Newseum.

41. *Euronews*, 11 marzo 2014.

42. Int. J. Rudolph.

43. "Washington Post", 1 dicembre 1989.

44. G. Packer, *The Quiet German*, "The New Yorker", 1 dicembre 2014.

45. "Der Spiegel", 1 febbraio 1990.

46. B. Veigel, *op. cit.*, pp. 269-271; BStU/Mfs, 13337762.

47. Int. H. e G. Stachowitz.

48. W. Schoen, *Ein Tag im August*, 2012.

49. H.H. Hertle, M. Nooke, *op. cit.*, p. 435.

50. "The Telegraph" (Londra), 27 luglio 2007.

51. "Der Spiegel", 7 marzo 2009.

52. Articolo pubblicato il 10 novembre 2014, http://www.NBCnews.com/video/NBC-news/33623268#33623268.

53. G. Packer, *op. cit.*

54. D. Hare, *Berlin Wall*, Faber and Faber, London 2009, p. 45.

55. NYT, 17 novembre 2014.

56. Int. J. Rudolph.

Bibliografia

Archivi

Hanson Baldwin Papers, Yale University, New Haven, Connecticut.

Lettere di Lester Bernstein (spedite da Bernstein a familiari e altri), famiglia Bernstein.

Der Bundesbeauftragte für die Unterlagen des Staatssicherheitsdienstes (archivi della Stasi), Berlino, Germania. Nota: la maggior parte dei documenti nel dossier di Siegfried Uhse è sprovvista di numero di catalogo.

Blair Clark Papers, Princeton University, Princeton, New Jersey.

Reuven Frank Papers, Tufts University, Medford, Massachusetts. Si tratta perlopiù di lettere spedite e ricevute da Frank nel 1988, mentre scriveva le sue memorie, e di documenti governativi ricevuti nello stesso periodo in seguito a un appello ufficiale al Dipartimento di stato, in virtù del Freedom of Information Act (molte delle lettere si trovano anche in JFK-NSF e in JFK-BC).

John F. Kennedy Papers, John F. Kennedy Presidential Library (JFKL), Boston, Massachusetts: cablogrammi del Dipartimento di stato da e per Berlino, Bonn e Washington, D.C. (JFK-BC); dossier di sicurezza nazionale (JFK-NSF); rapporti quotidiani CIA, pubblicati nel 2015, cfr. http://www.foia.cia/collection. PDBs (JFK-PDB); dossier dello studio presidenziale (JFK-POF).

Robert J. Manning Papers, Yale University, New Haven, Connecticut.

Motion Picture Academy, materiale d'archivio su *Escape from East Berlin/Tunnel 28*, Margaret Herrick Library, Los Angeles, California.

National Archives and Records Administration, College Park, Maryland: diari militari della Brigata di Berlino, 1962; documenti del Dipartimento di stato e della CIA pubblicati nel gennaio 2014 dal National Declassification Center, cfr. http://www.archives.gov/research/foreign-policy/cold-war/berlin-wall-1962-1987/dvd/start.swf (NARA-De); rapporti interni settimanali e periodi CIA desegretati (NARA-CIA).

Dean Rusk Papers, Lyndon B. Johnson Presidential Library, Austin, Texas.

Richard S. Salant Papers, New Canaan Public Library, New Canaan, Connecticut.

Daniel Schorr Papers, Library of Congress, Washington, D.C.

Film

Mostra sul Muro di Berlino. Interviste video e trascrizioni di materiale inedito di Reuven Frank, Daniel Schorr e Hasso Herschel. Newseum, Washington, D.C. (Newseum).

Ein Tag im August: Der Fall Peter Fechter, regia di Wolfgang Schoen, 2012.

Test for the West, regia di Franz Baake, 1962–1963.

Der Tunnel, documentario, regia di Marcus Vetter, 1999.

The Tunnel, documentario, prodotto dalla NBC, prima trasmissione 10 dicembre 1962.

Interviste

Le seguenti persone sono state intervistate da (o in qualche caso, per) l'autore nel 2015 e nel 2016. Ciascuna intervista è durata tra le due e le quattro ore, e si è quasi sempre tenuta a Berlino o nei dintorni. Nelle note le indica l'abbreviazione "int".

Scavatori: Harry Seidel, Hasso Herschel, Wolf Schroedter, Joachim Rudolph, Uli Pfeifer, Joachim Neumann, Claus Stürmer, Boris Franzke, Klaus-M. v. Keussler.

Profughi: Eveline (Schmidt) Rudolph, Anita Moeller, Gerda Stachowitz, Inge Sturmer, Renate Sternheimer, Britta Bayer, Helga (Schaller) Stoof.

Corrieri: Ellen (Schau) Sesta, Hartmut Stachowitz, Wolf-Dieter Sternheimer, Manfred Meier.

Al Dipartimento di stato: James F. Greenfield, Arthur Day.

Alla NBC: Abe Ashkenasi, Birgitta Anderton, Mary Anderton, Kit Anderton, Peter Frank, Jim Frank, Markus Thoess, Renate Stindt, Nina Bernstein.

Alla MGM: Christine Kaufmann, Franz Baake.

Esperti e altri: Burkhart Veigel, Maria Nooke, Dietmar Arnold, Fritjof Meyer, Thomas Bahner, Bill Moyers.

Testimonianze raccolte
Alla JFKL: Elie Abel, Dean Acheson, McGeorge Bundy, Abraham Chayes, Lucius Clay, Walter Lippmann, Dean Rusk, Pierre Salinger, Ted Sorensen, Frank Stanton.

Libri e riviste
P. Ahonen, *Death at the Berlin Wall*, Oxford University Press, New York 2011.

E. Alterman, *When Presidents Lie*, Viking, New York 2004.

D. Arnold, S.F. Kellerhoff, *Die Fluchttunnel von Berlin*, Propyläen Berlin 2008.

E. Barnouw, *Documentary: A History of the Non-Fiction Film*, Oxford University Press, New York 1993.

A.W. Bluem, *Documentary in American Television*, Hastings House, New York 1965.

B.C. Bradlee, *Conversations with Kennedy*, W.W. Norton, New York 1975.

D.G. Coleman, *The Fourteenth Day:* JFK *and the Aftermath of the Cuban Missile Crisis*, W.W. Norton, New York 2012.

R.B. Davies, *Baldwin of the "Times"*, Naval Institute Press, Annapolis, MD 2011.

M. Detjen, *Ein Loch in Der Mauer*, Siedler Verlag, Berlin 2005.

R. Frank, *Out of Thin Air: The Brief Wonderful Life of Network News*, Simon & Schuster, New York 1991.

———— *Making of The Tunnel*, "Television Quarterly", autunno 1963.

A. Funder, *Stasiland: Stories from Behind the Berlin Wall*, Perennial, New York 2002 [trad. it. *C'era una volta la* DDR, Feltrinelli, Milano 2015³].

P. Galante, *The Berlin Wall*, Doubleday, Garden City (NY) 1963.

D. Halberstam, *The Powers That Be*, Knopf, New York 1979.

H.H. Hertle e M. Nooke (a cura di), *The Victims at the Berlin Wall, 1961-1989*, Ch Links Berlin 2011.

T.H.E. Hill, *Berlin in Early Wall Era – CIA, State Department, and Army Booklets*, autopubblicato, 2014.

C. Hilton, *The Wall: The People's Story*, Sutton, London 2001.

L.B. Keil, S.V. Kellerhoff, *Mord an der Mauer: Der Fall Peter Fechter*, Bastei Lübbe, Berlin 2012.

A. Kemp, *Escape from Berlin*, Boxtree Limited, London 1987.

F. Kempe, *Berlin 1961*, G.P. Putnam's Sons, New York 2011.

R.F. Kennedy, *Thirteen Days. A Memoir of the Cuban Missile Crisis*, W.W. Norton, New York 1969 [trad. it. *I tredici giorni della crisi di Cuba*, Garzanti, Milano 1969].

K.M. Keussler, *Fluchthelfer: Die Gruppe Um Wolfgang Fuchs*, Berlin Story Verlag, Berlin 2011.

E. Kirschbaum, *Bruce Springsteen: Rocking the Wall*, Berlinica, New York 2013.

J.O. Koehler, *Stasi: The Untold Story*, Westview Press, Boulder (CO), 1999.

M. Leo, *Red Love: The Story of an East German Family*, Pushkin Press, London 2013.

U. Mann, *Tunnelfluchten*, Transit Buchverlag, Berlin 2005.

D. Murphy, S.A. Kondrashev, G. Bailey, *Battleground Berlin: CIA vs KGB in the Cold War*, Yale University Press, New Haven 1997.

T. Naftali, P. Zelikow, E. May, *The Presidential Recordings of John F. Kennedy: The Great Crises*, 3 voll., W.W. Norton, New York 2001.

M. Nooke, *Der Veratene Tunnel*, Edition Temmen, Berlin 2002.

S. Roy, *Bomboozled*, Pointed Leaf Press, New York 2011.

D. Rusk, *As I Saw It*, W.W. Norton, New York 1990.

P. Salinger, *With Kennedy*, Doubleday, New York 1966 [trad. it. *Con Kennedy*, Mondadori, Milano 1967].

———— *P.S.*, St. Martin's Press, New York 1995.

P. Schneider, *The Wall Jumper*, Pantheon, New York 1983 [trad. it. *Il saltatore del muro*, SugarCo, Milano 1991].

T.J. Schoenbaum, *Waging Peace and War*, Simon & Schuster, New York 1988.

D. Schorr, *Staying Tuned: A Life in Journalism*, Washington Square Press, New York 2001.

E. Sesta, *Der Tunnel in die Freiheit*, Ullstein, München 2001 [trad. it. *Il tunnel della libertà. 123 metri sotto il muro di Berlino: la straordinaria avventura di due italiani nel 1961*, Garzanti, Milano 2002].

W.R. Smyser, *Kennedy and the Berlin Wall*, Rowman & Littlefield, Lanham, MD 2010.

T. Sorensen, *Kennedy*, Harper & Row, New York 1965.

F. Taylor, *The Berlin Wall*, Bloomsbury, London 2006 [trad. it. *Il muro di Berlino. 13 agosto 1961-9 novembre 1989*, Mondadori, Milano 2009].

B. Veigel, *Wege durch die Mauer: Fluchthilfe und Stasi zwischen Ost und West*, Berliner Unterwelten, Berlin 2013.

M.A. Watson, *The Expanding Vista: American Television in the Kennedy Years*, Oxford University Press, New York 1990.

P. Wyden, *Wall: The Inside Story of Divided Berlin*, Simon & Schuster, New York 1989

Acronimi presenti nel testo

Agit-Prop: Dipartimento dell'agitazione e della propaganda

FU: Freie Universität – Libera Università

Lfv: Landesamt für Verfassungsschutz – Ufficio del Land per la protezione della costituzione

MFS: Ministerium für Staatssicherheit – Ministero per la sicurezza di stato (più comunemente nota come Stasi)

MIT: Massachussets Institute of Technology

PDE: Piano di difesa europeo

RIAS: Rundfunk Im Amerikanischen Sektor – Radiodiffusione nel settore americano

SED: Sozialistische Einheitspartei Deutschlands – Partito di unità socialista di Germania

TU: Technische Universität – Università Tecnica

UPI: United Press International – Agenzia di stampa americana

USIA: United States Information Agency – Agenzia di informazione degli Stati Uniti

VoPos: Volkspolizei – Polizia popolare della Germania Est

Indice dei nomi

ARRIGO PETACCO, *La nostra guerra 1940-1945. L'Italia al fronte tra bugie e verità*

CINZIA SASSO, *Moglie*, prefazione di Natalia Aspesi (3ª ediz.)

ANDREA CARANDINI (con Mattia Ippoliti), *Giove custode di Roma. Il dio che difende la città*

LARS MYTTING, *Norwegian Wood. Il metodo scandinavo per tagliare, accatastare e scaldarsi con la legna* (5ª ediz.)

GIOVANNI CAPRARA, *Rosso Marte. La grande avventura dell'uomo nello spazio*

GIULIANO VOLPE, *Un patrimonio italiano. Beni culturali, paesaggio e cittadini*

ELBERT HUBBARD, *Un messaggio per García* (con una nota di Luciano Canfora e un ritratto di Giuseppe Scaraffia)

FRANCO CARDINI, *I giorni del sacro. I riti e le feste del calendario dall'antichità a oggi*

AA. VV., *Da qui in poi. La cura delle parole in 21 racconti*

SEBASTIAN SMEE, *Artisti rivali. Amicizie, tradimenti e rivoluzioni nell'arte moderna*

GUIDO DAVICO BONINO, *«Ti scrivo che ti amo.» 299 lettere d'amore italiane*

CATHERINE MERRIDALE, *Cremlino. Dalle origini all'ascesa di Putin: il cuore politico della Russia*

ARTHUR CONAN DOYLE, *Avventura nell'Artico. Sei mesi a bordo della baleniera* Hope

MARCO ROMANO, *Le belle città. Cinquanta ritratti di città come opere d'arte*

SARA PORRO, *Prenotazione obbligatoria. Partenze, vagabondaggi e quello che ho mangiato*

TADEUSZ PANKIEWICZ, *Il farmacista del ghetto di Cracovia* (2ª ediz.)

AA.VV., *L'umanità in gioco*

LUCA LO SAPIO, *Bioetica cattolica e bioetica laica nell'era di papa Francesco. Che cosa è cambiato?* (con un saggio di Giovanni Fornero)

SIMONE REGAZZONI, *Ti amo. Filosofia come dichiarazione d'amore*

GIANFRANCO PASQUINO, *L'Europa in trenta lezioni*

ANDREA SANTANGELO, *Eccentrici in guerra. Storie e personaggi stravaganti della seconda guerra mondiale*

CATHERINE MERRIDALE, *Lenin sul treno*

FLAVIO CAROLI, *Storia di artisti e di bastardi*

GIOVANNI ZICCARDI, *Il libro digitale dei morti. Memoria, lutto, eternità e oblio nell'era dei social network*

GIACOMO PELLIZZARI, *Storia e geografia del Giro d'Italia*

TIFFANY WATT SMITH, *Atlante delle emozioni umane. 156 emozioni che hai provato, che non sai di aver provato, che non proverai mai* (3ª ediz.)

UtetExtra

CLASSICI

Aulo Gellio, *Le notti attiche*, a cura di Giorgio Bernardi-Perini, 2 voll.

Testi dello Sciamanesimo Siberiano e centro-asiatico, a cura di Ugo Marazzi

Georges Sorel, *Scritti politici*, a cura di Roberto Vivarelli

Questo volume è stato realizzato nel rispetto dell'ambiente,
utilizzando carte che impiegano cellulosa proveniente
da foreste gestite in modo ecosostenibile.

Finito di stampare nel mese di settembre 2017 da:
Puntoweb s.r.l. Ariccia (Roma)
per conto di DeA Planeta Libri S.r.l.